ВИКТОРИЯ
ТоКаРеВа

мало ли что бывает ...

аст
ИЗДАТЕЛЬСТВО
Москва
2000

ББК 84 (2Рос-Рус)6-44
Т51

*Серийное оформление
и компьютерный дизайн Н.В. Пашковой*

Токарева В.С.

Т51   Мало ли что бывает…: Повести и рассказы. — М.: ООО
«Издательство АСТ», 2000. — 480 с.

ISBN 5-17-001099-0

Эта книга Виктории Токаревой — собрание рассказов и повестей
последних лет. Причем произведения, вошедшие в нее, отобраны самой
писательницей, полагающей, что именно они являются знаковыми и
ключевыми для настоящего периода ее творчества.

Предисловие

В этой книге собраны все рассказы, написанные мной за последние десять лет.

Мой самый первый рассказ «День без вранья» появился в 1964 г. во время хрущевской оттепели. Он был острым для того времени, поскольку мой герой — учитель, целый день живет без вранья, говорит то, что думает. Исторический период тех лет предполагал вранье как норму жизни, и если человек решается весь день говорить правду — это смелый эксперимент.

Рассказ был замечен критикой. Я успела вскочить в литературу, в последний вагон. Поезд нашей истории шел в глубокий брежневский застой.

Мой ранний период — семидесятые годы. Я бы назвала его «фантастический реализм». Я брала фантастическую ситуацию и погружала ее в реальные обстоятельства. Типа «рубль шестьдесят — не деньги», когда человек покупал за рубль шестьдесят шапку-невидимку и жил в ней весь день.

Моя первая книга «О том, чего не было» отражает мой ранний период «фантастического реализма».

Средний период — семидесятые годы, начало восьмидесятых. Здесь я отхожу от фантастики. Появляются мои повести: «Старая собака», «Ничего особенного». Я много работаю в кино. Выходят фильмы «Джентльмены удачи», «Мимино», книга «Летающие качели».

Третий период — перестроечный. Девяностые годы. Страна резко меняет курс. Писатели не поспевают. Они еще какое-то время живут прежними ценностями и привычками. И я в том числе. Лицом к лицу — лица не увидать. Требуется время, чтобы отодвинуться и понять, что же произошло.

В последних моих рассказах новые реалии уже вторглись в нашу жизнь.

Переходный период в жизни человека тоже отмечен несуразностями. Подросток становится гадким утенком, перед тем как превратиться в прекрасного лебедя. Я думаю: нечто похожее происходит и с нашей страной.

Своим учителем я считаю Антона Чехова. Чехов говорил: «Люди через сто лет будут жить лучше нас». Он ошибся. Чехов умер в 1904 году. Прошло девяносто пять лет со дня его смерти. Люди не стали жить лучше. Лопахины — новые русские — более циничные. Вершинины и Тузенбахи — армия — потеряли свою духовность. А «сестры» остались по-прежнему прекрасны. Женщины — генофонд нации, и природа их бережет.

Я — оптимист, и я говорю: «Люди через сто лет будут жить лучше нас». Посмотрим...

                                        Виктория Токарева

ПОВЕСТИ

Лавина

Пианист Месяцев Игорь Николаевич сидел в самолете и смотрел в окошко. Он возвращался с гастролей по Германии, которые заняли у него весь ноябрь.

Месяцев боялся летать. Каждый раз, когда слышал об авиакатастрофе или видел на телевизионном экране рухнувший самолет, он цепенел и неестественно сосредоточивался. Знакомый психоаналитик сказал, что это нормально. Инстинкт самосохранения. Только у больных людей этот инстинкт нарушен, и они стремятся к самоликвидации. Смерть их манит. Здоровый человек хочет жить и боится смерти.

Месяцев хотел жить. Хотел работать. Для него это — одно.

До восемьдесят пятого года, до перестройки, приходилось ездить с гастролями в медвежьи углы, по огородам, играть на расстроенных роялях в клубах, где сидели девки с солдатами, дремали пьяные бомжи. Сейчас Месяцев играл на лучших роялях мира. И в лучших залах. Но кому бы он ни играл — бомжам или немцам, — он неизменно играл для себя. И это спасало.

Немецкие города были аккуратные, маленькие, как декорации к «Сказкам братьев Гримм».

Принимали хорошо, кормили изысканно. Однажды на приеме у бургомистра Месяцев ел нечто и не мог понять, что именно. Спросил у переводчицы Петры:

— Чье это мясо?

— Это такой американский мужчина, который весной делает р-р-ру-у...

— Тетерев, — догадался Игорь.

— Вот-вот... — согласилась переводчица.

— Не мужчина, а птица, — поправил Месяцев.

— Но вы же поняли...

Петра мило улыбнулась. Она была маленькая и тощенькая, как рыбка килька. И такие же, как у рыбки, большие, чуть-чуть подвыпученные глаза. Игорь не влюбился. А она ждала. Он видел, что она ждет. Но не влюбился. Он вообще не влюблялся в женщин. Он любил свою семью.

Семья — жена. Он мог работать в ее присутствии. Не мешала. Не ощущалась, как не ощущается свежий воздух. Дышишь, и все.

Дочь. Он любил по утрам пить с ней кофе. Она сидела, закинув ногу на ногу, с сигаретой, красивая с самого утра. Сигарета длинная, ноги длинные, волосы длинные и нежная привязанность, идущая из глубины жизни. Зачем какие-то любовницы — чужие и случайные, когда так хорошо и прочно в доме?

Сын Алик — это особая тема. Главная болевая точка. Они яростно любили друг друга и яростно мучили. Все душевные силы, оставшиеся от музыки, уходили на сына.

Месяцев смотрел в окошко самолета. Внизу облака, а сквозь них просматривается бок земли. Говорят, если самолет раскалывается в воздухе, люди высыпаются в минус пятьдесят градусов и воздушные потоки срывают с них одежду, они летят голые, окоченевшие и мертвые скорее всего. Но зачем об этом думать?.. Знакомый психиатр советовал переключаться. Думать о чем-то приятном.

О жене, например. Они знали друг друга с тринадцати лет. С седьмого класса музыкальной школы. Первый раз поцеловались в четырнадцать. А в восемнадцать поженились и родили девочку Аню. Но настоящей его женой была музыка. Игорь Месяцев в ней растворялся, он ее совершенствовал, он ей ПРИНАДЛЕЖАЛ. А жена принадлежала семье.

После окончания консерватории жена пошла преподавать. Имела частные уроки, чтобы заработать. Чтобы Месяцев мог ни о чем не думать, а только растворяться и расти. Рос он долго, может быть, лет пятнадцать или даже восемнадцать. А есть надо было каждый день.

Жена не жаловалась. Наоборот. Она выражала себя через самоотречение. Любовь к близким — вот ее талант. После близких шли дальние — ученики. После учеников — все остальное. Она любила людей.

Внешне жена менялась мало. Она всегда была невысокая, плотненькая, он шутя называл ее «играющая табуретка». Она и сейчас была табуретка — с гладким, миловидным лицом, сохранившим наивное выражение детства. Этакий переросший ребенок.

Игорь Месяцев не задумывался о своем отношении к жене. Но когда уезжал надолго, начинал тосковать, почти болеть. И подарки покупал самые дорогие. В этот раз он купил ей шубу из норки.

В сорок восемь лет жена получила свою первую шубу. Поздно, конечно. Но лучше поздно, чем никогда.

Дочери он вез вечерний туалет. Ее так приятно было украшать. Сыну — все с головы до ног, на все четыре времени года.

Сын рос совершенно иначе, чем дочь. У дочери все складывалось нормально, как в учебнике. Сын — как в кошмарном сне. В детстве постоянно болел, то одним, то другим. Школу ненавидел. Может, виновата совковая школа. А может — сам Алик.

Наконец школа позади. Впереди армия. Армия и Алик — две вещи несовместимые. Армия — машина подчинения. Алик — человек-противостояние. Машина сильнее человека. Все кончится для Алика военным трибуналом. Его посадят в тюрьму. А в тюрьме изнасилуют всем бараком.

Значит, надо положить в больницу, купить диагноз «шизофрения» и получить «белый билет». Шизофреники от армии освобождаются. Психически неполноценные не должны иметь в руках оружие.

Жена куда-то ходила, договаривалась.

Дочь выросла практически бескровно. А на сына утекали реки денег, здоровья, километры нервов. А что в итоге? Ничего. Сам сын. Красивый и любимый до холодка под ложечкой. Это любовь, пропущенная через страдания и обогащенная страданием. Любовь-испытание, как будто тебя протаскивают сквозь колючую проволоку и едва не убивают. Но не убивают.

Вот такие разные: жена с ее возвышенным рабством, дочь — праздник, сын — инквизиторский костер, теща — объективная, как термометр, — все они — маленькие планеты — вращались вокруг него, как вокруг Солнца. Брали свет и тепло.

Он был нужен им. А они — ему. Потому что было кому ДАВАТЬ. Скучно жить только для себя одного. Трагедия одиночества — в невозможности отдачи.

Игорь уезжал с одним чемоданчиком, а возвращался с багажом из пяти мест. В эти чемоданы и коробки был заключен весь гонорар, заработанный за ноябрь, а если точнее — за всю прошлую жизнь. Труд пианиста — сладкая каторга, которая начинается в шесть лет и до бесконечности. Все детство, отрочество, юность и зрелость — это клавиши, пальцы и душа. Так что, если разобраться, на тележке, которую катил перед собой Месяцев, проходя таможенный досмотр, лежали его детство, молодость и зрелость.

Встречали дочь и ее жених Юра.

Дочь не бросилась на шею. Она была простужена, немножко бледна, шмыгала носиком и сказала в никуда:

— Ко мне папочка приехал...

А когда садились в машину — еще раз, громче, как бы не веря:

— Ко мне папочка приехал...

Месяцев понял, что жених женихом, а отца ей не хватает. Отец заботится и ничего не требует. А жених не заботится и весь в претензиях.

Юра сел за руль. Был мрачноват. Месяцев заметил, что из трехсот шестидесяти дней в году триста — у него плохое настроение. Характер пасмурный. И его красавица дочь постоянно существует в пасмурном климате. Как в Лондоне. Или в Воркуте.

Москва после немецких городов казалась необъятно большой, неуютной, неряшливой. Сплошные «не». Однако везде звучала русская речь, и это оказалось самым важным.

Языковая среда. Без языка человек теряет восемьдесят процентов своей индивидуальности. Казалось бы, зачем музыканту речь? У него своя речь — музыка. Но оказывается, глухим мог работать только Бетховен. Так что зря старалась Петра, лучилась своими золотыми глазками, зря надеялась. Домой-домой, к жене-табуретке, к Москве с ее безобразиями, к своему языку, которого не замечаешь, когда в нем живешь.

Месяцев ожидал, что сын обрадуется, начнет подскакивать на месте. Он именно так выражал свою радость: подскакивал. И жена всплеснет ручками. А потом все выстроятся вокруг чемоданов. Замрут, как столбики, и будут смотреть не отрываясь в одну точку. И каждый получит свой пакет. И начнутся примерки, гомон, весенний щебет и суета. А он будет стоять над всем этим, как царь зверей.

Однако жена открыла дверь со смущенным лицом. Сын тоже стоял тихонький. А в комнате сидел сосед по лестничной клетке Миша и смотрел растерянно. Месяцев понял: что-то случилось.

— Татьяна умерла, — проговорила жена.

— Я только что вошел к ней за сигаретами, а она сидит на стуле мертвая, — сказал Миша.

Татьяна — соседка по лестничной клетке. Они вместе въехали в этот дом двадцать лет назад. И все двадцать лет соседствовали. Месяцев сообразил: когда они с багажом загружались в лифт, в этот момент Миша вошел к Татьяне за сигаретами и увидел ее мертвой. И, ушибленный этим зрелищем, кинулся к ближайшим соседям сообщить. Радоваться и обниматься на этом фоне было некорректно. И надо же было появиться Мише именно в эту минуту...

— Да... — проговорил Месяцев.

— Как ужасно, — отозвалась дочь.

— А как это случилось? — удивился Юра.

— Пила, — сдержанно объяснил Миша. — У нее запой продолжался месяц.

— Сердце не выдержало, — вздохнула жена. — Я ей говорила...

Татьяне было сорок лет. Начала пить в двадцать. Казалось, она заложила в свой компьютер программу: самоликвидация. И выполнила эту программу. И сейчас сидела за стеной мертвая, с серым спокойным лицом.

— Надо ее матери позвонить, — сказал Миша, поднимаясь.

— Только не от нас, — испугался Алик.

— Ужас... — выдохнула жена.

Миша ушел. За ним закрыли дверь и почему-то открыли окна. Настроение было испорчено, но чемоданы высились посреди прихожей и звали к жизни. Не просто к жизни, а к ее празднику.

Все в молчании выстроились в прихожей. Месяцев стал открывать чемоданы и вытаскивать красивые пакеты.

Жена при виде шубы остолбенела, и было так мило видеть ее шок счастья. Месяцев накинул ей на плечи драгоценные меха. Широкая длинная шуба не соответствовала росту. Жена была похожа на генерала гражданской войны в бурке.

Дочь скинула джинсы, влезла в маленькое платьице с голой спиной и стала крутиться перед зеркалом. Для того чтобы увидеть со спины, она стала боком и изогнулась вокруг себя так ловко и грациозно, что Месяцев озадачился: как они с женой со своими скромными внешними возможностями запустили в мир такую красоту? Это не меньше, чем исполнительская деятельность.

Постепенно отвлеклись от соседки Татьяны. Переключились на свое. На радость встречи. Папочка приехал...

Жена накрыла на стол. Месяцев достал клубничный торт, купленный в аэропорту в последние минуты. Резали большими ломтями, чтобы каждому досталось много. Это входило в традиции семьи: когда вкусно, надо, чтобы было много.

Чужое горе, как это ни жестоко, оттеняло их благополучие.

И вдруг раздался вой. Значит, пришла мать Татьяны, которой позвонил Миша. Кухня размещалась далеко от лестничной клетки, но вой проникал через все стены. Он был похож на звериный, и становилось очевидно, что человек — тоже зверь.

Семья перестала жевать. У жены на глазах выступили слезы.

— Может быть, к ней зайти? — спросила дочь.

— Я боюсь, — отозвался Юра.

— А чем мы можем помочь? — спросил Алик.

Все остались на месте.

Чай остыл. Пришлось ставить новый.

Вой тем временем прекратился. Должно быть, мать увели.

— Ну, я пойду, — сказал Юра.

Его неприятно сковывала близость покойника.

— Я тоже пойду, — поднялся сын.

У него за стенами дома текла какая-то своя жизнь.

Дочь пошла проводить жениха до машины. И застряла.

Месяцев принял душ и прилег отдохнуть. И неожиданно заснул.

А когда открыл глаза — было пять утра. За окном серая мгла. В Германии это было бы три часа. Месяцев стал ждать, когда уснет снова, но не получалось.

Совсем некстати вспомнил, как однажды, двадцать лет назад, он вошел в лифт вместе с Татьяной. На ней была короткая юбка, открывающая ноги полностью: от стоп в туфельках до того места, где две ноги, как две реки, сливаются в устье. Жена никогда не носила таких юбок. У нее не было таких ног.

Месяцева окатило странное желание: ему захотелось положить руки Татьяне на горло и войти в ее устье. Ему хотелось насиловать и душить одновременно, и чтобы его оргазм совпал с ее смертной агонией. Они вместе содрогнулись бы в общем адском содрогании. Потом он разжал бы руки, и она упала бы замертво. А он бы вышел из лифта как ни в чем не бывало.

Они вышли из лифта вместе. Месяцев направился в одну сторону, Татьяна — в другую. Но недавнее наваждение заставило его остановиться и вытереть холодный пот со лба.

Месяцев испугался и в тот же день отправился к психиатру.

— Это ничего страшного, — сказал лысый психиатр. — Такое состояние называется «хульные мысли». От слова «хула». Они посещают каждого человека. Особенно сдержанного. Особенно тех, кто себя сексуально ограничивает. Держит в руках.

Хульные мысли — своего рода разрядка. Человек в воображении прокручивает то, чего не может позволить себе в жизни...

Месяцев успокоился. И забыл. Татьяну он встречал время от времени — и в лифте, и во дворе. Она очень скоро стала спиваться, теряла товарный вид и уже в тридцать выглядела на пятьдесят. Организм злопамятен. Ничего не прощает.

Сейчас, проснувшись среди ночи, Месяцев вспомнил ее ноги и подумал: по каким тропам идет сейчас Татьяна и что она видит вокруг себя — какие видения и ландшафты? И может быть, то, что она видит, — гораздо существеннее и прекраснее того, что видит он вокруг себя...

Утром Месяцев тяжело молчал.

— Тебе надо подумать о новой программе, — подсказала жена.

Месяцев посмотрел на жену. Она не любила переодеваться по утрам и по полдня ходила в ночной рубашке.

— Еще одна программа. Потом еще одна. А жить?

— Это и есть жизнь, — удивилась жена. — Птица летает, рыба плавает, а ты играешь.

— Птица летает и ловит мошек. Рыба плавает и ищет корм. А я играю, как на вокзале, и мне кладут в шапку.

Было такое время в жизни Месяцева. Сорок лет назад. Отец-алкоголик брал его на вокзал, надевал лямки аккордеона и заставлял играть. Аккордеон был ему от подбородка до колен — перламутровый, вывезенный из Германии, военный трофей. Восьмилетний Игорь играл. А в шапку бросали деньги...

— Ты просто устал, — догадалась жена. — Тебе надо отдохнуть. Сделать перерыв.

— Как отдохнуть? Сесть и ничего не делать?

— Поменяй обстановку. Поезжай на юг. Будешь плавать в любую погоду.

— Там война, — напомнил Месяцев.

— В Дом композиторов.

— Там композиторы.

— Ну, под Москву куда-нибудь. В санаторий.

Ему было все равно. Его как будто накрыло одеялом равнодушия. Видимо, соседка Татьяна второй раз включила его в нетрадиционное состояние. Первый раз — своим цветением, а второй раз — своей гибелью. Хотя при чем здесь Татьяна... Просто он бежит, бежит, как белка в колесе. Играет, играет, перебирает звуки. А колесо все вертится, вертится.

А зачем? Чтобы купить жене шубу, которая на ней как на корове седло.

Через неделю Месяцев жил в санатории.

Санаторный врач назначил бассейн, массаж и кислородные коктейли.

Месяцев погружался в воду, пахнущую хлоркой, и говорил себе: «Я сильный и молодой. Я вас всех к ногтю!» Кого всех? На этот вопрос он бы не мог ответить. У Месяцева не было врагов. Его единственные враги — лишний вес и возраст. Лишние десять лет и десять килограммов. Сейчас ему сорок восемь. А тридцать восемь — лучше. Сын был маленький и говорил, куда уходит. Дочь была маленькая, и ее не обнимал чужой сумрачный Юра. Он сам был бы молодой и меньше уставал. А жена... Месяцев не видел разницы. Жена как-то не менялась. Табуретка — устойчивая конструкция.

Месяцев врезался в воду и плыл стилем, сильно выкидывая из воды гладкое круглое тело. Он делал три заплыва — туда и назад. Потом вставал под горячий душ, испытывая мышечную радость, которая не меньше, чем радость душевная, чем радость от прекрасных созвучий. Однако зачем сравнивать: что лучше, что хуже? Должно быть то и другое. Гармония. Он загнал, запустил свое тело сидячим образом жизни, нагрузкой на позвоночник, отсутствием спорта. И в сорок восемь лет — тюфяк тюфяком. Вот Билл Клинтон — занят не меньше. А находит время для диет и для спорта.

Массажист нажимал на позвонки, они отзывались болью, как бы жаловались. Массажист — сильный мужик, свивал Месяцева в узел, дергал, выкручивал голову. Было страшно и больно. Зато потом тело наливалось легкостью и позвоночник тянул вверх, в небо. Хорошо! «Какой же я был дурак!» — говорил себе Месяцев, имея в виду свое фанатичное пребывание за роялем, будто его приговорили высшим судом.

Но прошли две недели, и Месяцев стал коситься в сторону черного рояля, стоящего в актовом зале. А когда однажды подошел и поднял крышку, у него задрожали руки... Конечно, птица летает, ищет корм. Но птица и поет. А без этого она не птица, а летучая мышь.

Телефон-автомат располагался под лестничным маршем. Была поставлена специальная кабина со стеклянной дверью, чтобы изолировать звук. Обычно собиралась небольшая очередь, человека три-четыре. Но три-четыре человека — это почти час времени. Однако Месяцев запасался жетонами и запасался терпением. Ему необходимо было слышать голос жены. Этот голос как бы подтверждал сложившийся миропорядок, а именно: Земля крутится вокруг своей оси, на Солнце поддерживается нужная температура.

Трубку снял сын.

— Мама на работе, — торопливо сказал сын.

— Ты не один? — догадался Месяцев.

— Мы с Андреем.

Андрей — школьный друг. Из хорошей семьи. Все в порядке.

— Чем вы занимаетесь? — поинтересовался Месяцев.

— Смотрим видак. А что?

По торопливому «а что?» Месяцев догадался, что смотрят они не «Броненосец «Потемкин».

— Новости есть?

— Нет, — сразу ответил сын.

— Ты в больницу ложишься?

— Завтра.

— Что же ты молчал?

— А что тут такого? Лягу, выйду... Андрей лежал, и ничего. Даже интересно.

— Андрею все интересно...

Месяцев расстроился. Запереть мальчика в сумасшедший дом...

Помолчали. Алик ждал. Месяцев чувствовал, что он ему мешает.

— А я соскучился, — вдруг пожаловался отец.

— Ага, — сказал сын. — Пока.

Месяцев положил трубку. Разговаривать было бессмысленно.

Он вдруг вспомнил, как его сын Алик осквернял праздничные столы. Когда стол был накрыт и ждал гостей, Алик входил и поедал украшения, выковыривал цукаты из торта. Он заносил руку и, как журавль, вытаскивал то, что ему нравилось. Дочь, наоборот, подходила и добавляла что-то от себя, ставила цветы. Вот тебе двое детей в одной семье.

«Отдать бы его в армию, — подумал Месяцев, — там бы ему вставили мозги на место. Его мало били. Пусть государство откорректирует...»

Месяцев ощущал смешанное чувство ненависти, беспомощности и боли. И сквозь этот металлолом особенно незащищенно тянулся росток, вернее, ствол его любви. Как будто содрали кожу и ствол голый.

— Кто там? — спросил Андрей.

— Предок...

Алик вернулся к Андрею. Андрей уже приготовил все, что надо. Алик не умел сам себе вколоть. Не мог найти вену.

— Привыкнешь... — пообещал Андрей.

Андрей помог Алику. И себе тоже вколол. Сгиб его руки был весь в точках.

Они откинулись на диван и стали ждать.

— Ну как? — спросил Андрей.

— Потолок побежал, — сказал Алик.

Потолок бежал быстрее, мерцая белизной.

Приближалось нужное состояние.

Поговорив с сыном, Месяцев решил дозвониться жене на работу.

Номер был занят. Жена с кем-то разговаривала. Она любила трепаться по телефону и буквально купалась в своем голосовом журчанье. Как бывший президент Горбачев.

Месяцев хотел набрать еще раз, но возле телефона стояла женщина и ждала. Ее лицо буквально переливалось от нетерпения. Месяцев не любил заставлять ждать, причинять собой неудобства. Он вышел из кабины, уступая место, продолжая думать о Горбачеве.

Месяцев испытывал к бывшему президенту теплые чувства, однако, когда в последний раз слушал интервью с ним, его речевое кружение, понял, что время Горбачева ушло безвозвратно. На то, что можно сказать за четыре секунды, бывший президент тратил полчаса. Привычка коммуниста: говорить много и ничего не сказать.

Женщина, которую он пропустил, высунулась из кабины и спросила:

— Вы не дадите мне жетон? В долг? У меня прервалось...

У Месяцева был всего один жетон. Он растерянно посмотрел на женщину. Она ждала, шумно дышала, и казалось: сейчас заплачет. Видимо, прервавшийся разговор имел отношение ко всей ее будущей жизни.

Месяцев протянул жетон.

Оставаться было бессмысленно. Месяцев отошел от автомата. Направился в кинозал.

Перед кинозалом продавали билеты. Деньги принимал довольно интеллигентный мужчина инженерского вида. Видимо, не нашел себя в новых условиях и пошел продавать билеты.

— У вас нет жетонов для автомата? — спросил Месяцев.

— Все забрали, — виновато улыбнулся продавец. — Вот, посмотрите...

Это «посмотрите» и виноватая улыбка еще раз убедили Месяцева в несоответствии человека и места. Стало немножко грустно.

Он купил билет в кино.

Шел американский боевик. Гангстеры и полицейские вели разборки, убивали друг друга равнодушно и виртуозно. Стрельнул, убил и пошел себе по своим делам. Жизнь ничего не стоит.

«Неужели и русские к этому придут? — с ужасом думал Месяцев. — Неужели демократия и преступность — два конца одной палки? Если личность свободна, она свободна для всего...»

Фильм кончился благополучно для главного героя. Американский хэппи энд. В отличие от русского мазохизма. Русские обязательно должны уконтрапупить своего героя, а потом над ним рыдать. Очищение через слезы.

Месяцев вышел из кинозала и увидел женщину.

— Я забрала у вас последний жетон? — виновато спросила она.

— Ничего страшного, — великодушно отреагировал Месяцев.

— Нет-нет, — отказалась она от великодушия. — Я не успокоюсь. Может быть, в буфете есть жетоны?

Они спустились в буфет, но он оказался закрыт.

— Здесь рядом есть торговая палатка, — вспомнила женщина. — Они торгуют до часа ночи.

— Да ладно, — отмахнулся Месяцев. — Это не срочно.

— Нет. Зачем же? — Она независимо посмотрела на Месяцева.

У нее были большие накрашенные глаза и большой накрашенный рот.

«Интересно, — подумал Месяцев, — как она целуется? Вытирает губы или прямо...»

Женщина повернулась и пошла к гардеробу. Месяцев покорно двинулся следом. Они взяли в гардеробе верхнюю одежду. Месяцев с удивлением заметил, что на ней была черная норковая шуба — точно такая же, как у жены. Тот же мех. Та же модель. Может быть, даже куплена в одном магазине. Но на женщине шуба сидела иначе, чем на жене. Женщина и шуба были созданы друг для друга. Она была молодая, лет тридцати, высокая, тянула на «вамп». Вамп — не его тип. Ему нравились интеллигентные, тихие девочки из хороших семей. И если бы Месяцеву пришла охота влюбиться, он выбрал бы именно такую, без косметики, с чисто вымытым, даже шелушащимся лицом. Такие не лезут. Они покорно ждут. А «вампы» проявляют инициативу, напористы и агрессивны. Вот куда она его ведет? И зачем он за ней следует? Но впереди три пустых часа, таких же, как вчера и позавчера. Пусть будет что-то еще. В конце концов всегда можно остановиться, сказать себе: стоп!

Он легко шел за женщиной. Снег поскрипывал. Плыла луна. Она не надела шапки. Лучшее украшение — это летящие, промытые душистым шампунем, чистые волосы. Но на дворе — вечер, и декабрь, и ничего не видно.

Палатка оказалась открыта. В ней сидели двое: крашеная блондинка и чернявый парень, по виду азербайджанец. Девушка разместилась у него на коленях, и чувствовалось, что им обоим не до торговли.

— У вас есть жетоны? — спросила женщина.

— Сто рублей, — отозвалась продавщица.

— А в городе пятьдесят.

— Ну и езжайте в город.

— Бутылку «Адвоката» и на сдачу жетоны, — сказал Месяцев и протянул крупную купюру.

Ради выгодной покупки продавщица поднялась и произвела все нужные операции.

Месяцев взял горсть жетонов и положил себе в карман. А вторую горсть протянул своей спутнице.

— Интересное дело... — растерялась она.

Месяцев молча ссыпал пластмассовые жетоны ей в карман. Неужели она думала, что Месяцев, взрослый мужчина, пианист с мировым именем, как последний крохобор, шагает по снегу за своей пластмассовой монеткой?

— И это тоже вам. — Он протянул красивую бутылку.

Женщина стояла в нерешительности.

— А что я буду с ней делать? — спросила она.

— Выпейте.

— Где?

— Можно прямо здесь.

— Тогда вместе.

Месяцев отвинтил пробку. Они пригубили по глотку. Ликер был сладкий, как десерт. Стало весело. Как-то забыто, по-студенчески.

Медленно пошли по дорожке.

— Сделаем круг, — предложила женщина. Моцион перед сном — дело полезное, но смущала ее открытая голова. Он снял с себя шарф и повязал ей на голову. В лунном свете не было видно краски на ресницах и на губах. Она была попроще и получше.

Месяцев сунул бутылку в карман.

— Прольется, — сказала женщина. — Давайте я понесу.

Первая половина декабря. Зима — молодая, красивая. Белые деревья замерли и слушают. Ничего похожего нет ни на Кубе, ни в Израиле. Там только солнце или дожди. И больше ничего.

— Давайте познакомимся, — сказала женщина. — Я Люля.

— Игорь Николаевич.

— Тогда Елена Геннадьевна.

Выскочили две дворняжки и побежали рядом с одинаково поднятыми хвостами. Хвосты покачивались, как метрономы: раз-раз, раз-раз.

Елена Геннадьевна подняла бутылку и хлебнула. Протянула Месяцеву. Он тоже хлебнул.

Звезды мерцали, будто подмигивали. Воздух был холодный и чистый. Все вокруг то же самое, но под другим углом. Прежде размыто, а теперь явственно, наполнено смыслом и радостью, и если бы у Месяцева был хвост, он тоже качался бы, как метроном: раз-раз, раз-раз.

— Можно задать вам вопрос?

— Смотря какой.

— Нескромный.

— Можно.

— Вы когда целуетесь, вытираете помаду или прямо?

— А вы что, никогда не целовали женщину с крашеными губами?

— Никогда, — сознался Месяцев.

— Хотите попробовать? — спросила Елена Геннадьевна.

— Что попробовать? — не понял Месяцев.

Елена Геннадьевна не ответила. Взяла его лицо двумя руками и подвинула к своему. Решила провести практические занятия. Не рассказать, а показать. Его сердце сделало кульбит, как в цирке вокруг перекладины. Не удержалось, рухнуло, ухнуло и забилось внизу живота. Месяцев обнял ее, прижал, притиснул и погрузился в ее губы, ощущая солоноватый химический привкус, как кровь. И эта кровь заставляла его звереть.

— Не сейчас, — сказала Елена Геннадьевна.

Но Месяцев ничего не мог с собой поделать. Ее большие глаза были неразличимы.

— Люля, — сказал Месяцев хрипло, — ты меня извини. У меня так давно «этого» не было.

А если честно, то никогда. Ведь он никогда не целовал женщин с крашеными губами. Месяцев стоял несчастный и растерянный.

— Идем ко мне, — так же хрипло сказала Люля. — Я тебе верю.

— К тебе — это далеко. Далеко.

Она легла прямо на снег. А он — прямо на нее. Она видела его искаженное лицо над собой. Закрыла глаза, чтобы не видеть. Потом сказала:

— Не кричи. Подумают, что убивают.

...Он лежал неподвижно, как будто умер. Потом спросил:

— Что?

— Встань, — попросила Люля. — Холодно.

Месяцев поднялся. Привел себя в порядок. Зачерпнул горсть чистого снега и умыл лицо. В теле была непривычная легкость.

Он достал бутылку и сказал:

— Разлилось...

— На меня, — уточнила Люля. — На мою шубу.

— Плевать на шубу, — сказал Месяцев.

— Плевать на шубу, — повторила Люля.

Они обнялись и замерли.

«Боже мой! — подумал Месяцев. — А ведь есть люди, у которых это каждый день». Он жил без «этого». И ничего. Все уходило на другое. На исполнительскую деятельность. Но музыка — для всех. А ЭТО — для себя одного.

Собаки ждали. Месяцев пошел к корпусу. Люля — следом. Вошли как чужие. Люля несла бутылку с ликером.

— Тут еще немного осталось, — сказала Люля.

— Нет-нет, — сухо отказался Месяцев.

Шуба была залита липким ликером. И это все, что осталось от большой страсти.

Люля повернулась и пошла.

Весь следующий день Месяцев не искал Елену Геннадьевну. Даже избегал. Он побаивался, что она захочет продолжить отношения. А какое может быть продолжение? Сын поступает в институт, дочь — невеста, Гюнтер вызванивает, Шопен ждет. А он под старость лет будет пристраиваться под елками, как собака Бобик.

Но Елена Геннадьевна не преследовала его, не искала встречи, что даже странно.

По вечерам Месяцев смотрел «Новости». Но его телевизор сломался, как назло. Пришлось спуститься в холл, где стоял большой цветной телевизор. Елена Геннадьевна сидела в уголочке. На ней была просторная кофта цвета теплых сливок.

«Кто ей возит? — подумал Месяцев. — А кто возит моей жене?» Может быть, у Елены Геннадьевны тоже есть муж? А почему нет? Она молодая шикарная женщина. Она немножко сошла с ума и позволила себе на природе. Хотя, если быть справедливым, это ОН сошел с ума, а ей было легче уступить, чем урезонивать. А потом она выбросила воспоминания, как пустую бутылку. Вот и все. У Месяцева затосковало под ложечкой.

Диктор тем временем сообщал, что в штате Калифорния произошли беспорядки. Негры на что-то обиделись и побили белых. Довольно сильно обиделись и сильно побили. И получилось, что недостатки есть и в Америке, а не только у нас. Значит, никто никого не хуже.

Месяцев сидел за ее спиной. Волосы Люля подняла и закрепила большой нарядной заколкой. Была видна стройная шея, начало спины с просвечивающими позвонками. У ровесниц Месяцева, да и у него самого шея расширилась, осела и на стыке, на переходе в спину — холка, как у медведя. А тут — молодость, цветение и пофигизм — термин сына. Значит, все по фигу. Никаких проблем. Отдалась первому встречному — и забыла. Сидит себе, даже головы не повернет. Ей тридцать лет. Вся жизнь впереди. А Месяцеву почти пятьдесят. Двадцать лет до маразма. Зачем он ей?

Люля поднялась и ушла, как бы в подтверждение его мыслей.

Диктор тем временем сообщал курс доллара на последних торгах. Курс неизменно поднимался, но этот факт не имел никакого значения. Люля вышла. На том месте, где она сидела, образовалась пустота. Дыра. В эту дыру сквозило.

Месяцев вышел из холла. Делать было решительно нечего. Домой звонить не хотелось.

Месяцев спустился в зал. Сегодня кино не показывали. Зал был пуст.

Месяцев подвинул стул к роялю. Открыл крышку. Стал играть «Времена года» Чайковского.

«Ноябрь». Звуки, как вздохи. Месяцев чувствовал то же, что и Чайковский в минуты написания. А что? Очень может быть, Петру Ильичу было столько же лет.

Половина жизни. В сутках — это полдень. Еще живы краски утра, но уже слышен близкий вечер. Еще молод, но время утекает, и слышно, как оно шуршит. В мире существуют слова, числа, звуки. Но числа беспощадны. А звуки — обещают. Месяцев играл и все, все, все рассказывал про себя пустому залу. Ничего не скрывал.

Открылась дверь, и вошла Елена Геннадьевна. Тихо села на последний ряд. Стала слушать.

Месяцев играл для нее. Даже когда зал бывал полон, Месяцев выбирал одно лицо и играл для него. А здесь этот один, вернее, одна уже сидела. И не важно, что зал пуст. Он все равно полон. Месяцев играл, как никогда, и сам это понимал. Интересно, понимала ли она?..

Месяцев окончил «Ноябрь». Поставил точку. Положил руки на колени. Елена Геннадьевна не пошевелилась. Не захлопала. Значит, понимала. Просто ждала... Это было грамотное консерваторское восприятие.

«Баркарола». Он играл ее бесстрастно, как переводчик наговаривает синхронный текст. Не расцвечивал интонацией, не сообщал собственных переживаний. Только точность. Только

Чайковский. Мелодия настолько гениальна, что не требовала ничего больше. Только бы донести. Все остальное — лишнее, как третий глаз на лице.

Еще одна пьеса. «На святках». Очень техничная. Техника — это сильная сторона пианиста Месяцева. Техника, сила и наполненность удара. Месяцев знал, что мог поразить. Но никогда не поражал специально. Музыка была для него чем-то большим, над человеческими страстями. Как вера.

Он сыграл последнюю музыкальную фразу. Подождал, пока в воздухе рассеется последний звук. Потом тихо опустил крышку. Встал.

Елена Геннадьевна осталась сидеть. Месяцев подошел к ней. Сел рядом. В ее глазах стояли слезы.

— Хотите кофе? — спросил Месяцев. — Можем пойти в бар.

— Нет, нет... Спасибо... — торопливо отказалась она.

— Тогда погуляем?

Они опять, как вчера, вышли на дорогу. Но и только. Только на дорогу. Луна снова сопровождала их. И еще привязались вчерашние собаки. Видимо, они были бездомны, а им хотелось хозяина.

Шли молча.

— Расскажите о себе, — попросил Месяцев.

— А нечего рассказывать.

— То есть как?

— Вот так. Все, что вы видите перед собой. И это все.

— Я вижу перед собой женщину — молодую, красивую и умную.

— Больную, жалкую и одинокую, — добавила Елена Геннадьевна.

— Вы замужем?

— Была. Мы разошлись.

— Давно?

— Во вторник.

— А сегодня что?

— Сегодня тоже вторник. Две недели назад.

— А чья это была инициатива?

— Какая разница?

— Все-таки разница. Это ваше решение или оно вам навязано?

— Инициатива, решение... — передразнила Елена Геннадьевна. — Просто я его бросила.

— Почему?

— Надоело.

— А подробнее?

— Что может быть подробнее? Надоело, и все.

В стороне от дороги виднелась вчерашняя палатка. Они прошли мимо. Вчерашняя жизнь не имела к сегодняшней никакого отношения. Месяцеву было странно даже представить, что он и эта женщина были вчера близки. У Месяцева застучало сердце. Он взял ее ладонь и приложил к своему сердцу. Они стояли и смотрели друг на друга. Его сердце толкалось в ее ладонь — гулко и редко. Она была такая красивая, как не бывает.

— Я теперь как эта собака, — сказала Люля. — Любой может поманить. И пнуть. И еще шубу испортила.

Он подвинул ее к себе за плечи и поцеловал в щеку. Щека была соленая.

— Не плачь, — сказал он. — Мы поправим твою шубу.

— Как?

— Очень просто: мыло, расческа и горячая вода. А на ночь — на батарею.

— Не скукожится? — спросила она.

— Можно попробовать. А если скукожится, я привезу тебе другую. Такую же.

Они торопливо пошли в корпус, как сообщники. Зашли в ее номер.

Люля сняла шубу. Месяцев пустил в ванной горячую воду. Он не знал, чем это кончится, поскольку никогда не занимался ни стиркой, ни чисткой. Все это делала жена. Но в данную минуту Месяцев испытывал подъем сил, как во время удачного концерта. В его лице и руках была веселая уверенность. Интуиция подсказала, что не следует делать струю слишком горячей и не следует оставлять мех надолго в воде. Он намылил ворсинки туалетным мылом, потом взял расческу и причесал, снова опустил в воду, и так несколько раз, пока ворсинки не стали легкими и самостоятельными. Потом он закатал край шубы в полотенце, промокнул насухо.

— У тебя есть фен? — Вдруг осенило, что мех — это волосы. А волосы сушат феном.

Люля достала фен. Он заревел, как вертолет на взлете, посылая горячий воздух. Ворсинки заметались и полегли.

— Хватит, — сказала Люля. — Пусть остынет.

Выключили фен, повесили шубу на вешалку.

— Хотите чаю? — спросила Люля. — У меня есть кипятильник.

Она не стала дожидаться ответа. Налила воду в графин, сунула туда кипятильник. На ней были синие джинсы, точно повторяющие линии тела, все его углы и закоулки. Она легко садилась и вставала, и чувствовалось, что движение доставляет ей мышечную радость.

— А вы женаты? — спросила Люля.

— У меня есть знакомый грузин, — вспомнил Месяцев. — Когда его спрашивают: «Ты женат?» — он отвечает: «Немножко». Так вот я ОЧЕНЬ женат. Мы вместе тридцать лет.

— Это потому, что у вас есть дело. Когда у человека интересная работа, ему некогда заниматься глупостями: сходиться, расходиться...

— Может быть, — задумался Месяцев. — Но разве вы исключаете любовь в браке? Муж любит жену, а жена любит мужа.

— Если бы я исключала, я бы не развелась.

— А вам не страшно остаться одной, вне крепости?

— Страшно. Но кто не рискует, тот не выигрывает.

— А на что вы будете жить? У вас есть профессия?

— Я администратор.

— А где вы работаете?

— Работала. Сейчас ушла.

— Почему?

— Рыночная экономика требует новых законов. А их нет. Законы плавают. Работать невозможно. Надоело.

— Но у вас нет мужа, нет работы. Как вы собираетесь жить?
— Развлекать женатых мужчин на отдыхе.
— Вы сердитесь?
— Нет. Констатирую факт.
— Если хотите, я уйду.
— Уйдете, конечно. Только выпьете чай.

Она разлила кипяток по стаканам, опустила пакетики с земляничным чаем. Достала коробку с шоколадными конфетами. Конфеты были на морскую тему, имели форму раковин и рыб. Месяцев взял морского конька, надкусил, заглянул в середину.

Со дна стакана капали редкие капли. Люля развела колени, чтобы капало на пол, а не на ноги.

Месяцев поставил свой стакан на стол. Он, прочно женатый человек, развлекался во время отдыха с разведенной женщиной. Это имело разовый характер, как разовая посуда. Попользовался и выбросил. Но есть и другая правда. Он, не разрешавший себе ничего и никогда, вдруг оказался во власти бешеного желания, как взбесившийся бык, выпущенный весной из сарая на изумрудный луг. И вся прошлая сексуальная жизнь — серая и тусклая, как сарай под дождем.

Месяцев опустился на пол, уткнулся лицом в ее колени.
— Раздень меня, — сказала Люля.

Он осторожно расстегнул ее кофту. Увидел обнаженную грудь. Ничего похожего он не видел никогда в своей жизни. Ее тело было сплошным, как будто сделанным из единого куска. Прикоснулся губами. Услышал запах сухого земляничного листа. Что это? Духи? Или так пахнет молодая, цветущая кожа?

Месяцеву не хотелось быть грубым, как тогда на снегу. Хотелось нежности, которая бы затопила его с головой. Он тонул в собственной нежности.

Люля поставила стакан с чаем на стол, чтобы не пролить ему на голову. Но Месяцев толкнул стол, и кипяток вылился ему на спину. Он очнулся, поднял лицо и бессмысленно посмотрел на Люлю. Ей стало смешно, она засмеялась, и этот смех разрушил нежность. Разрушил все. Месяцеву показалось — она смеется над ним и он в самом деле смешон.

Поднялся. Пошел в ванную. Увидел в зеркале свое лицо. И подумал: обжегся, дурак... Душу обожгло. И тело. И кожу. Он снял рубашку, повесил ее на батарею. Рядом на вешалке висела шуба.

Люля вошла, высокая и обнаженная.

— Обиделся? — спросила она и стала расстегивать на нем «молнию».

— Что ты делаешь? — смутился Месяцев.

Это было чувство, обратное боли. Блаженная пытка, которую нет сил перетерпеть. В нем нарастал крик. Месяцев зарыл лицо в шубу. Прикусил мех.

Потом он стоял, зажмурясь. Не хотелось двигаться. Она обняла его ноги. Ей тоже не хотелось двигаться. Было так тихо в мире... Выключились все звуки. И все слова. Бог приложил палец к губам и сказал: тсс-с-с...

Потом была ночь. Они спали друг возле друга, обнявшись, как два зверька в яме. Или как два существа, придавленных лавиной, когда не двинуть ни рукой, ни ногой и непонятно: жив ты или нет.

Среди ночи проснулся оттого, что жив. Так жив, как никогда. Он обладал ею спокойно и уверенно, как своей невестой, которая еще не жена, но и не посторонняя.

Она была сонная, но постепенно просыпалась, включалась, двигалась так, чтобы ему было удобнее. Она думала только о нем, забыв о себе. И от этого самоотречения становилась еще больше собой. Самоотречение во имя наивысшего самовыражения. Как в музыке. Пианист растворяется в композиторе. Как в любви. Значит, любой творческий процесс одинаков.

Концерт был сыгран. А дальше что?

За Месяцевым приехала дочь. На ней была теплая черная шапочка, которая ей не шла. Можно сказать — уродовала. Съедала всю красоту.

Люля вышла проводить Месяцева. Ее путевка кончалась через неделю.

— Это моя дочь Анна Игоревна, — познакомил Месяцев. — Она некрасивая, но хороший человек.

— Это главное, — спокойно сказала Люля, как бы согласившись, что Аня некрасива. Не поймала шутки.

Аня была всегда красива, даже в этой уродливой шапке. Всем стало неловко, в особенности Ане.

— Счастливо оставаться, — пожелал Месяцев.

— Да-да... — согласилась Люля. — И вам всего хорошего.

Месяцев с пристрастием посмотрел на шубу. Она не скукожилась. Все было в порядке.

Машина тронулась.

Обернувшись, он видел, как Люля уходит, и еще раз подумал о том, что шуба не пострадала. Все осталось без последствий.

Месяцев прошел в свой кабинет и включил автоответчик.

Звонили из студии звукозаписи. Просили позвонить. Тон нищенский. Платили копейки, так что работать приходилось практически бесплатно. Но Месяцев соглашался. Пусть все вокруг рушится и валится, а музыка должна устоять.

Звонили из Марселя. Предлагали турне по югу Франции.

На кухне сидела теща Лидия Георгиевна, перебирала гречку. Она жила в соседнем подъезде, была приходящая и уходящая. Близко, но не вместе, и это сохраняло отношения.

Готовила она плохо. Есть можно, и они ели. Но еда неизменно была невкусной. Должно быть, ее способности лежали где-то в другой плоскости. Теща — органически справедливый человек. Эта справедливость ощущалась людьми, и к ней приходили за советом. Она осталась без мужа в двадцать девять лет. Его затоптали во время похорон Сталина. Ушел и не вернулся. И ничего не осталось. Должно быть, затоптали и размазали по асфальту. Она старалась об этом не думать. Сейчас, в свои семьдесят лет, ей ничего не оставалось, как любить свою дочь, внуков, зятя. Игорь всегда ощущал ее молчаливую привязанность и сам тоже был привязан.

Месяцев стал делать необходимые звонки: своему помощнику Сергею, чтобы начинать оформление во Францию, дирижеру, чтобы согласовать время репетиций.

Привычная жизнь постепенно втягивала, и это было как возвращение на родину. Месяцев — человек действия. И отсутствие действия угнетало, как ностальгия. Ностальгия по себе.

Больница оказалась чистая. Полы вымыты с хлоркой, правда, линолеум кое-где оборван и мебель пора на помойку. Если присмотреться, бедность сквозила во всем, но это если присмотреться. Больные совершенно не походили на психов. Нормальные люди. Было вообще невозможно отделить больных от посетителей.

Месяцев успокоился. Он опасался, что попадет в заведение типа палаты номер шесть, где ходят Наполеоны и Навуходоносоры, а грубый санитар бьет их кулаком в ухо.

Алик вышел к ним в холл в спортивном костюме «Пума». Он был в замечательном настроении — легкий, расслабленный. Единственно — сильно расширены зрачки. От этого глаза казались черными.

— Ты устаешь? — спросил Месяцев.

— От чего? — весело удивился Алик.

— Тебя лечат? — догадался Месяцев.

— Чем-то лечат, — рассеянно сказал Алик, оборачиваясь на дверь. Он кого-то ждал.

— Зачем же лечить здорового человека? — забеспокоилась жена. — Надо поговорить с врачом.

В холл вошел Андрей, друг Алика.

Какое-то время все сидели молча, и Месяцев видел, что Алик тяготится присутствием родителей. С ровесниками ему интереснее.

— Ладно. — Месяцев поднялся. — Мы пойдем. Надо еще с врачом поговорить...

Врача не оказалось на месте. А медсестра сидела на посту и работала. Что-то писала.

— Можно вас спросить? — деликатно отвлек ее Месяцев.

Медсестра подняла голову, холодно посмотрела.

— Вы не знаете, почему Алика перевели в общую палату?

— Ему принесли недозволенное. Он нуждается в контроле.

— Что вы имеете в виду? — удивился Месяцев.

— Спиртное. Наркотики.

— Вы что, с ума сошли? — вмешалась жена.

— Я? Нет. — Медсестра снова склонилась над своей работой.

Месяцев с женой вышли в коридор.

— Глупости, — возмутилась жена. — Они все выдумывают.

— Неизвестно, — мрачно предположил Месяцев.

— Что ты такое говоришь? — строго упрекнула жена.

— То, что слышишь. Ты и твоя мамаша сделали из него монстра.

Спустились в гардероб. В гардеробе продавали жетоны. При виде жетонов у Месяцева что-то защемило, затосковало в середине.

Он вдруг сообразил, что не взял домашний телефон Елены Геннадьевны. И свой не оставил. И значит, потерял ее навсегда. Фамилии ее он не знает. Места работы у нее нет. Остается надеяться, что она сама его найдет. Но это маловероятно.

— Надо терпеть, — сказала жена.

Надо терпеть разлуку с Люлей. Сына в сумасшедшем доме. Как терпеть? Куда спрятаться?

В музыку. Куда же еще...

Ночью жена лежала рядом и ждала. Они так любили объединяться после разлук. Жена хотела прильнуть к его ненадоедающему телу — гладкому и шелковому, как у тюленя. Но не посмела приблизиться. От мужа что-то исходило, как биотоки против комаров. Жена преодолела отрицательные токи и все-таки прижалась к нему. Месяцев сжал челюсти. Его охватил мистический ужас, как будто родная мать прижалась к нему, ожидая физической близости. С одной стороны, родной человек, роднее не бывает. С другой — что-то биологически противоестественное.

— Что с тобой? — Жена подняла голову.

— Я забыл деньги, — сказал Месяцев первое, что пришло в голову.

— Где?

— В санатории.

— Много?

— Тысячу долларов.

— Много, — задумчиво сказала жена. — Может, позвонить?

— Вот этого и не надо делать. Если позвонить и сказать, где деньги, — придут и заберут. И скажут — ничего не было. Надо поехать, и все.

— Верно, — согласилась жена.

— Смена начинается в восемь утра. Значит, в восемь придут убираться. Значит, надо успеть до восьми.

Месяцев никогда не врал. Не было необходимости. И сейчас он поражался, как складно у него все выходило.

Жена поверила, потому что привыкла верить. И поверила, что тысяча долларов отвлекает его от любви. Она отодвинулась на свое место. Они разошлись под разные одеяла.

Дом затих. В отдалении вздыхал и всхлипывал холодильник.

Месяцев встал в шесть утра. Машина отсырела за ночь. Пришлось вывинчивать свечи и сушить их на электрической плитке. Спать не хотелось. Никогда он не был так спокоен и ловок. Пианист в нем куда-то отодвинулся, выступил кто-то другой. Отец был не только гармонист. В трезвые периоды он ходил по домам, крыл крыши, клал печи. Отец был мастеровой человек. Может быть, в Месяцеве проснулся отцовский ген. Хотя при чем тут ген... Он соскучился. Жаждал всем существом. Хотелось вобрать ее всю в свои глаза, смотреть, вдыхать, облизывать горячим языком, как собака облизывает щенка, и проживать минуты, в которых все, все имеет значение. Каждая мелочь — не мелочь, а событие.

Машина завелась. Какое удовольствие ехать на рассвете по пустой Москве! Он никогда не выезжал так рано. Подумал: хорошо, что Люля разошлась. Иначе приходилось бы прятаться обоим: ей и ему. А так только он. Он — прятаться, а она — приспосабливаться. А вдруг она не захочет приспосабливаться... А вдруг он сейчас заявится, а там муж... Приехал мириться.

Зажегся красный свет. Месяцев затормозил. Потом зажегся желтый, зеленый, а он стоял. Как будто раздумывал: ехать дальше или вернуться... Это так логично, что муж приехал мириться. И она помирится, особенно после того, как Месяцев уехал с

дочерью, пожелав счастливо оставаться. Оставайся и будь счастлива без меня. А я домой, к семье, к жене под бочок.

Муж — это материальная поддержка, положение в обществе, статус, может быть — отец ребенка. А что может дать
Месяцев? То, что уже дал. А потом сел и уехал. И даже не
спросил телефон.

«Если муж в номере, я сделаю вид, что перепутал, —
решил Месяцев и тронул машину. — Скажу: «Можно Колю?»
Он спросит: «Какого Колю?» Я скажу: «Ах, извините, я не
туда попал...»

Месяцев подъехал к санаторию. Здание прорисовывалось в
утренней мгле, как корабль.

Волнение ходило в нем волнами. Месяцев впервые подумал,
что это слова одного корня. Волны поднимались к горлу, потом
наступала знобкая пустота, значит, волны откатывались.

Месяцев подергал дверь в корпус. Дверь была заперта. Он
позвонил. Стал ждать. Вышла заспанная дежурная, немолодая и
хмурая.

Ей было под пятьдесят. Ровесница. Но женщина не играла
больше в эти игры и осела, как весенний снег. А он — на винте.
Того и гляди взлетит. Но и он осядет. К любому Дон Жуану
приходит Командор по имени «старость».

Месяцев поздоровался и прошел. Дежурная ничего не спросила. Его невозможно было ни спросить, ни остановить.

Комната Елены Геннадьевны находилась на втором этаже.
Невысоко. Но Месяцев стоял перед дверью и не мог справиться
с дыханием. Осторожно повернул ручку, подергал. Дверь была
заперта, что естественно. Месяцев стоял в нерешительности, не
понимая — что делать дальше. Еще рано — нет и семи часов.
Стучать — неудобно и опасно. Стоять перед дверью — тоже
неудобно и нелепо. Остается ходить перед корпусом и ждать.
Либо садиться в машину и возвращаться в семью, что самое
правильное.

Дверь раскрылась — Елена Геннадьевна услышала, когда он
поворачивал и дергал ручку. Она стояла сонная, в ночной пижаме и смотрела безо всякого выражения. Без краски она казалась

моложе и проще, как старшеклассница. Люля не понимала, как Месяцев оказался перед ее дверью, если он вчера уехал. Она ни о чем не спрашивала. Ждала. Месяцев стоял молча, как перед расстрелом, когда уже ничего нельзя изменить.

Секунды протекали и капали в вечность. Месяцев успел заметить рисунок на ее пижаме: какие-то пляжные мотивы, пальмы. Может быть, человек перед расстрелом тоже успевает заметить птичку на ветке.

Люля сделала шаг в сторону, давая дорогу. Месяцев шагнул в номер. Люля закрыла за ним дверь и повернула ключ. Звук поворачиваемого затвора стал определяющим. Значит, они вместе. Они одни.

Говорить было необязательно, поскольку слова ничего не значили. Перед спуском лавины наступает особая тишина. Видимо, природа замирает перед тем, как совершить свою акцию. А может быть, задумывается. Сомневается: стоит ли? Потом решается: стоит. И вперед. И уже ничего не учитывается: люди, их жизни, их труд... Идет лавина. И обижаться не на кого. Никто не виноват...

...Потом они лежали и смотрели в потолок.

Через какое-то время напустили полную ванну воды и уселись друг против друга. Он вытащил из воды ее ступню и положил себе на лицо.

Сидели и отдыхали, наслаждаясь покоем, водной средой и присутствием друг друга.

— Я боюсь, — сказал вдруг Месяцев.

— Чего ты боишься?

— Себя. Тебя. Это все черт знает что! Это ненормально.

— Желать женщину и осуществлять свое желание — вполне нормально.

— Это не помешает моей музыке?

— Нет. Это помешает твоей жене.

— А как быть?

— Ты должен выбрать, что тебе важнее.

— Я уже ничего не могу...

Лавина не выбирает. Как пойдет, так и пойдет.

Вода постепенно остыла. Они тщательно вытерли друг друга. Перешли на кровать. И заснули. И спали до часу дня.

Потом проснулись и снова любили друг друга. Осторожно и нежно. Он боялся причинить ей вред и боль, он задыхался от нежности, нежность рвалась наружу, хотелось говорить слова. Но он боялся их произносить, потому что за слова надо потом отвечать. Он привык отвечать за свои слова. Но молчать не было сил. Повторял беспрестанно: Люля... Люля... Люля... Люля... Люля...

В три часа они оделись и пошли в столовую.

Обед был дорогой и невкусный, но они съели с аппетитом. Месяцеву нравилось, что они одеты. Одежда как бы устанавливала дистанцию, разводила на расстояние. А с расстояния лучше видно друг друга. Он знал все изгибы и тайны ее тела. Но ее души и разума он не знал совсем. Они как бы заново знакомились.

Логично узнать сначала душу, потом тело. Но ведь можно и наоборот. У тел — своя правда. Тела не врут.

Люля накрасила глаза и губы, по привычке. Косметика делала ее далекой, немножко высокомерной.

— У тебя есть дети?

— Дочь. Пятнадцати лет.

— А тебе сколько?

— Тридцать четыре.

Он посчитал, сколько ей было, когда она родила. Девятнадцать. Значит, забеременела в восемнадцать. А половую жизнь начала в шестнадцать. Если не в пятнадцать...

Ревность подступила к горлу, как тошнота.

— Это моя дочь от первого брака, — уточнила Люля.

— Сколько же у тебя было мужей?

— Два, — просто сказала Люля.

— Не много?

— Первый — студенческий. Дурацкий. А второй — сознательный.

— Что же ты ушла?

— Надоело. Мы ведь говорили.

— А любовники у тебя были?

— Естественно, — удивилась Люля.

— Почему «естественно»? Совсем не естественно. Вот у моей жены нет других интересов, кроме меня и детей.

— Если бы у меня был такой муж, как ты, я тоже не имела бы других интересов.

В груди Месяцева взмыла симфония «Ромео и Джульетта» Чайковского. Тема любви. Он был музыкант, и все лучшее в его жизни было связано со звуками.

Он не мог говорить. Сидел и слушал в себе симфонию. Она тоже молчала. Значит, слышала его. Понимала. Ловила его волны. Месяцев очнулся.

— А где твоя дочь сейчас?

— С матерью моего мужа.

— Ты не помиришься с мужем?

— Теперь нет.

Месяцев смотрел в стакан с компотом, чтобы не смотреть на Люлю. Логично было сказать: «Давай не будем расставаться». Но этого он не мог сказать. Ирина, Алик, Аня и теща. Да, и теща, и жених Ани — все они — планета. А Люля — другая планета. И эти планеты должны вращаться вокруг него, как вокруг Солнца. Не сталкиваясь. А если столкнутся — вселенская катастрофа. Конец мира. Апокалипсис.

— Я чего приехал... — пробормотал Месяцев. — Я не взял твой телефон.

— Я запишу своей рукой, — сказала Люля.

Она взяла его записную книжку, вынула из сумочки карандаш. Открыла на букву Л и записала крупными цифрами. Подчеркнула. Поставила восклицательный знак.

Шел пятый час. Месяцеву надо было уезжать. Ревность опять подняла голову, как змея.

— Нечего тебе здесь делать, — сказал он. — В номере воняет краской. Обед собачий. Ты одна, как сирота в интернате.

— А дома что? — спросила Люля. — Тут хоть готовить не надо.

— Я не могу без тебя, — сознался Месяцев.

— Ты делаешь мне предложение?

— Нет, — торопливо отрекся он.

— Тогда куда торопиться? Еще неделя, другая... Куда мы опаздываем?

— Я не могу без тебя, — повторил Месяцев.

— Я тебе позвоню, — пообещала Люля. — Дай мне твой телефон.

— Мне не надо звонить.

— Почему? — спросила Люля.

— Не принято.

— Понятно... — проговорила Люля. — Жена — священная корова.

— Похоже, — согласился Месяцев. — Я сам тебе позвоню. Давай договоримся.

— Договариваются о бизнесе. А здесь стихия. Ветер ведь не договаривается с поляной, когда он прилетит...

«Здесь не ветер с поляной. А лавина с горами», — подумал Месяцев, но ничего не сказал.

Люля стала какая-то чужая. Жесткая. И ему захотелось вынести себя за скобки. Пусть плавает по своей орбите. А он — по своей.

Месяцев возвращался в город. Он обманул по крайней мере троих: журналиста, помощника Сережу и старинного друга Льва Борисовича, к которому обещал зайти. Однако журналисты — люди привычные. Их в дверь — они в окно. Сережа получает у него зарплату. А старинный друг — на то и друг, чтобы понять и простить.

О том, что он обманывает жену, Месяцев как-то не подумал. Люля и Ирина — это две параллельные прямые, которые не пересекутся, сколько бы их ни продолжали. Два параллельных мира со своими законами.

Ветер, вспомнил Месяцев. Стихия. Врет все. Кому она звонила, когда просила жетон? И какое напряженное было у нее лицо... Что-то не получалось. С кем-то выясняла отношения. Конечно же, с мужчиной... Поэтому и плакала, когда сидела в зале и слушала музыку. Поэтому и отдалась на снегу. Мстила. И сейчас наверняка звонит и задает вопросы.

Месяцев развернул машину и поехал обратно. Зачем? Непонятно. Что он мог ей предложить? Часть себя. Значит, и он тоже должен рассчитывать на часть. Не на целое. Сознанием он все понимал, но бессознательное развернуло его и гнало по Кольцевой дороге.

Месяцев подъехал к корпусу. Вышел из машины.

Дежурная сменилась. Была другая.

— Вам кого? — спросила она.

— Елену Геннадьевну.

— Как фамилия?

— Я не знаю, — сказал Месяцев.

— А в каком номере?

— Не помню. — Месяцев зрительно знал расположение ее номера.

— Куда — не знаете, к кому — не знаете. Мы так не пропускаем, — строго сказала дежурная.

Он не стал препираться, отошел от корпуса, отодвинул себя от хамства. Стоял на дороге, наклонив голову, как одинокий конь. Люля шла по знакомой дороге — высокая, прямая, в длинной шубе и маленькой спортивной шапочке, надвинутой на глаза. Она увидела его и не побежала. Спокойно подошла. Так же спокойно сказала:

— Я знала, что увижу тебя.

— Откуда ты знала? Я же уехал.

Люля молчала. Что можно было ответить на то, что он уехал и снова оказался на прежнем месте? Она как будто определила радиус, за который он не мог выскочить.

— Я не имею права тебя расспрашивать, — мрачно сказал Месяцев.

— Не расспрашивай, — согласилась Люля.

— Не обманывай меня. Я прощаю все, кроме лжи. Ложь меня убивает. Убивает все чувства. Я тебя умоляю...

Месяцев замолчал. Он боялся, что заплачет.

— Если хочешь, оставайся на ночь, — предложила Люля. — Уже темно. Утром поедешь.

— Не хочу я на ночь. Не нужны мне эти разовые радости. Я хочу играть, и чтобы ты слушала. Хочу летать по миру, и чтобы ты сидела рядом со мной в самолете и мы читали бы журналы. А потом селились бы в дорогих гостиницах и начинали утро с апельсинового сока...

Он бормотал и пьянел от своих слов.

— Ты делаешь мне предложение?

— Нет. Я просто говорю, что это было бы хорошо. Поедем со мной во Францию?

Люля стояла и раздумывала: может быть, выбирала между Францией и тем, кому она звонила.

— А куда именно? В Париж? — спросила она.

— Юг Франции. Марсель, Канн, Ницца...

Люля никак не реагировала. Почему он решил, что она примет его приглашение? Почему он так самоуверен?

Марсель оказался типичным портовым городом — красивый и шумный, отдаленно напоминающий Одессу.

Месяцев дал в нем четыре концерта.

После концерта подходили эмигранты. Ни одного счастливого лица. Принаряженные, но несчастливые. Пораженцы.

Подходили бывшие диссиденты. Но какой смысл сегодня в диссиде? Говори что хочешь. Гласность отбила у них хлеб.

Из Марселя переехали в Канн. Опустевший курорт. Город старичков. Точнее, город богатых старичков. Они всю жизнь трудились, копили. А теперь живут в свое удовольствие.

Люля смотрела на старух в седых букольках и норковых накидках.

— Надо жить в молодости, — сказала Люля. — А в старости какая разница?

— Очень глупое замечание, — откомментировал Месяцев.

Люля не любила гулять. Ее совершенно не интересовала архитектура. Она смотрела только в витрины магазинов. Не пропускала ни одной. Продавщицы не отставали от Люли, целовали кончики своих пальцев, сложенных в щепотку, а потом распускали эти пальцы в воображаемый цветок. Люля и в самом деле выходила из примерочной сногсшибательной красоты и прелести. Казалось, костюм находил свою единственно возможную модель. Обидно было не купить. И они покупали. Месяцев покупал по кредитной карте и даже не понял, сколько потратил. Много.

Вся поездка по югу Франции превратилась в одно сплошное нескончаемое ожидание. Люля постоянно звонила в Москву и заходила в каждый автомат на улице. А он ждал. Говорила она недолго, и ждать — нетрудно, но он мучился, потому что за стеклянной дверью автомата протекала ее собственная жизнь, скрытая от него.

Однажды он воспользовался ее отсутствием и сам позвонил домой. Подошла дочь.

— Ты меня не встречай, — предупредил Месяцев. — За мной пришлют машину.

— Я все равно приеду.

— Но зачем?

— Я увижу тебя на два часа раньше.

— Но зачем тебе мотаться, уставать?

— Это решаю я.

Аня положила трубку. Зачем еще кто-то, когда дома все так прочно?

Месяцев вышел из автомата.

— Куда ты звонил? — спросила Люля.

— Своему агенту, — соврал Месяцев.

Он мог бы сказать и правду. Но у них с Люлей общие только десять дней. А потом они разойдутся по своим параллельным прямым. Это случится неизбежно. И пусть хотя бы эти десять дней — общие.

— Ты о чем думаешь? — Люля пытливо заглядывала, приближая свое лицо. От ее лица веяло теплом и земляничным листом.

— Так, вообще... — уклонялся он.

Он готов был тратить, врать, только бы видеть близко это лицо с высокими бровями.

Каждый вечер после концерта они возвращались в гостиницу, ложились вместе и обхватывали друг друга так, будто боялись, что их растащат. Обходились без излишеств, без криков и прочего звукового оформления. Это было не нужно. Все это было нужно в начале знакомства, как дополнительный свет в темном помещении. А здесь и так светло. Внутренний свет.

Последние три концерта — в Марселе. Равель, Чайковский. Месяцев был на винте. Даже налогоплательщики что-то почувствовали. Хлопали непривычно долго. Не отпускали со сцены.

После концерта их пригласила в гости внучка декабриста. Собралось русское дворянство. Люля и Игорь смотрели во все глаза: вот где сохранились осколки нации. Сидели за столом, общались. Месяцеву казалось, что он в салоне мадам Шерер из «Войны и мира».

Месяцев тихо любовался Люлей. Она умела есть, умела слушать, говорить по-английски, она умела любить, сорить его деньгами. Она умела все.

В последнюю ночь Люля была грустна. И ласки их были особенно глубокими и пронзительными. Никогда они не были так близки. Но их счастье — как стакан на голове у фокусника. Вода не шелохнется. Однако все так неустойчиво...

Дочь и Люля были знакомы. Сажать Люлю в их машину — значило все открыть и взять дочь в сообщницы. Об этом не могло быть и речи.

Пришлось проститься прямо в аэропорту. По ту сторону границы.

— Возьми деньги на такси. — Месяцев протянул Люле пятьдесят долларов.

— Не надо, — сухо отказалась Люля. — У меня есть.

Это был скандал. Это был разрыв.

— Пойми... — начал Месяцев.

— Я понимаю, — перебила Люля и протянула пограничнику паспорт.

Пограничник рассматривал паспорт преувеличенно долго, сверяя копию с оригиналом. Видимо, Люля ему нравилась и ему хотелось подольше на нее посмотреть.

***

Дочь встречала вместе с женихом Юрой. Месяцева это устроило. Не хотелось разговаривать.

— Что с тобой? — спросила Аня.

— Простудился, — ответил Месяцев.

Смеркалось. Егозили машины, сновали люди, таксисты предлагали услуги, сдирали три шкуры. К ним опасно было садиться. Над аэропортом веял какой-то особый валютно-алчный криминальный дух. И в этом сумеречном месиве он увидел Люлю. Она везла за собой чемодан на колесиках. Чемодан был неустойчив. Падал. Она поднимала его и снова везла.

На этот раз все подарки умещались в одной дорожной сумке. Месяцеву удалось во время очередного ожидания заскочить в обувной магазин и купить шесть пар домашних туфель и шесть пар кроссовок. Магазин был фирменный, дорогой, и обувь дорогая. Но это все. И тайком. Он выбросил коробки и ссыпал все в большую дорожную сумку, чтобы Люля не догадалась. Он скрывал от Люли свою заботу о домашних. Скрывал, а значит, врал. Он врал тут и там. И вдруг заметил, как легко и виртуозно у него это получается. Так, будто делал это всю жизнь.

Месяцев вытряхнул в прихожей обувь, получился невысокий холм.

Все с воодушевлением стали рыться в обувной куче, отыскивая свой размер. Месяцев ушел в спальню и набрал номер Люли.

— Да, — хрипло сказала она.

Месяцев молчал. Люля узнала молчание и положила трубку. Месяцев набрал еще раз. Трубку не снимали.

Можно было бы по-быстрому что-нибудь наврать, например — срочно отвезти кому-то документы... Приехать к Люле, заткнуть рот поцелуями, забросать словами. Но что это даст? Еще одну близость. Пусть даже еще десять близостей. Она все равно уйдет. Женщина тяготеет к порядку, а он навязывает ей хаос и погружает в грех. Он эксплуатирует ее молодость и терпение. Это не может длиться. Это должно кончиться. И кончилось.

***

Жена погасила свет и стала раздеваться. Она всегда раздевалась при потушенном свете. А Люля раздевалась при полной иллюминации, и все остальное тоже... Она говорила: но ведь ЭТО очень красиво. Разве можно этого стесняться? И не стеснялась. И это действительно было красиво.

Месяцев лежал — одинокий, как труп. От него веяло холодом.

— Что с тобой? — спросила жена.

— Тебе сказать правду или соврать?

— Правду, — не думая, сказала жена.

— А может быть, не стоит? — предупредил он.

Месяцев потом часто возвращался в эту точку своей жизни. Сказала бы «не стоит», и все бы обошлось. Но жена сказала:

— Я жду.

Месяцев молчал. Сомневался. Жена напряженно ждала и тем самым подталкивала.

— Я изменил тебе с другой женщиной.

— Зачем? — удивилась Ирина.

— Захотелось.

— Это ужасно! — сказала Ирина. — Как тебе не стыдно!

Месяцев молчал.

Ирина ждала, что муж покается, попросит прощения, но он лежал как истукан.

— Почему ты молчишь?

— А что я должен сказать?

— Что ты больше не будешь.

Это была первая измена в ее жизни и первая разборка, поэтому Ирина не знала, какие для этого полагаются слова.

— Скажи, что ты больше не будешь.

— Буду.

— А я?

— И ты.

— Нет. Кто-то один... одна. Ты должен ее бросить.

— Это невозможно. Я не могу.

— Почему?

— Не могу, и все.

— Значит, ты будешь лежать рядом со мной и думать о ней?

— Значит, так.

— Ты издеваешься... Ты шутишь, да?

В этом месте надо было сказать: «Я шучу. Я тебя разыграл». И все бы обошлось. Но он сказал:

— Я не шучу. Я влюблен. И я сам не знаю, что мне делать.

— Убирайся вон...

— Куда?

— Куда угодно. К ней... К той...

— А можно? — не поверил Месяцев.

— Убирайся, убирайся...

Ирина обняла себя руками крест-накрест и стала качаться. Горе качало ее из стороны в сторону. Месяцев не мог этого видеть. Он понимал, что должен что-то предпринять. Что-то сказать. Но имело смысл сказать только одно: «Я пошутил, давай спать». Или: «Я виноват, это не повторится». Она бы поверила или нет, но это дало бы ей возможность выбора. Месяцев молчал и тем самым лишал ее выбора.

— Убирайся, убирайся, — повторяла она, как будто в ней что-то сломалось, замкнуло.

Месяцев встал, начал торопливо одеваться. Чемодан стоял неразобранный. Его не надо было собирать. Можно просто взять и уйти.

— Ты успокоишься, и мы поговорим.

Жена перестала раскачиваться. Смотрела прямо.

— Нам не о чем говорить, — жестко сказала она. — Ты умер. Я скажу Алику, что ты разбился на машине. Нет. Что твоя машина упала с моста и утонула в реке. Нет. Что твой самолет потерпел катастрофу над океаном. Лучше бы так и было.

Месяцев оторопел:

— А сам по себе я разве не существую? Я только часть твоей жизни? И все?

— Если ты не существуешь в моей жизни, тебя не должно быть вообще. Нигде.

— Разве ты не любишь меня?

— Мы были как одно целое. Как яблоко. Но если у яблока загнивает один бок, его надо отрезать. Иначе сгниет целиком. Убирайся...

Ему в самом деле захотелось убраться от ее слов. В комнату как будто влетела шаровая молния, было невозможно оставаться в этом бесовском, нечеловеческом напряжении.

Месяцев выбрался в прихожую. Стал зашнуровывать ботинки, поставив ногу на галошницу. Правый ботинок. Потом левый. Потом надел пальто. Это были исторические минуты.

История есть у государства. Но есть и у каждой жизни. Месяцев взял чемодан и открыл дверь. Потом он ее закрыл и услышал, как щелкнул замок. Этот щелчок, как залп «Авроры», знаменовал новую эру.

Ирина осталась в обнимку с шаровой молнией, которая выжигала ей грудь. А Месяцев сел в машину и поехал по ночной Москве. Что он чувствовал? Все! Ужас, немоту, сострадание, страх. Но он ничего не мог поделать. Что можно поделать со стихийным бедствием?

Месяцев позвонил в ее дверь. Люля открыла, не зажигая света. Месяцев стоял перед ней с чемоданом.

— Все! — сказал он и поставил чемодан.

Она смотрела на него, не двигаясь. Большие глаза темнели, как кратеры на Луне.

Утром Алик лежал на своей койке и слушал через наушники тяжелый рок. Музыка плескалась в уши громко, молодо, нагло, напористо. Можно было не замечать того, что вокруг. Отец в роке ничего не понимает, говорит: китайская музыка. Алик считал, что китайская музыка — это Равель. Абсолютная пентатоника. В гамме пять звуков вместо семи.

В двенадцать часов пришел лечащий врач Тимофеев, рукава закатаны до локтей, руки поросли золотой шерстью. Но красивый вообще. Славянский тип. А рядом с ним заведующий отделением, азербайджанец со сложным мусульманским именем. Алик не мог запомнить, мысленно называл его Абдулла.

Абдулла задавал вопросы. Мелькали слова: ВПЭК, дезаптация, конфронтация. Алик уже знал: ВПЭК — это военно-психиатрическая экспертиза. Конфронтация — от слова «фронт». Значит, Алик находится в состоянии войны с окружением. Никому не верит. Ищет врагов.

А кому верить? Сначала дали отдельную палату. Приходил Андрей — они немножко курили, немножко пили, балдели. Слушали музыку, уплывали, закрыв глаза. Кому это мешало? Нет, перевели в общую палату. Рядом старик, все время чешется. Это называется старческий зуд. Попробуй поживи на расстоянии метра от человека, который все время себя скребет и смотрит под ногти. Алик в глубине души считал, что старики должны самоустраняться, как в Японии. Дожил до шестидесяти лет — и на гору Нарайяма. Птицы растащат.

Когда Алик смотрит на старых, он не верит, что они когда-то были молодые. Казалось, так и возникли, в таком вот виде. И себя не может представить стариком. Он всегда будет такой, как сейчас: с легким телом, бездной энергии и потребностью к абсолюту.

Напротив Алика — псих среднего возраста, объятый идеей спасения человечества. Для этого нужно, чтобы каждый отдельно взятый человек бегал по утрам и был влюблен. Движение и позитивное чувство — вот что спасет мир. В отсутствии любви время не движется, картинки вокруг бесцветны, дух угнетен. Душевная гиподинамия.

А вот если побежать... А вот если влюбиться...

Алику нравилось заниматься сексом в экстремальных ситуациях. Например, на перемене, когда все вышли из класса. Прижать девчонку к стенке — и на острие ножа: войдут — не войдут, застанут — не застанут, успеешь — не успеешь... Страх усиливает ощущение. А однажды на дне рождения вывел именинницу на балкон, перегнул через перила. Одиннадцатый этаж. Под ногами весь город. Перила железные, но черт его знает... Девчонка сначала окоченела от ужаса. Потом ничего... Не пожаловалась. Сидела за столом, поглядывала, как княжна Мэри. А что дальше? А ничего.

Однажды взял у бабки ключи от ее однокомнатной квартиры, и они с Андреем привели девчонку. Не из класса. Просто познакомились. Стали пробовать все позиции и комбинации, существующие в индийском самоучителе. И в это время пришла бабка. Приперлась. Алик не пустил. Не открыл дверь. Вечером дома начались разборки: как? Не пустил? Почему?

— Потому, что мы с Андреем трахали девочку, — сказал Алик. У матери глаза чуть не выпали на пол.

— Одну?

— А что? — Алик не понял, что ее так удивило.

— А нельзя привести каждому по девочке? — спросил отец.

Несчастные совки. Отец стучит, как дятел. Рад, что хватает на бананы. А жил бы в нормальной стране, имел бы несколько домов в горах и на побережье. А мать... слаще морковки ничего не ела. Ни взлетов, ни падений, ни засухи, ни дождя. Климат умеренно-континентальный.

В палату вошел Месяцев и сел на край кровати. Алик снял наушники.

— Я ушел из дома. — Месяцев как будто прыгнул в холодную воду. Это было плохое время для такого сообщения. Но другого времени не будет. Алик вернется домой и не увидит там отца. Он должен ВСЕ узнать ОТ НЕГО.

— Куда? — не понял Алик.

— К другой женщине.

Алик стал заинтересованно смотреть в окно. Месяцев проследил за его взглядом. За окном ничего не происходило.

— Я к бабке перееду. А она пусть к матери перебирается, — решил Алик.

Месяцев понял: Алик смотрел в окно и обдумывал свою ситуацию в новой сложившейся обстановке. И нашел в ней большие плюсы.

— А чего ты ушел? — как бы между прочим поинтересовался Алик.

— Полюбил.

— Так ты же старый.

Месяцев промолчал.

— А она хорошо готовит? — спросил Алик.

— Почему ты спрашиваешь?

— Я буду ходить к тебе обедать. Я буду жить у бабки, а есть у тебя.

— Мама может обидеться.

— Это ее трудности.

— Ты жестокий человек, — упрекнул Месяцев.

— А ты какой? Ты живешь как хочешь. И я буду жить как хочу. Почему тебе можно, а мне нельзя? Или всем можно, или всем нельзя. Разве не так?

Месяцев молчал.

Рядом на кровати сидела пара: старая женщина и ее сын в больничной пижаме. Он сидел, поджав ноги, положив голову на материнское плечо. И они замерли в печальной отстраненности. Они были друг у друга и вместе выживали. Сын собирался спасать человечество от гиподинамии. Тупел от уколов. А она подставила свое плечо: вместе спасать. Вместе тупеть.

А Месяцев сейчас встанет и уедет к молодой женщине, к исполнительской деятельности...

Ирина купила ящик вина и утром выпивала стакан. И ходила как под наркозом. На улице было скользко. Ноги разъезжались, как у коровы.

Лидия Георгиевна переехала жить к дочери, чтобы не оставлять ее одну. В доме стояло предательство, и они обе дышали его тяжелыми испарениями. Никому ничего не говорили. Все держалось в глубокой тайне. Единственный человек, которого поставили в известность, — ближайший друг семьи Муза Савельева. Муза — профессор консерватории, арфистка и сплетница. В ней вполне совмещалось высокое и низменное. Так же, как органы любви территориально совпадают с органами выделения.

Муза — ровесница Ирины. Она жила на свете почти пятьдесят лет и на собственном опыте убедилась, что семья — не там, где страсть. А там — где дети и где удобно работать. Потому что страсть проходит. А дело и дети — нет.

— Он вернется, — пообещала Муза.

— Когда? — спросила Ирина и выпила стакан вина. Это имело значение: когда. Потому что каждый день, каждый час превратился в нескончаемый ад.

— В зависимости от объекта, — профессионально заметила Муза. — Кто такая?

— Понятия не имею, — созналась Ирина.

— Вот и плохо, — не одобрила Муза. — Чтобы решить проблему, ее надо знать.

Муза оперативно раскинула свои сплетнические сети и быстро выяснила: Месяцев ушел к Люле. Люля — известный человек, глубоководная акула: шуровала себе мужа на больших глубинах. Предпочитала знаменитостей и иностранцев. Знаменитости в условиях перестройки оказались бедные и жадные. А иностранцы — богатые и щедрые.

Поэтому она брала деньги у одних и тратила на других.

— Она красивая? — спросила Ирина.

— Четырнадцать килограмм краски.

— А это красиво? — удивилась Ирина.

— По-моему, нет.

— А почему она пользовалась успехом?

— Смотря каким успехом. Таким ты тоже могла бы пользоваться, если бы захотела.

— Но зачем Игорю такая женщина? — не поняла Ирина.

— Ты неправильно ставишь проблему. Зачем Люле такой, как Игорь?

— Игорь нужен всем, — убежденно сказала Ирина.

— Вот ты и ответила.

— Но почему изо всех — он? Есть ведь и богаче, и моложе.

— Никто не захотел. Переспать — пожалуйста. А жениться — это другое. Кто женится на бляди?

— Игорь.

— Потому что у него нет опыта измен. Нет иммунитета. Его не обманывали, и он принял фальшивый рубль за подлинный.

— А он знает, что она такая? — спросила Ирина.

— Узнает... — зловеще пообещала Муза. — Не в колбе живем.

— Что же мне делать?.. — потерянно спросила Ирина.

— Сиди и жди. Он вернется.

Ирина стала ждать. И Лидия Георгиевна стала ждать. Ирина при этом ходила на работу, ездила в больницу, уставала. Усталость и алкоголь притупляли горе.

А Лидия Георгиевна ждала в буквальном смысле слова: сидела, как на вокзале, и смотрела в одну точку. И ее лицо было суровым и напряженным. Что она видела в этой точке? Может быть, своего мужа Павла, который ушел от нее на зов любви. Через год его затоптали. Она так не хотела. Судьба так распорядилась. «Возмездие и аз воздам». А скорее всего никакое не возмездие. Тогда многие гибли. Сталин не мог остановиться и даже мертвым собирал свой адский урожай.

Лидия Георгиевна находила свое счастье в счастье дочери. Игорь был всегда занят, у него не оставалось времени для игрищ и забав. Казалось, Ирину никогда не коснется мужское предательство. С кем-то это случается, но не с ней. Как война в Боснии или эпидемия в Руанде. Где-то, у кого-то, не у них...

Не только через Ирину, но и сама по себе она чтила зятя. Все, чего он достиг в своей жизни, он достиг своими руками в прямом смысле этого слова. Из провинции, из низов — рванул вверх. И укрепился наверху. Но в нем навсегда остались тяжелые комплексы из детства: ударят, прогонят, унизят. Так часто поступали с его пьяным отцом на его глазах. Игорь был настороженно самолюбив, подозрителен. Он любил свою жену за то, что он ей верил.

Лидия Георгиевна собирала статьи о нем в отдельную папочку, а фотографии — в альбом. Работала его биографом. Ходила в консерваторию на все его концерты. У нее был выходной черный костюм с белой кофточкой и брошью. Это был ее единственный выход на люди. В консерваторию ходит примерно одна и та же публика. Одни и те же лица. С ней здоровались, кланялись уважительно. И она здоровалась. Старушка-подросток. Потом садилась на свое место в пятом ряду. Лучший ряд, лучшее место. Ждала, когда появится Игорь. Он появлялся. Легко кланялся и сразу садился за рояль. И забывал о зале. И лицо у него становилось необычное. А сейчас в пятом ряду на ее месте сидит другая женщина. Она вытеснила Лидию Георгиевну и Ирину. Всех вытеснила и села... Разорила гнездо.

Аня ушла — без загса, незаконно. Свободная любовь. Говорят, на Западе так принято. Но мы же не на Западе... Алика без отцовской руки не удержать. Ирина живет как в мешке, ничего не видит, не соображает. Сколько это будет длиться? И когда это кончится?

«Он нас любит. Он вернется», — внушала кому-то Лидия Георгиевна и прожигала взглядом свою точку. Как будто гипнотизировала: он вернется... вернется...

И он вернулся. Забрать рояль.

Рояль, как человек, имеет определенную информацию. Клавиши обладают своей податливостью. Рояль принимает тебя или нет. Твой или чужой.

Игорь мог играть только на своем стареньком классическом «Бехштейне».

Ирины не было дома. Дверь открыла Лидия Георгиевна.

У Игоря был свой ключ, но он позвонил, как чужой. За его спиной стояли два такелажника. Рояль грузят специальные люди. Просто грузчики здесь не подходят.

— Там, — показал Игорь.

Такелажники вошли в комнату и сразу принялись откручивать ножки от рояля.

— Поешь? — будничным голосом спросила Лидия Георгиевна, как будто ничего особенного не происходило.

Месяцев по привычке прошел на кухню. Сел за стол. Теща стала накладывать еду на тарелку. На этот раз было вкусно: картошка, селедка, лук.

Месяцев стал есть. Теща внимательно на него смотрела.

— Так вышло, — сказал он.

— Это пройдет, — спокойно пообещала теща.

— Что вы, не дай Бог, если это пройдет!..

В глазах Игоря стоял настоящий страх.

— Не ты первый, не ты последний. Но будь осторожен.

— В каком смысле? — Месяцев поднял глаза.

— Затопчут.

— Кто?

— Жизнь.

В дом вошла Ирина. В прихожей на полу, как льдина, лежал рояль. Такелажники переносили ножки к лифту. Все было понятно и одновременно не понятно ничего. Рояль стоял двадцать пять лет. Почему его надо выносить? Разве недостаточно того, что он вынес себя?

Ирина торопливо прошла на кухню, прямо к холодильнику, достала бутылку вина, стала пить из горлышка, как будто жаждала. Месяцев смотрел на нее во все глаза. Это было новое. Раньше она никогда не пила. Но ведь и он в качестве гостя тоже никогда не приходил.

— Хотя бы нашел себе скрипачку. Человека нашего круга! — прокричала Ирина. — А кого ты выбрал? У нее даже имени нет!

— Как это нет? — растерялся Месяцев. — Есть.

— Люля — это не имя. Это понятие.

— Откуда ты знаешь?

— Это знают все, кроме тебя. Все приходили и уходили. А ты остался. Дурак.

— Дурак, — подтвердил Месяцев.

— Она тебя отловила, потому что ты известный пианист. А я любила тебя, когда ты был никто и ничто!

— Я всегда был одинаковый, — хмуро сказал Месяцев.

Повисла тишина.

В этой тишине Ирина проговорила:

— Я не могу покончить с собой, потому что я не могу бросить Алика. И я не могу жить без тебя. Я не могу жить и не могу умереть. Пожалей меня...

Она вдруг закрыла лицо руками и тихо зарыдала. Лидия Георгиевна вышла из кухни, чтобы не видеть.

Месяцев подошел и прижал ее к себе. Они стояли и вместе плакали, и казалось, что сейчас кончатся слезы и решение будет найдено.

— Я тебя не тороплю, — сказала Ирина. — Сколько тебе надо времени?

— На что? — не понял Месяцев. Потом понял. Жена все решила за него. И казалось так естественно: привинтить к роялю ножки, поставить на место и все забыть. Все забыть.

— Я не буду тебя упрекать, — пообещала Ирина. — В конце концов порядочными бывают только импотенты. Я тоже виновата, я была слишком самоуверенна...

Месяцев вытер ладонью ее щеки.

— Ты не виновата, — сказал он. — Никто не виноват.

В кухню вошли такелажники.

— Нести? — спросил один.

— Несите, — разрешил Месяцев.

— Нет... — тихо не поверила Ирина.

Она метнулась в прихожую. Упала на рояль, как на гроб. Обхватила руками.

— Нет! Нет! — кричала она и перекатывала голову по лакированной поверхности.

Такелажники застыли, потрясенные. Из комнаты выбежала Лидия Георгиевна и стала отдирать Ирину от рояля. Она цеплялась, мотала головой.

Месяцев не выдержал и вышел. Стал в грузовой лифт. Через некоторое время мелкими шажками вдвинулись такелажники с телом рояля. Месяцев нажал кнопку первого этажа. Лифт поехал вниз. Крик вперемежку с воем плыл по всему дому. И становилось очевидным, что человек — тоже зверь.

Капли стучали о жестяной подоконник. С неба капала всякая сволочь. У кого это он читал? У Корнея Чуковского, вот у кого.

— Люля, — позвал он.

— А... — Она выплыла из полудремы.

— У тебя было много мужчин?

— Что?

— Я спрашиваю: у тебя было много мужчин до меня?

— Кажется, да. А что?

— Сколько?

— Я не считала.

— А ты посчитай.

— Сейчас?

— Да. Сейчас. Я тебе помогу: первый муж, второй муж, я... А еще?

Люля окончательно вынырнула из сна.

— Первый муж был не первый. И второй не второй.

— Значит, ты им изменяла?

— Кому?

— И первому, и второму.

— Я не изменяла. Я искала. Тебя. И нашла.

— А теперь ты будешь изменять мне?

— Нет. Я хочу красивую семью. Все в одном месте.

— Что это значит?

— То, что раньше мне нравилось с одним спать, с другим разговаривать, с третьим тратить деньги. А с тобой — все в одном месте: спать, и разговаривать, и тратить деньги. Мне больше никто не нужен.

Месяцев поверил.

— Ты меня любишь? — спросил он.

— Люблю. Но нам будут мешать.

— Кто?

— Твой круг.

— Мой круг... — усмехнулся Месяцев. — Мой отец был алкаш, а мама — уборщица в магазине. Ей давали еду. Жалели.

— А я администратор в гостинице. Было время, когда койка стоила три рубля, со мной десять.

— Не понял, — отозвался Месяцев.

— Надо было есть, одеваться, выглядеть. Что ж тут непонятного?

Месяцев долго молчал.

— Почему ты молчишь? — встревожилась Люля.

— Вспоминаю: «ворами, блядями, авантюристами, но только вместе». Откуда это?

— Не помню, — задумчиво отозвалась Люля.

С неба продолжало сыпать. Но оттого, что где-то сыро и холодно, а у тебя в доме сухо и тепло...

Он обнял Люлю.

— Поиграй на мне, — сказала она. — Я так люблю твои руки...

Он стал нажимать на ее клавиши. Она звучала, как дорогой рояль.

А композитор кто? Любовь, страсть, тишина. И снежная крупа, которая сыпала, сыпала, сыпала с неба.

Алика выписали из больницы.

Врач Тимофеев разговаривал с Месяцевым в своем кабинете. Он сидел за столом в высоком колпаке, как булочник.

— Ваш сын освобождается от армии, — сказал Тимофеев.

— Спасибо, — поблагодарил Месяцев. — Очень хорошо.

— Нет. Не очень хорошо. У него психическое заболевание.

— Это моя жена перестаралась, — объяснил Месяцев.

— Ваша жена здесь ни при чем. Военно-психиатрическая экспертиза определила диагноз: шизофрения, гебоидная симптоматика.

— И что дальше? — растерялся Месяцев.

— Ничего. Поставим на учет в ПНД.

— А что это такое?

— Психоневрологический диспансер. Таких больных ставят на учет.

Месяцев вспомнил, что, когда он выезжал за границу, у него требовали справку из психоневрологического диспансера. И когда получал водительские права — то же самое. Он ходил в диспансер, и ему выдавали справку, что он НЕ СОСТОИТ на учете. Психически неполноценные люди не водят машину и не ездят за границу. Клеймо. Как на прокаженном.

— А можно не ставить на учет? — спросил Месяцев.

— Тогда армия.

Или диспансер, или армия. Ловушка.

Тимофеев считал разговор законченным. Но Месяцев так не считал. Ему хотелось как-то развернуть события или хотя бы смягчить. Хотелось поторговаться с судьбой.

— Шизофрения — это болезнь яркого воображения. Вы думаете, вы нормальный? Или я? Почти все гении были шизофрениками.

— Наверное, есть больные гении, а есть здоровые. — Тимофеев дипломатично уходил от спора.

— Гений — уже не норма. Норма — это заурядность.

— У вас по мужской линии были душевнобольные? — спросил Тимофеев.

Месяцев понял, что торговаться бессмысленно.

Хмуро ответил:

— Сумасшедших не было. А алкоголик был.

— Ну вот. Алкоголизм — тоже душевное заболевание.

Месяцев тяжело замолчал. Потом спросил:

— Это лечится?

— Малые нейролептики. Корректируют поведение. Но вообще это не лечится.

— Почему?

— Метафизическая интоксикация.

Месяцев тронул машину. Увидел себя возле своего старого дома. Сработал стереотип. Он слишком долго возвращался к этому дому из любой точки земного шара.

У подъезда стояла Аня.

— Ты пришла или уходишь? — спросил Месяцев.

— Ухожу. Я привозила им картошку.

Раньше картошка была на Месяцеве. Он привозил с базара мешок и ставил на балконе. Хватало на два месяца.

— А почему ты? — удивился Месяцев.

— Потому что больше некому.

— А Юра на что?

Аня не ответила. Наступило тяжелое молчание.

— Ты плохо выглядишь, — заметила Аня. — А должен выглядеть хорошо.

— Почему? — не понял Месяцев.

— Потому что Алик болен. Мы все должны жить долго, чтобы быть с ним.

— Это не болезнь, — упрямо сказал Месяцев. — Просто выплескивается яркая личность.

Если признать, что Алик болен, значит, он не имеет права на личное счастье. Нельзя быть лично счастливым, когда твоему сыну на лоб ставят клеймо. Но он любил. И был любим. В чем его вина?

Месяцев молчал и смотрел в землю. Аня тоже молчала.

— Никто не хочет понять, — горько сказал Месяцев.

— Не хочет, — подтвердила дочь.

— У тебя вся жизнь впереди...

— Но какая жизнь у меня впереди? — Аня подняла голову, и он увидел ее глаза, хрустальные от подступивших слез. — Какая жизнь у меня? У мамы? У бабушки? У Алика? Какой пример ты подаешь Юре? И что скажут Юрины родители? Ты подумал?

— О Юриных родителях? — удивился Месяцев.

Аня повернулась и пошла.

Под ногами лежал бежевый снег с грязью. На Ане были модные, но легкие ботинки, непригодные к этому времени года. А он ничего ей не привез, хотя видел в обувном магазине. Видел, но торопился. Аня шла, слегка клонясь в сторону. У нее была такая походка. Она клонилась от походки, от погоды и от ветра, который гулял внутри ее.

Месяцев не мог себе представить, что придется платить такую цену за близость с Люлей. Он наивно полагал: все останется как есть, только прибавится Люля. Но вдруг стало рушиться пространство, как от взрывной волны... Волна вырвала стену дома, и он существовал в комнате на шестнадцатом этаже, где стоит рояль и нет стены. Вместо стены — небо, пустота, ужас.

Месяцев лежал на диване и смотрел в потолок.

— Значит, так: или Достоевский, или Ницше, — спокойно сказала Люля.

Месяцев ничего не понял.

— Достоевский носился со слезой ребенка, а Ницше считал, что в борьбе побеждает сильнейший. Как в спорте. А проигравший должен отойти в сторону.

Месяцев вспомнил выражение Петры: «на мусор». Значит, на мусор должны пойти Ирина, Аня и Алик.

— Если ты будешь ходить к ним, сочувствовать, то принесешь им большее зло. Ты дашь им надежду, которая никогда не сбудется. Надо крепко хлопнуть дверью.

— А если в двери рука, нога?

— Значит, по ноге и по руке.

— И по Алику, — добавил Месяцев.

— Я ни на чем не настаиваю. Можешь хлопнуть моей дверью. По мне.

— А ты?

— Я приму твой выбор.

— И ты готова меня отпустить?

— Конечно. Мы встретились в середине жизни. Приходится считаться.

— Ты найдешь себе другого? Ты опять поедешь в санаторий и отдашься на снегу?

— Как получится, — сказала Люля. — Можно в парадном. На батарее.

Она подошла к окну и легко уселась на подоконник.

Ревность ожгла Месяцева. Он поднялся и пошел к Люле, не понимая зачем.

— Не выдави стекло, — сказала Люля. — Выпадем.

Он мог выпасть и лететь, держа ее в объятиях. И даже ахнуться об землю он согласен, но только вместе, чтобы в последнее мгновение ощутить ее тепло.

Муза Савельева решила сменить тактику ожидания на тактику психологического давления. Друзья и знакомые должны открыто выражать свой протест. При встрече — не здороваться и не подавать руки. А по возможности — устремлять гневный, негодующий взор. Как в опере. Человек-укор. Игорь должен понять, что его круг восстал против измены. Ему станет стыдно, и он вернется.

— Он не вернется, — обреченно сказала Ирина. — Он меня любил тридцать лет. Теперь там будет любить тридцать лет. Он так устроен. Это его цикл.

— У тебя пораженческие настроения, — пугалась Муза. — Ни в коем случае нельзя сдаваться. Надо сопротивляться.

Но в схеме сопротивления возникли трудности. Никто не захотел выражать Месяцеву протест. Поговорить за глаза — сколько угодно, но устремлять гневный взор... Идеи Музы казались архаичными, как арфа. Инструмент богов.

Еле удалось уговорить Льва Борисовича. Он согласился встать возле памятника Чайковскому перед началом концерта.

Погода была плохая. Лев Борисович натянул поглубже ушанку, поднял воротник и не заметил, как подъехала машина Месяцева.

— Лева! — окликнул Месяцев.

Никакого укора не получилось. Лев Борисович смущенно приблизился и увидел женщину. Лицо — в мехах. Над мехами — глаза. Гордая красавица, как шахиня Сорейя, которая потрясла мир в шестидесятые годы. Льву Борисовичу тогда было тридцать лет. А сейчас шестьдесят три. «Шахиня» смотрела на него, и он вдруг увидел себя ее глазами — замерзшего, жалкого, бедного никчемушника.

— Ты что здесь делаешь? — спросил Месяцев.

— Соня послала, — сознался Лев Борисович.

— Зачем?

— Ее Ирина попросила, — выдал Лев Борисович.

— Зачем?

— Я не знаю. Просто чтобы ты меня увидел.

У Месяцева стало мутно на душе.

— На концерт пойдешь?

— Нет, — отказался Лев Борисович. — У меня бронхит.

— Передай Соне привет.

— Спасибо, — поблагодарил Лев Борисович.

Дирижер руководил руками, глазами, пальцами, даже ушами. Жесты у него были региональные. Еврейская пластика. Состав оркестра — сильный, и дирижер доставал те звуки, которые хотел слышать.

Муть в душе не проходила, стояла у горла. Надо было как-то забыть обо всем, погрузиться в то, особое состояние, которое выводило его на космос. Но ничего не забывалось. И не погружалось.

...Аня с промокшими ногами. Теща с обуглившимся взглядом. И та, другая старуха в валенках положила голову на плечо сумасшедшего сына. Или наоборот. Он положил ей голову...

Месяцев давно не жил в перестроечной действительности. У него была своя страна: большая квартира, дорогой рояль, дорогая женщина, качественная еда, машина, концертный зал, банкеты в посольствах, заграничные поездки. А была еще Россия девяностых годов с нищими в переходах, со смутой на площадях, с холодом и бардаком переходного периода. И сейчас он остался в прежней жизни, а свою семью выкинул на холод и бардак. И она ничего не может противопоставить. Только выслать старого Льва Борисовича как парламентера.

Зал хлопает. Дирижер с плитами румянца на щеках пожимает руку. Никто ничего не заметил.

За кулисами собрался народ. Несли цветы. Цветов было много. Дорогие букеты складывали, как веники.

Муза Савельева выдвинула новую тактику замещения. Вместо Игоря подобрать другого мужчину. Игорь узнает, взревнует и вернется обратно, чтобы охранять свое гнездо и свою женщину.

Мужчина был найден. Назывался Рустам. Чей-то брат. Или дальний родственник. Ирина не запомнила. Обратила внимание, что когда он расплачивался в ресторане, то достал пачку долларов толщиной в палец. Ирина подумала: может, он террорист, иначе откуда такие деньги?

Рустам был ровесник Ирины, но выглядел молодо, на десять лет моложе. И приглашал танцевать молодых девочек в коротких юбках. Их ноги в колготках казались лакированными. Девчонки перебирали твердыми лакированными ногами, а Рустам обпрыгивал их вокруг, как козел.

Ирина сидела за столиком в черно-белом одеянии: дорогая блуза с венецианскими кружевами, длинная юбка из тяжелого шелка. Величественная и возрастная, как царица Екатерина, только без парика и без власти. Или как Эдит Пиаф со своим греком. Но то была Эдит Пиаф, а не преподаватель по классу рояля.

«Шла бы домой носки вязать», — сказала она себе. И глубокая грусть стояла в глазах. Этот поход только обнажил ее катастрофу. Она рухнула с большой высоты, разбилась и обгорела и теперь видит свои останки со стороны. Все можно поправить, но нельзя повернуть время вспять. Нельзя вернуть молодость и любовь Игоря.

Возраст — это единство формы и содержания. Молодые наполнены молодостью, у них молодые формы и радостное содержание.

Ирина тоже могла бы выйти в середину круга и задергаться в современном ритме включенного робота. Но на что это было бы похоже?

Нет. Не надо ни за кого прятаться, тем более за чужих и посторонних мужчин. Надо как-то с достоинством выплывать из этой реки страданий. Или тонуть.

Ирина вернулась домой. Вошла в комнату матери. Ясно, спокойно сказала:

— Мама, я не могу жить. И не буду.

— Можешь, — сказала Лидия Георгиевна. — Будешь.

Изо всех Христовых заповедей самой трудной оказалась «смири гордыню».

«Не укради» — легко. Гораздо труднее — украсть. «Не убий» — и того легче. Ирина не могла убить даже гусеницу. «Не лжесвидетельствуй» — тоже доступно. А вот «смири гордыню», пригни голову своему «я», выпусти в форточку свою женскую суть... И при этом — не возненавидь... Ненависть сушит душу до песка, а на песке ничего не растет... Даже репей...

Ирина перестала ходить в общественные места: на концерты, в театры. Раньше входила в зал под руку с Месяцевым — и этим все сказано. А сейчас — входит в зал, видит полный партер народу, где она никому не нужна. И никто не нужен ей.

Однажды в подземном переходе встретила Музу Савельеву. Прошла мимо. Муза позвала. Ирина не обернулась. Прошлая жизнь осталась где-то на другом берегу, и не хотелось ступать на тот берег даже ненадолго. Даже в полноги.

Недавно зашла в универмаг и увидела себя в большом зеркале с головы до ног. В длинной дорогой шубе она походила на медведя-шатуна, которого потревожили в спячке. И теперь он ходит по лесу обалделый, не понимающий: как жить? Чем питаться? И вообще — что происходит?

Алик летел высоко над землей. Жуть и восторг. Впереди гора. Надвигается. Сейчас врежется... Но обогнул. Пролетел мимо. Очень близко увидел бок горы — как гигантская корка хлеба.

— Хорошо было? — спросил Андрей издалека.

Алик увидел себя в бабкиной комнате.

— Надо где-то баксы достать, — сказал Андрей.

Они вышли из дома и куда-то поехали. Алик больше не летал, но был непривычно легким, расслабленным. Они без труда перемещались по Москве, покрывали большие расстояния. Оказывались то тут, то там. В том числе оказались на Таганке, возле новой квартиры отца. Дверь открыла Люля.

— Отец дома? — спросил Алик.

— Игорь Николаевич? — уточнила Люля. — Проходи.

Алик прошел, а Андрей остался на лестнице. Спустился на полмарша вниз и стал ждать.

— Слушай, а ты чего за старика вышла? — доверительно спросил Алик. — Хочешь, я тебя трахну?

— Не хочу, — спокойно сказала Люля.

— Почему?

— Ты мне не нравишься. Поэтому.

Вышел отец и сказал одно слово:

— Вон...

Алик попятился и ударился о косяк двери. Поморщился. Почесал плечо.

— Вон, кому говорят, — повторил отец.

— Уйду, уйду, — не обиделся Алик. — Дай мне денег. Последний раз.

— Ничего я тебе не дам, — сказал Месяцев и добавил: — Скотина.

— На день рождения позвали, — объяснил Алик. — Надо подарок купить.

— Иди работать, будут деньги, — сказал отец. — Ступай вон.

Алик стоял на месте.

— Ты не расслышал? — спросила Люля.

— Уйду, черт с вами, — беззлобно сказал Алик. — Где бы денег взять? Дай в долг. Я отдам.

— Научишься себя вести, тогда приходи, — сказала Люля.

Алик ушел озадаченный.

— Ну как? — спросил Андрей.

— Никак, — ответил Алик. — Не понимаю, зачем старому человеку деньги? Деньги нужны молодым.

Алик и Андрей пешком пошли до Красной площади. Вся площадь была до краев набита людьми. Выступала какая-то крутая группа. Музыка, усиленная динамиками, наполняла пространство до самого неба. Ритм соединял людей и пространство в одно целое. Все скакали, выкидывая над головой кулак с двумя выдвинутыми вперед пальцами. Получался сатанинский знак. Вся площадь в основном состояла из молодежи, которая скакала, как на шабаше.

Алик и Андрей тоже выкинули над головой сатанинский знак и стали скакать. Алику казалось, что он зависает. И если подпрыгнуть повыше, то полетит. Жуть и восторг. Они заряжались от толпы и сами заряжали. Как в совместной молитве, но наоборот. В молитве человек просит, а здесь берет, не спрашивая. Здесь все можно, здесь ты хозяин, а не раб. Можешь брать у жизни все что хочешь и пробовать ее на зуб, эту жизнь.

Денег хватило на бутылку водки и триста граммов колбасы. «Колеса» были.

Андрей размешал «колеса» в стакане.

— Это что? — спросил Алик.

— Циклодол. При Паркинсоне прописывают. Я у дяди Левы украл.

Алику было плевать на дядю Леву с Паркинсоном. Он спросил:

— А что будет?

— Ничего. Он еще себе купит. У него рецепт есть, а у меня нет.

— Я не про дядю Леву. Я про нас.

— Глюки. Посмотрим.

Андрей размешал еще раз. Они хлебнули. Стали ждать.

Появились какие-то блоки из пенопласта. Из них составлялся космический корабль. Как в детском конструкторе.

— Ну как? — спросил Андрей.

— Скучно. Давай водки добавим.

Налили водки. Сделали по глотку.

Космический корабль стронулся с места и мерзко задребезжал. Скорость нарастала, дребезг усиливался. Потом взрыв. Треск и пламя. Загорелась голова.

Алик дошел до телефона. Снял трубку. Набрал номер. Позвал:

— Мама...

И упал.

Трубка раскачивалась над остановившимися глазами. И оттуда, как позывные, доносился голос матери:

— Алё... Алё...

Хоронили через два дня. Похоронами занималась Люля, потому что больше оказалось некому. Ирина лежала, как неодушевленный предмет. От нее не отходил врач. Лидия Георгиевна продолжала смотреть в свою точку. Ани не было в Москве. Они с Юрой уехали на Кипр. Сейчас все ездили на Кипр.

У Люли оказался знакомый священник. Алика отпевали по русскому обычаю.

В изголовье стояли Месяцев и Ирина. Месяцев видел лицо своего сына, лежащего в гробу, но не верил, что он мертвый. Ему казалось, что это какое-то недоразумение, которое должно кончиться. Бывают ведь необъяснимые вещи, вроде непорочного зачатия. Где-то, самым верхним слоем мозга, Месяцев понимал, что его сын умер. Его хоронят. Но это не проникало в его сознание. Месяцев стоял спокойный, даже величественный. Ирина почему-то меняла головные уборы: то надевала кружевную черную косынку, то новую шапку из лисы. Шапка увеличивала голову, она была похожа в ней на татарина.

Народу набралось очень много. Месяцев не понимал: откуда столько людей? Была почти вся консерватория, школьные друзья Алика, Люля и ее знакомые. И даже мелькнуло лицо театрального администратора. Может быть, он участвовал в организации похорон.

Месяцев увидел Льва Борисовича, своего старинного друга, — жалкого и заплаканного. Месяцев дружески подмигнул ему, чтобы поддержать. Глаза Льва Борисовича наполнились ужасом. Он решил, что Месяцев сошел с ума.

Люля скромно стояла в дверях в своей шубе из черной норки. Ее сумочка была набита лекарствами. На всякий случай.

Неподалеку от Люли стояла ее подруга Инна в лисьем жакете. К Инне подошла Муза Савельева и сказала:

— А вы зачем пришли? Какая бестактность! Дайте матери сына похоронить.

Подруга поняла, что эти слова относятся к Люле, но промолчала. В глубине души она осуждала Люлю. Могла бы дома посидеть. Но Люля как бы показывала общественности, что Месяцев — с горем или без — это ее Месяцев. И она сторожила свою добычу.

Священник произнес над гробом какие-то простые и важные слова. Он сказал, что на все воля Божия. Значит, никто не виноват. Так распорядились свыше. И что когда-нибудь все встретятся в царствии Божием и снова будут вместе. Месяцев зацепился за это слово: ВСТРЕТЯТСЯ... И все, что происходило вокруг, он воспринимал как временное. Люди пришли, потом уйдут. А он будет ждать встречи с Аликом.

Дома были раскинуты столы для гостей. Люля все организовала. А у Ирины в доме — стол для ее гостей. Пришлось делить знакомых и друзей. Некоторые отошли к Ирине и разделили ее горе. Большая часть отошла к Игорю и села за его стол.

Месяцев присутствовал и одновременно отсутствовал. Его не было среди гостей. Иногда выныривал, как из глубины, и вместе с ним выплывало одно слово: затоптали.

Когда все ушли, он лег лицом к стене и стал ждать.

Дни набегали один на другой. Месяцев не замечал разницы между днем и ночью. Как за Полярным кругом. Ему было все равно.

Люля требовала, чтобы он поехал к знакомому психоаналитику. Но Месяцев знал, что скажет психоаналитик. Он выбрал день и отправился к священнику.

— Я устал переживать смерть своего сына, — сказал Месяцев. — Я хочу к нему.

— Это бессмысленно, — спокойно сказал священник. — Вас не примут раньше положенного вам срока.

— Это как? — не понял Месяцев.

— Ну, на мирском языке: будете ждать в приемной.

— А там нельзя курить... — мрачно пошутил Месяцев.

— Что-то в этом роде. Ваша душа будет маяться так же, как здесь.

Месяцев помолчал.

— А ему было больно?

— Я думаю, нет. Я думаю, он не заметил, что умер.

Месяцев поверил священнику. У него было приятное широкое лицо и никакой фальши в голосе. Месяцев не мог выносить фальши и все время боялся, что с ним начнут говорить о его горе.

— Значит, что? Ждать? — спросил Месяцев.

— Жить, — сказал священник.

Прошел год.

Всего один год, а сколько времени!..

Люля подолгу жила в Америке. Ее подруга Инна вышла замуж за американца, и они сляпали какое-то совместное предприятие. Не то пекарню, не то магазин. Месяцев не вникал.

У Люли оказалась бездна способностей, ей стало скучно сидеть возле погасшего Месяцева. Надоело. Мертвый сын мешал больше, чем живой.

3*

Первое время Люля пыталась как-то разделить участь мужа. Но есть участь, которую разделить невозможно.

— Не ты первый, не ты последний, — утешала Люля. — Весь Запад в наркоманах.

— Ты так говоришь, потому что твоя дочь жива и здорова. А если бы твоя дочь умерла и ее зарыли в землю, я бы на тебя посмотрел...

Люля пыталась зайти с другого конца.

— Бог посылает тебе испытания, — рассуждала Люля. — Бог испытывает тех, кого любит...

Месяцев холодно смотрел и говорил:

— Оставь Бога в покое. Ты даже не знаешь, как его зовут.

Люля терялась и думала: а в самом деле, как его зовут? Иисус. Но это сын Божий. А самого Бога — как зовут?

Они как будто оказались на разных берегах, и Месяцев не хотел никаких мостов. Люля чувствовала: время вокруг них остановилось и загустело, как янтарь. А она сама — как муха в янтаре. Все кончилось тем, что она купила финскую морозильную камеру на сорок килограммов и, уезжая за океан, полностью забивала ее продуктами: мясо, рыба, птица, грибы, мороженые овощи, фрукты и ягоды. Все витамины. Этой морозилки хватало на несколько месяцев. Можно жить, не выходя из дома. И даже небольшую гражданскую войну можно пережить с такой морозилкой.

Месяцев постепенно отошел от исполнительской деятельности. Пятьдесят лет — хороший возраст. Но он уже сказал свое слово и теперь мог только еще раз повторить то, что сказал. Выросли новые, тридцатилетние, и шумно рассаживались на пиршестве жизни. У них был свой стол.

Месяцева все чаще приглашали в жюри. Он больше представительствовал, чем играл. Когда приходилось давать концерты, он вспахивал пальцами клавиатуру, но думал о своем. Шел, как самолет на автопилоте. Программа задана, долетит и без твоего участия. И бывал рад, когда возвращался домой в пустую квартиру.

Он научился жить один и привык к своему одиночеству. И даже полюбил его. Люди мешали.

3-4

Однажды среди бумаг нашел листок со стихами Алика.

«Пусть руки плетьми повисли и сердце полно печали...»

Месяцев не понимал поэзии и не мог определить: что это? Бред сумасшедшего? Или выплеск таланта? Алик трудно рос, трудно становился. Надо было ему помочь. Удержать. Жена этого не умела. Она умела только любить. А Месяцев хотел только играть. Алик наркоманил и кололся. А Месяцев в это время сотрясался в оргазмах. И ничего не хотел видеть. Он только хотел, чтобы ему не мешали. И Алик шагнул в сторону. Он шагнул слишком широко и выломился из жизни.

Когда? Где? В какую секунду? На каком трижды проклятом месте была совершена роковая ошибка? Если бы можно было туда вернуться...

Когда становилось невмоготу, Месяцев покупал коньяк и шел к Льву Борисовичу.

Лев Борисович в последнее время увлекся фотографией, и на его стенах висели храмы, церквушки, старики, собаки, деревья.

Пили коньяк. Все начинало медленно кружиться по кругу.

— Я сломан, Лева, — сознавался Месяцев. — У меня как будто перебита спина.

— Почему? — Лев Борисович поднимал брови.

— Меня покинули сын, талант и любовь.

— У меня никогда не было ни детей, ни таланта. И ничего — живу, — комментировал Лев Борисович.

— Если бы я не прятал его от армии, если бы он пошел в армию, то остался бы жив...

— Или да, или нет...

— В тот день он сказал: дай денег. Если бы я дал ему деньги, он пошел бы на день рождения. И все бы обошлось...

Дальше Лев Борисович знал: Месяцев расскажет о том, как он выгнал Алика, как Алик попятился и ударился плечом о косяк и как ему было больно.

— Сейчас уже не больно. — Лев Борисович покачал головой.

— Он сказал: «Уйду, уйду...» И ушел навсегда.

Месяцева жгли воспоминания. Он говорил, говорил, чтобы не так жгло. Облегчал душу. Но зато нагружал душу Льва Борисовича. Лев Борисович искренне сострадал другу, но в конце концов научился противостоять нагрузке. Он как бы слушал вполуха, но думал о своем. Уезжать ему в Израиль или нет?

С одной стороны, туда переехали уже все родственники и на пенсию можно прожить безбедно. Овощи и фрукты круглый год. Апельсины стоят копейки. Вообще ничего не стоят. А с другой стороны, Израиль — провинция, как город Сухуми с пальмами. Все говорят только про деньги. И дует хамсин, какой-то мерзкий суховей. И вообще — он русский человек, хоть и еврей.

— А как ты думаешь? — спросил Месяцев. — Могла лавина придавить Алика?

Лев Борисович очнулся от своих мыслей.

Глаза у Месяцева были ждущие, острые, мученические. Надо было что-то ответить, но Лев Борисович не слышал вопроса. Отвлекся на свой хамсин.

— Что? — переспросил он.

Месяцев понял, что его не слышат. Он помолчал и сказал:

— Ничего. Так...

Мой мастер

Однажды в начале лета я шла по березовой роще. В роще бегали и звенели дети, неподалеку размещался их детский сад.

Мальчик лет пяти сидел на корточках и проверял пальцы на ноге. Рядом валялся неполный кирпич.

Мальчик поднял на меня большие ошарашенные глаза и возмущенно сообщил:

— Кузюрин уронил мне на ногу кирпич!

— Больно? — посочувствовала я.

Мальчик прислушался к своим ощущениям и честно сообщил:

— Не очень больно. Но все-таки больно.

Мне не хотелось уходить от мальчика, оставлять в трудную минуту. Я спросила:

— Ты кузнечиков видел?

— Конечно, — удивился мальчик. — Их тут полно.

— Некоторых можно обучить играть на скрипочке.

— А зачем? — удивился мальчик.

Это был ребенок-реалист. Он не понимал, зачем кузнечику концертная деятельность, когда у него совершенно другие жизненные задачи. А я поняла, что любая сказка должна быть положена на реальность. Иначе это не сказка, а вранье.

С тех пор прошло много времени. Мальчик вырос, должно быть. А детский сад как стоял, так и стоит. Без ремонта. Я тоже продвинулась во времени и попала в другой его кусок. Я — такая же, а время вокруг меня другое.

Я живу не очень давно, но все-таки давно. Мои ровесники уже вышли в начальники и в знаменитости. Кому что удалось.

Гена Шпаликов ушел раньше своего часа. Не стал ждать. Надоело. Ему досталось вязкое время.

Однажды мы с ним встретились на телевидении. Он спросил:

— Что ты здесь делаешь?

Я сказала:

— Работаю штатным сценаристом.

— Нечего тебе здесь делать. Иди домой.

Второй раз он увидел меня с моим соавтором. Спросил:

— Что ты возле него делаешь?

Я сказала:

— Нахожусь под обаянием личности.

— Нечего тебе делать под его обаянием. Иди домой.

Он оказался прав. Мне не надо больше работать на телевидении, тратить время и душу. Мне не надо было соавторствовать, размывать свои способности. Мне надо было идти домой. И писать. Тогда я это не понимала, а он понимал. И за меня. И за себя.

Как-то я встретила его в сберкассе. От него пахло третьим днем запоя. Между прочим, не противный запах. Даже приятный. Немножко лекарственный.

Гена молод, но знаменит, что редкость для сценариста. С ним работают лучшие режиссеры.

— Ты вкладываешь деньги? — догадалась я.

Он хмуро посмотрел на меня и спросил:

— Похож я на человека, который вкладывает деньги?

Он их тратил, равно как и себя самого. Он взял тогда пятнадцать рублей, из них пять подарил кассирше. Он дарил себя направо и налево. Не жалко.

Он тогда сказал:

— Посиди со мной в кафе.

— Не могу. Дела, — отказалась я.

— Я прошу тебя. Один час.

Я пошла с Геной в кафе. Как на ленинский субботник. Не хочется, но надо. Он читал стихи. К нам за стол села девочкашкольница. Он и ей читал свои стихи. Все мои бесконечные дела и делишки осыпались, как картофельная шелуха. А этот час в кафе — на всю жизнь.

Это был час высоты.

Он уже начинал уходить от всех нас и прощался с каждым по очереди. И со мной в том числе. И с незнакомой девочкой.

Его нет, а как бы жив. А некоторые живут, но как бы умерли. Ничего о них не слышно, хотя они что-то делают. Но вроде как и не делают.

А некоторые получили от времени вторую молодость, и сегодня в свои пятьдесят и шестьдесят моложе, чем были, честнее, интереснее.

Пузатый вышибала, режиссер-неудачник, которого никто и никогда не видел трезвым, превратился в мощного бизнесмена, продюсера, официального миллионера. Он меняет «мерседесы» и плащи в зависимости от времени года. Весной белый плащ, осенью — зеленый. Машина в цвет плаща. К тому же оказался правнуком не то Радищева, не то Рылеева. Потомственный дворянин.

Кое-кто из провинциального поэта превратился в Спартака, который повел рабов к свободе. И за ним пошли. Потом, правда, передумали и отстали.

Новое время одних отмело, других вскинуло на гребень, третьих выбросило к иным берегам. Эти другие приезжают сегодня из Америки и разговаривают с еле уловимым акцентом. Они говорят по-русски, но чувствуется, что привыкли к другому, более цивилизованному языку. Иногда спотыкаются в речи, ищут слово и делают в воздухе нетерпеливое движение пальцами, как бы подзывая это слово.

Для человечества в целом не важно, когда умер творец — молодым или старым, долго он жил или коротко. Важно то, что он успел оставить. Но для самого творца все-таки важно, сколько он проживет. Как надолго задержится на этом свете? И если бы Моцарта в последний час его жизни спросили: хочешь умереть как Моцарт или жить до ста лет как простой капельдинер? Что бы он выбрал?

О чем я пишу? О том, как я шла по березовой роще. Не очень молодая, но все-таки молодая. Студентка ВГИКа. Мастерская Катерины Виноградской. Ее звали не Екатерина — это другое. Торжественное. Екатерина Великая. А именно Катерина. Та самая Катя-Катя-Катерина.

Она всем открывалась по-разному. Как рояль пианисту. Кто-то подойдет, сыграет «собачий вальс». А кто-то — экспромт Шопена. А третий просто постучит по клавишам кулаками, и тогда будет блям-блям-блям. Тот же самый рояль. Одному — блям-блям. Другому — божественное звучание.

Для одних Катерина Виноградская была автор фильмов «Член правительства», «Партийный билет». Живой классик.

Для других — ортодоксальный марксист. Заставляла писать образ Ленина. И писали. За повышенную стипендию. Подумаешь, на Западе из-за денег люди наркобизнесом занимаются. И то ничего. А тут образ Ленина написать.

Для третьих Катерина была несовременна и несвоевременна, как звероящер, заблудившийся в эпохах и попавший в двадцатый век. И никто не понимает, как это могло случиться: звероящеры давно вымерли и мамонты вымерли. Вместо них слоны. И те только в Индии.

Но была еще одна. МОЯ Виноградская. И о такой я хочу рассказать. Потому что если не я, то никто. Никто и никогда.

Самое начало

Я снимаю проходную комнату у вдовой генеральши, работаю учительницей музыки, у меня нет пальто. Вернее, есть, но лучше бы его не было вообще.

В проходной комнате вместе со мной живет генеральшин зоопарк: собака, кошка и канарейка. Собака линяет от авитаминоза, кот ворует еду, а канарейка все время какает. Жидкие капли застывают и становятся похожи на полудрагоценный минерал. Собачья шерсть слоями лежит на кровати, на полу и у меня в мозгах. Кот — крупный, старый, без глаза. Потерял в честном бою. Собака меня не любит. Кот презирает. Птице все равно.

А за окном яркая весна. На киноафишах портреты Брижит Бардо, у меня прическа Бабетты — одной из ее героинь. Я хочу квартиру, хочу пальто, хочу, чтобы мое имя мелькало на слуху.

Как этого достичь? Можно стать подругой знаменитости. Отражать чужой свет. Стала. Не близкой, но все же подругой. Мы даже сидим в ресторане и болтаем на равных, при этом я постоянно, все время жую. Он смотрит на меня и говорит с тоской: «Ешь, ешь, а то моя жена постоянно на диете». Я хохочу до потолка, он смотрит с тоской: «Смейся, смейся, а то у жены все время стенокардия». И я ем, ем салат с ананасом, куриные печенки с луком...

А потом он отвозит меня в мое пространство, а сам возвращается в свое с диетой и стенокардией. Нет. Так не пойдет. Надо иметь свое пространство и свое имя. Самой платить за свой салат.

Я беру у знаменитости рекомендацию и подаю документы во ВГИК. Институт кинематографии. Мне кажется: оттуда, из кино — прямая дорога на афиши, на деньги, на новое пальто. Зарабатывать хлеб свой не в поте лица, а в сверкающем полете вдохновения.

Красиво? Красиво. Но если в жизни есть красота, значит, должны быть слова, ее определяющие. Ну хорошо, пусть не в сверкающем, просто в полете. Пусть полет низок, но все-таки летишь... «Летай иль ползай, конец известен». А вот неизвестен. И очень далек. Особенно из молодости.

Я работала учительницей музыки: этюды Черни, сонатины Клементи. Очередной ученик заколачивает клавиши, как гвозди, и громко, деревянно считает: три, и раз, и два, и... И я вместе с ним устремляю глаза в ноты, переливаю свою энергию в его худенькое тело, плененную душу, а сзади, как конвоир, сидит мамаша. И мне кажется, что я тоже в плену. Три, и раз, и... И так восемь часов подряд.

Потом я бегу домой и подвываю от голода и усталости. Организм не справляется с нагрузкой, зажигает красную кнопку, гудит: «а-а-а», «а-а-а». Люди оборачиваются вслед. Думают, несчастье у человека.

На мне — розовые туфли с белой вставкой. Летняя обувь. Но других у меня нет, и я ношу их четыре времени года. В подошве образовалась дырка, в нее забивается снег. Ну и что? Не умру же я от этого. В крайнем случае простужусь, заболею воспалением легких. Не больше. Простужусь, потом выздоровею. А Брижит Бардо — роскошная француженка с личиком испорченного ребенка. Невинность и порок. Какие мужчины! Какая фигура! Какая жизнь!..

Я бегу, бегу в розовых туфельках с дырявой подошвой. Туда забивается снег. Заливается дождь. А я все равно бегу. Добежала до ВГИКа. Подала на сценарный. Курс набирает Катерина Виноградская. Катерина родилась в прошлом веке. Поговаривали, что во время войны, пользуясь суматохой и стрельбой, она переделала паспорт, изменила дату своего рождения. Стала на пятнадцать лет моложе. И с тех пор зажила не в своем возрасте. Может быть, это правда. А может, и врут.

Когда я поступала в институт, Катерине было пятьдесят. (Значит, шестьдесят пять.) Но из моих двадцати шести лет — это не имело значения. Пятьдесят и шестьдесят пять — это одно.

Я не понимаю, красива она или нет. Лицо имеет кошачий овал: пошире у лба, вниз треугольничком. Аккуратненький ротик и носик. Аккуратная фигурка, но без линий. Все в кучку. Глаза большие, немножко круглые для кошачьих. Но в общем — кошка. Волосы носит по моде сороковых годов. Валик. Вокруг головы надевается ленточка, а потом все волосы под ленточку — спереди и сзади. Так причесывались женщины в картинах военных лет. И пластика оттуда. И поведение. «На позицию девушка провожала бойца». Вот такая девушка и провожала. Но сегодня девушке пятьдесят. (Про шестьдесят пять не будем.)

Я — типичная шестидесятница: прическа «Бабетта», юбка-колокол, талия, смех без причины, уверенность в завтрашнем дне. «Я люблю тебя, жизнь, и надеюсь, что это взаимно», — сочинил тогда поэт Ваншенкин. Это про меня. Я несла себя как праздник. Не церковный, а советский. Меня воспринимали с поверхностным энтузиазмом — все, кроме Виноградской. Она смотрела сдержанно и скептически.

Мои недостатки:

1. Молода — значит, пуста, ничего за душой. Отсутствие жизненного опыта.

2. Учительница музыки — интеллигентский труд. Считалось, что существенное о жизни знают только рабочие и крестьяне. А прослойка — она прослойка и есть. Между слоями.

В нашей группе поступающих была громкоголосая Валя Чернова, приехала с Севера, ловила на сейнере рыбу наравне с мужиками, резала правду-матку (попросту хамила). Она Виноградской нравилась. А я нет.

3. Что касается рекомендации от старого бабника — это комментировать не обязательно. И так ясно.

Виноградская решила меня не брать. Для моей же пользы. Зачем плодить неудачников?

Отметки я получила разнообразные, но в общем набрала неплохой балл. Все должно было решить последнее собеседование. В среду, в четыре часа. Как сейчас помню: в среду, в четыре часа.

Я приехала в институт. Сдала плащ в гардеробе и прочла скромное объявление о том, что собеседование сценаристов состоится во вторник, в четыре часа. Все то же самое, но на сутки раньше. Я опоздала ровно на сутки.

Прощай, моя слава, имя на афишах, сверкающий полет жизни.

Здравствуйте, розовые туфли, чужой дом, звери, постылый труд до изнеможения, до того, что хочется вытошнить собственную печень.

Я побежала по лестнице вверх на третий этаж, потом по коридору. И в этом состоянии налетела на Виноградскую и стала ей объяснять, что я опоздала, что я перепутала, что я, что я... Она заразилась моим отчаянием и смотрела на меня ошарашенно, как мальчик в березовой роще. И вдруг что-то увидела во мне. Что-то поняла.

Для того чтобы принять человека, ей надо его пожалеть. Я не человек-праздник. Я — та, которая бежит-бежит-бежит за своей сутью, и воет от усталости, и все равно бежит. Потому что поиск себя — это единственный смысл жизни.

Я плакала горько и глубоко, а она шире и шире открывала дверь своей души. И впустила. Заходи. Садись. Будь как дома.

С тех пор прошло много времени. Коридор превратился в тоннель со светящейся точкой в конце. Виноградская ушла в этот свет и где-то в нем растворилась. А я тяну руку, как будто хочу втащить ее обратно в этот серый коридор и смотреть в ее понимающие глаза, немножко круглые для кошачьих.

Я учусь

Я получила первую пятерку. За немой этюд...

«Снег в июле». Тополиный пух. Это первое «отлично» на курсе. Остальных оценили пониже: «хорошо», «средне» и «плохо».

Я выскочила с пятеркой из кабинета и побежала по длинному коридору. Мне надо было как-то расплескать свою избыточную радость, уравновесить себя в скорости и движении.

Я побежала, а группа оскорбленно переглянулась и пошла к Виноградской.

— Вы поставили ей пятерку, когда известно, что за нее написал Варламов, — заявила группа.

— Это должно быть доказано, — сухо возразила Виноградская.

Она большой кусок жизни прожила во времена доносов и знала, чего они стоят. Доносами движет зависть.

Как докажешь? Никак и не докажешь. Пришлось смириться с моей пятеркой.

Юра Варламов — студент нашей группы. Приехал из Ростова. В детстве дядя (родной брат отца) брал его с собой воровать. Шарить по карманам. У ребенка рука легче. Потом их пути разошлись. Дядя — в тюрьму. Юра — во Всесоюзный институт кинематографии. Юра — большеглазый, простоватый и влюблен в меня. Он хочет на мне жениться и ввести меня в свою ростовскую семью. Но я ставлю условие: «Будешь знаменитость, как Константин Симонов, тогда я выйду за тебя».

— Буду, — клянется Юра. Ему кажется, что это несложно.

Я не влюблена. Я не поощряю, но и не запрещаю. Греюсь в лучах его любви, как авитаминозный северянин под южным солнцем. Чувствую, как в меня вливается ультрафиолет и я хорошею на глазах.

Однокурсники недовольны ситуацией. Им обидно за друга. Они считают необходимым открыть ему глаза.

— Ты что, не видишь? Она тобой пользуется. Она тебе не ответит и ничего не вернет.

— И не надо, — удивляется Юра. — Пусть ей будет тепло.

В его отношении ко мне — отцовское начало: все отдать, чтобы ребенок вырос и жил дальше. Самоотдача — и содержание, и смысл такой любви.

Тем не менее он не писал за меня. Скорее я — за него. Я сокращала его тексты, монтировала, конец ставила в начало, начало выбрасывала вообще. Я — формалистка. Для меня форма имеет большое значение. Я как бы работаю формой, поэтому у меня почти нет лишних слов.

Мои однокурсники не поверили, что я пишу сама.

Позже, когда я напечаталась, моя мама спросила:

— Кто за тебя пишет?

Нет пророка в своем отечестве. Глядя на меня, никому в голову не приходит, что я способна на что-то стоящее. И мне самой это тоже не приходит в голову.

Однажды на кинофестивале меня представили известному государственному режиссеру.

— Это вы? — удивился он.

— Я.

— В самом деле?

Я сконфуженно промолчала. Режиссер озадачился, потом сказал, перейдя почему-то на «ты». Знак доверия.

— Я думал, что ты — как все кинематографические говны. А ты — нормальная баба с сиськами.

Мои современницы несли свои маски: Юнна Мориц — загадочный бубновый валет, Белла Ахмадулина — хрупкая Господня дудочка. Хочется броситься и спасти. А я — нормальная баба с сиськами. А если быть точной, то и без них.

День без вранья

Во мне не было признаков избранности, а возможно, не было и самой избранности, но всегда была потребность в писании. Графомания. Я садилась за стол и графоманила и на втором курсе написала рассказ «День без вранья». И отнесла рукопись в два места. На киностудию «Мосфильм», редактору Боре, и в журнал «Молодая гвардия», поскольку он был ближе всего к моему дому. Я поднялась на лифте на какой-то этаж и вошла в кабинет заместителя главного. Зам только что приехал с Севера и с жадностью поглощал столичную жизнь, как-то: пил, искал высокую любовь, находил, терял, снова пил, попадал в милицию, неуважительно отзывался о Брежневе и писал замечательные книги. Талант искрил из его рыжих глаз и сиял над обширной лысиной.

Все кончилось тем, что его сняли. Потом назначили на более высокий пост. Но и оттуда тоже сняли. Он не приживался. Он имел внутри себя совершенно не начальническую, молодую, мятежную и даже слегка хулиганскую начинку.

Именно этот рыжеволосый Зам поднялся мне навстречу.

Я поздоровалась и сказала:

— Я написала рассказ. — И положила рассказ на угол стола.

— А вы откуда вообще? — спросил Зам. Может, он решил, что я чья-то дочка или чья-то протеже.

— Ниоткуда.

— А как вы сюда попали?

— С улицы, — простодушно ответила я. Не с неба же я прилетела.

— Если все с улицы начнут ходить прямо ко мне в кабинет, у меня ни на что больше времени не останется. Существует отдел прозы. Туда и идите.

— Забрать? — догадалась я и потянулась за рукописью.

Зама тронула моя покорность. Он посмотрел на деревянные бусы, висящие на моей груди, как у дикаря, и смягчился.

— Ладно, — сказал он. — Оставьте.

Прошло три дня, и в моей коммуналке раздался звонок. Подошла соседка и сказала:

— Тебя мужчина...

Я взяла трубку. Зам назвал себя и замолчал. Я тоже молчала. Потом он спросил:

— А когда вы это написали?

— Неделю назад, — ответила я.

— А вы еще кому-нибудь показывали?

— Нет. А что?

Он снова замолчал. Разговор продвигался неэнергично. Через пень в колоду. Зам попросил меня прийти.

Потом я узнала, что он срочно созвал собрание, на котором приказал к самотеку быть внимательным, потому что с улицы иногда приносят выдающиеся произведения.

Я пришла к Заму. Он сказал, что рассказ талантливый. Я ждала, когда он добавит: «Но мы не напечатаем». Мне всегда так отказывали, и я уже выучила наизусть эту формулировку. «Мило, талантливо, но мы не напечатаем».

— Мило, — начал Зам. — Талантливо...

— Но, — подсказала я.

— Что «но»? — не понял он.

— Но вы не напечатаете.

— Почему же? Напечатаем. В шестом номере. Но мы бы хотели сопроводить вашу первую публикацию напутствием какого-нибудь классика.

— Какого?

— Выбирайте сами, кто вам больше всего нравится...

Вечером этого дня я сидела у себя в коммуналке и тряслась, как мокрая кошка.

Когда человек получает отрицательные эмоции, то в его кровь выбрасывается адреналин. А когда — положительные эмоции, то в кровь ведь тоже что-то выбрасывается. И когда выбрасывается слишком много, организм начинает дрожать, как во время перегрузок. Я сидела и дрожала от перегрузки счастья.

На другой день освоилась со своим новым положением счастливого человека и стала выбирать напутствующего.

Кто будет мой «старик Державин», который меня благословит? Шолохов? Но он живет в станице Вешенской, ничего не пишет и пьет водку. Твардовский? Он не близок мне внешне: обширный, похож на бабушку. В молодости его называли «смесь добра молодца с красной девицей». С возрастом добрый молодец отступил внутрь, а красна девица постарела.

Я невольно искала в мэтре свой мужской идеал. Ни Шолохов, ни Твардовский не подходили. Близко не приближались.

Но кто же? Константин Симонов! Вот кто. Это был Хемингуэй по-русски. Трубка. Седина. Любовь народа. Такую прижизненную славу познал только Евтушенко.

Зам написал Симонову письмо с просьбой дать мне «доброго пути». Симонов согласился прочитать рукопись. Я согласилась отвезти рукопись к нему домой. Моя подруга Эльга снаряжала меня в дорогу. Она принесла бабушкин бриллиантовый кулон и повесила мне на шею. Я получилась как бы девушка из хорошей семьи. Из семьи с традициями.

У меня есть прорезиненный плащ. Из клеенки. Но это заметно, если щупать и нюхать. Вряд ли Константин Симонов так подробно заинтересуется моим плащом. А из лестничного полумрака он будет выглядеть вполне натурально. На голове — кепка из мохера. Польская. На ногах розовые туфли. Они еще живы.

Общий вид: плащ дешевый, шапка не по сезону, туфли практически без подошв. Но зато бриллиант — настоящий. И рукопись — сорок две страницы сплошного таланта. Немало, если разобраться.

Маленькое уточнение: Симонов попросил не звонить в дверь, а бросить рукопись в дверную щель.

Я поднялась на этаж. На его двери — прорезь, отделанная медью. В эту прорезь надо бросить мою рукопись из сорока двух страниц. Он так просил. Но я не могу не увидеть его. И мне жалко мою рукопись, которая упадет с высоты человеческого роста и разлетится во все стороны, и ее надо будет подбирать с пола.

Я звоню в дверь. Открывает САМ. Короткая стрижка. Голубоватая седина. Видимо, прополаскивает волосы в синьке. Загорелое лицо. Карие глаза.

— Извините, — мягко говорит Симонов. — Я не могу подать вам руки. Я ставлю собаке компресс. У меня руки в водке.

— Ничего, — прощаю я. — Вот...

Я протягиваю рукопись. Он вытирает ладонь о штаны. (Спирт не оставляет пятен.) Берет рукопись.

— До свидания, — прощаюсь я.

— До свидания.

Я поворачиваюсь и иду вниз. Дверь закрывается. Легкий щелчок. Бриллиант на моей шее остался неувиденным. Да и бриллиант чужой.

Я не вызываю лифт. Спускаюсь пешком два лестничных пролета. Останавливаюсь между этажами и смотрю в окно. Со стороны может показаться: стоит человек и смотрит в окно. Может, кого-то ждет или любуется природой. А внутри меня — сквозняк. Пустота, в которой свищет ветер. Мне кажется, что мимо меня, как роскошный грохочущий поезд, пронеслась чужая прекрасная, одухотворенная жизнь. А я осталась на продуваемой платформе где-то в Мытищах, в хулиганах и запахах станционного клозета. Двое суток я не могла есть и разговаривать.

На третьи сутки Константин Симонов позвонил мне по телефону и сказал, что вообще-то идея доброго пути кажется ему идиотской. Нет писателя начинающего и завершающего. Писатель — или есть, или нет. Я — есть. Я пишу зрело и мастерски. Зачем мне напутствие? Но ладно уж, так и быть, если журнал просит, он напишет полстранички. Он передаст мне эти полстранички возле памятника Пушкину в три часа дня, потому что именно в это время он будет неподалеку, в журнале «Знамя», а уже в пять часов он должен быть в аэропорту, ему надо в Германию лететь.

Константин Симонов появился возле памятника ровно в три часа. Точность — вежливость королей, а поскольку в стране победившего пролетариата королей нет, то и точность повывелась. Симонов пришел в три. А я немножко раньше. И я видела, как он идет к памятнику и ищет меня глазами. На нем английское пальто в елочку. Седая голова. Смуглое лицо. Трубочка.

Богочеловек. Его все узнают. На него все оборачиваются. Я хочу, чтобы он полюбил меня, как Серову, и посвящал мне стихи. А я не хуже. У меня врожденный талант. Я пишу зрело и мастерски. Но Симонов смотрит куда-то поверх голов и думает о своем. Обо мне он не думает. И не знает, что я жду его любви. Ему это в голову не приходит.

Через несколько лет мы случайно встречаемся в Ленинграде. На премьере моего первого фильма «Джентльмены удачи». Симонов с женой. Я смотрю на жену во все глаза: кто эта избранная счастливица? Но никакого явного счастья на ее лице нет. Скромная женщина на каждый день. Не женщина-праздник, как предполагается у такого человека. И сам он выглядит буднично. Не богочеловек. Просто человек в темном свитере, к рукаву прилипла длинная волосинка. Мне хочется снять ее, но это не моя привилегия. Пусть жена снимает. Я не имею права.

Симонов узнает меня. Мы здороваемся.

— А я с мамой пришла, — говорю я почему-то. Надо ведь что-то сказать.

Его лицо неожиданно оживает.

— С мамой, да? — проникновенно переспрашивает он. И смотрит не поверх меня, а прямо на меня, и в его глазах грустная нежность.

Оказывается, Симонов больше всех на свете любил свою маму. А через свою маму и остальных мам. Я уже не просто абстрактный литератор, а чья-то дочка. У меня есть корни, защита и устойчивость.

Может быть, мне надо было с самого начала не бриллиант на шею вешать, а маму с собой брать.

А моя мама в это время стоит возле колонны, в стороне, мучительно стесняется скопления людей. Ее нос густо засыпан пудрой «Лебедь». Она хочет как-то соответствовать творческой элите, но просто стоит с белым носом и боится, что у нее спустятся чулки. Она не уверена в себе, а ее никто не поддерживает, потому что ее муж, а мой папа умер тридцати шести лет от роду, в январе сорок пятого года. А в мае кончилась война.

Мы получили известие от папиного брата дяди Жени. Дядя Женя прислал черно-серую открытку, на которой было изображено черное дерево с обрубленными сучьями на берегу черной речки. В дерево упирается черная лодка с брошенными веслами. И надпись: «Любовная лодка разбилась о быт». А внизу сообщение о дне смерти папы.

Эвакуация. Какая-то деревянная изба. Мать сидит, привалившись спиной к печке, и плачет. Вошла моя старшая сестра, посмотрела на мать и запела.

— Папочка умер, а ты поешь, — горько упрекнула мать.

Сестре пять лет, она не понимает, что значит «умер папочка» и почему нельзя петь.

Потом я просыпаюсь среди ночи и вижу, что они обе тихо плачут. Это было в сорок пятом году. А сейчас шестьдесят девятый. Через двадцать пять лет. Мама стоит в Доме кино, но ей хочется домой. Она хорошо себя чувствует только на своей территории.

Симонов смотрит на меня, будто проснувшись. Он не знал, что я его любила. Недолго. Полдня. Но так, что запомнила на всю жизнь. Человек проживает не временную жизнь, а эмоциональную. Жизнь его складывается не из количества прожитых дней, а из количества и качества эмоций.

Я любила Константина Симонова на лестничном марше и возле памятника Пушкину. Внешне это никак не выражалось. Все осталось в душе. Я спокойно и даже безразлично взяла полстранички напутствия. Сказала два слова: «спасибо» и «до свидания». И тут же поехала в журнал.

— Ну как Симонов? — небрежно спросил Зам. Завидовал.

— У него руки в водке были, — небрежно сказала я.

— Он что, водку руками черпает?

Я пожала плечом. Дескать, не мое дело. У него своя жизнь, свои привычки. У меня свои.

Рассказ «День без вранья» с послесловием Симонова вышел в июле шестьдесят четвертого года. На хвосте хрущевской перестройки. Через два месяца страна вступила в начальную стадию застоя, и я уже никогда не смогла бы напечатать свой рассказ. Мой герой — учитель литературы. Он проживает один день без вранья. А что же он делает остальные триста пятьдесят девять дней в году? Врет?

Но рассказ вышел. Я как бы успела вскочить в последний вагон на последнюю подножку.

Июль шестьдесят четвертого года. Лето. Прибалтика. Я купила журнал в киоске на пляже. Открыла. Увидела свой портрет. И побежала по пляжу. От счастья я всегда ускоряюсь и бегу, пока не устану. Физическая усталость — это единственное, что приводит меня в порядок.

А дальше началось движение судьбы, которое плелось из мелочей и совпадений. Как-то: в поезде едет артист «А». На полустанке он выходит на перрон и покупает в киоске журнал. Потом от нечего делать он листает журнал и натыкается на мой рассказ. Далее он приезжает в Москву и звонит своей подруге «Б» и говорит: «Прочитай рассказ». Подруга читает и советует своему мужу: «Вася (к примеру), прочитай рассказ». Вася читает и тут же звонит главному редактору: «Боря (к примеру), найдите этого автора и заключите с ним договор».

Боря звонит ко мне домой и говорит:

— Зайдите на студию. С паспортом.

— А я его потеряла, — отвечаю я.

Это правда. Со мной случается, я теряю важные документы.

— А на память вы его помните?

— Помню.

— Ну приходите так.

Боре кажется, я хитрю. Я не хочу заключать с ним договор. Я хочу отнести рассказ в другое объединение. Боря нервничает. А у него есть на то причины. Полгода назад я написала рассказ и отнесла в два места: в журнал «Молодая гвардия» и на киностудию. Конкретно Боре. Боря целый месяц не мог прочитать. Потом прочитал, но месяц не мог найти для меня времени. Потом сказал по телефону:

— Не подойдет.

— Мало страниц? — догадалась я. Страниц было сорок две, а в сценарии должно быть шестьдесят.

— Да нет. Страниц достаточно. Мыслей мало.

А сейчас Боря зазывал меня и предлагал договор.

Я еду на киностудию, захожу в кабинет к Боре. Он предлагает сесть. Я сажусь и смотрю на Борю, как бы напоминая наш недавний разговор по телефону. Но Боря не помнит. Он смотрит на меня лучезарно, поблескивает лысиной, улыбается ровными зубами: жизнь прекрасна, и я прекрасна, и рассказ мой — выдающееся произведение, и мыслей там хоть отбавляй.

Я заключаю договор, вписываю данные потерянного паспорта. Я по молодости лет ничего не могу понять. Почему Боря месяц назад рассказ отверг, а сейчас взял? Потому что ему приказали? Значит, если бы артист «А» не вышел на полустанке или если бы его подруга «Б» была женой не руководителя объединения, а другого человека... Или если бы руководитель не сошелся мнением со своей женой... Значит, все соткано из случайностей. На хрупких паутинках случайных переплетений. А может быть, хрупкие случайные паутинки — это только внешняя сторона какой-то мощной, глубинной закономерности. ЗАКОНОМЕРНОСТЬ меня ждала, а эти полустаночки, звоночки она придумала для того, чтобы все увязать в единый замысел.

А моя жизнь? Вернее, мой приход в жизнь. Мать забеременела, когда моей старшей сестре был год. Ребенку всего год, а тут зреет новый ребенок. Меня не хотели, и мама прыгала на пол с подоконника. И даже со шкафа. Ничего не помогло. Тогда отец повел ее в больницу. Но когда подошли к больничному красно-кирпичному корпусу, отец побелел и сказал: «Идем домой. Я туда не пойду». Оказывается, накануне друг отца попал под трамвай. Надо было опознать тело. Отца привели в больницу, открыли какой-то ящик, где лежало то, что осталось от друга. И отец туда заглянул. Страшная, противоестественная картина впечаталась в память мгновенно и навсегда. Это была именно та больница. Именно она.

Отец развернулся и быстро пошел домой. Убегал от этого места и уводил за руку маму. Вот тебе и все. Через какое-то время я родилась на свет. Получается: друг попал под трамвай, чтобы я родилась на свет. Или все — хаос. Как детская игра калейдоскоп. Смотришь в трубочку — такая вот картинка. А чуть повернешь, по-другому упали стекляшки, соединились в другой рисунок, и уже другая картинка. Просто я написала рассказ. Просто артист «А» вышел поразмяться — тяжело ехать, не двигаясь. Просто папин друг неосторожно переходил дорогу. Просто мама любила папу и рожала ему детей.

Иногда мне кажется: природа прячет от людей какой-то свой мощный закон типа теории относительности. Этот закон будет называться: теория взаимосвязи. Когда ученые откроют его, станет ясно: ЗАЧЕМ? ДЛЯ ЧЕГО? Зачем я ходила к Симонову и любила его полдня? А он курил трубку, всасывая бронхами смолу. От этого и умер.

Незадолго до его смерти я встретила Константина Михайловича в Доме литераторов и испугалась: так он изменился. Я смутилась и сказала, чтобы скрыть испуг:

— Вы хорошо выглядите.

Оказывается, я была восьмым человеком в этот день, который сказал ему именно эти слова: «вы хорошо выглядите». Все реагировали одинаково: пугались и торопливо, неловко скрывали свой испуг. И Симонов понял, что дела его плохи.

Через год Константин Симонов умер. Мог бы и не умереть, если бы лечился в другой стране. Он приказал развеять свой прах над полем своего первого сражения. Не хотел лживых похорон по первому разряду. Для него война была самым честным куском жизни, как и для многих. Там было все ясно: вот враг. Вот идея. Вот цель. А дальше после войны уже не ясно ничего.

Ненаписанный сюжет

У меня есть знакомый писатель, который рассказывает, как он не выполнил договор в издательстве, не написал репризы в цирк, не сдал сценарий на студию. Каждый раз, встречая его, я спрашиваю:

— Ну, что ты еще не сделал?

Наша жизнь — это не только то, что мы сделали. Но и то, что не сделали: не пошли на зов любви, не вспахали грядку под огурцы, не родили ребенка. Жизнь — как банка с клубникой. Между ягодами — пустоты. Но пустоты — это тоже наполнение.

Кого мы помним? Тех, кто нас собирал. И тех, кто разорял. Разорял наши души, как гнезда. Они тоже нужны.

Но сейчас туда, в весну шестьдесят четвертого года.

Зам берет у меня полстранички «Доброго пути».

— Ну как Симонов? — безразлично спрашивает Зам. Подчеркнуто безразлично. Ревнует.

— Руки в водке были.

— Он что, водку руками черпает?

Я пожимаю плечом. Может, и черпает. У каждого свои привычки.

Зам смотрит на меня внимательно, как будто что-то решает в уме. Подсчитывает в столбик.

— Пойдешь со мной в ресторан? — неожиданно спрашивает Зам.

— Зачем? — удивляюсь я.

— Надо.

Странная формулировка «надо». В ресторан приглашают, чтобы поухаживать. Начать отношения. Чем они закончатся, будет видно. Во всяком случае, надо начать.

Зам нравился мне как человек, но как мужчину я его не воспринимала и потому не стеснялась.

— Вы хотите за мной ухаживать? — прямо спросила я.

— Нет. Не хочу, — прямо ответил он.

— А зачем в ресторан?

— Понимаешь... мне нравится одна женщина. Но она придет с мужем. В этой ситуации...

Он замолчал, но я поняла. В этой ситуации ему будет неспокойно. Он хотел бы быть прикрыт, как крышей.

— Позовите жену, — предложила я.

— Я не включаю жену в свои игры.

— Ага... — поняла я.

Он любит жену и не хочет ставить ее в двусмысленное положение. Но он любит и женщину и не может ее не видеть.

Меня приглашают на роль крыши. Я должна поработать крышей. С одной стороны, вроде обидно. А с другой стороны, почему бы и нет? Зам практически сделал мне биографию. Он мог не взять рассказ у человека с улицы, а послать меня в отдел прозы. Там рукопись попала бы в самотек, ее прочитали бы через строчку, ничего не поняли, написали вежливый отказ с пожеланием познавать жизнь и трудиться над словом. Но Зам поступил ответственно. Зам принял участие во мне. Почему бы мне не ответить добром на добро? Пойду с ним в ресторан. От меня не убудет. Посижу. Поем в конце концов и уйду домой.

Я согласилась.

Это был ресторан под открытым небом. Значит, лето. Муж — убогий, как бомж. А может быть, он мне таким казался, потому что я знала ситуацию. Я как бы видела на его макушке ветвистые рога, а рога никого не украшают.

Жена — высокая худая блондинка. Если бы она не была женой бомжа — никаких претензий. Стиль. Шарм. Но она — соучастница преступления. Нарушаются одновременно две заповеди: не пожелай жены ближнего, не лжесвидетельствуй. Последнее относится ко мне. Но я ничего. Сижу. Пью вино. Я спокойно играю свою роль. Крыша и крыша. Никакого развития образа.

Зам ухаживает за мной как за своей дамой. Смотрит в глаза, накрывает мою руку своей. Переигрывает. Блондинка нервничает. Только что не рыдает. Зам на глазах уходит с ее крючка. Уходит крупная рыба.

Потом мы куда-то едем. На чью-то дачу.

В этом году урожай яблок. Терраса завалена яблоками так, что некуда ступить. Надо найти место, чтобы поставить ногу. Воздух напоен яблоками.

Зам и блондинка идут за угол дома выяснять отношения. А я сижу на яблочной террасе с ее мужем. И мне кажется: он все понимает. Я уже не вижу его бомжом. Грустный человек. Мне неловко перед ним. Я поднимаюсь и иду искать заблудшую пару.

Стемнело. Луна. Звезды. Воздух холодный и какой-то хрустальный от чистоты. И голоса.

Он: Ну что, все?

Она: Ну как тебе сказать...

Я вдруг остолбенела от красоты жизни: хрустальный вечер, двое теряющих друг друга, яблоки. И быстротечность времени. Яблоки полежат-полежат и пропадут, если их, конечно, не сварят в варенье. Двое постоят и разойдутся. Ночь перейдет в утро. Звезды поблекнут. И в этом какой-то пронзительный смысл, в быстротечности. Ну что хорошего, если бы звезды светили всегда? И двое стояли всегда? И яблоки лежали всегда? Скучно, как в Швейцарии.

Все течет, все изменяется, ничего не повторяется, нельзя дважды войти в одну и ту же воду.

Потом муж с женой остаются на даче, а мы с Замом возвращаемся в Москву. На электричке. Зам спит на моем плече. Устал и напился.

Если бы писала сюжет, я бы придумала такой ход: он предлагает мне стать его настоящей пожизненной женой.

Но он спит. Он устал и хочет домой. И я тоже хочу домой. В мою жизнь. Меня ждет МОЯ жизнь.

Я учусь во ВГИКе, мастерская Виноградской. Чему она меня учит?

Ничему. Таланту научить нельзя. Но можно взрыхлить почву, создать атмосферу, в которой твои способности зацветут со всей отпущенной им силой.

Виноградская — это атмосфера. Я ею дышала, а без нее задыхалась, как в открытом космосе.

Виноградская жила в Переделкине, двадцать минут по Киевской дороге. Сходишь с поезда и идешь мимо церкви, мимо кладбища, по мосточку. Деревня. Прудик. Птички поют.

Лестница не внутри дома, а снаружи — милая такая, старенькая, деревянненькая устойчивая лесенка. Катрин встречает, всплескивает породистыми ручками. Одна она умеет так встречать: как будто только тебя тут и ждали всю жизнь. Вся прошлая жизнь — подготовка к этой встрече.

— Ну где же ты была? — упрекает Виноградская. — Я прочитала твой рассказ. Я столько слов тебе приготовила, а сейчас они уже все завяли.

В углу комнаты сидит Валя Чернова, та самая, которая ловила рыбу на сейнере. Валя ревнует. Для нее у Катрин нет такого голоса и таких слов, даже завядших.

Катрин переместила свою влюбленность с Вали на меня. Это очень обидно для Вали. Но Катрин не замечает ее страданий.

— Почему ты так громко разговариваешь? Все время кричишь, как в поле, — упрекает она Валю. Но это упрек-раздражение. — И что на тебе за платье? Посмотри на... — Она называет мое имя. Ставит меня в пример.

В глубине души Валя думала о себе, что она чурка неотесанная. Но была Виноградская, которая видела ее не чуркой, а частью березки. Видела ее уникальность в человеческом мелколесье. Этим жила. За этим и ездила к Виноградской. А сейчас что получается? Чурка и есть.

Валя замыкалась. Сидела в углу, как сирота. А Виноградская брала ведро своей любви, опрокидывала над моей головой, и ее любовь золотым потоком лилась на мою голову и на лицо. Я щурилась и жмурилась. Это единственное, чего я хочу в жизни. Любви.

Ребенок, например, совершенно не может без любви. Он хиреет, болеет, может даже погибнуть. Мне кажется, преступники вырастают из тех детей, кого не любили в детстве.

Взрослый человек тоже не может без любви. Но он приучается терпеть и терпит отсутствие любви, как боль. И старик не может без любви. Но старик давно живет и научился смиряться, как бездомная собака смиряется с голодом.

Я рассказываю Вале и Виноградской, как я работала крышей. Рассказываю весело, издеваясь надо всеми сразу.

— У тебя прохладный глаз, — замечает Виноградская, но ей нравятся и мой прохладный глаз, и лицо, и одежда, и душа, и мысли. Она видит во мне себя молодую. Мы похожи. Чем?

Жаждой любви. Любовь — как флаг над бараком, и все, что делается в жизни, — для этого. И даже творчество в этот костер, чтобы ярче горел и был виден далеко. И КТО-ТО подошел на этот свет. Стоял бы и грелся и не хотел уходить.

— Знаешь, почему я написала «Член правительства»?

— Откуда же мне знать?

Кошачьи глаза Катрин становятся еще более кошачьими.

— Я влюбилась в Икс.

Она называет фамилию знаменитого актера. Я поражена. Он играет тусклых мужичков. Разве в него можно влюбиться? Оказывается, можно. Да еще как... Оказывается, только в него и можно.

— А он любил вас? — спрашивает Валя.

— Ну конечно.

— А почему вы не поженились?

Валя человек прямолинейный. Раз полюбил — женись. А не женишься — значит не любишь.

— У нас не совпали времена года.

Валя не понимает, что это значит. Я тоже не очень понимаю, но пытаюсь разобраться. Внутри Катрин цвела весна. А внутри Икс стояла осень — теплая, солнечная, но осень. Виноградская налетела со своим цветением. Они вместе зазвенели, взметнулись. Но выпал снег. Настала зима. Виноградская после весны ждала лета, завязи плодов, созревания. А у Икс зима. И ничего не сделаешь. Никаких тебе завязей. Снег.

Что было его зимой? Может быть, тридцатые годы? Сталин постепенно псовел и превращался в пса? «Мы живем, под собою не чуя страны. Наши речи за десять шагов не слышны. А где хватит на полразговорца, там припомнят кремлевского горца...» Так писал Мандельштам и за эти слова заплатил жизнью. Такое было время.

Виноградская влюбилась в Икс и написала сценарии «Член правительства» и «Партийный билет». Надвигался тридцать седьмой год. Она не замечала. Она любила Икс. Наступила большая чистка. Она не понимала. Время существовало как фон. А Икс — портрет на фоне. Она любила, устремлялась за любовью и не могла достичь. О могущество мужчины, не идущего в руки!

Виноградская лезет куда-то в ящик, достает старую фотокарточку, на которой она молодая вместе с молодой Марецкой сидят в телеге, запряженной лошадью. Внизу подпись: «Три кобылы».

Мы с Валей уходим поздно. Уходим тем же путем, что пришли: вниз по деревянной лестнице. Мостик. Кладбище. Церковь. Вдалеке стучит электричка. Меня немножко познабливает, скорее всего от нетерпения. Мне хочется НЕМЕДЛЕННО стать лучше, талантливее, написать что-то такое, от чего бы все вздрогнули и обернулись.

Чему меня учила Виноградская? Ничему. Но вот это состояние могла вызвать она одна. Как экстрасенс, устанавливала невидимые ладони над моей головой, и все волосы дыбом и мозги дыбом, все во мне устремлялось куда-то вверх, в другие ветры и воды, где ОДНА любовь, ОДНО дело, ОДНА мораль, где сам Господь Бог ходит босиком в одежде из мешка.

А Валя стояла рядом, пришибленная изменой. Она уходила от Виноградской не по своей воле. И навсегда.

Четвертый курс

Валя бросила институт. Может быть, снова уехала на Север ловить рыбу. Там, во всяком случае, все понятно: рыболовецкое судно ловит, завод перерабатывает, народ потребляет. А кто будет потреблять ее сценарии? К тому же высокое искусство нужно избранным. А рыба — всем без исключения.

Валя ушла. Я заболела ангиной, получила осложнение на сердце и два месяца пролежала в больнице. Теперь я хожу и слушаю пульс. Сердце стучит, но я боюсь, что оно остановится.

Юра Варламов носит за мной мою сумку в форме чемоданчика. Чемоданчик красного цвета, очень удобный и очень старый.

— Тебе надо его перелицевать, — советует Юра.

Однокурсники недовольны этой композицией: я и Юра с чемоданчиком на полшага позади. Им кажется, я эксплуатирую его время, чувство, жизнь. А Юра, лопоухий провинциал, не замечает моей хищнической сущности. Они постоянно открывают ему глаза.

Однажды я спускаюсь с лестницы и вижу очередную прочистку мозгов. Сокурсники стоят кучкой возле раздевалки, а Юра напротив с виноватым видом. Я подхожу как ни в чем не бывало. Жду. Как бы мысленно тороплю: ну, пойдем! А они как бы мысленно запрещают: стой! Не будь тряпкой!

Юра мучается: с одной стороны, он любит своих друзей и не хочет их огорчать. С другой стороны, я больна. У меня пульс. Я умру без его помощи. Юра разворачивается и идет за мной следом. И слышит их взгляды на своей спине. Жесткие взгляды упираются в его спину, как палки.

Все кончилось тем, что Юра бросил институт. Решил вырвать себя из Москвы, как морковку из грядки.

Мы прощаемся с ним на трамвайной остановке. Я знаю, что мы прощаемся навсегда. В минуту разлуки я понимаю его истинную цену. Цена высока. «Не думать!» — приказала я себе и шагнула на подножку трамвая. Вошла в вагон. Юра остался стоять на мостовой. «Не оглядываться!» — велела я себе. Трамвай тронулся. Захотелось выпрыгнуть. «Стоять!» — приказала я себе.

Вот так, наверное, я бы кончала с собой. Не думать. Не оборачиваться.

Юра был худ, простоват, воровал в детстве. Я ждала другой любви. И дождалась. В той, другой любви я светила, в моих лучах грелись, а потом бросили на мостовой. Однокурсники были бы довольны. Все поровну, все справедливо.

Юра уехал. На его месте в моей душе образовалась воронка. Ее надо было чем-то заполнить. Забросать словами.

Я иду к Виноградской. Мы сидим и молчим. Потом пьем чай. Беседуем, не важно о чем. Я подзаряжаю от нее свой севший аккумулятор, и моя душа распрямляется во все стороны надежды.

В жизни Виноградской была похожая ситуация: ее любили, она не оценила.

Ее любили, она мучила. Я думала, что ТАКОЕ только у меня. А оказывается, и у Катрин. Оказывается, у человечества есть несколько жизненных матриц: разделенная любовь, неразделенная любовь, треугольник. Эти три варианта накладываются на разные характеры, на разных людей, и получается бурлящий суп из страстей человеческих.

В Катрин влюбился брат известного режиссера. Это было перед самой войной.

— Он был красивый? — спросила я.

— Копия своего брата, только без таланта.

Весь талант рода вобрал в себя младший брат, а старшему досталось все благородство. В нем было столько благородства, что его хватило бы на сорок человек, и все это он сложил к ногам Катрин.

Катрин была разграблена предыдущей любовью Икс. В ней тогда ничего не рождалось: ни сюжетов, ни детей, ни чувств. Внутри была пустыня, один песок.

— И что он сделал? — спросила я. — Уехал?

— Застрелился.

— Как? — онемела я.

— Он пришел ко мне. Хотел поговорить. А я торопилась.

— А он?

— Он сказал, что застрелится.

— А вы?

— А я торопилась... А потом слышу — щелчок, такой негромкий, как будто спичкой чиркнули по коробку. Я повернулась. А он лежит.

— Боже мой!.. — ужаснулась я.

Виноградская покачала головой, как бы согласившись с моим ужасом.

Позже я узнала, что брат режиссера застрелился не из-за любви, вернее, не только из-за любви, а по совокупности. Его должны были посадить. Он сделал свой выбор, хотя выбирать

ему было практически не из чего. Пуля, пущенная своей рукой
или чужой. Вот и весь выбор.

Но если бы Катрин любила его и согласилась выслушать, он
не убил бы себя в этот вечер. И как знать, может быть, его
миновала бы и чужая пуля...

— А если бы вы знали, что он застрелится, вы бы не торо-
пились? Вы бы его выслушали?

— Ну конечно!

Мы смотрели друг на друга, не видя лиц, а видя тот давний
день, клонящийся к вечеру.

— А что было потом? — спросила я.

— Когда?

— Ну... после щелчка.

— К дворнику пошла... И что, вы думаете, он мне дал? Тачку.

— Зачем?

— Чтобы я сама везла тело.

— И вы везли?

— Ну а как же? Везла и кричала.

Время было для нее фоном, но иногда фон проступал на
первый план и окрашивал цветом крови все портреты и жизненные сюжеты.

Катрин молчала. Тень прошедшего как будто притемнила лицо.

— А Икс? — спросила я.

— С ним все в порядке. После войны он женился на другой
женщине.

— Актрисе?

— Нет. Специалист по воронам. В доме жило тринадцать
ворон.

— Орнитолог, — догадалась я.

— Говорят, как две капли воды похожа на меня. Но не я.

— Вы с ним общались?

— Никогда. Полный разрыв.

— Но полный разрыв — это тоже отношения.

— Конечно...

Виноградская мстительно выпрямляет спину, смотрит перед
собой, чуть прищурившись, будто видит счастливую пару в ок-

ружении ворон. Она не смирилась и не простила. Наблюдает издалека, как кошка.

За окном в траве и в желтых одуванчиках сидит молодая женщина. Шьет. Рука вверх — вниз. Плавное, извечно-женственное движение руки. Это к соседу приехала любовница и демонстрирует домовитость. Вчера вечером они пили и дрались.

И всюду страсти роковые, и солнце все никак не сядет, и молодость все никак не кончится.

В институте отмечают юбилей Виноградской. К юбилею ей дали квартиру в Москве, на самом выезде из города. Случайно или не случайно ее дом в двадцати минутах от моего, если идти пешком. Идти приходится через поле и лес. Прекрасная прогулка.

Квартира — на семнадцатом этаже. Когда я выхожу на балкон, я ближе к небу, чем к земле. Кажется, что сейчас сдует ветром, и я крепко держусь за балконные перила. У меня даже косточки на руках белеют от напряжения.

В комнате есть еще одно окно, узкое и длинное. Из него далеко внизу видна земля, как из окошка самолета. Катерина называет его «окно самоубийцы». Я думаю, в Катерине иногда заводятся мстительные мысли типа: «Вот возьму и выброшусь. Будете знать...»

Но это только кокетство с возможностью выбора.

Катерина преподает по-прежнему. У нее новый курс. Она заставляет будущих сценаристов писать сценарий про Ленина. Но в стране другая жизнь, другие настроения. Социализм с человеческим лицом надоел, поскольку это тяжелое, бровастое лицо Брежнева со товарищи.

Новый курс отказался писать про Ленина. Согласился только латыш Янис. И получил повышенную стипендию единственный на курсе. Курс объявил Янису бойкот. Катерина поставила на свой письменный стол портрет Яниса. Это ее ответ курсу. Началось противостояние.

Янис красив и одинок. С ним никто не разговаривает, кроме Катерины. Он приезжает к ней довольно часто, и они молча играют в карты.

Во время войны Янис попал трехлетним ребенком в концлагерь, у него немцы забирали кровь, ставили какие-то опыты. Он до сих пор помнил леденящий холод смерти. Смерть приходит с ног.

Здесь, в Москве, у него нет знакомых, кроме Катерины. Два одиноких человека режутся в карты, совершенно молча. Потом пьют чай с пряниками — жесткими, как камни. Иногда Янис остается ночевать, выносит на балкон раскладушку. Я бы сошла с ума: спать на такой высоте. Я бы боялась, что меня сдует ветром.

Новый курс к Катерине не ходит. Из старых наведываются двое: безотказная Лариска и Быкомазов. Лариска — некрасивая и неталантливая. Но зато добрая и трогательно безотказная. В этом и есть ее талант и красота.

Быкомазов — высокий, костистый, крестьянский. Приехал откуда-то из глубинки: не то из Сибири, не то из Чувашии. Катерина была к нему равнодушна. Она говорила: «Что это за фамилия такая, Быкомазов? Из чего она образована?»

По дому свободно, как по уссурийской тайге, разгуливают семь кошек. Сначала была одна — Мурка. Она родила троих детей, а эти дети — своих детей, Муркиных внуков. Несколько котят удалось раздарить, а семь остались стационарно, одичали, качаются на люстре, скачут по занавескам.

Виноградская смотрит на младших и говорит:

— Какие красивые дети, у них лица, как у Ленина.

Ленин — идеал, значит, котята близки к идеалу.

— Но старшая лучше всех, — добавляет Катерина.

Мурка — бабка и, значит, ближе всех Катерине по возрасту. Она недолюбливает молодых кошек, студенток именно за молодость. Это ревность к жизни.

Я приношу кошкам рыбу. Если бы не я, Катерина кормила бы их пряниками, печеньем, всякой ерундой, которую ест сама.

Однажды я застала у нее тридцатилетнюю красавицу. Передо мной стояла молодая Виноградская, но более совершенная: высокая, породистая. Это уже не кошка. Пантера.

Мы знакомимся. Я называю свое имя.

— А я знаю, — говорит Пантера.

Катерина торопливо заканчивает общение и быстро-быстро ее сплавляет. Иначе я спрошу: «А откуда вы знаете?» Она ответит: «Бабушка рассказывала». Вот тут и выплывет семьдесят лет. Если внучке тридцать, то родителям самое малое — пятьдесят, значит, бабке — семьдесят по самым грубым подсчетам.

Катерина скрывает возраст и все производное от возраста.

Пантера ушла. Катерина делает вид, что ее не было.

— Как ее зовут? — спрашиваю.

— Наташа.

— Могли бы назвать вашим именем.

— Еще зачем?

— Была бы вторая Катерина Виноградская.

— Вторых не бывает.

Катерина лежит на диване. Долго молчит. Хмуро смотрит в потолок.

— Давление замучило, — жалуется она. — Вот умру, никто не хватится.

— А где ваш сын? — спрашиваю я. — У вас же был сын... — Катерина не отвечает.

Сын, конечно, был. Она родила его перед войной, в тридцать восьмом году.

— От кого? — спрашиваю я. — От Икс?

Это естественно. Была большая любовь, значит, должен быть и ребенок.

— Да нет... — Виноградская машет аккуратненькой ручкой.

— А от кого?

— Ты не знаешь...

Я, конечно, не знаю, но она-то знает... Но похоже, что и она не знает.

— Чем он занимался? — спрашиваю я.

— Чем-то занимался.

— А как фамилия?

— Бауман.

— Еврей?

— Немец.

— Немецкий или наш?

— Не знаю. Может, и еврей. Какая разница...

— А сейчас он где? — настаиваю я.

— Умер. В одно время с Маяковским.

— А сколько ему было лет?

— Тридцать семь, кажется. Они были ровесники с Володей.

— А вы Маяковского знали?

— Ну, конечно...

— А Брик?

— Ну, конечно...

— У вас была одна компания?

— Нет. Мы просто жили в одно время и знали друг друга.

— Значит, ребеночек от немца, — заключаю я.

Этот несчастный русский немец пришел к Катерине, чтобы совместить времена года, но ей это было НЕ НАДО. И ничто не удержало: ни сын, ни безденежье. Ничего не надо, раз нет ТАКОЙ любви.

А сын рос тем не менее.

— Вы его любили? — расспрашиваю я.

Идиотский вопрос. Кто не любит своего сына? А вот Виноградская не любит.

— У него была жирная кожа. Мне всегда было неприятно его целовать.

Сын от нелюбимого человека — как бы часть этого человека. Его неприятно целовать.

А потом была война. Многие легко вздохнули: наконец-то перестанут сажать, переключатся с внутреннего врага на внешнего.

Виноградская работала в газете. Получила задание лететь на фронт. И полетела. Немцы засекают самолет и начинают обстреливать. Летчик видит строчки трассирующих пуль в ночном небе. Ему жалко машину, жаль свою молодую жизнь и журналистку в круглой шапке-кубанке тоже жалко.

А что в это время переживает Виноградская? Ничего. Спит. Она заснула в начале полета и все проспала. А когда проснулась, небо было чистым. Она проскочила через свою смерть. И никогда не узнала об этом.

А дальше была победа. Сталин спохватился и стал сажать с новой силой. Замыслил большой погром. Но умер...

Сын тем временем вырос и пошел в армию. А Катерина вышла замуж за молодого красавца. Его звали Петр.

— Он был моложе меня на двадцать четыре года, — объявила Катерина.

— А где вы его взяли?

— Это он меня взял. Влюбился.

Я не понимаю такой разницы: 24 года. Можно покрутить блиц-роман, длиной в месяц. Но чтобы замуж...

— А что вы в нем нашли?

— Не по хорошему мил, а по милу хорош...

Я задумалась: любят не за то, что хороший человек. Нет. Вначале любишь, а потом все в нем нравится.

Они оба были молоды, но Петр — в начале молодости. А Катерина — в конце. У нее бабье лето. А дальше будет осень, выпадут дожди.

Но до осени дело не дошло. Из армии вернулся сын, познакомился с отчимом, выпил с ним водки и предложил простодушно:

— Чего ты тут сидишь, пойдем к девкам...

И увел. Один раз, другой... А однажды Петр зашел так далеко, что не вернулся. Кто виноват? Конечно, сын.

Катерина возненавидела сына. Отреклась. Выгнала из дома.

— Родного сына из-за чужого мужика? — поразилась я.

Лицо Катерины сторится непроницаемым. Она не простила сына до сегодняшнего дня.

— А сейчас он где? — спросила я.

— Не знаю... Пропал... Поехал в Сухуми и пропал.

— Давно?

— Пять лет назад. Его машину нашли на дне моря.

— Как нашли, если на дне?

— Увидели сверху. С вертолета. Море было прозрачным. Машина стояла на дне.

— А сын в машине?

Катерина молчит. Воспоминания тяжело, как камни, переворачиваются в душе.

— А его жена к вам заходит?

— Приходила один раз. Деревенская девка. Он ее из деревни привез.

— А почему один раз? — спросила я.

— А о чем с ней говорить? — Катерина поднимает на меня свои круглые детские глаза.

— Да при чем тут говорить, — удивляюсь я. — Жена вашего сына — мать вашей внучки. Родственница. Для южных народов родня — это святое.

— Для меня важно духовное родство, — спокойно возражает Катерина.

— В старости человеку нужна поддержка. Пол помыть, суп сварить, стакан воды подать...

— Суп можно сварить за деньги. Нанять человека — вот тебе и суп. А можно обойтись вообще без супа. Какая разница, что есть...

Катерина не ценит материальное. Важны только духовные ценности, творчество, любовь, человеческое общение...

Таким же был чеховский герой из палаты номер шесть. Для него тоже было главным — роскошь человеческого общения. И чем это для него кончилось?

Я рассказываю Катерине свой новый замысел. Когда я проговариваю — я в это время работаю. Проверяю на слух: все ли сходится, вытекает одно из другого? В сценарии самое главное — сюжет, причинно-следственные связи.

Катерина смотрит на меня светящимися глазами, и я хорошею под ее взглядом, становлюсь ярче, талантливее.

Я совершенно не выношу, когда меня критикуют. Я тут же верю в критику, считаю себя ничтожеством и ничего не могу. Я становлюсь бездарной. А когда мною восхищаются — тоже верю, душа взмывает, и я могу свершить «подвиг силы беспример-

104Виктория Токарева

ной»... Восхищение поднимает душевный иммунитет, растут защитные силы организма. Все можно преодолеть и победить, когда в тебя верят.

Я ухожу от Катерины. Ее дом стоит возле леса. Белочка подбегает ко мне и ждет орешка. Потом взбегает по моей ноге и смотрит большими доверчивыми глазами.

Я иду и думаю: какая старуха выйдет из меня? Какие старухи будут в двадцать первом веке?

Портрет Яниса исчез со стола.

— Вы помирились с курсом? — обрадовалась я.

— Янис женился, — ответила Виноградская, и ее губы мстительно сжимаются.

— А что бы вы хотели? — удивляюсь я. — Чтобы он с вами до старости в карты играл?

Катерина мрачно смотрит перед собой. Да. Она так хотела. Они были женаты духовно. У них были общие темы. Это не меньше, чем общие дети.

— Она москвичка? — спросила я.

Янис мог жениться из-за прописки. Ему надо было выживать.

— Нет. Латышка.

— Прекрасно! — Я радуюсь за Яниса. Значит, есть святые поляны на его нравственном поле. — А где он сейчас?

— Уехал в отпуск, — хмуро отвечает Катерина. Она как бы ничем не интересуется, но все знает.

Через две недели портрет снова появляется на столе.

— Янис разошелся? — спросила я.

— Утонул... — глухо проговорила Катерина, пронзая глазами невидимую точку.

Я онемела.

— Он побежал утром купаться и утонул, — продолжает Катерина. — Он побежал смывать ее поцелуи...

Позже я узнала: у Яниса в воде случился инфаркт. Он сначала умер, потом утонул. Или одновременно. Но Катерину не интересовал медицинский фактор. Она хотела, чтобы он умер —

ЕЕ. Смыл поцелуи и чистым ушел из этой жизни. Ничьим. Никому не достался. Если не ей, то — никому.

Я смотрю на нее и не понимаю: неужели и в семьдесят продолжается эта извечная борьба за тело и душу?.. Это значит, что старости — нет? Но тогда зачем изнашивается тело?..

Противостояние с курсом закончилось для Катерины инфарктом. Больницей. И отставкой. Ее препроводили на пенсию. Вместо профессорской ставки — пенсия в сто двадцать рублей. На эти деньги жить нельзя. Можно только не умереть с голода.

— Я тебе сейчас что-то скажу, — таинственно сообщает Катерина. — Но это между нами.

Я киваю головой.

— Я слепну. Я почти ничего не вижу. Когда я зажигаю настольную лампу, то вижу только светящуюся точку. Представляю себе, что меня ждет. А может, не представляю.

Я молчу, потрясенная услышанным. У меня такое состояние, будто при мне машина сбила человека. Я тоже не представляю, как она будет жить: старая, нищая и слепая.

— Ну что замолчала? — окликнула меня Катерина. — Расстроилась? Я испортила тебе настроение? Терпеть не могу людей, которые складывают свои проблемы на других. Это невежливо и невоспитанно. Я недавно видела на жене (она называет фамилию) брючный костюмчик. Очень удобно. Как ты думаешь, мне пойдет?

— Пойдет, — механически отвечаю я.

— Давай купим и мне. В комиссионке. Красненький.

— Лучше зелененький, — механически отзываюсь я.

— Тогда зелененький.

Бедная моя Катерина. Она меня отвлекает, не хочет огорчать. Она гордая и боится выглядеть униженной.

— Как Володя? Ты не знаешь? — спрашивает Катерина, уводя меня подальше от своей судьбы.

Володя и Женя — два ее любимца со старого курса. Они подавали большие надежды и выполнили их. Оба состоялись. Катерина гордится, как будто это ее родные дети.

Но детям не до Катерины. Из юношей и девушек все давно
стали дядьками и тетками. Надо кормить семьи. Зарабатывать.
Светлая заря — Мастер Катерина Виноградская отдалилась, «как
сон, как утренний туман». Подступила грубая жизнь.

— Пошли за скибкой сена, — с упреком качает она головой. — А раньше все здесь сидели. Скоро Новый год. Неужели мне никто не позвонит?..

Я возвращаюсь домой. Сажусь на телефон и всех обзваниваю. Я говорю так: «Новый год встречаете, где хотите. А на
старый Новый год, в ночь с тринадцатого на четырнадцатое,
собираемся у Катерины. Принесешь выпить».

Другому говорю: «Принесешь фрукты».

Себе я оставляю горячее блюдо, поскольку это самое хло-
потное.

Катерине я ничего не рассказываю. Я прихожу к ней первая,
с кастрюлей в сумке и с вечерним платьем в отдельном пакете.

Катерина сидит, вдвинувшись глубоко в диван, смотрит перед собой с напряженным выражением, как будто терпит боль.

— Боже мой! — говорит она. — Неужели я умру?

Я жду своих, вернее наших. Должен прийти Игрек, который недавно разошелся с женой. Может быть, затеять с ним
трудную любовь? Он талантливый и модный. По его сценариям ставят ведущие режиссеры. Я надеваю вечернее платье до
полу (подарок богатой итальянки), и во мне все дрожит от
нетерпения, как у шестнадцатилетней девчонки, пришедшей на
танцы.

— Неужели я умру?.. — глухо вопрошает Катерина.

— Катерина Николаевна, вспомните, кто были ваши друзья...
Она подняла на меня полуслепые глаза.

— Маяковский, Есенин, — напомнила я. — Где они все?

Они ушли из жизни сорок лет назад. А Катерина — здесь.
Старая, но живая.

Если меня послушать, получается: пора и честь знать. Я,
конечно, так не думаю. Но я не понимаю, почему она так держится за свою жизнь?

Слава, любовь, здоровье — все позади. Впереди — ничего. А настоящее — одинокая больная старость. Можно жить и до ста лет, однако зачем?

Так я думала в тридцать шесть лет, в вечернем платье, в ожидании любви. Сейчас я думаю по-другому. Просто жить — это и есть смысл и счастье.

Звонок в дверь. Появились Лариска и Быкомазов. Лариска тут же надевает передник и начинает накрывать на стол. А Быкомазов чинит замки и задвижки. Стучит молотком, который он принес с собой. В интервале получаса собираются еще шесть человек. Всего десять.

Катерина не догадывается, что это я их позвала. Она думает: все как было. Ее ученики не могут без нее, а она — без них.

Все усаживаются за стол, и начинаются тосты. За Катерину. Только за нее. Она слушает и верит каждому слову. Да, она свет в окне. Да, она легенда, вечная женщина. Она талантливая, красивая и теплая, таких сейчас не делают. Молодость — не вечное добро. А талант и доброта — навеки. Это Божий дар. Катерина — поцелована Богом. Пусть не самая молодая, но самая божественная.

Звонок в дверь. Пришел Игрек. Сел за стол возле Катерины. Мои силовые линии тянутся к нему, как к магниту. Он улавливает и постоянно ко мне оборачивается. Он думает, что это он сам оборачивается. А на самом деле — это я его тяну.

Катерина льнет к Игреку, как бездомный щенок.

— Мне плохо, — открыто жалуется она. — Утешьте меня, утешьте...

В Переделкине она жила рядом с землей и травой, а здесь висит между небом и землей. Не чует землю под ногами. Только кошки и окно самоубийцы. Утешьте меня, утешьте...

— Милая моя, — говорит ей Игрек. — Милая моя...

И это все.

Игрек приглашает меня танцевать.

Мы танцуем. Игрек уже выпил. Он выше меня, и я вижу его ноздри, широкие, как ворота. Он трагически смотрит перед собой и говорит:

— Я не могу тебя любить, потому что я уже люблю другую женщину. Свою жену.

Это та самая жена, с которой он развелся. Сначала довел ее до развода, а теперь страдает.

— Не можешь — не надо, — отвечаю я легким голосом. Трудная любовь отменяется. Буду любить своих близких, свои замыслы и своего мастера Катерину Виноградскую.

Мы все в этот вечер принадлежим только ей, хотим, чтобы она купалась в нашем внимании. И это удавалось до тех пор, пока Игрек не спросил:

— Можно, я похвалюсь?

И стал рассказывать свой новый сценарий, безумно интересный. Он пересказывал целые сцены, я задыхалась от точности его диалогов. Мы все сидели, сбившись вокруг Катерины, как на групповой фотографии. Рядом с Катериной. Но не с ней.

Мы слушали Игрека, и наша жизнь манила нас вперед. Время цветения прошло. Наши цветы превратились в завязи, а завязи в плоды. Нас ждала слава и скибка сена...

Расходились поздно, вернее рано. Скоро утро.

Игрек идет меня провожать. Рядом с домом лес. Мы останавливаемся возле дерева и целуемся страстно и яростно, как могут целоваться молодые и нетрезвые люди.

— Выходи за меня замуж, — грустно говорит Игрек. — Я буду о тебе заботиться, ходить в магазин за кефиром и апельсинами. У тебя в комнате будет пахнуть апельсинами.

Я смотрю в небо. Вдруг резко и с грохотом взлетела стая ворон. Их много. Целая туча. Что-то увидели или испугались. Или надоело сидеть на одном месте. А впрочем, какая разница...

Я не пойду замуж за Игрека, потому что у меня есть муж и девятилетняя дочь. Мой муж будет со мной до конца. И похоронит, и устроит поминки. И скажет тост. А все эти Иксы, Игреки, Зеты — персонажи для моих сценариев. Без них мне не о чем было бы рассказывать людям. Они — моя тема. И только.

Мы разошлись, каждый в свою жизнь. Кто пешком, кто на такси. А Катерина осталась в своей жизни, с кошками и окном самоубийцы.

Через десять лет

Катерине восемьдесят. По паспорту семьдесят. По паспорту она пожилая, но не старая.

Катерина недавно вернулась из больницы. У нее был второй инфаркт.

Я съездила в Переделкино, договорилась с ее старой домработницей Нюрой. Нюра переехала к Катерине, живет у нее стационарно.

Катерина лежит на диване и ничего не ест. Организм не принимает еду.

— Ну, поешьте супчику... — умоляю я.

— Невкусно, — отказывается она. — Там рис, картошка, а внизу капуста. Это невозможно есть.

Мы с Нюрой пробуем — суп замечательный. Но Катерина не допускает мысли, что она умирает. Виноват суп.

— Ты здесь? — спрашивает она.

Я беру ее за руку.

— Я тебе что-то скажу...

Я напряглась. Приготовилась слушать последнее «прости» или последнее напутствие. Слезы подошли к моим глазам.

— В меня был влюблен врач, — сообщает Катерина.

— А сколько ему лет?

— Тридцать.

«Бред, — подумала я. — Зачем тридцатилетнему парню умирающая старуха?..»

— Он прислал мне письмо, — сообщает Катерина. — Возьми вон там, на подоконнике. Под книгой.

Я подхожу к подоконнику, достаю из-под книги конверт. Вынимаю письмо, написанное карандашом. Читаю...

«Наши вечерние беседы поднимали меня от земли к самому небу, к звездам, я чувствовал себя птицей и летел. И после этих полетов я уже не могу и не хочу возвращаться в прежнее состояние. Вы сумели достать из меня то прекрасное, что было заложено, но где-то пылилось и тлело за ненадобностью...»

Моя Катя не врет и не плывет. Она — для этого. Для того, чтобы подкидывать души вверх, а они там замирают, трепещут крыльями и летят в конце концов.

Позвонила безотказная Лариска и сказала глухо:

— Катерина Николаевна умерла...

Когда я прибежала к ее двери, она была заперта и запломбирована. Видимо, здесь уже побывали люди из жэка.

Домработницы Нюры не было. Перед дверью я, Лариска и Быкомазов. Катерина была к ним равнодушна, любила меньше других, но в эту роковую минуту у ее дверей стоят именно эти двое, как лошадь и собака из чеховского рассказа «Нахлебник».

Быкомазов вдруг заплакал громко и резко. Он не умел плакать, и поэтому его было жутко слушать. Он проговаривал, вернее скорбно припевал на манер плакальщицы. Точный текст я не помню, но смысл был тот, что вот он идет по большому чужому городу, никому не нужный, и есть одно-единственное светящееся окно между небом и землей, светящаяся точка, куда он может прийти, и согреться, и выпить чаю. За эту точку он держался, а теперь...

Мы с Лариской стояли, придавленные горем. Быкомазов оплакивал нас всех. Колокол звонил по мне, я ощущала, что там, за дверью, — часть меня. Умерла моя молодость. И ее будут хоронить.

Похороны состоялись на третий день, по христианскому обычаю.

Институт все организовал, прислал автобус и людей — нести гроб. Два мощных мужика внесли гроб в грузовой лифт. Лифт пошел вниз, но застрял где-то на одиннадцатом этаже. Те, кто ждал внизу, побежали за электриком. Но я ТОЧНО знала, что это Катерина остановила лифт. Она не хотела покидать свое жилище, свою жизнь. Она и мертвая говорила: НЕТ!

Живые все-таки сделали все по-своему. Лифт починили, гроб загрузили в автобус. Привезли в крематорий.

Народу было немного, ведь последние десять лет она не работала. Пришли кое-кто из преподавателей, кое-кто из студентов и, конечно же, безотказная Лариска с Быкомазовым. Внучки не было, ей не смогли сообщить, поскольку никто не знал ее адрес.

Катерина лежала в гробу — ссохшаяся старушка, и был виден ее истинный возраст. Наконец-то она с ним встретилась.

Я смотрела на ее выражение: НЕТ! Губы чуть сжаты, глаза чуть прижмурены, нет, нет, нет!

Это была молодая женщина, заключенная в старое, а теперь уже в умершее тело. Это была жрица любви, которая все бросила в эту топку и ничего не получила взамен. Кроме смерти.

Кто-то произнес над гробом речь — казенные, ничего не значащие слова типа: «от нас ушла», «память о ней»... Все это было вранье и равнодушие.

Гроб пошел вниз. Черные траурные шторки закрывали отверстие в ад. Гроб ушел, шторки вздыбились от температуры. Но мне показалось, шторки вздыбились в протесте: НЕТ!

Катерина провалилась в кипящее огненное солнце. Оно спалило все, что обветшало, все, что болело и было некрасивым. Осталась только ее юная душа, полная любви. Эта душа полетела обратно в пустую квартиру, поднялась без лифта и вошла сквозь закрытую дверь. Она поживет там девять дней, обвыкнется со своим новым состоянием. А потом уйдет, чтобы следить за мной, предупреждать, оберегать. Она меня не бросит.

Катерину похоронили в Переделкине, на деревенском кладбище. Ее могила была последней в ряду, расположенном на склоне. Склон был обращен к полю, за которым виднелась дача Пастернака.

На сороковой день к могиле собрались студенты, друзья — почти все, кто знал ее в этой жизни. Никто никому не звонил, все пришли сами. Вернее, приехали: на машине, на электричке. На склоне собралось человек сто, раскинулись, как цыганский табор. Жгли костры, жарили шашлыки, пекли картошку, пели под гитару. Сама весна пришла на сороковины, привела с собой солнце и ясный день.

Среди всех царила и парила внучка Катерины — с водопадом платиновых волос. Все наши мальчики сделали ей предложение. Такую красоту хотелось видеть рядом каждый день. И владеть одному.

Женя и Володя абсолютно серьезно объяснялись в любви и уговаривали. Казалось, что Наташа — продолжение Катерины и ее не надо узнавать. Они знают ее давно и любят давно.

Наташа спокойно слушала, снисходительно улыбалась. У нее уже был муж, притом второй или третий. И пятилетняя дочь, которая бегала тут же.

Пекло солнце. Наташа раздела девочку догола и велела ей собирать цветы на могилу. Девочка приносила одуванчики и помещала их в баночку с водой.

Быкомазов соорудил палку с табличкой, на которой написано: «Катерина Виноградская. 70 лет». Катерина была бы довольна. Даже здесь она предпочитала быть молодой. Но ей уже неподвластно спрятать родство. Под табличкой, как ангел с распущенными волосами, сидела ее правнучка, возилась с цветочками. Ее единственное бессмертие, которое понесет в мир ее кровь, жажду любви и глаза, немного круглые для кошачьих.

Любовь и творчество — вот рычаги, которыми она хотела перевернуть мир. Но ее фильмы устарели. Ленин оказался не самый человечный человек. А ее мужчины... Они стрелялись, тонули, бросали, и ни один не проводил ее в последний путь.

Я сижу и плачу. Я положила лицо на руки и стараюсь, чтобы мои плечи не тряслись. Я плачу не людям, а себе. Мне душно и одиноко. На людях бывает особенно одиноко...

Позади останавливается Наташа и голосом Катерины говорит, что не надо плакать. Все не так плохо. Катерина прожила длинную яркую жизнь, любила людей, и ее провожает целый табор. Дай Бог каждому так помереть...

Играет гитара. Склон в желтых одуванчиках. Когда-нибудь придет и мой час. Я смирюсь. У меня не будет выражения «НЕТ». Я надену выражение: «НУ, ЕСЛИ НАДО...» Это когда-нибудь. А пока... Поет Володя. Женя делает предложение Наташе — второй раз за этот вечер.

Антон, надень ботинки!

В аэропорту ждал автобус. Елисеев влез со всей своей техникой и устроился на заднем сиденье. Закрыл глаза. В голове стоял гул, как будто толпа собралась на митинг. Общий гул, а поверх голоса. Никакого митинга на самом деле не было, просто пили до четырех утра. И в самолете тоже пили. И вот результат. Жена не любила, когда он уезжал. Она знала, что, оставшись без контроля, Елисеев оттянется на полную катушку. Заведет бабу и будет беспробудно пить. Дома он как-то держался в режиме. Боялся жену. А в командировках нажимал на кнопку и катапультировался в четвертое измерение. Улетал на крыльях ветра.

В автобус заходили участники киногруппы: актеры, гримеры, режиссер, кинооператор. Творцы, создающие ленту, и среднее звено, обслуживающее кинопроцесс.

Экспедиция предполагалась на пять дней. Мужчины брали с собой необходимое, все умещалось в дорожные сумки, даже в портфели. А женщины волокли такие чемоданы, будто переезжали в другое государство на постоянное жительство. Все-таки мужчины и женщины — это совершенно разные биологические особи. Елисеев больше любил женщин. Женщины его понимали. Он мог лежать пьяный, в соплях, а они говорили, что он изысканный, необыкновенный, хрупкий гений. Потом он их не мог вспомнить. Алкоголь стирал память, выпадали целые куски времени. Оставались только фотографии.

Елисеев — фотограф. Но фотограф фотографу рознь. Ему заказывали обложки ведущие западные журналы. И за одну обложку платили столько, сколько здесь за всю жизнь. Елисеев мог бы переехать Туда и быть богатым человеком. Но он не мог Туда и не хотел. Он работал здесь, почти бесплатно. Ему все равно, лишь бы хватало на еду и питье. И лишь бы работать. Останавливать мгновения, которые и в самом деле прекрасны.

Автобус тронулся. Елисеев открыл глаза и стал выбирать себе бабу. Не для мужских игр. Это не суть важно. Ему нужен был кто-то рядом, живой и теплый. Не страсть, а нежность и покой. Уткнуться бы в ее тепло, как в детстве. А она бы шептала: я тут, ничего не бойся... И в самом деле можно не бояться этих голосов. Пусть себе выкрикивают. Можно даже закрыть глаза и заснуть. Бессонница замучила. Женщина была нужна, чтобы заснуть рядом. Одному так жутко... Как перед расстрелом.

В холле гостиницы шло оформление. Селили по двое, но творцы получали отдельные номера.

Гримерша Лена Новожилова к творцам не относилась, но ей дали отдельный номер. Все знали ее ситуацию.

Три месяца назад у Лены умер муж Андрей Новожилов — художник-постановщик. Они прожили вместе почти двадцать лет. Последние пять лет он болел с переменным успехом, а заключительный год лежал в больнице, и она вместе с ним жила в больнице, и этот год превратился в кромешный ад. Андрей все не умирал и не жил. И она вместе с ним не жила и не умирала. И этому не было конца и края.

Потом он все-таки умер. Ждали каждый день, а когда это случилось — вроде внезапно. Лена тогда на метро поехала домой. Она вошла в дом, грохнулась на кровать и проспала тридцать шесть часов. А потом очнулась, надо бежать к Андрею.

А оказывается — уже не надо. И такая взяла тоска... Как угодно, но лучше бы он жил. А его нет. Лена стала погружаться в болотную жижу, состоящую из обрывков времени и воспоминаний. Она погружалась все глубже, тонула. Но позвонили со студии и пригласили на картину. Встала и пошла. И поехала в экспедицию. В Иркутск. Чтобы как-то передвигать руками и ногами. И вот сейчас сидит и ждет свой номер. Тоже занятие.

Подошел Елисеев. Его звали Королевич Елисей. За красоту. Красивый, хоть и пьяница. Пьяница и еврей. Неожиданное сочетание.

— Вам помочь? — спросил Елисей и взял ее чемодан.

Лена получила свой ключ на пятом этаже. Они вошли в кабину лифта. Ехали молча. Потом шли по коридору. Елисей приметил Лену еще в автобусе. У нее был ряд преимуществ, и главное то, что немолода. Такую легче осчастливить. За молодой надо ухаживать, говорить слова. У молодых большой выбор. Зачем нужен пьющий и женатый человек со слуховыми галлюцинациями? Он, правда, иногда хорошо говорит. Интересно. И голос красивый. Но такие радости, как голос и текст, ценились при тоталитаризме. Девочки были другие. А новые русские — другая нация. Так же, как старые русские девятнадцатого века, — другая нация. Декабристы в отличие от большевиков не хотели грабить награбленное. В этом дело. Они готовы были отдать свое.

Вошли в номер. Елисеев поставил чемодан. Снял с плеча дорожную сумку. Сгрузил с плеча свою технику. После чего разделся и повесил на вешалку свой плащ.

— Нас что, вместе поселили? — испугалась Лена.

— Нет. Что вы... Просто надо пойти позавтракать. Выпить кофе. Можно, я оставлю у вас свои вещи?

— Ну наверное... — Лена пожала плечами. Это было неудобство: оставить вещи, забрать вещи, она должна быть привязана к его вещам.

— Просто надо выпить кофе. Пойдемте?

Лена удивилась: что за срочность? Но с другой стороны, почему бы и не выпить кофе. Без кофе она не могла начать день.

Лена сняла кожаную куртку, вошла в ванную, чтобы помыть руки. Увидела себя в зеркале. Серая, как ком земли. Седые волосы пополам с темными. Запущенная. Неухоженная. Как сказала бы ее мама: «Как будто мяли в мялках». Что есть «мялки»? Сильные ладони жизни. Жизнь, которая зажимает в кулак.

Одета она была в униформу: джинсы и свитер. Как студентка. Студентка, пожилой курс. Лена хотела причесаться, но передумала. Это ничего бы не изменило.

В буфете сели за стол. Образовалась компания. Подходили ребята из группы. Оператор Володя был молодой, тридцати семи лет. Волосы забирал в хвостик. На нем была просторная рубаха и жилет. Режиссер Нора Бабаян — всегда тягостно озабоченная, как будто ей завтра идти на аборт. Очень талантливая. Володина ровесница. Почти все пребывали в одном возрасте: тридцать семь лет. И Елисеев с горечью ощутил, что он самый старый. Ему пятьдесят. Другое поколение. Он не чувствовал своего постарения и общался на равных. На том же языке с вкраплением матерного. Ему никто не намекал на возраст. Но что они, тридцатисемилетние, при этом думали — он не знал. Может быть, они думали: «Старый козел, а туда же..»

— Возьми пива, — сказал Елисееву оператор Володя.

— Вы будете пить? — спросил Елисеев у Лены.

— Нет-нет... — испугалась она. Не хотела, чтобы на нее тратили деньги.

Не хотелось вспоминать: сколько стоила болезнь, смерть, похороны и поминки. Леша Коновалов, лучший друг Андрея, сказал, уходя: «А на мои похороны вряд ли придет столько хороших людей...»

Говорят, сорок дней душа в доме. И только потом отрывается от всего земного и улетает на свое вечное поселение. Лена все сорок дней просидела в доме. Не хотела выходить, чтобы не расставаться с его душой. По ночам ей казалось, что скрипят половицы.

И сейчас, сидя в буфете, Лена не могла отвлечься на другую жизнь. А другая жизнь текла. Происходила. Пришел художник Лева с женой. Они всюду ездили вместе. Не расставались.

Лена пила кофе. Потом почистила себе апельсин. Никаким закускам она не доверяла. Кто их делал? Какими руками? А Елисеев ел и пил пиво из стакана.

Лена посмотрела на него глазами гримерши: что она исправила бы в его лице. Определяющей частью его лица был рот, хорошо подготовленный подбородком. И улыбка, подготовленная его сутью. Улыбка до конца. Зубы — чистые, породистые, волчьи. Хорошая улыбка. А с глазами непонятно. Под очками. Лена не могла поймать их выражения. Какая-то мерцательная аритмия. Глаза сумасшедшего. Хороший столб шеи. Размах рук. И рост. Под метр девяносто. Колени далеко уходили под стол. На таких коленях хорошо держать женщину и играть с ребенком.

— Я себе палец сломал. — Елисеев показал Лене безымянный палец левой руки. Ничего не было заметно.

— Когда? — спросила Лена.

— Месяц назад.

Она вгляделась и увидела небольшой отек.

— Ерунда, — сказала Лена.

— Ага... Ерунда, — обиделся Елисеев. — Болит. И некрасиво.

— Пройдет, — пообещала Лена.

— Когда?

— Ну, когда-нибудь. Так ведь не останется.

— В том-то и дело, что останется.

— А зачем вам этот палец? — спросила Лена. — Он не рабочий.

— Как это зачем? — он поразился вопросу и остановил на Лене глаза. Они перестали мерцать, и выяснилось, что глаза карие. — Как это зачем? — повторил он. Все, что составляло его тело, было священно и необходимо.

Разговор за столом был почти ни о чем. Так... Но смысл таких вот легких посиделок — не в содержании беседы. Не в смысловой нагрузке, а в касании душ. Просто посидеть друг возле друга. Не одному в казенном номере. А вместе. Услышать кожей чужую энергетику, погреться, подзарядиться друг от друга, убежать как можно дальше от одиночества смерти. Лена помалкивала. Не старалась блеснуть ни умом, ни чем другим. Она была одной ногой тут, другой ТАМ. Елисеев чем-то недоволен. И это тоже хорошо. Он недоволен и выражает это вслух. Идет в пространстве какое-то движение, натяжение. Жизнь.

Режиссер Нора Бабаян рассказывала, как в прошлый вторник она снимала сцену Пестеля и царя. Разговаривают два аристократа. А через три метра от съемочной площадки матерятся осветители. Идет взаимопроникновение двух эпох.

— Не двух эпох. А двух социальных слоев, — поправил Володя. — В девятнадцатом веке тоже были мастеровые.

— Но они не матерились, — сказала Нора. — Они боялись Бога.

— А когда возник мат? — спросил Елисеев. — Кто его занес? Большевики?

— Татары, — сказала Лена.

— Откуда ты знаешь?

— Это все знают. Это известно.

У Елисеева в голове начался такой гомон, как будто влетела стая весенних птиц. Он понял: не надо было пить пиво. Но дело сделано.

— У меня голова болит, — сказал он и посмотрел на Лену. Пожаловался.

— Я дам таблетку, — пообещала Лена.

— Не поможет. Эту головную боль не снимет ничто.

— Снимет, — убежденно сказала Лена.

У нее действительно был набор самых эффективных лекарств. Ей привозили из Израиля.

Лена и Елисеев поднялись из-за стола. Вернулись в номер.

Лена достала таблетку из красивой упаковки. Налила в стакан воду. Елисеев доверчиво выпил. И лег на кровать.

Лена была поражена его почти детской раскованностью, граничащей с хамством. Так себя не ведут в гостях. Но, может, он этого не понимает. Не научили в детстве. Или он считает, что гостиничный номер — не дом. Это ячейка для каждого. А может, это — степень доверия. Он доверяет ей безгранично. И не стесняется выглядеть жалким.

У Лены было два варианта поведения. Первый: сказать «уходи», что негуманно по отношению к человеку. Второй: сделать вид, что ничего не происходит. Лег отдохнуть. Полежит и уйдет.

Второй вариант выглядел более естественным. Лена начала разбирать чемодан. Развешивать в шкафу то, что должно висеть, и раскладывать по полкам то, что должно лежать.

Вещи у нее были красивые. Андрей привозил. Последнее время он возил только ей. Обеспечивал.

— Знаешь, проходит, — с удивлением сказал Елисеев, переходя на ты.

— Ну вот, я же говорила, — с участием поддержала Лена. Она и в самом деле была рада, что ему лучше.

Елисеев смотрел над собой. Весенний щебет поутих. Остался один церковный колокол. «Бам... Бам-бам...»

Елисеев закрыл глаза. «Бам... Бам... Бам...» Он сходит с ума. Это очевидно. Если лечить — уйдет талант. Лекарства уберут слуховые галлюцинации и заодно сотрут интуицию. Уйдет то, что называется Елисеев. А что тогда останется? И зачем тогда жить?

— Ляг со мной, — проговорил Елисеев, открыв глаза.

Он сказал это странным тоном. Не как мужчина, а как ребенок, испугавшийся темноты.

— Зачем? — растерялась Лена.

— Просто ляг. Как сестра. Я тебя не трону.

— Ты замерз? — предположила Лена. — Я дам второе одеяло.

В номере было две кровати, разделенные тумбочкой. Она стащила одеяло со второй кровати и накрыла Елисеева. Он поймал ее руку.

— Если хочешь, оставайся здесь, — предложила она. — А я перейду в твой номер.

— Не уходи, — попросил он.

Лена посмотрела на часы. Съемка была назначена на пятнадцать часов. А сейчас одиннадцать. Впереди четыре часа. Что делать? Можно погулять по городу.

— Не уходи, — снова попросил Елисеев.

Лена поняла: он боится остаться один. Мужчина-ребенок, со сломанным пальцем и головной болью.

— Идиот этот Володька, — обиделся Елисеев. — Зачем я его послушался? Теперь голова болит.

— Но ведь уже не болит, — возразила Лена.

— Иди сюда.

Она подошла.

— Ляг. — Он взял ее за руку и потянул.

Лена стояла в нерешительности. Она никогда не попадала в такую сомнительную для себя ситуацию. Если бы Елисеев шел на таран, что принято в экспедициях, она дала бы ему по морде и на этом все кончилось. Если бы он обольщал, тогда можно воздействовать словом. Она бы сказала: «Я пуста. Мне нечего тебе дать». Но Елисеев искал милосердия. Милого сердца. И ей тоже нужно было милосердие. В чистом виде. Как хорошо очищенный наркотик.

Лена легла рядом не раздеваясь. Он уткнулся в ее плечо, там, где плечо переходит в шею. Она слышала его дыхание.

— Скажи мне что-нибудь, — попросил Елисеев.

— Что тебе сказать?

— Похвали меня.

— Ты хороший, — сказала Лена.

— Еще...

— Ты красивый.

— Еще...

— У тебя красивый рот. Длинные ноги. И зубы...

— Ты говоришь, как путеводитель. Ноги, зубы... Нормальных слов не знаешь?

— Милый... — проговорила Лена.

— Еще... еще... еще...

— Милый, милый, милый... — зашептала она, как заклинание. Как будто торопливо осеняла крестом. Отгоняла зло. И зло отступало. Голоса затихали в его голове. Елисеев заснул. Лена услышала его ровное дыхание. И подумала: «Милый...»

Он и вправду был милый, какой-то невзрослый. И вместе с тем — мужик, тяжелый и хмурый. Он дышал рядом и оттаивал ее, отогревал, как замерзшую птицу. Незаметно, чуть-чуть, но все-таки оттаивал. Было не так больно вдыхать жизнь, не так разреженно, когда вдыхаешь, а не вдыхается.

Лена тоже заснула, и ей снилось, что она спит. Спит во сне. Двойное погружение.

Проснулись одновременно.

— Сколько времени? — испуганно спросил Елисеев.

Лена подняла руку к глазам.

— Час, — сказала она с удивлением.

Они спали всего два часа, а казалось — сутки.

— Я хочу тебя раздеть, — сознался Елисеев. — Но боюсь напрягаться. У меня голова заболит. Разденься сама.

— Зачем я тебе? — спокойно спросила Лена. — Я старая и некрасивая. Есть молодые и красивые.

— Некрасивых женщин не бывает, — возразил Елисеев.

— А старые бывают.

— Желтый лист красивее зеленого. Я люблю осень. И в природе, и в людях.

Лена представила себе желто-багряный дубовый лист и подумала: он действительно красивее зеленого. Во всяком случае — не хуже. Он — тоже лист.

— А еще я люблю старые рубашки, — говорил Елисеев. — Я их ношу по пять и по десять лет. И особенно хороши они бывают на грани: еще держатся, но завтра уже треснут. Расползутся.

— А почему мы шепчем? — спросила Лена.

Она вдруг заметила, что они разговаривают шепотом.

— Это близость...

Последние слова он произнес, лежа на ней. Как-то так получилось, что в процессе обсуждения он обнял и вытянулся на ней,
и она услышала его тяжесть и тепло... И подумала: неужели
ЭТО еще есть в природе?

Его лицо было над ее лицом. Лене показалось: он смеется,
обнажая свои чистые, влажные, крупные зубы. А потом поняла:
он скалится. Как зверь. Или как дьявол. А может, из него выглядывал зверь или дьявол.

Потом они лежали без сил. И он спросил так же, без сил:

— Ты меня любишь?

Лена произносила слова любви два раза в жизни. Один раз
в семидесятом году, когда они с Андреем возвращались со съемки. Он отпустил такси, и они шли пешком по глубокому снегу.
Она только получила квартиру в новостройке, и там лежали снега, как в тундре. И они шли. А потом остановились. И тогда она
сказала первый раз в жизни. А второй раз — у гроба.

Когда прощалась и договаривалась о скорой встрече.

Оказаться в постели с первым встречным — это еще не
предательство. В постели можно оказаться при определенных
обстоятельствах. Но вот слова — это совсем другое.

— Ты меня любишь? — настаивал Елисеев. Ему непременно было нужно, чтобы его любили.

— Зачем тебе это? — с досадой спросила Лена.

— Как это зачем? Мы же не собаки...

— А почему бы не собаки. Собаки — тоже вполне люди.

Он включился в игру и стал по-собачьи вдыхать ее тело.

— Ничем не пахнешь, — заключил он.

— Это плохо?

— Плохо. У самки должен быть запах.

— По-моему, не должен.

— Ты ничего не понимаешь.

А потом началось такое, что лучше не вспоминать. Когда
Лена вспоминала этот час своей жизни — от половины второго
до половины третьего, — то бледнела от волнения и останавливалась.

Королевич Елисей мог разбудить не только спящую, но и мертвую царевну.

Лена была развратна только в своем воображении. Все ее эротические сюжеты были загнаны далеко в подсознание. О них никто не знал. И даже не догадывался. Глядя на замкнутую, аскетичную Лену Новожилову, было вообще трудно себе представить, что у нее есть ЭТО место. А тем более подсознание с эротическими сюжетами. Но Елисей весело взломал подсознание и выманил на волю. Вытащил на белый свет. И оказалось, что ТАКОЙ Лена себя не знала. Не знала, и все.

Она поднялась и босиком пошла в ванную. Включила душ и стояла, подняв лицо к воде. Вода смывала грех. Елисеев вошел следом, красивый человеческий зверь.

— Иди к себе, — попросила Лена. — Я хочу остаться одна.

— Ты этого не хочешь. — Он вошел под душ, и они стояли, как под дождем.

— Как странно, — сказала Лена.

— Не бойся, — успокоил Елисей. — Так хочет Бог.

— Откуда ты знаешь?

— Если бы Бог не хотел, он не сделал бы мне эту штучку. А тебе эту. А так он специально сделал их друг для друга. Специально старался.

Напротив ванной висело запотевшее зеркало. И в нем, как в тумане, отражался Елисеев. Лена увидела, какая красивая у него пластика и как красивы люди в нежности и близости. Как танец, поставленный гениальным хореографом. Может, так действительно хочет Бог.

— Я люблю тебя... — выдохнул Елисеев.

И Лена догадалась: для нее слова любви — это таинственный шифр судьбы. А для него — часть танца. Как кастаньеты для испанца.

В три часа они оделись и пошли в буфет. В буфете по-прежнему сидели люди из киногруппы. Было впечатление, что они не уходили.

Лена подозревала, что у них с Елисеевым все написано на лице. Поэтому надела на лицо независимое выражение и встала в очередь, пропустив между ним и собой два человека. Потом взяла свои сосиски и ушла за другой столик. Он сел возле окна. Она — возле стены. Ничего общего. Чужие люди.

Елисеев включился в какой-то разговор, поводил рукой со сломанным пальцем. Поднимал рюмку. Выпивал. Иногда он замолкал, оборачивался и смотрел на нее подслеповато-беспомощно. И тогда она догадывалась, что он видит не эту комнату, а другую, не буфет, а их номер. Их шепот. Их адскую игру. Он улыбался — не улыбался. Скалился. И тогда все в ней куда-то проваливалось, как в скоростном лифте.

А вокруг сидели люди. Работала буфетчица. Никто ничего не замечал. Никто ни о чем не догадывался. А если бы и догадались... Люди равнодушны к чужой смерти и чужой любви. Известие о гибели Андрея обжигало. Каждый вскрикивал: «А-а-а...» Но уже через полчаса переключался на другое. Невозможно соболезновать долго.

Если бы сейчас обнаружилась их связь с Елисеевым, реакция была бы ожоговой: «Так скоро? — вскрикнули бы все. — Уже?..» И каждый вздохнул бы про себя: «Вот она, великая любовь...» А потом пошли бы в туалет пописать. И уже, надевая трусы, забыли бы о чужой страсти. Люди равнодушны, как природа.

Съемка шла в доме-музее, где действительно сто лет назад проживала семья декабриста. Стояла их мебель. На стенах висели миниатюры. В книжном шкафу стояли их книги. Было понятно, о чем они думали. Царь не хотел унизить ссыльного. Он хотел его отодвинуть с глаз долой.

Ленин в Шушенском тоже жил неплохо, питался бараниной. Наденька и ее мамаша создавали семейный уют, условия для умственной работы. Николай II поступал так же, как его дед. А то, что придумали последующие правители — Ленин, Сталин и Гитлер, — могло родиться только в криминальных мозгах.

Елисеев работал, щелкал беспрестанно тридцать, сорок кадров на одном и том же плане. Он знал, что лицо не стоит. Меняет выражение каждую секунду. И жизнь тоже не стоит. И меняется каждую секунду.

Княгиня Волконская была одета и причесана. Лена накладывала тон на юное личико. Именно личико, а не лицо. В нем чего-то не хватало. Наполненности. Как хрустальная рюмка без вина.

«Интересно, — подумала вдруг Лена, — а у княгини с Волконским было так же, как у нас с Елисеевым? Или тогда это было не принято? Тогда женщина ложилась с мужчиной, чтобы зачать дитя. И это все. О Боже, о чем я думаю? — пугалась Лена. — Совсем с ума сошла. Русские аристократы верили в Бога. И вера диктовала их поступки. И весь рисунок жизни. В этом дело...»

Начались съемки. Героиня произносила слова и двигалась с большим достоинством. Грудь у нее была высокая, мраморная. Лицо тоже мраморное. Ничего не выражало, кроме юности. Все есть: глаза, нос, рот. Но чего-то нет, и никаким гримом это не нарисуешь.

Подошла режиссер Нора Бабаян, сказала упавшим голосом:

— Пэтэушница с фабрики «Красная Роза».

«Ее бы Елисею в руки на пару часов», — подумала Лена. А вслух сказала:

— Все на месте.

— Да? — с надеждой прислушалась Нора.

— На сто процентов, — убежденно соврала Лена. — Даже на сто один.

Другой ответ был бы подлостью. Нельзя бить по ногам, когда уже ничего невозможно изменить. Нельзя бить по ногам, потому что надо продолжать путь. Идти. И дойти.

Приблизился Елисеев и наставил свой «Никон». Притулился.

Комнаты в доме переходили одна в другую. Кажется, это называется анфилада. Сквозняк гулял по ногам. Лена озябла и сморщилась. Так, сморщившись, смотрела в объектив. Ей не хотелось быть красивой, не хотелось нравиться. Какая есть, такая и есть.

Елисеев щелкал, щелкал, как строчил из пулемета. А она принимала в себя его пули, и опрокидывалась, и умирала — какая есть. При этом сидела прямо и смотрела на Елисеева. И не могла насмотреться.

«Фу, черт, — подумала, когда он отошел. — Неужели влюбилась? Этого только не хватало». Но именно этого только и не хватало. Не хватало. Этого. Только. Слишком долго стояло в ней отсутствие жизни. Отсутствие всего. Вакуум.

И при этом она любила Андрея. Он не был мертвый. Он был НЕ ЗДЕСЬ. Но он был. И было место возле него на кладбище. С Андреем у нее — вечность. А с Елисеевым — все земное, живое и временное.

Съемки окончились в десять вечера.

Подошел автобус, чтобы отвезти группу в гостиницу.

Стоял автобус для группы и черная «Волга» для режиссера.

— Садись в машину, — предложила Нора.

Лена машинально опустилась на заднее сиденье. Рядом с ней сел оператор Володя. Впереди — Нора. Машина тронулась.

Лена успела увидеть, как Елисеев, обвешанный своей техникой, влезал в автобус.

— У меня здесь мать живет, — сказала Нора. — Давайте заедем.

Мать Норы жила в старинном деревянном доме с резными наличниками. Сюда во время войны расквартировали эвакуированных артистов. Потом война закончилась. Все вернулись в Москву, а мама осталась. Были какие-то причины. Не политические, а личные. Тогда ведь тоже любили, несмотря на войну и сталинскую подозрительность.

Лена сидела в теплом деревянном доме среди старинных вещей, ела горячий борщ. Нора рассказывала о своей недавней поездке в Германию. Ее встретил представитель фирмы — пьяный вдребезги. И Нора сама вела его «мерседес», в который села первый раз в жизни. И пробка была двенадцать километров.

— А что, немцы тоже пьют? — удивилась мама.

— А что они, не люди? — обиделся Володя.

— А если бы не ты вела, кто бы вел? — спросила Лена.

— Этот пьяный. Кто же еще...

— Но это опасно, — заключила мама.

— Здрасьте. А я о чем говорю...

У Норы было потрясающее качество, доставшееся ей от отца-армянина: она умела найти выход из любой ситуации. При этом действовала мягко, тактично, незаметно.

Мама Норы смотрела в рот своей дочери и шевелила губами, пытаясь повторять за ней ее слова. Она ее обожала. Нора любила свою маму, но жили они врозь, виделись редко. Нора отвыкла. А мама — нет. Не отвыкла.

Лена поела горячего. Оттаяла. И прошлая жизнь потекла в нее. Похороны Андрея... Какой холодный у него был лоб, когда они прощались. Холодный и жесткий. Как курица из заморозки. Это — уже не Андрей. Лена наклонилась к его лицу, совсем низко, стала говорить слова. Она ласкала его, как ребенка. Говорила, говорила, гладила, целовала руки. А те, кто стоял рядом, не понимали, оттаскивали, мешали. И она сказала: «Отстаньте от меня». И только верная подруга Нора все поняла. Она поняла, что это не истерика, а нормальное прощание. Нора сказала негромко: «Отстаньте от нее».

Нос у Андрея высох, как и все тело. Проступали хрящи. Пришедшие проститься смотрели с затаенным ужасом: во что болезнь превратила человека. Молодого мужчину. Никто не смог сказать нормальную речь. Говорили какую-то ерунду типа: «От нас ушел художник и порядочный человек» — и так далее. Хотя действительно ушел. Действительно от нас. Действительно художник и порядочный человек. Но разве ЭТО надо говорить? Разве ЭТО имеет значение?

Жизнь Андрея была незамысловатой. В ней ничего особенного не было. Но жизнь, если она состоит из любви, смерти и запрета, — всегда незамысловата. Сложной бывает порочная жизнь.

Там грех, возмездие, смятение души.

Лене хотелось поговорить об этом с мамой Норы. И они немножко поговорили.

— Я теперь не знаю, как жить, — сказала Лена. — Детей у меня нет.

— А мама есть?

— Мама живет с сестрой.

— Ну вот, значит, и мама. И сестра.

— Они в другом городе.

— Это не важно. Они с вами. И потом, вы еще молодая.

— Я старая. Мне сорок четыре года.

— Вы еще можете выйти замуж шесть раз.

— Шесть? Почему шесть?

— Сколько угодно. Старости не бывает на самом деле.

— А вы могли бы выйти замуж? — Лена прямо посмотрела на семидесятилетнюю женщину.

— Я? Только за того, кого я любила в молодости. Кто знал меня молодой. А я его знала молодым. Когда вместе проходишь дорогу, то изменения незаметны. Ум не знает возраста тела.

— А одиночество страшно?

— Если человек верует, он не одинок. Он не может быть одинок. И еще, знаете, мне кажется, что за пределами жизни есть истина куда вернее и важнее всего, что может дать тело.

— А если это не так?

— Вера исключает такие вопросы. Вера тем и отличается от знания...

Володя выпил и сел играть на рояле. Нора пела. Голос у нее был маленький, но чистый.

Лена слушала. В душе отстаивалось хорошее чувство. Любовь стояла в воздухе, но чистая, очищенная от секса. Нора любила маму. Мама — свою дочь. Володя любил момент бытия.

О Елисееве Лена как бы позабыла. Все, что с ним связано, — правда, но не полная правда. А значит, ложь, идущая

4*

от трусости и греха. И именно поэтому он так настойчиво спрашивал: «Ты меня любишь? Ты меня любишь?» Потому что он хотел грех замазать истинным. Лена это чувствовала подсознанием, тем же самым, в котором прятались ее эротические сюжеты.

Человек сложен и в то же время прост. В нем два начала: дьявол и Бог. И они равновелики. Дьявол — умный и серьезный соперник. Может, они с Богом когда-то дружили, а потом идейно разошлись и стали враждовать. Бороться за каждую человеческую душу.

— Сыграйте «Хризантемы», — попросила мама Норы.

Володя заиграл и запел о том, что «отцвели уж давно хризантемы в саду...». Лена слушала. Звуки проникали в душу. Значит, душа оттаяла и пропускала. Вдруг вспомнила, как Коновалов сказал на поминках: «Тот, кто пережил экстаз смерти, может лишь смеяться над остальными так называемыми удовольствиями».

— А ты откуда знаешь? — удивилась жена Коновалова.

— Агония — это что, по-твоему? Это оргазм. Но какой... Душа с телом расстается.

— А ты откуда знаешь? — снова спросила жена.

Лена тогда не обратила внимания на сказанное. А сейчас подумала: а вдруг это правда? Все связано в одно: любовь, смерть... Так же, как день и ночь объединены в одни сутки.

Нора Бабаян смотрела перед собой и думала — что осталось снять. Деревянный Иркутск прошлого века. Кладбище. Дома и могилы почти не изменились с тех пор. И если разобраться, не так уж много времени прошло.

В гостиницу вернулись поздно. Во втором часу ночи.

Лена приняла душ. Легла. И тут же заснула.

Ее разбудил резкий телефонный звонок.

— Ты ведешь себя, как продавщица, — сказал голос Елисеева.

— Почему?

— Ты села в машину и уехала. Ты демонстративно бросила меня, как будто я говно. Запомни: я пьяница, бабник, пошляк. Но я не говно.

— Хорошо, — согласилась Лена.

— Что «хорошо»?

— Ты пьяница, бабник и пошляк.

— Ты ничего не поняла.

— Что ты хочешь? — запуталась Лена.

Он бросил трубку.

Лена легла и снова заснула. Она засыпала непривычно легко, наверное, потому, что отогрелась. Что же ее оттаяло? Деревянный дом, борщ, поцелуи Елисеева, работа над лицом княгини Волконской. И уверенность в том, что завтра все повторится. Опять грим. Опять надобность в ней. Надобность, которая не кончится смертью. Андрей выбрал из нее все силы для того, чтобы взять и умереть. А здесь она отдаст силы, талант, и выйдет фильм о жизни декабристов. О красивой, одухотворенной жизни. По сути, декабристы — первые диссиденты. Пестель — тот же Сахаров. Что не хватало Пестелю? А Сахарову — чего не хватало?

Дверь раскрылась. Вошел Елисеев. Значит, Лена забыла повернуть ключ.

— Ты спишь? — спросил Елисеев.

— Естественно...

Он молча раздевался. Стягивал носки и рубашку.

— Интересное дело... Я лежу. Плачу. А она спит.

Он улегся рядом, как будто так и надо. Как будто иначе и быть не могло. И в самом деле: не могло. От него божественно пахло розами и дождем. И коньяком.

— Ладно тебе, — примирительно сказала Лена, задыхаясь от нежности.

— Нет, не ладно. Я думал, ты — леди. А ты — продавщица.

— Леди тоже бывают бляди, — сказала Лена.

Она уткнулась в его плечо. Потом угнездила свое лицо в сгибе между шеей и подбородком. Даже в темноте он был красив.

— Ты еще не знаешь меня, а уже не уважаешь. Априори.

Она не слушала его слова. Только интонации. Они были четкие. Горькие. Он в самом деле был расстроен. Огорчен. Он хотел выяснить отношения.

— Это потому, что ты меня не любишь, — заключил Елисеев. — Ты просто об меня греешься. Не знаю, почему ты выбрала именно меня? За что мне такая честь и такой подарок?

— По-моему, это ты выбрал меня. Это твоя идея.

— Я давно тебя выбрал. Я еще год назад тебя выбрал. Я ждал случая.

Лена вспомнила, что действительно год назад они с Андреем были на дне рождения у Коноваловых. Андрей тогда уже похудел, но еще не слег. Они еще ходили в гости. И к ним ходили гости. Тогда, у Коноваловых, Елисеев навис над ней с рюмкой. Что-то говорил. Интересничал. Но у нее были мозги не тем заняты.

— Перестань, — сказала она. — Все не так плохо. Бабник, пьяница и пошляк — это тоже может нравиться. Любят и с этим.

— Ты меня любишь? — спросил Елисеев и замер в темноте. Захотелось сказать: «Нет, я не люблю тебя».

— Не знаю.

— Что значит: не знаю. Да или нет?

— Скорее да.

— Что «да»?

— Люблю.

Это было ужасно. Мистические слова, шифр судьбы, были произнесены всуе. Просто так. На воздух. Но слово вылетело и материализовалось. Она любила. Любила его ноги, руки, запах, лицо, интуицию. Ту самую интуицию, которая вела его и в работе, и по тайным тропкам распущенности.

Он заплакал. Его начало трясти.

— Я погибаю, — он прятал лицо в ее плече. — Скажи, ты меня спасешь? Ты спасешь меня?

— Нет, — сказал Лена. — Я тебя окончательно прикончу.

Ему это понравилось. Он перестал плакать. Поднял голову. Тихо улыбнулся, как оскалился. Она осторожно поцеловала его зубы — чистые и влажные.

— Родная моя, — проговорил он. — Милая моя. Как я тебя обожаю. Ты единственный человек, который мне сейчас нужен в этой трижды проклятой жизни. Я брошу всех и буду любить тебя одну.

— Я хотела бы быть молодой для тебя.

— Зачем?

— Чтобы только я.

— Ты самая молодая для меня.

Он обнял ее.

Впереди расстилалась ночь любви.

Лена задыхалась от некоторых его идей. Но с радостной решимостью шла навстречу. Они были равновеликими партнерами, как Паганини и его скрипка. Как летчик-ас и его самолет. Одно невозможно без другого.

Под утро заснули. Спали мало, но странным образом выспались и чувствовали себя замечательно. И весь день в теле стояла звенящая легкость.

В городе жил человек по фамилии Панин. Его приглашали на могилу декабристов. Приглашали в особо ответственных случаях, когда приезжали иностранцы и высокие гости.

Панин умел впадать в особое состояние, как шаман. Вгонял себя в транс и оттуда, из транса, начинал надгробный крик над святыми могилами. Из него выплескивалась энергия, от которой все цепенели и тоже впадали в транс. Доверчивые американцы плакали. Циничные поляки не поддавались гипнозу. Усмехались и говорили: для нас это слишком.

Елисеев стал невероятно серьезным и не мог щелкать своим фотоаппаратом. А Лена взялась рукой за горло и поняла, сейчас что-то случится. Панин завинчивал до нечеловеческого напряжения. Его лицо было мокрым от пота.

— Интересно, ему платят? — спросил оператор Володя. — Или он энтузиаст?

— Сумасшедший, — сказала Нора Бабаян.

Лена пошла в сторону, не глядя. Остановилась возле кирпичной кладки. Ей надо было прийти в себя. Справиться. Она умела справляться. Научилась. Как детдомовский ребенок, которому некому пожаловаться. Не на кого рассчитывать. Лена никогда не разрешала себе истерик, хотя знала: это полезная вещь. Лучше выплеснуть на других, чем оставить в себе. Но каково другим? Значит, надо держать внутри себя. А не помещается. Горе больше, чем тело. Подошел Елисеев. Обнял.

— Я хочу быть тебе еврейским мужем, — сказал он. — Любить тебя и заботиться. Носить апельсины.

Лена держалась за него руками, ногтями, как кошка, которая убежала от собаки и вскарабкалась на дерево. Только бы не сорваться. А он стоял прямой и прочный, как ствол.

В голове Елисеева шел митинг, но спокойнее, чем обычно.

Елисеев переключил свой страх на сострадание. Отвлекся от своего горя на чужое. И этим выживал.

Панин вычерпывал себя для исторической памяти. Иначе весь этот транс, не имея выхода, разнес бы его внутренности, как бомба с часовым механизмом. Или какие там еще бывают взрывающие устройства.

— Хочешь, я встану перед тобой на колени? — спросил Елисеев.

— Зачем?

Он встал на колени. Потом лег на снег. И обнял ее ноги.

— Выпил, — догадалась Лена. — Дурак...

— Я выпил. Но я трезвый.

Это было правдой. Он выпил, но он был трезвый. Трезво понимал, что устал жить в двух жизнях. Семья без эмоций. И эмоции вне семьи. Две жизни — это ни одной.

Панин все неистовствовал, вызывая в людях историческую память и историческую ответственность. А группа стояла темной кучкой. И что-то чувствовала.

Вечером все собрались в номере оператора Володи. Мужчины принесли выпить. Женщины нарезали закуски.

Лена и Елисеев пришли врозь. Чтобы никто не догадался.

Сидели в номере: кто на чем. На стульях, на кроватях, на подоконнике. Лене досталось кресло. Елисеев околачивался где-то за спиной. Она не оборачивалась. Не искала его глазами.

Здесь же присутствовала девочка, играющая княгиню Волконскую. У нее был странный деланный голос, как будто она кого-то передразнивала. Девочка была беленькая, нежная, высокая и очень красивая. Лена любила молодых. Они ее не раздражали. Они как бы утверждали цветение и красоту жизни в ее чистом виде.

Лена знала, что ее родители разошлись и девочка жила с бабушкой. И второе: у нее был друг-банкир, который содержал ее и бабушку и, кажется, обоих родителей с их новыми семьями. Хороший банкир.

Все постепенно напивались. Стали петь. Выбирали песни тоталитаризма. В том времени были хорошие мелодии.

...«Эх, дороги, пыль да туман...» Это — не пьяный ор. Это — песня. И поющие. Люди, осмыслявшие жизнь. Зачем были декабристы? Чтобы скинуть царя? Чтобы без царя? Чтобы в результате было то, что стояло семьдесят лет? И то, что теперь...

Вся киногруппа нищенствует. И творцы, и среднее звено. А банкир живет хорошо. И покупает любовь. Любовь стоит дорого. Или не стоит ничего.

Елисеев куда-то исчезал из поля зрения. Лена оборачивалась и искала его глазами. Он пил много. Лицо становилось растерянным. Лена боялась, что он оступится и ударится об угол кровати. Все окружающее как будто выставило свои жесткие углы.

Она знала его два дня. Это много. Даже за один час можно все понять. А тут два дня и две ночи. Сорок восемь часов.

Андрей — совсем другой человек. Но такие, как Андрей, не живут. Таких Бог быстро забирает. Они Богу тоже нужны. Они нужны везде — тут и там. А Елисеев — ни тут, ни там. Но любят и таких.

Он подошел к ней. Сел на ручку кресла. Посмотрел в ее глаза проникающим взглядом. Лена увидела, как тяжело пульсирует жилка на шее. Шея — не молодая. Примятая. Кровь пополам с водкой. Сердце устало, но качает. Он сел рядом, чтобы сердце получше качало. Не так тяжко.

— Ты мне поможешь? — спросил он. — Не дашь подохнуть?

— Не дам. Я умею. Я поддержу.

Он поверил и успокоился.

Потом они ушли врозь. Она — раньше. Он — через десять минут.

Лена вошла в ванную. Зажгла свет. И увидела себя в зеркале. Она была красивая. Этого не могло быть, но это было.

Андрей любил ее рисовать. Овал лица — треугольником, с высокими скулами. И большие зеленые глаза. Кошка. Глаза преувеличивал. А щеки преуменьшал. И сейчас в гостиничном зеркале Лена увидела преувеличенные глаза и овал треугольником. Горе что-то добавило. Присмуглило. Подсушило. Но осенний лист тоже красив. И его тоже можно поставить в вазу, украсить жилище. Жизнь продолжается.

Вошел Елисеев. Едва разделся и сразу грохнулся.

— От тебя воняет алкоголем, — сказала Лена.

— Ну и что теперь с этим делать? Лечь на другую кровать?

— Нет, — сказала она. — Останься.

Они лежали рядом и слушали тишину.

— Ты никогда не говорил о своей жене.

— А зачем о ней говорить?

— Но она же существует...

— Естественно.

— А какая она?

Он помолчал. Потом сказал нехотя:

— Высокая. Сутулая. Это оттого, что у нее всегда была большая грудь. Она стеснялась. И сутулилась.

— Ты ее любил?

— Не помню. Наверное...

— У вас есть дети?

— Нет.

— А постель?

— Нет.

— А какая ее роль?

— Мертвый якорь.

— Что это значит?

— Это якорь, который болтается возле парохода и цепляется за дно. Он не держит. Но корабль не может отойти далеко. Не может уйти в далекие воды.

Его корабль болтается у причала, как баржа. Среди арбузных корок и спущенных гальюнов.

— А зачем тебе такая жизнь?

— Я не должен быть счастлив. Иначе я не смогу останавливать мгновения. Или остановлю не те. Счастливый человек не имеет зрения. Он имеет, конечно. Но другое.

— Это ты все придумал, чтобы оправдать свое пьянство и блядство. Можно серьезно работать и серьезно жить.

— Можно. Но у меня не получается. И у тебя не получается.

— Мой муж умер.

— Я об этом и говорю. Твой муж серьезно работал и серьезно жил, и это скоро кончилось. Когда все спрессовано, то надолго не хватает. Надо, чтобы было разбавлено говном.

— Ты же говорил, что хочешь быть мне еврейским мужем...

— Хочу. Но вряд ли получится. Я пьянь.

— Пей.

— Я бабник.

— Это плохо. Мы будем ссориться. Я буду бороться.

— Я пошляк.

— Но любят и с этим. Ты только будь, будь...

Он навис над ней и смотрел сверху.

— Ты правда любишь меня?

— Не знаю. Ты проник в меня. Я теперь не я, а мы. Я стала красивая.

— Ты красивая. С этим надо что-то делать...

— А что с этим делать?

Они обнялись. Его губы были теплые, а внутренняя часть — прохладная. От этого тепла и прохлады сердце подступало к горлу, мешало дышать.

Лена заснула в его объятиях. Ей снился океан, в который садилось солнце. Лена улыбалась во сне. И выражение лиц у обоих было одинаковым.

В последний день съемок они не расставались. Лена и Елисеев уже ничего не скрывали, хотя и не демонстрировали. Каждый делал свое дело. Лена клеила бакенбарды, укрепляла их лаком. Елисеев останавливал мгновения, но дальше, чем на метр, от Лены не отходил. А если отходил дальше, то начинал оглядываться. Лена поднимала голову и ловила его взгляд, как ловят конец веревки.

В гостиницу отправились пешком. Захотелось прогуляться. Елисеев нес ее сундучок с гримом и морщился. Болел палец.

Впереди шла и яростно ссорилась молодая пара, девчонка и парень лет по семнадцати. Может, по двадцати. На нем были круглая спортивная шапочка и тяжелые ботинки горнолыжника. На ней — черная бархатная шляпка «ретро». Такие носили в тридцатые годы. Девчонка что-то выговаривала, вытягивая руки к самому его лицу. Парень вдруг остановился и снял ботинки. И пошел в одних носках по мокрому снегу, держа ботинки в опущенной руке.

— Антон! — взвизгнула девушка. — Надень ботинки! Но он шел, как смертник. Остановить его было невозможно. Только убить.

— Ну и черт с тобой! — Девушка перебежала на другую сторону улицы.

Парень продолжал путь в одних носках, и по его спине было заметно, что он не отменит своего решения. Это была его форма протеста.

— Антон... — тихо окликнула Лена.

Он обернулся. Его лицо выражало недоумение.

— Надень ботинки, — тихо попросила Лена.

Антон не понимал: откуда взялись эти люди, откуда они знают его имя и почему вмешиваются в его жизнь. Он шевельнул губами — то ли оправдывался, то ли проклинал...

Лена и Елисеев прошли мимо. Обернулись. Снова подбежала девушка, тянула пальцы к его лицу. Он стоял босой, ослепший от протеста. Они не могли помириться, потому что были молоды. Они хотели развернуть жизнь в свою сторону, а она не разворачивалась. Торчала углами.

Тогда Антон бросает вызов: если жизнь с ним не считается, то и он не будет считаться с ней. И — босиком по снегу. Кто кого.

Лена неторопливо складывала свой чемодан. Неторопливо размышляла. В Москве можно будет повторить иркутскую схему: он войдет в ее дом со своей дорожной сумкой и ее чемоданом. Поставит вещи в прихожей. Снимет плащ. И они отправятся на кухню пить кофе. Потому что без кофе трудно начинать день. Потом можно будет лечь и просто заснуть — перелет был утомительным. А потом отправиться на работу. Правда, у него есть жена, мертвый якорь. Но мертвому не место среди живого. Мертвое надо хоронить. Их корабль выйдет в чистые воды для того, чтобы серьезно работать и серьезно жить.

Елисеев стоял перед зеркалом, брился и смотрел на свое лицо. Он себе не нравился. Смотрел и думал: «Неужели ЭТО можно любить?»

Погода в Москве была та же, что и в Иркутске. Мокрый снег. Хотя странно: где Москва, а где Иркутск...

Елисеев вошел в свой дом и первым делом направился в туалет.

Он не снял обуви, и после него остались следы, как от гусениц. Грязный снег мгновенно таял на полу, превращаясь в черные лужицы. Вышла жена. Увидела лужи на полу, но промолчала. Какой смысл говорить, когда поздно. Когда дело уже сделано. Теперь надо взять тряпку и вытереть. Или его заставить взять тряпку и вытереть после себя. Елисеев стоял и мочился. В моче была кровь.

— Галя! — громко позвал он. — Посмотри!

Жена заглянула в унитаз и спокойно сказала:

— Допился...

— Что же будет? — холодея, спросил Елисеев.

— Откуда я знаю?

— У меня рак?

— Песок. И камни. Надо идти к врачу. — Галя знала, что только страх смерти может удержать его от водки и от бабы. Поэтому она не успокаивала. Но и не пугала. Сильный стресс мог вызвать сильный запой.

За двадцать лет совместной жизни она научилась балансировать и вполне могла бы работать эквилибристкой.

Елисеев встал под душ. Его указующая стрела, которая еще так недавно и так ликующе указывала дорогу к счастью, превратилась в свою противоположность. Она болталась жалким шнурком и годилась только для того, чтобы через нее совали железные катетеры, вызывая нечеловеческую боль, как пытки в гестапо.

Елисеев надел халат и вошел в комнату. Жена смотрела телевизор. Показывали рекламу мыла.

— Ты хочешь, чтобы я умер? — серьезно спросил Елисеев.

— Нет. Если ты меня бросишь, я переживу. Я злая. А если умрешь — не знаю.

Он пошел в спальню и лег. Не заплакал. Он плакал только для красоты жизни. А от страха он не плакал.

Галя смотрела телевизор. После рекламы показывали мексиканскую серию. Галя устала от сложностей. Душа жаждала примитива.

Она догадывалась, что Елисеев оттянулся на полную катушку. И была баба. И космическая любовь. У него иначе не бывает. Только космическая. Пламя до самых звезд. Но если в этот костер не кидать дров, пламя падает. И тухнет в конце концов. Через месяц он успокоится. Потом забудет, как ее звали.

Так бывает в каждую поездку. Это входит в его цикл. Любит запоем. Работает запоем. Запойный человек. Он — ТАКОЙ. А она — его жена. Любовницы, наверное, притворно сочувствуют: вот сидит бедная, надуренная... А это они — бедные и надуренные. А она — его жена.

Зазвонил телефон.

«Началось», — спокойно подумала Галя и спокойно спросила:
— Ты дома?

Лена Новожилова переделала с утра кучу дел. Убрала квартиру: на это ушло четыре часа в четыре руки. Помогала соседка Люба по кличке Прядь. Она красила одну прядь волос надо лбом в противоположный цвет. Хотела выделиться среди остальных. И выделялась. С Любой убирать было весело. Одной бы не справиться.

Потом Лена пошла в магазин и купила еду: фрукт манго и овощ авокадо. Оливки. Елисеев должен интересно поесть. Не картошку с мясом, которую ест из года в год вся страна... Но если он привык и если захочет, то можно, в конце концов, приготовить и картошку с мясом. Бефстроганов, например. Для этого нужны лук и сметана. Лена вернулась в чистый дом. Все приготовила. Устала. Села в кресло, закрыла глаза и стала мечтать, как Елисеев переберется к ней со своей аппаратурой и вся квартира превратится в одну сплошную фотолабораторию. У Елисеева два состояния — пить и работать. А у нее — тоже два. Работать и смотреть телевизор. Как раньше обходились без телевизора? Вышивали на пяльцах? Играли на фортепьянах? Ездили на балы?

Они с Елисеевым тоже будут иногда выходить в гости. Он будет стоять с рюмкой, нависать над какой-нибудь барышней. Благоухать розами и дождем. В черном кашемировом пиджаке с шейным платком. Барышня будет смотреть на него снизу вверх сияющими глазами, испытывая возрастное преимущество перед Леной. Лене захочется подойти и устроить им скандал. Но она сдержится. Будет держать себя в руках. В прямом смысле. Обнимет себя за плечи и будет держать в руках.

А потом они вместе вернутся домой. Машины у них нет. Придется добираться на метро и на автобусе. И пока доберутся — все пройдет: и его увлечение, и ее ревность. И даже говорить на эту тему будет лень. Они разденутся и лягут спать под одно одеяло. И ей приснится остров Кипр, на котором она ни разу не была. Елисеев тоже будет чему-то улыбаться во сне. И выражение лиц у обоих будет одинаковым.

Звонка не было. И это становилось странно. Может быть, он потерял ее номер? А может быть, вообще не записал?

Лена подождала до вечера. Позвонила сама. Услышала в трубке его голос.

— Привет, — сказала Лена.

— Привет, — ответил он. Голос — глухой, неокрашенный, и ей показалось, что он не узнал ее. Не понял.

— Это я. Лена.

— Я узнал. Это ты, Лена, — повторил он тем же неокрашенным голосом.

Она растерялась.

— Тебе неудобно говорить?

— Почему? Удобно.

— Что-то случилось?

Елисеев молчал. В мозгах шел великий благовест: митинг соединился с колокольным звоном, и надо всем этим гомонила стая весенних птиц.

Поясницу ломило, почки отказывались фильтровать. Организм восставал против его образа жизни.

Песок и камни — это пляж. Или морское дно, за которое цепляется якорь.

— Мы больше не будем видеться, — сказал Елисеев.

— Почему?

— Потому что я — мертвый якорь.

— А я? А мне что делать? — беспомощно спросила Лена.

— Ну... пять дней не такой уж большой срок.

— Зачем ты говорил, что любишь меня? Что хочешь быть мне мужем?

— Это была правда.

— Тогда правда. И сейчас. Сколько же у тебя правд?

— Две.

Лена молчала.

— Не плачь, — сказал он. — Сейчас трудно. Но с каждым днем будет все легче. Освобождайся от меня.

Лена не плакала. Это он хотел, чтобы она заплакала по нему. Это он выстраивал кадр. Останавливал мгновение.

Она бросила трубку. Оцепенела.

Смерть Андрея. Предательство Елисеева. Эти два события не соизмеримы ни по времени, ни по значению. Но это рядом. Одно за другим. Жизнь бросала один вызов, потом другой. Теперь ее очередь. Можно снять ботинки и босиком пойти по снегу. Простудиться и умереть. Но зачем так многоступенчато: ходить, болеть... Можно просто умереть — быстро и небольно.

Как горит в груди... Как больно, когда подрубают страсть, когда топором наотмашь — хрясь! И заходишься от боли. Болевой шок. Нужен наркоз. Сон. Быстрей. Будет легче. Будет никак. Ничего не будет, ничего, ничего, ничего. НИ-ЧЕ-ГО...

Лена пошла на кухню, достала из холодильника все снотворные, которые скопились за время болезни Андрея. Ссыпала их на стол. Лекарство хорошее, очищенное, хотя какая разница... Таблетки хорошо запивать молоком, хотя опять же — какая разница. У нее были сухие сливки. Она развела их в воде. Не думая, заставляя себя не думать, стала закидывать в рот по таблетке. Потом по две. Она торопилась, чтобы не передумать. И чтобы скорее наступило НИЧЕГО.

Таблетки кончились. Ничего не наступало.

Лена подошла к телефону и набрала номер Елисея. Попрощаться. Она на него не обижалась. Он в нее проник. И освободиться от него можно было только, освободившись от себя.

Лена услышала его голос и сказала:

— До свидания.

— До свидания, — ответил он. Голос был сонный.

Лена положила трубку. Прислушалась к себе. НИЧЕГО разрасталось. Разбухало.

Лена набрала телефон Норы Бабаян. Подошел ее муж.

— Боря, привет, — поздоровалась Лена. — А Нора дома?

— Ее нет. Она в монтажной. Что передать?

— Передай: до свидания.

— Ты уезжаешь?

Лена не ответила. НИЧЕГО стремительно втягивало ее. И втянуло.

А потом вдруг выплеснуло, как волной. Лена очнулась в палате. Возле нее стоял врач.

— У меня к вам будут вопросы, — сказал врач.

— А у меня к вам, — строго ответила Лена.

Через неделю ее выписали домой. Наверное, врач не захотел отвечать на ее вопросы.

В доме было чисто, только на полу ребристые следы. Эти следы принадлежали ботинкам Норы Бабаян. Друзья на то и существуют, чтобы оказаться в нужное время в нужном месте.

Врач сказал впоследствии, что доза могла убить лошадь, но лекарства оказались качественные и запивались молоком. Это снизило интоксикацию.

Но Лена знала: дело не в лекарствах и не в молоке. Это все Андрей. Это он не разрешил ей сходить с дистанции раньше времени. Как там у Высоцкого: «Наши мертвые нас не оставят в беде...» Лена посмотрела на себя в зеркало. Выглядела, как это ни странно, хорошо. Она, конечно, не была молодой. Но и старой она тоже не была. Впереди расстилался довольно длинный кусок жизни, по нему надо было идти.

— Лена, — сказала она себе. — Надень ботинки...

Потом прошла на кухню. Достала из холодильника манго и стала есть. Это был желтый, душистый, сочный плод, ни на что не похожий на самом деле.

Зазвонил телефон. Она подняла трубку. Услышала голос Елисеева.

— Ты где была? — спросил он. — Я звонил.

Лена подумала и ответила:

— На Кипре.

— А что это? — удивился Елисеев.

— Остров. Курорт.

— Ну вот... — обиделся он. — По курортам ездишь. А я болел...

Через несколько месяцев Лена увидела Елисеева на банкете. Фильм был окончен. Его отобрали на фестиваль. Нора Бабаян нашла спонсора. Спонсор устроил банкет. Елисеев стоял с рюмкой. С кем-то разговаривал. Интересничал. На его лице была щетина трехдневной давности. По последней моде. Но эта щетина хороша на молодых лицах. А на лице пятидесятилетнего Елисеева она выглядела как плесень. Он стоял заплесневелый, с заваленными вниз бровями. Глаза под очками — не поймать выражения. Мерцательная аритмия. Пиджак на нем был дорогой, но топорщился сзади, как хвост у соловья. И во всем его облике было что-то от бомжа, которого приодели.

Лена смотрела на него и не могла поверить: неужели из-за этого замшелого пня она хотела уйти из жизни... Хотя при чем тут он? Просто страх одиночества и жажда любви. В этом дело. Страх и жажда. А он ни при чем. Он — просто гастролер. Поехал, выступил, показал свое искусство. И вернулся. И опять поехал, опять выступил. Такая работа.

Елисеев увидел Лену. Подошел. Улыбнулся, как оскалился. И вдруг Лена поняла: он не скалится. Он пробует лицо. На месте оно? Или его уже нет?

А вокруг творилось настоящее веселье. Люди вдохновенно ели и вдохновенно общались. На столах стояли икра в неограниченных количествах и метровые осетры, приплывшие из прежних времен. Женщины были прекрасны и таинственны. А мужчины умны. И казалось странным, что за стеной ресторана — совсем другая жизнь.

Из жизни миллионеров

Я летела в Париж по приглашению издательства. Рядом со мной сидела переводчица Настя, по-французски ее имя звучит Анестези. Вообще она была русская, но вышла замуж за француза и теперь жила в Париже. В Москве остались ее родители и подруги, по которым она скучала, и в Москве обитали русские писатели, на которых после перестройки открылась большая мода. Настя приезжала и копалась в русских писателях, как в сундуке, выбирая лучший товар. Это был ее бизнес.

Поскольку писатели в большинстве своем мужчины, а моя переводчица — женщина тридцати семи лет, в периоде гормональной бури, то поиск и отбор был всегда захватывающе веселым и авантюрным.

Настя наводила у меня справки, спрашивала таинственно: «А Иванов женат?» Я отвечала: «Женат». — «А Сидоров женат?» Я снова отвечала: «Женат». Все московские писатели почему-то были женаты. Но ведь и Анестези была замужем. Я думаю, она подсознательно искала любви с продолжением и перспективой. Женщина любит перспективу, даже если она ей совершенно не нужна.

У Анестези были ореховые волосы, бежевые одежды, она вся была стильно-блеклая, с высокой грудью и тонкой талией. Одевалась дорого, у нее были вещи из самых дорогих магазинов, но обязательно с пятном на груди и потерянной пуговицей. Неряшливость тоже каким-то образом составляла ее шарм. Она безумно нравилась мужчинам.

Именно безумно, они теряли голову и становились неуправляемы, и делали все, что она хотела. Это тоже входило в бизнес. Настя скупала русских писателей за копейки, и они были этому очень рады.

Самолет взлетел. Я видела, как человек, сидящий впереди, осенил себя крестом, а потом отвел руку чуть вперед и вверх — и перекрестил самолет. Мне стало грустно, непонятно почему. Самолет — это всегда грань. Интересно, когда люди гибнут скопом — это что-то меняет? Это не так обидно, как в одиночку? Или все равно?..

— Я люблю своего мужа, — сказала вдруг Анестези. Видимо, у нее тоже появилось тревожное чувство.

Самолет взлетел и взял курс на Париж. В это же самое время где-то в Гренландии поднялся в небо ураган, в дальнейшем ему дали имя «Оскар», и тоже направился в сторону Парижа. Оскар и самолет с разных концов летели в столицу Франции.

— Я его люблю страстно, — добавила переводчица глухим голосом.

— Тогда почему ты все время уезжаешь из дома? — удивилась я.

— У него секретарша. Полетт. Только ты никому не говори.

— Откуда ты знаешь?

— Они проводят на работе по восемь часов. И всегда вместе.

— Ну и что? Это его работа.

— Когда люди все время вместе, они становятся ОДНО. Он ходит домой только ночевать.

— Это тоже много, — сказала я. — Где бы ни летал, а приземляется на свой аэродром.

— Не хочу быть аэродромом. Я хочу быть небом. Чтобы он летал во мне, а не приземлялся.

— А сколько вы женаты? — спросила я.

— Двадцать лет. Он мой первый мужчина, а я его первая женщина. Он захотел взять новый сексуальный опыт.

Последняя фраза звучала как подстрочник. И я поняла, что Настя, когда волнуется, начинает думать по-французски.

Я не предполагала в Анестези таких глубоких трещин. Я думала, у нее все легче, по-французски. Между ее высоких ног прятался маленький треугольник, наподобие Бермудского, куда все проваливались и исчезали без следа. Все, кроме одного. Ее мужа.

— Ты боишься, он уйдет? — спросила я.

— Нет. Не боюсь. Он любит нашу дочь.

— Значит, он останется с тобой...

— Но будет думать о другой.

— Пусть думает о чем хочет, но сидит в доме.

— Только русские так рассуждают.

— Но ведь ты тоже русская, — напомнила я.

— Держать в руках НИЧТО. Но держать. Лучше умереть, чем так жить!

— Нет, — сказала я. — Лучше так жить, чем умереть.

Я была воспитана таким образом, что главная ценность — семья. Нужно сохранять ее любой ценой, в том числе и ценой унижения. Кризис пройдет, а семья останется.

Анестези привыкла быть самой лучшей. И подмена ее треугольника другим воспринималась ею как смерть внутри жизни. Она бунтовала словом и делом. Но ничего не помогало.

— Я люблю его страстно, — снова повторила она.

На этих словах самолет и Оскар встретились друг с другом. Оскар обнял самолет и сжал его. Самолет затрепетал, как рыба, выброшенная на берег.

Погас свет. Кто-то закричал.

Переводчица заерзала на месте, стала шуровать рукой в своей сумке.

— У тебя есть карандаш? — спросила она.

— Зачем тебе?

— Я напишу мужу прощальное письмо. Чтобы он не женился на Полетт. Никогда.

— Очень эгоистично, — сказала я.

Мне стало плохо. Казалось, что печень идет к горлу. Это самолет резко терял высоту.

Я хотела спросить: а кто передаст письмо ее мужу, если самолет разобьется? Хотя листок бумаги не разбивается, и его можно будет найти среди пестрых кусков из тел и самолета.

Японцы молились и молчали. Я закрыла глаза и тоже стала молиться. Молитв я не знаю и просто просила Бога по-человечески: «Ну, миленький, ну пожалуйста...» Именно такими словами моя дочка просила не отводить ее в детский сад и складывала перед собой руки, как во время молитвы.

Японцы молчали, закрыв глаза. Орали европейцы. Но, как выяснилось, напрасно орали. Командир корабля резко снизил высоту, опустил машину в другой воздушный коридор, вырвался из объятий Оскара. И благополучно сел. И вытер пот. И возможно, хлебнул коньяку.

Ему аплодировали японцы, и американцы, и африканцы. Белые, желтые и черные. А он в своей кабине слушал аплодисменты и не мог подняться на ватные ноги.

Оскар кружил над городом, сдирал с домов крыши и выдергивал из земли деревья.

Самолет не мог подкатить к вокзалу. Все стали спускаться по трапу на летное поле. Внизу стояла цепочка спасателей в оранжевых жилетах. Они передавали людей от одного к другому. Оскар пытался разметать людей по полю, но спасатели стояли плотно — через один метр. Один кинул меня в руки второго, как мяч в волейболе, другой — в руки третьего. И так — до здания аэропорта.

Наконец меня втолкнули в здание. Все — позади. Я засмеялась, но на глаза навернулись слезы. Все-таки не очень приятно, когда тебя кидают, как мяч.

Подошел спасатель и спросил меня:

— Вам плохо? Вы очень бледная.

— Нет, мне хорошо, — ответила я.

Мы пошли получать багаж. Анастези сняла с ленты свою объемистую сумку на колесах. Мы ждали мой чемодан, но он не появился.

Мы стояли и ждали. Уже три раза прокрутилась пустая лента. Моего чемодана не было и в помине.

— Стой здесь, — приказала Настя и отправилась выяснять.

Она вернулась через полчаса и сказала, что в связи с ураганом произошли поломки в компьютерах, и мой чемодан, по всей вероятности, отправился в Канаду.

— А что же делать? — испугалась я.

В чемодане лежали мои лучшие вещи. Практически все, что у меня было, находилось в чемодане.

— Скажи спасибо, что пропал только чемодан, — посоветовала Настя.

— Спасибо, — сказала я.

Мы куда-то пошли и стали заполнять какие-то формуляры, давали описание чемодана, цвет и форму. Француженка, которая нами занималась, была похожа на лошадь с длинным трудовым лицом.

Меня по-прежнему подташнивало. Видимо, организм не отошел от потрясения. Я забыла, а организм помнил.

И все-таки можно сказать, что все плохое позади. Впереди — четыре дня в Париже, выступление по телевизору, встречи с журналистами. Анестези должна меня «раскрутить», сделать рекламу. Впереди — Нотр-Дам, Эйфелева башня, луковый суп и прогулки по Галери Лафайет.

Я знала Францию по французским фильмам, песням Ива Монтана и Шарля Азнавура, по перламутровому облику Катрин Денев. Теперь мне предстояло совместить то, что я предполагала, с тем, что было на самом деле.

— А где я буду жить? — вдруг вспомнила я.

— У Мориски.

— Это отель?

— Нет, это имя. Мориска — мой друг.

— А разве мне не полагается отель? — холодно спросила я.

— Полагается. Но издательство экономит, — объяснила Настя.

Я поняла: на эту тему надо было говорить в Москве, договариваться на берегу. А сейчас — дело сделано. Я уже в Париже. Не возвращаться же назад. На это они и рассчитывали. Теперь я буду ночевать у Мориски на диване.

— Сколько ему лет? — спросила я.

— Шестьдесят, — ответила Настя. Подумала и уточнила: — Шестьдесят три.

Зачем пожилому человеку брать в дом незнакомую женщину?

— Он твой любовник? — догадалась я. Анестези не ответила, ее лицо было озабоченным.

— Самолет опоздал на два часа. Я боюсь, он не дождался и ушел.

Мориски нет. Гостиницы нет. Чемодана нет. Париж, называется...

Мы прошли таможенный контроль, вышли в зал ожидания.

Анестези поводила головой, как птица. Лицо ее стало напряженным от подступающих проблем. Куда меня девать? Селить в гостиницу, триста франков за сутки, или тащить к себе домой, в сердце семьи. Из подруги я превращаюсь в нагрузку.

— Вот он! — вдруг увидела Анестези. — Морис! — Она закричала так, будто ее уводили на смертную казнь. — Морис!

И побежала куда-то вправо. Морис — высокий, в длинном плаще и маленькой кепочке — встал ей навстречу. Они обнялись, и я увидела: конечно же, любовники. Или бывшие любовники. Именно поэтому Морис согласился взять меня на четыре дня. Вошел в положение.

Я не рассматривала Мориса, но увидела все и сразу. Самым удачным были рост и одежда. Все остальное никуда не годилось: круглые немигающие глаза, тяжелый нос, скошенный подбородок и пустая кожа под подбородком делали его похожим на индюка. Законченный индюк.

Анестези представила нас друг другу. Я назвала свое имя, он протянул большую теплую сухую руку, совсем не индюшачью.

Настя сообщила о пропаже чемодана, я поняла это из слова «багаж». Морис сделал обеспокоенное лицо, и они с Настей пошагали по моим делам.

Он мог бы не заниматься моим чемоданом, но у него была развита обратная связь. Он умел чувствовать другого человека.

Они быстро отошли и довольно быстро вернулись.

— Сегодня не найдут, — сказала Настя. — Но к твоему отъезду отыщут.

— А в чем я буду выступать по телевизору? — спросила я.

На мое лицо легла трагическая тень. Морис увидел эту тень и спросил, в чем проблема. Я узнала слово «проблем». Настя ответила. Я узнала слово «робе», что означает платье.

Морис торопливо заговорил, свободно помахивая в воздухе кистью типично французским жестом.

— Он сказал, что купит тебе платье у Сони Рикель.

Соня Рикель — одна из лучших кутюрье Франции. Всех моих денег не хватит на один карман такого платья. Я сказала:

— Не надо ничего. Я надену на плечи русский платок. Буду как матрешка.

Морис с детским вниманием всматривался в наши лица, как глухонемой. Он ничего не понимал по-русски. Я заметила: на Западе говорят на всех языках, кроме русского. Русский не считают нужным учить, как, например, японский или суахили.

Мы вышли из здания аэропорта. Анестези вышагивала оживленно, немножко подскакивая. Она была рада, что все складывалось: самолет сел, Морис встретил, сейчас мы пойдем ужинать в ресторан, пить много сухого вина. Несмотря на то что Анестези испытывала настоящие муки ревности, ей это не мешало жить полно и ярко: путешествовать, заниматься издательским бизнесом, художественным переводом, крутить роман с Мориской, использовать его. И у нее все получалось, включая переводы. Она была талантлива во всем.

Я шла рядом с ней, как некрасивая подруга. Вообще-то мне всегда хватало моей внешности, и я не привыкла быть на вторых ролях, но рядом с Анестези мне нечего делать. Ее внешность, помимо природных данных, была сделана гениальным стилистом, и этот стилист — ее жизнь. А мой стилист — Москва периода перестройки.

Анестези может позволить себе старого индюка, и молодого красавца, и женщину-лесбиянку, потому что она — хозяйка. Себе и своему треугольнику. Она — свободный человек. А я опутана совковой моралью типа: «Не давай поцелуя без любви», «Поцелуй без любви — это пошлость». Но ведь помимо любви на свете существуют: страсть, желание, влюбленность. Именно они наполняют жизнь и расцвечивают ее, как фейерверк в темном небе. Но такие мелочи, как желание и страсть, не брались в расчет нашей коммунистической моралью. И несмотря на то что прежняя идеология рухнула, совковые идеи въелись намертво, как пыль в легкие шахтера.

Я иду рядом с Анестези и все понимаю. В этом моя сила. Уметь оценить ситуацию и себя в ситуации — значит никогда не оказаться в смешном положении.

Морис подвел нас к длинной синей машине марки «ягуар».

— Это его машина? — удивилась я.

— У него три машины, — сказала Настя.

— Он что, богатый? — заподозрила я.

— Миллионер. Он входит в десятку самых богатых людей Франции.

Мы забрались внутрь машины. Я — рядом с Морисом. Анестези — за моей спиной, самое безопасное место.

Мы тронулись. Красивые сильные руки Мориса касались руля. Я искоса поглядывала на него.

Если взять Пушкина в отрыве от его имени, что можно увидеть? Тщедушный, узкогрудый, маленький, с оливковым лицом и лиловыми губами. Обезьяна. Но когда понимаешь, что это Пушкин, уже не видишь ни роста, ни отдельных черт лица. Преклоняешься перед энергией гения и жалеешь, что он умер до того, как ты родилась. Хорошо бы такой человек жил всегда. Природа обязана делать исключения для таких людей.

Не буквально, но нечто похожее я испытывала в отношении Мориски. Его немигающие глаза показались мне пронзительно-умными, умеющими видеть проблему во все стороны, и в глубину прежде всего. Пустая кожа под подбородком ничему не мешала. Он мог бы сделать пластическую операцию. Но зачем? Он ведь не женщина, а мужчина. И не просто мужчина, а миллионер. Хозяин жизни.

Морис достал из-под сиденья две коробки шоколада. Одну протянул мне, другую Анестези. Я была голодна и тут же начала жевать.

— Перестань жрать, — сказала Анестези по-русски. — Мы едем ужинать.

— Что? — переспросил Морис.

— Ничего, — ответила Анестези, и я поняла, что она не предательница. Она не хочет хорошо выглядеть на моем фоне. Я закрыла коробку, потом подняла глаза и в этот момент увидела, как по воздуху плывет лист металлического шифера. Он бесшумно, медленно плыл навстречу машине, на уровне моих глаз. Я мгновенно поняла: это Оскар сорвал с ближайшего строения кусок крыши, и сейчас мы встретимся в одной точке.

Лист железа влетел в лобовое стекло. Я вскрикнула и закрыла лицо руками. Раздался глухой удар по стеклу, потом грохот от скатывающегося железа.

Морис негромко воскликнул: «Ах...» Остановил машину. Вышел и посмотрел. На стекле — царапина, на правом крыле — вмятина. И это все. Видимо, стекло у «ягуаров» имеет особую прочность, равно как и металл.

Если бы кусок железного шифера влетел в мою московскую машину, я осталась бы без носа или без глаз. А тут я отделалась легким «ах», и то не своим, а Мориса.

Морис вернулся в машину и что-то сказал Анестези.

— Он спрашивает, какую кухню ты предпочитаешь: японскую, китайскую, итальянскую или французскую.

Я задумалась. В японском ресторане надо есть палочками, я не справлюсь и начну есть руками, поскольку вилок там не дадут.

— Мне все равно, — сказала я и посмотрела на Настю, перекладывая на нее проблему выбора.

— Как обычно, — сказала Настя. Видимо, у них с Морисом было свое любимое место.

Мы сидим в маленьком китайском ресторане. К Морису выходит хозяин, неожиданно рослый для китайца. Скорее всего полукровка: китаец с французом. Но волосы и глаза — принадлежность желтой расы. Они говорят по-французски. Я улавливаю слово «пуассон», что означает рыба. Видимо, Морис с хозяином обсуждают: когда поймана рыба, сколько часов назад, и чем поймана — крючком или сетью. На крючке рыба долго мучается и в результате пахнет тиной. А рыба, пойманная сетью, не успевает ничего понять и пахнет только рекой, солнцем и рыбьим счастьем.

Китаец с удовольствием ведет беседу и не смотрит на нас. Мы ему неинтересны. Ему интересен постоянный клиент-миллионер.

Анестези вытащила зеркальце и проверяет грим. Ее ореховые волосы стоят облаком и блестят от физического здоровья. Декольте низкое, видна стекающая вниз дорожка между грудями, губы горят, как будто она долго целовалась. Таинственный треугольник тоже горит, и она сидит на нем, как на сковороде. При этом она ничего не делает, просто смотрит перед собой застывшими, чуть выпуклыми глазами.

Морис спокоен или просто держит себя в руках. Красивые руки спокойно лежат на белой скатерти. Сильные пальцы, ровные по всей длине. Мои мысли никто не может подслушать, и я втайне ото всех и от самой себя допускаю мысль, что таким же должен быть его основной палец: сильный и ровный по всей длине. Я где-то читала, что пальцы и детородный орган природа выкраивает по одному рисунку. Не будет же природа каждый раз придумывать и выдумывать. Внутри одного человека она работает по одному лекалу. Интересно: как по-французски член? Наверное, так же, как и по-русски.

Появляется официант, маленький и тонкий, как стрела. Над столом в красивом рисунке движутся его руки. Ни одного лишнего или неточного движения. Интересно, сколько Морис оставляет на чай? Я слышала: чем богаче человек, тем он жаднее. Если бы я была миллионерша, я бы занималась благотворительностью, потому что отдать гораздо плодотворнее, чем взять. Но я никогда не буду миллионерша. Я зарабатываю на жизнь честным красивым трудом. А честным трудом миллионов не заработать.

— Какой у него бизнес? — спросила я переводчицу.

— Тяжелые металлы, — ответила Настя.

— А что он с ними делает?

— Хер его знает. Во всяком случае, не грузит.

Настя была чем-то раздражена. Скорее всего тем, что Морис не входит в ее облако. Не дышит им. Не заражается влажным сексом. Сидит, как в противогазе. И как на него влиять — непонятно.

Официант поставил блюдо с уткой и большой салат. Салат имел все оттенки зеленого и сиреневого, при этом был не нарезан, а порван руками. Утка утопала в сладковатом соусе по-китайски. В ней почти не было жира, одна только утиная плоть. Я надкусила и закрыла глаза. Какое счастье — есть, когда хочется есть.

Однако надо поддержать беседу.

— Какое у Мориса образование? — спросила я Настю.

— Он самородок. Из очень простой семьи. Ему не дали образования.

Я снова посмотрела на руки Мориса — тяжелые, мужицкие. И глаза мужицкие. Пусть французского, но мужика.

Вот сидит человек, который сам себя сделал. Я сидела рядом и испытывала устойчивость, как будто держалась за что-то прочное. Как за перила, когда спускаешься по крутой лестнице вниз.

Я в основном спускаюсь и поднимаюсь без перил. В этом и состоит моя жизнь. Вверх — без перил. И вниз — без перил.

За что же я держусь? Это мой письменный стол со старой, почти антикварной машинкой. Груда рукописей и поющая точка в груди. Мы втроем: я, точка и машинка — долетели до самого Парижа. И теперь сидим в ресторане с миллионером, входящим в первую десятку.

Официант принес рыбу и стал разделывать ее на наших глазах, отделяя кости. Это был настоящий концертный номер. С ним надо было выступать в цирке. Или на эстраде.

Морис жил в собственном доме на маленькой, из шести домов, собственной улице.

Собственные дома я видела. У меня у самой есть собственный дом за городом. Не такой, как у Мориса, но все равно дом. А вот собственной улицы я не видела никогда. И даже не представляла, как это выглядит.

Морис подъехал к шлагбауму и открыл его своим ключом. Ключ был маленький, как от машины, и шлагбаум — легкий, полосатый, чистенький, как игрушка.

Шлагбаум легко поднялся. «Ягуар» проехал. Морис вышел из машины и закрыл за собой шлагбаум, как калитку.

Мы подъехали к дому. Это был трехэтажный дом. Внизу — кухня, столовая и каминный зал. Никаких дверей, никаких перегородок. Все — единое ломаное пространство.

На втором этаже — спальни. Третий этаж — гостевой.

— Он приглашал стилиста, чтобы ему создали стиль дома, — сообщила Настя. — За сто тысяч долларов.

Я глядела по сторонам.

— А жена у него есть? — спросила я.

— Мадленка, — ответила Настя. — Она на даче.

— Молодая?

— Полтинник.

— Красивая?

— На грузинку похожа.

Грузинки бывают разные: изысканные красавицы и носатые мымры. На маленьком антикварном столике я увидела фотографию в тяжелой рамке светлого металла: молодой Морис и молодая женщина не отрываясь смотрят друг на друга. Вросли глазами.

— Это она? — спросила я.

— Она, — с легким раздражением подтвердила Настя.

Я вгляделась в Мадлен. Освещенное чувством, ее лицо было одухотворенным, и каким-то образом было понятно, что она из хорошей семьи. Чувствовалось образование и воспитание.

Молодой Морис был похож на молодого индюка. Ну и что? И павлин похож на индюка. Я похожа на собаку. Настя — на кошку. Все на кого-то похожи.

— А дети у них есть? — спросила я.

— Сын, — сказала Настя. — Сорок лет.

— Как же — ей пятьдесят, а сыну — сорок? — не поняла я.

— Сын от первого брака, — объяснила Настя. — Известный визажист, делает лица звездам и фотомоделям.

— Богатый?

— Богатый и красавец. Гомосексуалист.

— Нормально, — сказала я.

Я заметила, что все известные модельеры и кинокритики — голубые. А женщины-манекенщицы — плоскогрудые и узкобедрые, как мальчики, потому что выражают гомосексуальную эстетику.

Большие груди и большие зады нравятся простому народу. Чем ниже культура, тем шире зад.

Морис предложил мне посмотреть гостевую комнату. Мы поднялись на третий этаж. Комната состояла из широкой кровати, рядом возле двери — душевая кабина из прозрачного стекла, с другой стороны, возле окна — письменный стол, чуть поодаль — велотренажер. Спальня, кабинет и спортзал одновременно.

Это значит, утром можно встать, позаниматься гимнастикой, потом принять контрастный душ и сесть за работу. А за окном ветка каштана покачивается на ветру. Дышит.

Вот и все, что человеку надо на самом деле: спорт, труд и одиночество. Хорошо.

Было уже одиннадцать часов вечера, по-московски — час ночи. Морис пожелал мне «bon nuit» и ушел.

Я приняла душ и легла в постель. До меня доносилась энергичная разборка. Настя и Морис выясняли отношения, не стесняясь третьего человека. Слова сыпались, как град на крышу.

Морис говорил сдержанно. Я уловила слова: «Tu ne voulais pas prendre le risk». Ты не хотела брать риск.

Видимо, когда-то Морис уговаривал Настю уйти от мужа и тем самым взять риск. Но Настя не хотела уходить от мужа так просто, в никуда. Вот если бы Морис сделал ей предложение... Если бы он предложил ей не риск, а руку и сердце, тогда другое дело. Но у Мориски была Мадленка, а у Насти — муж. Страшно отплывать от привычного берега — вдруг утонешь, и Настя защищалась и нападала одновременно.

Наверняка она нравилась Мориске, иначе с какой стати он взял бы меня в свой дом, в гостевую комнату. Я существовала как часть их отношений, часть любовной сделки. И сейчас они наверняка пойдут в кровать и будут ругаться и мириться. И у Мориски все встанет, вздыбится, нальется жизнью, и он почувствует себя молодым. Вот что нужно миллионеру прежде всего: чтобы его солнце не клонилось к закату. Пусть оно задержится на месте. «Хоть немного еще постою на краю». Это важнее, чем деньги. Хотя вряд ли... Важно все.

Я всегда кичилась своей женской недоступностью, видя в этом большое достоинство, но сейчас я поняла: никто и не претендует. Как в анекдоте о неуловимом Джо. Неуловим, потому что его никто не ловит. Моя добродетель никому не нужна, как заветренный кусок сыра, и мои рукописи на письменном столе — просто куча хлама.

Вот я в Париже со своей поющей точкой в груди. И что? Лежу одна, как сиротка Хася. Лежать одной — это для могилы. А при жизни надо лежать вдвоем, изнывая от нежности, и засыпать на твердом горячем мужском плече.

Утром Морис поднялся ко мне в комнату, неся на подносе кекс и кофе. Оказывается, они пьют кофе в постели, а уж потом чистят зубы. Морис собственноручно принес мне кофе в постель. Видимо, они с переводчицей помирились на славу. Анестези постаралась, а я пожинала плоды. Морис опустил поднос на постель.

— Но, но... — запротестовала я, поскольку не умею есть в постели.

Морис не понял, почему «но». Он поставил поднос на стол. Его лицо стало растерянным, и в этот момент было легко представить его ребенком, когда он бродил босиком без присмотра матери-пейзанки и полоскал руки в бочке с дождевой водой.

Морис сказал, что у него до двенадцати дела, а в двенадцать мы садимся в машину и едем к его жене на дачу.

— А Настя? — спросила я.

— Парти а ля мэзон, — ответил Морис. Я догадалась: уехала домой.

— Когда?

— Вчера. (Иер.)

Значит, не мирились. А может, быстро помирились, и он отвез ее домой. А может, и не провожал. Как знать... Она не взяла риск. Он не стал тянуть резину. Иметь жену и любовницу — для этого нужно свободное время и здоровье. У Мориса время — деньги. Да и шестьдесят три года диктуют свой режим.

Но самое интересное не это, а наше общение. Я почти не знаю языка, но я понимаю все, о чем он говорит.

Я улавливала отдельные слова, а все остальное выстраивалось само собой. Я как будто слышала Мориса внутренним слухом. Так общаются гуманоиды. Языка не знают, но все ясно и так. Я думаю, мысль материальна, и ее можно уловить, если внутренний приемник настроен на волну собеседника.

Морис ушел. Я уселась на велотренажер, стала крутить педали. Компьютер возле руля показывал число оборотов, пульс, время. Можно было следить за показателями, а можно смотреть в окно. За окном лежал сентябрь, качалась ветка на фоне неба. Голубое и зеленое. Ветка была еще сильной и зеленой, но это ненадолго. Я тоже находилась в своей сентябрьской поре, но ощущала себя, как в апреле. «Трагедия человека не в том, что он стареет, а в том, что остается молодым». Кто это сказал? Не помню. Я — Золушка, которая так и не попала на бал. Мои написанные книги — это и есть мои горшки и сковородки. Однако мои ноги легки, суставы подвижны, сердце качает, кровь бежит под нужным давлением...

Появилась служанка. По виду — мексиканка. У нее смуглое грубое лицо. И хорошее настроение. Она все время напевает.

Мексиканка посмотрела на меня и спросила:

— Водка? Кавьяр?

Я поняла, что русские для нее — это икра и водка.

Я развела руками. У меня нет сувениров. У меня нет даже чемодана, и мне не во что переодеться.

Мексиканка понимает, но ее настроение не ухудшается. Она уходит в соседнюю комнату гладить и напевает о любви. Я улавливаю слово «карасон», что значит сердце.

Интересно, мексиканка — оптимистка по натуре или ее настроение входит в условия контракта? Прислуга должна оставлять свои проблемы за дверью, как уличную обувь.

Можно, конечно, спросить. Но я могу задать вопрос только по-русски. Я спрашиваю:

— Мексика? — И направляю в нее свой указательный палец.

— Но травахо, — отвечает служанка. — Травахо — Парис.

Я догадываюсь: нет работы, работа есть в Париже. И еще я отмечаю: Парис — настоящее название столицы Франции, в честь бога красоты Париса.

Дорога была прекрасной, как и все европейские дороги. Мы с Морисом сидели в белом «ягуаре», видимо, синий он отправил на ремонт.

Морис умело руководил сильной машиной. Казалось, ему это ничего не стоило. Машина успокаивает и уравновешивает.

Мы молчали, нас объединяла скорость. Молчание было общим.

Я подумала: как хорошо сидеть возле миллионера, ехать далеко и долго и ни о чем не думать.

Морис — хороший человек. В конце концов он вовсе не должен мной заниматься, а он несет кофе в постель, везет за город познакомить с женой. Зачем это ему? Но, может быть, он хочет развлечь жену мной? Я все-таки писатель, штучный товар. В его ближайшем окружении таких нет. Все есть, а таких, как я, — нет. Морис купит жене цветы и привезет меня. Я опять присутствовала в его колоде некоторой разменной картой.

А может быть, все гораздо проще. Я его понимаю, и ему со мной интересно.

Я спросила:

— У тебя есть друзья?

— Два, — сказал Морис. — Один умер, а другой в Америке.

— Значит, ни одного, — поняла я.

— Два, — повторил он. — Тот, кто умер, — тоже считается.

Все ясно. Он одинок. Это одинокий миллионер. В его жизни нет дружеской поддержки. Тот, который в Америке, — далеко. А умерший — еще дальше. Морис греется о любовь.

— Ты любишь Анестези? — спросила я.

Морис что-то торопливо заговорил, занервничал, несколько раз повторил: «Этиопа, этиопа...»

— Что? — переспросила я.

Морис открыл в машине ящичек и достал цветные фотографии. На всех фотографиях была изображена черная девушка, как две капли воды похожая на Софи Лорен в ранней молодости. Рот от уха до уха, белые зубы, глаза, как у пантеры.

— Этиопа, — повторил Морис.

— Это имя?

— Но. Жеографи...

Я вдруг поняла, что он хотел сказать. Эфиопия. Девушка была эфиопкой.

Я вгляделась еще раз. Я слышала, что эфиопы — черные семиты. Яркая семитская красота.

— А Настя знает? — спросила я.

— Но.

Настя не знает, но даже если бы и знала, уже ничего нельзя изменить.

— Этиопа — ля фамм пур муа. (Женщина для меня.)

Насте на этом фоне больше делать нечего. Поэтому она так нервничала. Но тогда зачем Морис взял меня в гостевую комнату? А просто так. Морис — добрый. Настя попросила, он согласился.

Я прерывисто вздохнула. Все-таки я была подруга Насти, а не Этиопы.

— А где вы познакомились? — спросила я.

— В небе, — сказал Морис. — Я увидел ее в самолете, а потом помог ей снять багаж с ленты.

Мое писательское воображение подсунуло мне такой сюжет. Он снял ей багаж и проводил домой. На такси. А потом они встретились вечером, и она показала ему класс. А потом Морис снял ей маленькую квартирку, которая в Париже называется «студио». Они купили широкую кровать, даже не кровать, а матрас от стены до стены, чтобы можно было на нем перекатываться, а если скатишься на пол, то небольно падать, потому что невысоко лететь.

В Эфиопии сейчас — эпидемия и голод, а в Париже — миллионеры и комфорт. Этиопа ухватила бедный член Мориски, кстати, по-французски член — зизи. Она зажала бедный зизи своей щелью, черной снаружи и розовой, как спелый плод, внутри. И каждый раз старается, как будто сдает экзамен. Показывает класс.

А может быть, все иначе. Но в общих чертах похоже.

— Чем она занимается?

— Манекенщица. Топ-модель.

Ага, значит, эпидемия и голод не подходят. Это — дорогая точеная деревяшка, немножко проститутка, которая сопровождает миллионеров в путешествиях. Сейчас особенно модны мулатки, их называют «кафе о лэ». Кофе с молоком.

А может быть, ни то и ни другое. Нормальная молодая девчонка, занятая по горло. Топ-модели получают громадные деньги, им не нужны чужие миллионы. Хотя чужие миллионы всегда нужны. Высокая мода — это очень тяжелый бизнес и тяжелый хлеб. Этиопа устает как лошадь. Какое еще студио? У нее своя вилла. Но тогда зачем ей Морис, шестидесяти трех лет?

Но ведь я не знаю, что такое Морис. «О, как на склоне наших лет нежней мы любим и суеверней...» Может, это Морис показывает класс, который неведом молодым. Может быть, он для нее ВСЕ: и папа, и любовник, и защитник. А она здесь — одна. От родных далеко.

— Сколько ей лет? — спросила я, возвращая фотографии.

— Двадцать пять.

— А вашей жене?

— Пятьдесят.

— Вы женились по любви?

— О да... Это была большая любовь. (Гранде амур.) Как Ниагара.

— А куда же эта Ниагара утекла?

— Я не знаю.

Любовь всегда куда-то утекает. Это трагедия номер два. Быстротечность жизни и утекание любви. А может быть — это нормально. Человек полигамен по своей природе. В животном мире только волки и лебеди образуют стойкие пары. Все остальные спариваются на брачный период для выведения потомства. А потом — ищи-свищи. И ничего. Нормально.

Я мысленно пересчитала увлечения Мориса: первая жена, вторая жена, Анестези, Этиопа. Для шестидесятилетнего человека — четыре любви, разве это много? Много, конечно. Но допустимо. У некоторых моих знакомых за один месяц больше, чем у Мориса за шестьдесят лет.

На дорогу вышел лось.

— Приехали, — сказал Морис.

Машина свернула на территорию дачи.

***

Дача стояла на земле величиной с Калужскую область. Видимо, Морис вкладывал деньги в недвижимость, в землю. У него был свой лес, река, старая мельница. Забора вокруг его участка не было, так как до противоположного конца надо было добираться вплавь и на перекладных.

Дом был простой, добротный — миллионерская простота, — оштукатуренный белой краской. Он стоял буквой «Г», каждое крыло метров тридцать. Стилизован под крестьянские постройки, должно быть, сработала ностальгия по прошлому, по своим корням.

Морис вышел из машины. К нему тут же подбежала крупная собака, высотой с теленка, белая в серых пятнах. Она поставила лапы Морису на плечи, Морис стал нежно трепать ее по щеке и что-то приговаривать. На них было приятно смотреть. Это была двусторонняя идеальная, очищенная любовь.

Мы вошли в дом. Нас встретила жена Мориса — маленькая, изящная, моложавая, со злым лицом. Она в самом деле была похожа на грузинскую аристократку, хотя и не черная. Шатенка.

Она протянула руку, назвала свое имя, я сделала то же самое. Мадлен сухо заметила, что она прочитала мою книгу. Эту книгу ей подарила Анестези. Книга ее удивила, произвела впечатление, и поэтому Мадлен очень хотела со мной познакомиться и поговорить.

Она излагала свою мысль вежливо, как на приеме. Я слушала, чуть склонив голову, напряженно угадывала слова и в общем понимала. Я понимала немножко больше, чем она бы хотела. А именно: Морис не хочет больше ее тела и тепла. Он ласкает черную, как телефонная трубка, эфиопку. Мадлен стареет потихоньку. Она еще не постарела, а уже не нужна.

Морис стоял рядом. Мадлен на него не смотрела. Демонстрировала равнодушие и отчужденность. Он делал вид, что ничего не замечает.

Мадлен повела меня показывать свою оранжерею. Она разводит цветы. У нее тридцать сортов флоксов и десять сортов роз.

Флоксы были лиловые и оранжевые, белые и черные, гладкие и лохматые. Мадлен останавливалась возле каждого, как возле живого человека.

Я равнодушна к цветам. Я люблю музыку и книги. Но я понимаю, что ни в коем случае нельзя обнаружить свое равнодушие, и я восхищенно таращу глаза. Но один раз при виде черной розы я действительно вытаращила глаза. Черная роза — эмблема печали. В этом цветке застыла торжественная грозная красота.

После цветочной галереи Мадлен показала мне бассейн. Его дно было выложено бирюзовой плиткой, и вода казалась бирюзовой, как изумруд.

Я представила себе, как утром она заходит в воду, собранная и маленькая, и плывет, плывет, вытесняя движением свою тоску. Потом срезает кремовые розы и ставит их в вазу. Или в серебряное ведро.

Я погружаю свою тоску в книги, она — в цветы. Очень важно, когда есть во что погружать. А может быть, не надо ни роз, ни книг. Вместо всего этого — лебединая верность... Было бы интересно спросить у Мадлен: хочешь бедность или любовь?

У нее было замкнутое лицо. Я думаю, она бы ответила: хочу богатство и любовь. Хлеб и розы.

Мы вернулись в дом. За время нашего отсутствия пришла подруга Мадлен со своим мужем Шарлем.

Все уселись за стол. Прислуги я не заметила. Может быть, прислуга все приготовила и ушла.

Подавали куропаток, подстреленных утром в собственном лесу.

Охотилась, естественно, не Мадлен, для этого в штате прислуги был специальный человек. Среди сопутствующих блюд я запомнила пюре из шпината и лук-порей. Должно быть, то и другое — очень полезно для здоровья.

Яблочный пирог принесла подруга по имени Франсуаза. У нее синие глаза с желтой серединой, как цветок фиалки. Она работает акушеркой в родильном доме, очень веселая, круглолицая и все время ждет, что ей скажут: «Ой, какие у вас интересные глаза». И ей все говорят.

Я думала, что миллионерши дружат только с миллионершами, а оказывается, они дружат с кем хотят.

Шарль говорил больше всех, я ничего у него не понимала. Я даже не могла установить темы его монолога. И это странно. У Мориса я понимала все, а у Шарля — ни слова. Значит, наши силовые линии шли в разных направлениях. Это был не мой человек.

Франсуаза хихикала, но присутствия или отсутствия ума я не заметила. Франсуаза одинаково могла оказаться и умной, и дурой. Такая внешность может обслуживать и первое, и второе.

Морис и Мадлен не смотрели друг на друга и не общались. Я догадалась: Морис не скрывает своей любви к Этиопе и не хочет притворяться. У Мадлен в этой связи есть две возможности: принять все как есть и смириться, сохранив статус жены миллионера. И делать вид, что ничего не происходит. И второе: бунтовать, протестовать, выяснять отношения, драться за свое счастье до крови.

Мадлен выбрала третье: покинула общую территорию, уехала на дачу и тихо возненавидела.

За обедом она иногда вскидывала свои ненавидящие глаза, бросала фразу, должно быть, хамскую. Морис также коротко огрызался. Не чувствовал себя виноватым. Он — хозяин своей жизни. И его чувства — это его чувства.

После пирога все подошли к камину. Камин был выложен из какого-то дикого камня, как будто высечен из горы.

Возле камина — маленькая дверь в стене, как в каморке у папы Карло. Морис открыл эту дверь, и я увидела высокий кованый стеллаж, на котором были сложены березовые поленья. Поленья сложены не как попало, а рисунком. Кто-то их выкладывал. Наверное, для этого существовал специальный человек.

Я посмотрела на аккуратные чурочки, и у меня потекли слезы.

В это время Морис перенес дрова в камин и поджег. Пламя быстро и рьяно охватило поленницу. Значит, дрова были сухие.

Я смотрела на огонь. Слезы текли независимо от меня. Может быть, мне стало жалко чемодана? А может быть, я оплакивала свою жизнь — жизнь Золушки, не попавшей на бал. Морис и Мадлен ругаются, выясняются, а за стеной, выложенные буквой «М», лежат и сохнут березовые чурки. Они даже пропадают на фоне бескрайней территории, бирюзового бассейна и кремовых роз. И пюре из шпината.

Я плакала весьма скромно, но мои слезы были восприняты как грубая бестактность. Меня пригласили, оказали честь, накормили изысканной едой, а я себе позволяю.

Плакать — невежливо. Если у тебя проблемы — иди к психоаналитику, плати семьдесят долларов, и пусть он занимается тобой за деньги.

Если бы я заплакала в русском доме, меня бы окружили, стали расспрашивать, сочувствовать, давать советы. Обрадовались бы возможности СО-участия. Все оказались бы при деле, и каждый нужен каждому.

А здесь — все по-другому. Морис нахмурился и отвернулся к огню. Мадлен отошла, ее как бы отозвали хлопоты гостеприимной хозяйки. Шарль и Франсуаза сделали вид, что ничего не произошло. Ну совсем ничего. Шарль разглагольствовал, Франсуаза поводила плечами, сияя фиалковым взором.

И я тоже сделала вид, что ничего не произошло. Я слизнула низкие слезы языком, а высокие вытерла ладошкой. И улыбалась огню. И Морису. И готова была ответить на все вопросы, связанные с моей страной. Да, перестройка. Революция, о которой так долго говорили большевики, отменяется. И теперь мы пойдем другим путем. Весь мир насилья мы разрушим до основанья, а затем мы наш, мы новый мир построим. И у нас будут свои миллионеры, свои камины, и мы будем смотреть на живой огонь. Но когда при нас кто-то заплачет, мы не отвернемся, а кинемся на чужую боль, как на амбразуру.

Морис стал поглядывать на часы. К Этиопе, Этиопе... Его тянуло к двадцатипятилетнему телу, страстным крикам и шепотам. На стороне Мадлен были тридцать лет семейной жизни. А на стороне Этиопы — отсутствие этих тридцати лет. Все сначала. Все внове, как будто только вчера родился на свет.

Мне передалось его нетерпение. Мне тоже захотелось уйти отсюда, где кругами витают над головой обида, гордость и ненависть Мадлен.

Мы садимся в «ягуар». И вот опять дорога. Общее молчание. Мы молчим примерно на одну и ту же тему.

— Мадлен хорошая, — говорю я.

— Да. Очень.

— Тебе ее жалко?

— Ужасно жалко. Но и себя тоже жалко.

— А нельзя обе?

— У меня нет времени на двойную жизнь. Я все время работаю. Ты спрашиваешь, кто мой друг? Работа.

Я думаю: что для меня работа? Практически я замужем за своей профессией. Она меня содержит, утешает, посылает в путешествия, дает людей, общение, и Мориса в том числе. Кто я без своего дела? Стареющая тетка. Но вот я опускаю голову над чистым листом, и нет мне равных.

— А если бы Анестези взяла риск, она состоялась бы в твоей жизни? — спросила я.

Морис различил вопросительную интонацию и слово «Анестези». Он помолчал, потом сказал:

— Возможно. Я бы отвечал за нее.

Кто не рискует, тот не выигрывает. Анестези осталась при своих. Морис прошел стороной, как косой дождь. Хотя правильнее сказать: это она прошла стороной. Ее взаимоотношения с мужчинами — это на самом деле только разборки с секретаршей мужа. Моя переводчица — подранок. Раненый человек. Она думает только о муже, от которого у нее почти взрослая дочь. Муж всегда был ее любовником, но в последнее время стал только добытчиком денег и близким родственником. Видимо, он разлюбил Настю как женщину, но продолжал любить как человека. А ее это не устраивало. Не устраивало, и все. И она изменяла ему для самоутверждения. Точила свои когти, как кошка о диван. Однако тревога не проходила. Рана не заживала. Она ничего не могла изменить в своей жизни. Ничего. Можно бросить мужа и остаться в свободном плавании. Но она и так в свободном плавании. Единственный выход — полюбить. Но вот именно этого она и не могла, потому что уже любила своего мужа.

Ситуация Мадлен похожа. Но сама Мадлен — другая. Она не скачет по мужским коленям. Мадлен — аристократка, но что это меняет? «Но знатная леди и Джуди О'Греди во всем остальном равны».

Мы уже въехали в Париж.

Морис остановил машину и распахнул заднюю дверь.

В «ягуар» впорхнула Этиопа, как черная бабочка. Значит, они договорились.

— Софи, — произнесла Этиопа и протянула обезьянью ручку, темную сверху, розовую изнутри.

Я назвала свое имя.

Мы проехали еще какое-то время и вышли у вокзала. Поднялись на второй этаж. Сели в маленьком кафе, где можно было выпить вина, виски и заесть солеными орешками.

Я не поняла, почему Морис выбрал эту вокзальную забегаловку. Потом мне объяснили: Морис женат, у него положение в обществе, и он не может появиться с черной любовницей в дорогом ресторане. Это вызов и эпатаж. Однако если бы он был богат, как Ротшильд, то мог бы наплевать на общественное мнение и позволить себе ВСЕ. Деньги — выше морали. Вернее, так: деньги — вот главная мораль. Но это должны быть ОЧЕНЬ большие деньги.

Софи действительно походила на Софи Лорен, только помельче и понежнее. Красивая женщина не имеет национальности. И все же еврейская женщина точно знает, что она хочет, и идет напролом. Держись, Мориска.

Софи общалась со мной постольку-поскольку. Она вся была занята Морисом: держала его за руку, не сводила с него керамических глаз в желтоватых белках.

В ее маленьких черных ушках как капли росы переливались бриллианты. «Морис подарил», — подумала я.

На ней была надета накидка из серебряных лис. Мех располагался не вплотную, а через кожаную ленту. И когда Софи шла или поводила плечами, серебряные спины тоже двигались, играли, дышали. Сумасшедшая красота. Вот как одеваются любовницы миллионеров.

Морис сообщил Софи, что у меня пропал чемодан, а завтра мне выступать по телевизору, и надо быстро, до одиннадцати утра подобрать мне платье.

Я уловила слова «телевизьон», «багаж», «ля робе»... Этих трех слов было достаточно. Я хотела вмешаться и остановить Мориса, но поняла, что ему это надо больше, чем мне. Мне только платье. А ему — акция дружбы. Один друг умер, другой в Америке, а я — рядом. Пусть новый, свежеиспеченный, но все же друг. Он посвятил меня в свою жизнь. Я его понимала. У нас было общее молчание.

Я с благодарностью посмотрела на Мориса. Он как-то вдруг резко похорошел. А может быть, я увидела его глазами Софи, поскольку любовь — в глазах смотрящего.

Софи приехала за мной утром на маленькой красной машине и повезла меня в знаменитый салон.

Салон походил на ателье. Портные, преимущественно женщины, что-то шили в небольшом помещении. Возле стены на кронштейне тесно висели платья. Должно быть, Этиопа привела меня в служебное помещение.

Портнихи время от времени поднимали головы и взглядывали на меня — бегло, но внимательно. Им было интересно посмотреть: какие они, русские. Мне стало немножко стыдно за свою цветовую гамму: черная юбка, красный пиджак. Черное с красным — смерть коммуниста. Я пошутила на свой счет. Хозяйка не приняла шутки. Она сказала: «Все очень хорошо. Вы — это вы». Персоналитэ. Я догадалась, что персоналитэ — это личность.

Хозяйка и Софи о чем-то оживленно лопотали, я не понимала и не хотела понимать. Не то чтобы мне не нравилась Этиопа, но она была ДРУГАЯ. Как будто прилетела с Луны. И я для нее — что-то чуждое, незнакомое, несъедобное. У нас с ней разные ценности. Мои ценности ей скорее всего кажутся смехотворными. Я, например, хочу славы. Слава — это внимание и восхищение людей. Этиопе, я думаю, непонятно, зачем нужно внимание людей, которых ты даже не знаешь.

Ей нужно внимание одного человека, власть над ним и над его деньгами. Слава — эфемерна, сегодня есть, завтра нет. А деньги — это перила. Держись и никогда не упадешь.

При свете дня Этиопа казалась еще экзотичнее, как игрушка, и было странно, что она говорит на человеческом языке.

— Выберите себе, что вам нравится...

Вдоль стены теснились на вешалках разнообразные наряды.

Мне бросилось в глаза платье, похожее на халат, совсем без пуговиц, шелковое, яркое, как хвост павлина. На Этиопе это платье смотрелось бы сумасшедше прекрасно. Точеная черная красавица в ярких брызгах шелка. Совсем без пуговиц, только поясок, и при шаге выступает черная молодая нога, худая по всей длине. А я... Как после бани.

— Спасибо, — сказала я хозяйке. — Мне ничего не надо. Я — деловая женщина.

Это прозвучало: я — деловая женщина, как бы и не женщина.

Хозяйка улыбнулась чуть-чуть, только дрогнули уголки бледных губ. Она оценила мою скромность, услышала мои комплексы, но главное — все-таки оценила скромность. Редкий случай в ее практике, когда предлагают любую вещь из коллекции, а человек отказывается, говорит: не надо.

Хозяйка подошла к кронштейну и вытащила черное строгое платье. Очень простое. Украшение — брошь в виде ее автографа, из капелек горного хрусталя набрано ее имя. Издалека похоже на бриллиантовую молнию.

— Это будет хорошо, — сказала хозяйка. Но я и сама видела: это будет хорошо.

И это в самом деле оказалось хорошо. Во всяком случае — влезло. И ничего лишнего. Красиво — это когда ничего лишнего.

Хозяйка села на стол, свесив ноги, смотрела зелеными глазами под густой рыжей челкой. Шестидесятилетняя женщина без косметики в стеганой черной курточке. Ее можно любить. Я поняла: талантливый человек старым не бывает. Она — не старая. Просто давно живет.

Телевизионщики приехали к назначенному часу. Анестези договорилась заранее, что снимать будут в доме Мориса, а потом на парижских улицах общие планы.

Ко мне подошел сын Мориса — сорокалетний человек, как две капли воды похожий на отца, только красивый. Те же глубокие глаза, крупный нос, легкий подбородок. Тип Ива Монтана, но лучше.

Он посмотрел на меня внимательно, достал из своего хозяйства губную помаду, подошел вплотную, поднял мое лицо и нарисовал мне губы.

— А глаза? — спросила Анестези.

— На лице — или глаза, или губы. Что-то одно, — ответил Ив Монтан, внимательно глядя на меня. Медленно кивнул, как бы утвердив.

Рядом посадили переводчицу.

— Я тоже хочу губы, — потребовала она.

Ив Монтан встал между ее колен, принялся пудрить лицо. Анестези прикрыла глаза, и ее ресницы стали светлые. Губы он стер рукой.

— Зачем? — растерялась Анестези.

— Я хочу, чтобы ты была вся бежевая. Палевая. Лунная. Как сквозь дымку.

Мы сидели рядом. Я — в черном, с ярким ртом, в стиле «вамп». И Анестези — вся стильно-блеклая, как бы вне секса. Хотя на самом деле — все наоборот.

Ведущий программы, по-французски обходительный, без шероховатостей, как обкатанный камешек гальки на морском пляже. Он передал мне вопросы.

Вопросы примерно одни и те же и у русских журналистов, и у западных. Первый вопрос — о женской литературе, как будто бывает еще мужская литература. У Бунина есть строчки: «Женщины подобны людям и живут около людей». Так и женская литература. Она подобна литературе и существует около литературы. Но я знаю, что в литературе имеет значение не пол, а степень искренности и таланта.

Что такое искренность — это понятно. А что такое талант... Я не знаю наверняка, но догадываюсь. Это когда во время работы тебя охватывает светлая и радостная энергия. Потом эта энергия передается тем, кто читает. Если писатель не талантлив, а просто трудолюбив, с его страниц ничего не передается, разве что головная боль.

Иногда у меня бывают особенно хорошие периоды, и тогда я поднимаюсь из-за стола и хожу с отрешенным лицом, счастливо-опустошенная, как после любви. Но эта любовь не уходит к другому объекту. В этом мое преимущество. Однако не следует отклоняться от вопроса. Я готова сказать: «Да». Существует женская литература. Мужчина в своем творчестве ориентируется на Бога. А женщина — на мужчину. Женщина восходит к Богу через мужчину, через любовь. Но, как правило, объект любви не соответствует идеалу. И тогда женщина страдает и пишет об этом.

Основная тема женского творчества — ТОСКА ПО ИДЕАЛУ.

Но ведь такое французам не скажешь.

Второй вопрос — о феминизме. На Западе они все свихнулись на феминизме. Идея феминизма: женщина — такой же человек. А для меня это давно ясно.

Женщина должна участвовать в правительстве. Пусть участвует, если хочет.

Мужчина должен выполнять половину работы по дому. Мой муж давно выполняет три четверти работы по дому. Я не вижу проблемы.

Наиболее крайние феминистки уходят в лесбиянство. Значит, мужчина вообще не нужен. Ни для чего. А зачем Бог его создал? Ведь Бог что-то имел в виду... Мне иногда хотелось спросить у крайних: почему надо трахаться с женщиной? Мужчина умеет все то же самое, кроме того, у него есть зизи. По-французски это звучит именно так, зизи. Но такое не спросишь. Крайние — они обидчивы, как все фанаты.

— Что сказать? — советуюсь я с Настей.

— Главное, не будь совком, — предостерегает Настя.

— Но я совок.

— Ты в Париже, — напоминает Настя. — Главное, быть модной. Поразить. Эпатировать. Скажи, что ты бисексуал. Живешь с женщинами, мужчинами и собаками.

— Мне не поверят. Тебе поверят сразу. Ты и скажи.

Переводчица задумалась.

— Вообще можешь выдвинуть идею ортодоксальной семьи. Эпидемия СПИДа всех должна загнать в семью.

Я вспомнила круговорот женских частей тела вокруг бедного Мориса и вздохнула:

— Не загонит...

Ничто не оттянет человека от основного инстинкта. Ведь от любви беды не ждешь...

Я не хочу обсуждать эту тему. Я прошу Настю:

— Скажи ведущему, пусть спросит про перестройку.

— Перестройка надоела, — отмахивается Настя. — И русские тоже надоели. И времени нет. У нас только пять минут на все про все. — Настя заглянула в листок. — Третий вопрос: отличительное качество француза. Как тебе показалось?

Я думаю. Французы никогда не говорят «нет». В отличие от немцев. У немцев все четко: да или нет. У француза — может быть. Пет-етре. Почему? Для комфорта. Если сказать «нет», можно вызвать у собеседника негатив. Собеседник злится, выбрасывает адреналин, и ты оказываешься в адреналиновом облаке. Дышишь им. А это вредно. И неприятно. Главное — избежать стресса, и своего и чужого. В капитализме — все во имя человека, все на благо человека.

Подошел ведущий, сказал:

— Аттансьон!

Переводчица облизнула губы, как кошка во время жары.

Начиналась съемка.

На другой день с дачи приехала Мадлен, чтобы оказать мне внимание и попрощаться. Между прочим, могла бы и не приезжать, но у воспитанных людей свои привычки. А может быть, ее вызвал Морис, поскольку ему некогда было мной заниматься.

Платье от хозяйки салона обошлось мне в половину цены (подарок за скромность). Иногда выгодно быть хорошим человеком. Но только иногда. Как правило, это не учитывается.

У меня остались какие-то деньги, и Мадлен повезла меня в Галери Лафайет.

Мы бродили, мерили. Мадлен скучала, потому что она никогда не заходила в такие дешевые магазины. Только со мной.

Я тоже не люблю дешевые вещи и всегда покупаю что-то одно, на все деньги. Но это одно навевало на Мадлен тоску. Я видела это по ее лицу.

Я зашла в примерочную. Мадлен присела в ожидании на корточки, как у нас в России сидят восточные люди. Отдыхают на корточках. Мадлен положила подбородок на кулачок. И подбородок и кулачок были узкие. Во мне зародилось теплое чувство. Ее хотелось защитить. Мне стало тревожно, что кто-то пройдет мимо и толкнет, и она растянется на полу всеми своими узкими косточками. Я вышла и сказала:

— Поехали домой.

Мы вернулись в дом Мориса, вернее, в их общий дом. Мадлен предложила пообедать в ресторане. Это входило в распорядок дня. Но я не хотела ее напрягать. Я предложила поесть дома.

Мадлен открыла холодильник, достала нечто, стала разворачивать. Я увидела, что это тончайший кусок мяса, положенный на пергамент и закрученный в трубочку, как рогалик.

Мадлен раскрутила пергамент, сняла мясо, бросила на сковородку, потом поддела и перевернула. Процесс приготовления занял пять минут.

Мы сели за стол.

— Я утром была у врача, — сказала Мадлен.

Значит, она приехала для консультации с врачом.

— Все в порядке, — с удовлетворением добавила Мадлен.

— А что у вас? — спросила я, хотя не знаю: удобно ли об этом спрашивать.

— Рак. Чуть-чуть.

Я быстро опустила глаза в тарелку, чтобы скрыть замешательство. Рак — это приговор. Приговор не бывает чуть-чуть. Это смертная казнь, растянутая во времени.

— Была операция? — осторожно спросила я.

— Нет. Стадия нуль. Чуть-чуть.

Миллионеры следят за здоровьем и хватают свою смерть за хвост в стадии нуль. А все остальное население сталкивается с ней лоб в лоб, как с грузовиком, когда уже все поздно. Рак сожрал половину планеты, включая Миттерана.

Бедная Мадлен. Она познала двойное предательство: души и тела. Не от этой ли стадии нуль отшатнулся Мориска в мистическом страхе? На него повеяло холодом. Он захотел тепла. Жары. Отсюда — Эфиопия.

Я подняла на нее глаза. Захотелось сказать ей что-то приятное.

— Ты выглядишь, как дочь Мориса. Как тебе удается сохранить форму?

— Аттансьон, — мрачно ответила Мадлен. Я поняла: мало ест. — У него другая, — вдруг сказала Мадлен. — Отре фамм.

Видимо, между нами возникла та степень близости, которая позволила ей открыться незнакомому человеку. А может быть, она знала, что я завтра уезжаю и увезу ее тайны с собой. И с концами.

— Но! — не поверила я и вытаращила глаза, как на флоксы.

— Да! — крикнула, как выстрелила, Мадлен. — Ей двадцать пять лет!

Она потрясла двумя руками с растопыренными пальцами. На одной руке она подогнула три пальца, осталось два: большой и указательный. А другая рука — полная пятерня. Это означало двадцать пять лет.

Я догадалась: речь идет об Этиопе. Мадлен произнесла гневный монолог, из которого я поняла полтора слова: но пардоне. Я догадалась: она не собирается прощать. Я покорно выслушала и сказала:

— Глупости. Ступидите. Ты все выдумываешь. Он тебя обожает. Я это видела своими глазами.

— Что ты видела? — не поняла Мадлен.

— Как он на тебя смотрит. Он тебя любит.

Мадлен посмотрела на меня долгим взглядом.

— Любит, — еще раз повторила я и добавила: — Страстно...

Меня никто не уполномочивал на эту ложь во спасение. Но я в этот момент искренне верила в свои слова и потому не врала.

Мадлен смотрела с пристальным вниманием. Моя вера проникала в нее. Так смотрит раковый больной на врача, который обещает ему вечную жизнь.

Вечером состоялся прощальный ужин. Мы сидели в ресторане — том же самом, что и в первый раз. Нас было трое: Морис, я и Анестези. Мадлен уехала на дачу. У нее заболел сиреневый флокс.

Мы сидели втроем — все, как в первый раз, и все по-другому. Я — вамп, Морис — постаревший Ив Монтан, Анестези — секс-бомба с часовым механизмом. В ней все щелкает от бешенства.

— Ты ее видела? — тихо, заговорщически спросила она.

— Кого? — притворяюсь я.

— Знаешь кого. Соньку.

Я молчу, тяну резину.

— Какая она?

— Ты лучше, — нахожусь я.

— Чем?

— Привычнее глазу.

— Молодая?

Я вспоминаю растопыренные пальцы Мадлен и говорю:

— Двадцать пять лет.

В двадцать пять лет солнце стоит в зените и светит в макушку. Морис тесно прижимается к Этиопе, и они оба оказываются под ее солнцем. Ее света хватает обоим.

— Червивый гриб! — с ненавистью прошипела Настя.

Я поняла, что ее раздирает ревность. Она не хотела приватизировать Мориса, но и не хотела его отдавать. Настя хотела щелкать хлыстом, как укротительница львов, и чтобы все звери сидели на тумбах. Каждый на своей.

Морис соскочил. Тумба пуста. Насте кажется, что эта тумба была самой главной. Вернее, этот лев.

— Я могу остаться у тебя ночевать? — спросила Настя.

Она хотела реванша. Она вступала с Этиопой в прямой бой. Морис промолчал. Это означало, что время Анестези ушло. Подошел официант. То же кружение рук над столом.

— Когда у тебя самолет? — спросила Настя, глядя на меня невидящим взором.

Я — это единственное, что связывает ее с Морисом.

— Я ее провожу, — сказал Морис.

Анестези резко встала и подошла к гардеробу.

Морис отправился следом. Он считал себя обязанным подать ей пальто.

Потом вернулся. Молчал. Как поется в песне, «расставанье — маленькая смерть». Он немножко умер. В нем умерла та часть, которая называлась «Анестези».

Официант разлил вино. Мы выпили, молча.

— Я хочу поменять участь, — сказал Морис. — Я хочу успеть прожить еще одну жизнь. Но у нас с Софи большая разница в возрасте.

— У вас нет никакой разницы, — отозвалась я.

Морис смотрел на меня всасывающим взглядом.

— Я старше ее почти на сорок лет. Я уже старый.

— Ты не старый.

— Ты правда так думаешь?

— Не думаю, а так и есть, — убежденно сказала я. — Разве может быть старым влюбленный человек? Старый тот, кто ничего не хочет.

— Я тоже так чувствую, — сознался Морис. — Поэтому я хочу себе разрешить. Еще не поздно. А?

— В самый раз, — говорю я. — Раньше было бы рано. Раньше ты бы не оценил.

Его глаза загораются блеском правоты, СО-понимания.

Теперь я поняла, для чего приехала в Париж. Я приехала сказать Морису, что он молод, а Мадлен — что она любима.

Я это сказала, и теперь можно уезжать.

Мы покинули ресторан и медленно пошли пешком.

Вокруг нас на все четыре стороны простирался Париж. Светилась Эйфелева башня — легкая и прозрачная, как мираж. Толпа парижан устремлялась куда-то весело и беззаботно, без «да» и «нет». В обнимку с «может быть». Рядом шел Мориска, и мне казалось, что я знаю его всегда. Он сложил в меня свои тайны, как бросил в пруд.

Мы говорим на разных языках, а молчим на одном. И нам все ясно.

— Почему у меня никогда не было такой, как ты? — вдруг спросил он.

— Такой, как я, больше нет. Поэтому.

**

На другой день Морис отвез меня в аэропорт. На синем «ягуаре».

Чемодан мой так и не нашелся, но пообещали, что найдут обязательно. Я как-то уже примирилась с его отсутствием. В конце концов я обрела новое платье и новое лицо в стиле «вамп». Разве это не стоит одного чемодана?

Я ушла в пограничную зону, а Морис остался и грустно смотрел мне вслед.

Я обернулась, встретилась с ним глазами и подумала: какой-нибудь верующий старик из русской деревни в душных портках живет в большей гармонии с миром и с собой, чем Мориска в длинном бежевом плаще и клетчатой кепочке. Потому что даже за очень большие деньги нельзя объять необъятное.

До свидания, Мориска. Будь счастлив, если знаешь как... Я тебя забуду, как ураган Оскар. Я не забуду тебя никогда...

Прошло четыре месяца.

Мой чемодан нашелся. За это время он побывал в Варшаве и в Бомбее. Привезла чемодан Анестези. Волокла тяжесть, бедная...

Она появилась у меня в один прекрасный день, ближе к вечеру. На ней было норковое манто с капюшоном.

На уровне колена красовалась рваная дыра величиной с блюдце.

— Что это? — спросила я.

— Бобка выгрыз.

— Бобка — это любовник?

— Щенок. Голодный был, — объяснила Анестези.

— А где ты его взяла?

— На лестнице.

Анестези подобрала щенка, но забыла покормить, и он поужинал ее шубой. Анестези была рассеянной.

— Раздевайся, — предложила я. — Я тебя покормлю.

По моей квартире плавали запахи томленного в духовке мяса, разносились звуки семьи: обрывки телефонных переговоров, удары тяжелой струи воды в ванной комнате.

— Не могу, — отказалась Анестези. — Внизу ждет машина. Я на минуту.

Моя переводчица была далека от звуков и запахов чужой семьи. У нее были свои задачи и устремления.

— Как Морис? — спросила я.

— Мориска ушел к Соньке. Мадленка раздела его с головы до ног. Кто виноват, тот и платит.

Анестези что-то вспомнила и полезла в свою сумку на длинном ремне.

— Ужас... — проговорила она. — Я забыла свою записную книжку.

— А что теперь?

— Теперь у меня ни одного телефона.

— Я про Мориса...

— А... — спохватилась Анестези. — Он вернулся обратно. К Мадленке.

— Из-за денег?

— Из-за всего вместе. Он понял, что ему уже трудно все повторить: дом, дачу, капитал. Здоровье не то.

— Значит, из-за денег?

— Да нет. Все сначала уже не начнешь... Это только кажется...

— А ты откуда знаешь? — спросила я.

— Значит, знаю, раз говорю. — Анестези перестала рыться в своей сумке и посмотрела мне в глаза. — Надо долюбить старое. Долюбить то, что дано, а не начинать новое.

Я хотела спросить про мужа, но, в сущности, она мне все сказала.

— Можно от тебя позвонить? — спросила Анестези.

Я принесла ей телефон. Она стала набирать один номер за другим, спрашивать: не забыла ли она записную книжку — черную, толстую, в кожаном переплете.

Я представила себе Мориса и Мадлен за обеденным столом. Они едят и слегка переругиваются. И молча идут в свой закат, взявшись за руки и поддерживая друг друга.

А черная звезда Софи куда-то летит в самолете, и кто-то снимает ей багаж с движущейся ленты.

Перелом

Татьяна Нечаева, тренер по фигурному катанию, сломала ногу. Как это получилось: она бежала за десятилетней дочерью, чтобы взять ее из гостей... Но начнем сначала. Сначала она поругалась с мужем. Муж завел любовницу. Ему — сорок пять, ей — восемнадцать. Но не в возрасте дело. Дело в том, что... Однако придется начать совсем с начала, с ее восемнадцати лет.

Таня занимается фигурным катанием у лучшего тренера страны. Тренер, с немецкой фамилией Бах, был настроен скептически. У Тани не хватало росту. Фигура на троечку: талия коротковата, шея коротковата, нет гибких линий. Этакий крепко сбитый ящичек, с детским мальчишечьим лицом и большими круглыми глазами. Глаза — темно-карие, почти черные, как переспелые вишни. И челочка над глазами. И желание победить. Вот это желание победить оказалось больше, чем все линии, вместе взятые.

Тренер называл Таню про себя «летающий ящик». Но именно в этот летающий ящик безумно влюбился Миша Полянский, фигурист первого разряда. Они стали кататься вместе, образовали пару. Никогда не расставались: на льду по десять часов, все время в обнимку. Потом эти объятия переходили в те.

Миша — красив, как лилия, изысканный блондин. У него немного женственная красота. Когда он скользил по льду, как в полусне, покачиваясь, как лилия в воде, — это было завораживающее зрелище. И больше ничего не надо: ни скорости, ни оборотов, ни прыжков.

У Татьяны — наоборот: скорость, обороты и прыжки. Она несла активное начало. Это была сильная пара.

Таня была молода и ликующе счастлива. Она даже как будто немножко выросла, так она тянулась к Мише во всех отношениях, во всех смыслах. Она крутилась в воздухе, как веретено. И в этом кружении были не видны недостатки ее линий.

Таню и Мишу послали на соревнования в другую страну. Победа светила им прямо в лицо, надо было только добежать до победы, доскользить на коньках в своих черно-белых костюмах. Но... Миша влюбился в фигуристку из города Приштина. Черт знает, где этот город... В какой-то социалистической стране. Фигуристка была высокая и обтекаемая, как русалка. И волосы — прямые и белые, как у русалки. Они были даже похожи друг на друга, как брат и сестра. И влюбились с первого взгляда. Таня поймала этот его взгляд. У Миши глаза стали расширяться, как от ужаса, как будто он увидел свою смерть.

Дальше все пошло прахом — и соревнования, и жизнь. Таня тогда впервые упала в обморок. А потом эти предобморочные состояния стали повторяться. Она почти привыкла к резко подступающей слабости. Ее как будто куда-то тянуло и утягивало. Таня поняла: она не выдержит. Она потеряет все: и форму, и спорт, и жизнь в конце концов. Надо что-то делать.

Клин вышибают клином. Любовь вышибают другой любовью.

Таня пристально огляделась вокруг и вытащила из своего окружения Димку Боброва — длинного, смешного, как кукла Петрушка. Димка был простоват, и это отражалось на танце. Танец его тоже был простоват. Он как бы все умел, но в его движении не было наполнения. Одни голые скольжения и пируэты.

Фигурное катание — это мастерство плюс личность. Мастерство у Димки было, а личности — нет.

Татьяна стала думать: что из него тянуть. Внешне он был похож на куклу Петрушку с прямыми волосами, торчащим носом, мелкими круглыми глазами. Значит, Петрушку и тянуть.

Фольклор. Эксцентрика. Характерный танец. Для такого танца требуется такое супермастерство, чтобы его не было заметно вообще. Чтобы не видны были швы тренировок. Как будто танец рождается из воздуха, по мановению палочки. Из воздуха, а не из пота.

Таня предложила свою концепцию тренеру. Тренер поразился: летающий ящик оказался с золотыми мозгами. И пошло-поехало...

Татьяна продолжала падать в обмороки, но от усталости. Зато крепко спала.

Димка Бобров оказался хорошим материалом. Податливым. Его можно было вести за собой в любую сторону. Он шел, потел, как козел, но в обмороки не падал. И даже, кажется, не уставал. Петрушка — деревянная кукла. А дерево — оно дерево и есть.

Главная цель Татьяны — перетанцевать Мишу с русалкой. Завоевать первое место в мире и этим отомстить.

Татьяна так тренировала тело, кидала его, гнула, крутила, что просто невозможно было представить себе, что у человека такие возможности. Она УМЕЛА хотеть. А это второй талант.

На следующее первенство Таня и Миша Полянский приехали уже из разных городов. Когда Таня увидела их вместе — Мишу и русалку, ей показалось, что весь этот год они не вылезали из кровати: глаза с поволокой, ходят как во сне, его рука постоянно на ее жопе. Танцуют кое-как. Казалось, думают только об одном: хорошо бы трахнуться, прямо на льду, не ждать, когда все кончится. У них была своя цель — любовь. Тогда зачем приезжать на первенство мира по фигурному катанию? И сидели бы в Приштине.

Татьяна победила. Они заняли с Димкой первое место. Стали чемпионы мира этого года. На нее надели красную ленту. Зал рукоплескал. Как сияли ее глаза, из них просто летели звезды. А Димка Бобров, несчастный Петрушка, стоял рядом и потел от радости. От него пахло молодым козлом.

Татьяна поискала глазами Мишу, но не нашла. Должно быть, они не пришли на закрытие. Остались в номере, чтобы потрахаться лишний раз.

У них — свои ценности, а у Тани — свои. Об их ценностях никто не знает, а Тане рукоплещет весь стадион.

Таня и Димка вернулись с победой и поженились на радостях. Детей не рожали, чтобы не выходить из формы. Фигурное катание — искусство молодых.

О Мише Полянском она больше ничего не слышала. Он ушел в профессиональный балет на льду и в соревнованиях не появлялся. Она ничего не знала о его жизни. Да и зачем?

В тридцать пять Таня родила дочь и перешла на тренерскую работу.

Димка несколько лет болтался без дела, сидел дома и смотрел телевизор. Потом купил абонемент в бассейн и стал плавать.

Татьяна должна была работать, зарабатывать, растить дочь. А Димка — только ходил в бассейн. Потом возвращался и ложился спать. А вечером смотрел телевизор.

Татьяна снова, как когда-то, сосредоточилась: куда направить Димкину энергию. И нашла. Она порекомендовала его Баху.

Тренер Бах старел, ему нужны были помощники для разминки. Димка для этой работы — просто создан. Разминка — как гаммы для пианиста. На гаммы Димка годился. А на следующем, основном этапе, подключался великий Бах.

Димка стал работать и тут же завел себе любовницу. Татьяна поняла это потому, что он стал воровать ее цветы. У Татьяны в доме все время были цветы: дарили ученики и поклонники, а после соревнований — просто море цветов. Ставили даже в туалет, погружали в воду сливного бачка. Не хватало ваз и ведер.

Стали пропадать цветы. Потом стал пропадать сам Димка, говорил, что пошел в библиотеку. Какая библиотека, он и книг-то не читал никогда. Только в школе.

Таня не ревновала Димку, ей было все равно. Она только удивлялась, что кто-то соглашается вдыхать его козлиный пот. Она не ревновала, но отвратительно было пребывать во лжи. Ей казалось, что она провалилась в выгребную яму с говном и говно у самого лица. Еще немного, и она начнет его хлебать.

Разразился грандиозный скандал. Татьяна забрала дочь и уехала на дачу. Был конец апреля — неделя детских каникул. Все сошлось — и скандал, и каникулы.

В данную минуту времени, о которой пойдет речь, Татьяна бежала по скользкой дороге дачного поселка. Дочь Саша была в гостях, надо было ее забрать, чтобы не возвращалась одна в потемках.

Саша была беленькая, большеглазая, очень пластичная. Занималась теннисом. Татьяна не хотела делать из нее фигуристку. Профессия должна быть на сорок лет как минимум. А не на десять, как у нее с Димкой. Вообще спорт должен быть не профессией, а хобби. Что касается тенниса, он пригодится всегда. При любой профессии.

Дочь, ее здоровье, становление личности — все было на Татьяне. Димка участвовал только в процессе зачатия. И это все.

Татьяна бежала по дороге, задыхаясь от злости. Мысленно выговаривала Димке: «Мало я тебя, козла, тянула всю жизнь, родила дочь, чуть не умерла...»

Роды были ужасные. На горле до сих пор вмятина, как след от пули. В трахею вставляли трубку, чтобы воздух проходил. Лучше не вспоминать, не погружаться в этот мрак.

В пять лет Саша чуть не умерла на ровном месте. Грязно сделали операцию аппендицита. И опять все на Татьяне, находить новых врачей, собирать консилиум, бегать, сходить с ума. Она победила и в этот раз.

Димкиных родственников лечила, хоронила. И вот благодарность...

Мише Полянскому она прощала другую любовь. Миша был создан для обожания. А этот — козел — туда же... Куда конь с копытом, туда и рак с клешней.

Но почему, почему у Татьяны такая участь? Она — верна, ее предают. Может быть, в ней что-то не хватает? Красоты, женственности? Может, она не умеет трахаться? Хотя чего там уметь, тоже мне высшая математика... Надо просто любить это занятие. Древняя профессия — та область, в которой любители превосходят профессионалов. Вот стать чемпионом мира, получить лавровый венок — это попробуй... Хотят все, а получается у одного. У нее получилось. Значит, она — леди удачи. Тогда почему бежит и плачет в ночи? Почему задыхается от обиды...

Татьяна поскользнулась и грохнулась. Она умела балансировать, у нее были тренированные мускулы и связки. Она бы устояла, если бы не была такой жесткой, стремительной, напряженной от злости.

Попробовала встать, не получилось. Стопа была ватная. «Сломала, — поняла Татьяна. — Плохо». Эти слова «сломала» и «плохо» прозвучали в ней как бы изнутри. Организм сказал. Видимо, именно так люди общаются с гуманоидами: вслух не произнесено, но все понятно.

Татьяна села на снег. Осознала: надвигается другая жизнь. Нога — это профессия. Профессия — занятость и деньги. Надеяться не на кого. Димки практически нет. Да она и не привыкла рассчитывать на других. Всю жизнь только на себя. Но вот она сломалась. Что теперь? Леди удачи хренова. Удача отвернулась и ушла в другую сторону, равно как и Димка.

В конце улицы появилась Саша. Она шла домой, не дождавшись мамы, и помпон подрагивал на ее шапке. Приблизилась. С удивлением посмотрела на мать.

— Ты чего сидишь?

— Я ногу сломала, — спокойно сказала Татьяна. — Иди домой и позвони в «скорую помощь». Дверь не заперта. Позвони 01.

— 01 — это пожар, — поправила Саша тихим голосом.

— Тогда 02.

— 02 — это милиция.

— Значит, 03, — сообразила Татьяна. — Позвони 03.

Саша смотрела в землю. Скрывала лицо.

— А потом позвони папе, пусть он приедет и тебя заберет. Поняла?

Саша молчала. Она тихо плакала.

— Не плачь. Мне совсем не больно. И это скоро пройдет.

Саша заплакала громче.

— Ты уже большая и умная девочка, — ласково сказала Татьяна. — Иди и делай, что я сказала.

— Я не могу тебя бросить... Как я уйду, а ты останешься. Я с тобой постою...

— Тогда кто позовет «скорую помощь»? Мы не можем сидеть здесь всю ночь? Да? Иди...

Саша кивнула и пошла, наклонив голову. Татьяна посмотрела в ее удаляющуюся спину и заплакала от любви и жалости. Наверняка Саша получила стресс и теперь на всю жизнь запомнит: ночь, луна, сидящая на снегу мама, которая не может встать и пойти вместе с ней. Но Саша — ее дочь. Она умела собраться и действовать в нужную минуту.

«Скорая помощь» приехала довольно быстро, раньше Димки. Это была перевозка не из Москвы, а из Подольска, поскольку дачное место относилось к Подольску.

Татьяну отвезли, можно сказать, в другой город.

Молчаливый сосредоточенный хирург производил хорошее впечатление. Он без лишних слов поставил стопу на место и наложил гипс. Предложил остаться в больнице на три дня, пока не спадет отек.

— Вы спортом занимались? — спросил врач. Видимо, заметил каменные мускулы и жилы, как веревки.

— Занималась, — сдержанно ответила Татьяна.

Врач ее не узнал. Правильнее сказать: не застал. Татьяна стала чемпионкой 25 лет назад, а врачу — примерно тридцать. В год ее триумфа ему было пять лет.

В жизнь входило новое поколение, у которого — своя музыка и свои чемпионы мира. «Пришли другие времена, взошли другие времена». Откуда это... Хотя какая разница.

Татьяну положили в палату, где лежали старухи с переломом шейки бедра. Выходил из строя самый крупный, генеральный сустав, который крепит туловище к ногам. У старых людей кости хрупкие, легко ломаются и плохо срастаются. А иногда не срастаются вообще, и тогда впереди — неподвижность до конца дней.

Старухи узнали бывшую чемпионку мира. Татьяна мало изменилась за двадцать пять лет: тот же сбитый ящичек и челочка над большими круглыми глазами. Только затравленное лицо и жилистые ноги.

Старуха возле окна преподнесла Татьяне подарок: банку с широким горлом и крышкой.

— А зачем? — не поняла Татьяна.

— Какать, — объяснила старуха. — Оправишься. Крышкой закроешь...

— Как же это возможно? — удивилась Татьяна. — Я не попаду.

— Жизнь заставит, попадешь, — ласково объяснила старуха.

«Жизнь заставит»... В свои семьдесят пять лет она хорошо выучила этот урок. На ее поколение пришлась война, бедность, тяжелый рабский труд — она работала в прачечной. Последние десять лет — перестройка и уже не бедность, а нищета. А месяц назад ее сбил велосипедист. Впереди — неподвижность и все, что с этим связано. И надо к этому привыкать. Но старуха думала не о том, как плохо, а о том, как хорошо. Велосипедист мог ее убить, и она сейчас лежала бы в сырой земле и ее ели черви. А она тем не менее лежит на этом свете, в окошко светит солнышко, а рядом — бывшая чемпионка мира. Пусть бывшая, но ведь была...

— У моего деверя рак нашли, — поведала старуха. — Ему в больнице сказали: операция — десять миллионов. Он решил:

поедет домой, вырастит поросенка до десяти пудов и продаст. И тогда у него будут деньги.

— А сколько времени надо растить свинью? — спросила Татьяна.

— Год.

— Так он за год умрет.

— Что ж поделаешь... — вздохнула старуха. — На все воля Божия.

Легче жить, когда за все отвечает Бог. Даже не отвечает — велит. Это ЕГО воля. Он ТАК решил: отнять у Татьяны профессию, а Димке дать новое чувство. Почему такая несправедливость — у нее отобрать, а ему дать... А может быть, справедливость. Татьяна всегда была сильной. Она подчинила мужа. Задавила. А он от этого устал. Он хотел свободы, хотел САМ быть сильным. С этой новой, восемнадцатилетней, — он сильный, как отец, и всемогущий, как Господь Бог. Вот кем он захотел стать: папой и Богом, а не козлом вонючим, куклой деревянной.

Каждая монета имеет две стороны. Одна сторона Татьяны — умение хотеть и фанатизм в достижении цели. Другая — давление и подчинение. Она тяжелая, как чугунная плита. А Димке этого НЕ НАДО. Ему бы сидеть, расслабившись, перед телевизором, потом плыть в хлорированных водах бассейна и погружать свою плоть в цветущую нежную молодость. А не в жилистое тело рабочей лошади.

Но что же делать? Она — такая, как есть, и другой быть не может. Пусть чугунная плита, но зато ответственный человек. За всех отвечает, за близких и дальних. За первенство мира. Она и сейчас — лучший тренер. Все ее ученики занимают призовые места. Она — рабочая лошадь.

А Димка — наездник. Сел на шею и едет. Почему? Потому что она везет. В этом дело. Она везет — он едет и при этом ее не замечает. Просто едет и едет.

Татьяна лежала с приподнятой ногой. Мысли наплывали, как тучи.

Вспомнилось, как заболела Димкина мать, никто не мог поставить диагноз, пока за это не взялась Татьяна.

Диагноз-приговор был объявлен, но операцию сделали вовремя и мать прожила еще двадцать лет. Татьяна подарила ей двадцать лет.

А когда мать умерла, Татьяна пробила престижное кладбище в центре города. В могилу вкопали колумбарий из восьми урн.

Димка спросил:

— А зачем так много?

— Вовсе не много, — возразила Татьяна. — Твои родители, мои родители — уже четверо. И нас трое.

— Дура, — откомментировал Димка.

Эти мысли казались ему кощунственными. А человек должен думать о смерти, потому что жизнь и смерть — это ОДНО. Как сутки: день и ночь.

И пока день — она пашет борозду. А Димка едет и покусывает травинку...

— Что же делать? — вслух подумала Татьяна и обернула лицо к старухе.

— Ты про что? — не поняла старуха.

— Про все.

— А что ты можешь делать? Ничего не можешь, — спокойно и беззлобно сказала старуха.

Ну что ж... Так даже лучше. Лежи себе и жди, что будет. От тебя ничего не зависит. На все воля Божия.

Значит, на пьедестал чемпионата мира ее тоже поставила чужая воля. И Мишу Полянского отобрала. Теперь Димку — отбирает. И ногу отбирает. За что? За то, что влезла на пьедестал выше всех? Постояла — и хватит. Бог много дал, много взял. Мог бы дать и забыть. Но не забыл, спохватился...

Возле противоположной стены на кровати сидела женщина и терла колено по часовой стрелке. Она делала это часами, не отрываясь. Боролась за колено. Разрабатывала. Значит, не надеялась на волю Божию, а включала и свою волю.

**

Через четыре дня лечащий врач сделал повторный снимок. Он довольно долго рассматривал его, потом сказал:

— Можно переделать, а можно так оставить.

— Не поняла, — отозвалась Татьяна. — Что переделать?

— Есть небольшое смещение. Но организм сам все откорректирует. Организм умнее ножа.

Значит, надо положиться на волю Божию. На ум организма.

— А вы сами как считаете? — уточнила Татьяна. — Не вмешиваться?

— Я бы не стал...

Татьяна вернулась домой. Нужно было два месяца просидеть в гипсе. Она не представляла себе: как это возможно — два месяца неподвижности. Но человеческий организм оказался невероятно умной машиной. В мозг как будто заложили дискету с новой программой, и Татьяна зажила по новой программе. Не испытывала никакого драматизма.

Добиралась на костылях до телефона, усаживалась в кресло. Она звонила, ей звонили, телефон, казалось, раскалялся докрасна. За два месяца провернула кучу дел: перевела Сашу из одной школы в другую, достала спонсоров для летних соревнований. Страна в экономическом кризисе, но это дело страны. А дело Татьяны Нечаевой — не выпускать из рук фигурное катание, спорт-искусство. Дети должны кататься и соревноваться. И так будет.

Татьяна дозвонилась нужным людям, выбила новое помещение для спортивного комплекса. Вернее, не помещение, а землю. Хорошая земля в центре города. Звонила в банки. Банкиры — ребята молодые, умные, жадные. Но деньги дали. Как отказать Татьяне Нечаевой. И не захочешь, а дашь...

Димка помогал: готовил еду, мыл посуду, ходил в магазин. Но в положенные часы исчезал исправно. Он хорошо относился к своей жене, но и к себе тоже хорошо относился и не хотел лишать себя радости, более того — счастья.

***

Через два месяца гипс сняли. Татьяна вышла на работу. Работа тренера — слово и показ. Она должна объяснить и показать.

Татьяна привычно скользила по льду. Высокие конькобежные ботинки фиксировали сустав. Какое счастье от движения, от скольжения. От того, что тело тебе послушно. Однако после рабочего дня нога синела, как грозовая туча, и отекала.

По ночам Татьяна долго не могла заснуть. В место перелома как будто насыпали горячий песок.

Димка сочувствовал. Смотрел встревоженными глазами, но из дома убегал. В нем прекрасно уживались привязанность к семье и к любовнице. И это логично. Каждая привносила свое, и для гармонии ему были нужны обе. На одной ехал, а с другой чувствовал. Ехал и чувствовал. Что еще надо...

Татьяна долго не хотела идти к врачу, надеялась на ум организма. Но организм не справлялся. Значит, была какая-то ошибка.

В конце концов Татьяна пошла к врачу, не к подольскому, а к московскому.

Московский врач осмотрел ногу, потом поставил рентгеновский снимок на светящийся экран.

— Вилка разъехалась, — сказал он.

— А что это такое? — не поняла Татьяна.

Перелом со смещением. Надо было сразу делать операцию, скрепить болтом. А сейчас уже поздно. Время упущено.

Слова «операция» и «болт» пугали. Но оказывается, операция и болт — это не самое плохое. Самое плохое то, что время упущено.

— Что же делать? — тихо спросила Татьяна.

— Надо лечь в диспансер, пройти курс реабилитации. Это займет шесть недель. У вас есть шесть недель?

— Найду, — отозвалась Татьяна.

Да, она найдет время и сделает все, чтобы поставить себя на ноги. Она умеет ходить и умеет дойти до конца.

Она сделает все, что зависит от нее. Но не все зависит от нее. Судьба не любит, когда ОЧЕНЬ хотят. Когда слишком настаивают. Тогда она сопротивляется. У судьбы — свой характер. А у Татьяны — свой. Значит, кто кого...

День в диспансере был расписан по секундам.

Утром массаж, потом магнит, спортивный зал, бассейн, уколы, иголки, процедуры — для того, для этого, для суставов, для сосудов... Татьяна выматывалась, как на тренировках. Смысл жизни сводился к одному: никуда не опоздать, ничего не пропустить. Молодые методистки сбегались посмотреть, как Татьяна работает на спортивных снарядах. Им, методисткам, надоели больные — неповоротливые тетки и дядьки, сырые и неспортивные, как мешки с мукой.

Бассейн — небольшой. В нем могли плавать одновременно три человека, и расписание составляли так, чтобы больше трех не было.

Одновременно с Татьяной плавали еще двое: Партийный и студент. Партийный был крупный, с красивыми густыми волосами. Татьяне такие не нравились. Она их, Партийных, за людей не держала. Ей нравились хрупкие лилии, как Миша Полянский. Татьяна — сильная, и ее тянуло к своей противоположности.

Партийный зависал в воде, ухватившись за поручень, и делал круговые упражнения ногой. У него была болезнь тазобедренного сустава. Оказывается, и такое бывает. Раз в год он ложился в больницу и активно противостоял своей болезни. Потом выходил из больницы и так же активно делал деньги. Не зарабатывал, а именно делал.

— Вы раньше где работали? — поинтересовалась Татьяна.

— Номенклатура, — коротко отвечал Партийный.

— А теперь?

— В коммерческой структуре.

— Значит, эту песню не задушишь, не убьешь...

Партийный неопределенно посмеивался, сверкая крепкими зубами, и казался здоровым и качественным, как белый гриб.

— Это вы хотели видеть нас дураками. А мы не дураки...

«Вы» — значит интеллигенция. А «Мы» — партийная элита. Интеллигенция всегда находится в оппозиции к власти, тем более к ТОЙ, партийной власти. Но сейчас, глядя на его сильные плечи, блестящие от воды, Татьяна вдруг подумала, что не туда смотрела всю жизнь. Надо было смотреть не на спортсменов, влюбленных в себя, а на этих вот, хозяев жизни. С такими ногу не сломаешь...

Партийный часто рассказывал про свою собаку по имени Дуня. Собака так любила хозяина, что выучилась петь и говорить. Говорила она только одно слово — ма-ма. А пела под музыку. Без слов. Выла, короче.

Татьяна заметила, что Партийный смотрит в самые ее зрачки тревожащим взглядом. Казалось, что он говорит одно, а думает другое. Рассказывает о своей собаке, а видит себя и Таню в постели.

Студент командовал: наперегонки!

Все трое отходили к стенке бассейна и по свистку — у студента был свисток — плыли к противоположному концу. Три пары рук мелькали, как мельничные крылья, брызги летели во все стороны. Но еще никто и никогда не выигрывал у Татьяны. Она первая касалась рукой кафельной стены.

Студент неизменно радовался чужой победе. Он был веселый и красивый, но слишком худой. Он упал с дельтапланом с шестиметровой высоты, раздробил позвонок. После операции стал ходить, но не прямо, а заваливаясь назад, неестественно выгнув спину.

Татьяна не задавала лишних вопросов, а сам студент о своей болезни не распространялся. Казалось, он о ней не помнил. И только худоба намекала о чем-то непоправимом.

Рядом с ним Татьяне всякий раз было стыдно за себя. Подумаешь, вилка разошлась на полсантиметра. У людей не такое, и то ничего... Хотя почему «ничего». Студенту еще как «чего».

На субботу и воскресенье Татьяна уезжала домой. Во время ее отсутствия пол посыпали порошком от тараканов. Когда Татьяна возвращалась в свою палату, погибшие тараканы плотным слоем лежали на полу, как махровый ковер. Татьяна ступала прямо по ним, тараканы хрустели и щелкали под ногами.

Больница находилась на государственном обеспечении, а это значит — прямая, грубая бедность. Телевизор в холле старый, таких уже не выпускали. Стулья с продранной обивкой. Врачи — хорошие, но от них ничего не зависело. Сюда в основном попадали из других больниц. Приходилось реабилитировать то, что испорчено другими.

Преимущество Татьяны состояло в том, что у нее была палата на одного человека с телефоном и телевизором.

Она каждый день звонила домой, проверяла, что и как, и даже делала с Сашей уроки по телефону.

Димка неизменно оказывался дома. Значит, не бросал Сашу, не менял на любовницу. Это хорошо. Бывает, мужчина устремляется на зов страсти, как дикий лось, сметая все, что по дороге. И детей в том числе. Димка не такой. А может, ТА не такая.

После обеда заходила звонить Наташа-челнок с порванными связками. Связки ей порвали в Варшаве. Она грузила в такси свои узлы, потом вышла из-за машины и угодила под другую. Ее отвезли в больницу.

Врач-поляк определил, что кости целы, а связки порваны.

— Русская Наташа? — спросил лысый врач.

— Любите русских Наташ? — игриво поинтересовалась Наташа.

Она была рада, что целы кости. Она еще не знала, что кости — это проще, чем связки.

— Не-на-ви-жу! — раздельно произнес врач.

Наташа оторопела. Она поняла, что ненависть относится не к женщинам, а к понятию «русский». Ненависть была не шуточной, а серьезной и осознанной. За что? За Катынь? За 50 лет социализма? А она тут при чем?

— Будете подавать судебный иск? — официально спросил врач.

— На кого? — не поняла Наташа.

— На того, кто вас сбил.

— Нет, нет, — торопливо отказалась Наташа.

Она хотела поскорее отделаться от врача с его ненавистью.

— Отправьте меня в Москву, и все.

Наташа хотела домой, и как можно скорее. Дома ей сшили связки. Врач попался уникальный, наподобие собаки Дуни. Дуня умела делать все, что полагается собаке, плюс петь и говорить. Так и врач. Он сделал все возможное и невозможное, но сустав продолжал выезжать в сторону. Предстояла повторная операция.

Наташа приходила на костылях, садилась на кровать и решала по телефону свои челночные дела: почем продать колготки, почем косметику, сколько платить продавцу, сколько отдавать рэкетирам.

Наташа рассказывала Татьяне, что на милицию сейчас рассчитывать нельзя. Только на бандитов. Они гораздо справедливее. У бандитов есть своя мораль, а у милиции — никакой.

Татьяна слушала и понимала, что бандиты стали равноправной прослойкой общества. Более того — престижной. У них сосредоточены самые большие деньги. У них самые красивые девушки.

Новые хозяева жизни. Правда, их отстреливают рано или поздно. Пожил хозяином и поймал ртом пулю. Или грудью. Но чаще лбом. Бандиты стреляют в голову. Такая у них привычка.

Основная тема Наташи — неподанный иск. Оказывается, она могла получить огромную денежную компенсацию за физический ущерб. Она не знала этого закона. Утрата денег мучила ее, не давала жить. Она так трудно их зарабатывает. А тут взяла и отдала сама. Подарила, можно сказать.

— Представляешь? — Наташа простирала руки к самому лицу Татьяны. — Взяла и подарила этой польской сволочи...

У нее навертывались на глаза злые слезы.

— Брось, — отвечала Татьяна. — Что упало, то пропало.

Наташа тяжело дышала ноздрями, мысленно возвращаясь в ту точку своей жизни, когда она сказала «нет, нет». Она хотела вернуться в ту роковую точку и все переиграть на «да, да»...

У Татьяны тоже была такая точка. У каждого человека есть такая роковая точка, когда жизнь могла пойти по другому пути.

Можно смириться, а можно бунтовать. Но какой смысл в бунте?

Татьяна вспомнила старуху из подольской больницы и сказала:

— Радуйся, что тебя не убило насмерть.

Наташа вдруг задумалась и проговорила:

— Это да...

Смирение гасит душевное воспаление.

Наташа вспомнила рыло наезжающей машины. Ее передернуло и тут же переключило на другую жизненную волну.

— Заходи вечером, — пригласила Наташа. — Выпьем, в карты поиграем. А то ты все одна...

Наташа была таборным человеком, любила кучковаться. С самой собой ей было скучно, и она не понимала, как можно лежать в одноместной палате.

Татьяна воспринимала одиночество как свободу, а Наташа — как наказание.

В столовой Татьяна, как правило, сидела с ученым-физиком. У него была смешная фамилия: Картошко.

Они вместе ели и вместе ходили гулять.

Картошко лежал в больнице потому, что у него умерла мама. Он лечился от тоски. Крутил велотренажер, плавал в бассейне, делал специальную гимнастику, выгонял тоску физическим трудом.

Семьи у него не было. Вернее, так: она была, но осталась в Израиле. Картошко поначалу тоже уехал, но потом вернулся обратно к своей работе и к своей маме. А мама умерла. И работа накрылась медным тазом. Наука не финансировалась государством.

Татьяна и Картошко выходили за территорию больницы, шли по городу. И им казалось, что они здоровые, свободные люди. Идут себе, беседуют о том о сем.

Картошко рассказывал, что в эмиграции он работал шофером у мерзкой бабы из Кишинева, вульгарной барышницы. В Москве он не сказал бы с ней и двух слов. Они бы просто не встретились в Москве. А там приходилось терпеть из-за денег. Картошко мучительно остро переживал потерю статуса. Для него смысл жизни — наука и мама. А в Израиле — ни того, ни другого. А теперь и здесь — ни того, ни другого. В Израиль он не вернется, потому что никогда не сможет выучить этот искусственный язык. А без языка человек теряет восемьдесят процентов своей индивидуальности. Тогда что же остается?

— А вы еврей? — спросила Татьяна.

— Наполовину. У меня русский отец.

— Это хорошо или плохо?

— Что именно? — не понял Картошко.

— Быть половиной. Как вы себя ощущаете?

— Как русей. Русский еврей. Я, например, люблю только русские песни. Иудейскую музыку не понимаю. Она мне ничего не дает. Я не могу жить без русского языка и русской культуры. А привязанность к матери — это восток.

— Вы хотите сказать, что русские меньше любят своих матерей?

— Я хочу сказать, что в московских богадельнях вы никогда не встретите еврейских старух. Евреи не сдают своих матерей. И своих детей. Ни при каких условиях. Восток не бросает старых. Он бережет корни и ветки.

— Может быть, дело не в национальности, а в нищете?

Картошко шел молча. Потом сказал:

— Если бы я точно знал, что существует загробная жизнь, я ушел бы за мамой. Но я боюсь, что я ее там не встречу. Просто провалюсь в черный мешок.

Татьяна посмотрела на него и вдруг увидела, что Картошко чем-то неуловимо похож на постаревшего Мишу Полянского.

Это был Миша в состоянии дождя. Он хотел выйти из дождя, но ему не удавалось. Вывести его могли только работа и другой человек. Мужчины бывают еще более одинокими, чем женщины.

Однажды зашли в часовую мастерскую. У Картошко остановились часы. Часовщик склонился над часами. Татьяна отошла к стене и села на стул. Картошко ждал и оборачивался, смотрел на нее. Татьяна отметила: ему необходимо оборачиваться и видеть, что его ждут. Татьяне стало его хорошо жаль. Бывает, когда плохо жаль, через презрение. А ее жалость просачивалась через уважение и понимание.

Когда вышли из мастерской, Татьяна спросила:

— Как вы можете верить или не верить в загробную жизнь? Вы же ученый. Вы должны знать.

— Должны, но не знаем. Мы многое можем объяснить с научной точки зрения. Но в конце концов упираемся во что-то, чего объяснить нельзя. Эйнштейн в конце жизни верил в Бога.

— А он мог бы его открыть? Теоретически обосновать?

— Кого? — не понял Картошко.

— Бога.

— Это Бог мог открыть Эйнштейна, и никогда наоборот. Человеку дано только верить.

Неожиданно хлынул сильный майский дождь.

— Я скорпион, — сказала Татьяна. — Я люблю воду.

Вокруг бежали, суетились, прятались. А они шли себе — медленно и с удовольствием. И почему-то стало легко и беспечно, как в молодости, и даже раньше, в детстве, когда все живы и вечны, и никто не умирал.

В девять часов вечера Картошко неизменно заходил смотреть программу «Время».

Палата узкая, сесть не на что. Татьяна поджимала ноги. Картошко присаживался на краешек постели. Спина оставалась без опоры, долго не просидишь. Он стал приносить с собой свою подушку, кидал ее к стене и вдвигал себя глубоко и удобно. Они существовали с Татьяной под прямым углом. Татьяна — вдоль кровати, Картошко — поперек. Грызли соленые орешки. Смотрели телевизор. Обменивались впечатлениями.

Однажды был вечерний обход. Дежурный врач строго оглядел их композицию под прямым углом и так же строго скомандовал:

— А ну расходитесь...

Татьяне стало смешно. Как будто они старшие школьники в пионерском лагере.

— Мы телевизор смотрим, — объяснила Татьяна.

— Ничего, ничего... — Дежурный врач сделал в воздухе зачеркивающее движение.

Картошко взял свою подушку и послушно пошел прочь.

Врач проводил глазами подушку. Потом выразительно посмотрел на Татьяну. Значит, принял ее за прелюбодейку. Это хорошо. Хуже, если бы такое ему не приходило в голову. Много хуже.

Татьяна заснула с хорошим настроением. В крайнем случае можно зачеркнуть двадцать пять лет с Димкой и начать сначала. Выйти замуж за Картошко. Уйти с тренерской работы. Сделать из Картошки хозяина жизни. Варить ему супчики, как мама...

По телевизору пела певица — тоже не молодая, но пела хорошо.

Как когда-то Татьяна хотела перетанцевать Мишу Полянского, так сейчас она хотела перетанцевать свою судьбу. Ее судьба называлась «посттравматический артроз».

— Что такое артроз? — спросила Татьяна у своего лечащего врача.

Врач — немолодая, высокая женщина, производила впечатление фронтового хирурга. Хотя откуда фронт? Война кончилась пятьдесят лет назад. Другое дело: болезнь всегда фронт, и врач всегда на передовой.

— Артроз — это отложение солей, — ответила врач.

— А откуда соли?

— При переломе организм посылает в место аварии много солей, для формирования костной ткани. Лишняя соль откладывается.

Татьяна догадалась: если соль лишняя, ее надо выгонять. Чистить организм. Как? Пить воду. И не есть. Только овощи и фрукты. А хорошо бы и без них.

Татьяна перестала ходить в столовую. Покупала минеральную воду и пила по два литра в день.

Первые три дня было тяжело. Хотелось есть. А потом уже не хотелось. Тело стало легким. Глаза горели фантастическим блеском борьбы. Есть такие характеры, которые расцветают только в борьбе. Татьяна вся устремилась в борьбу с лишней солью, которая как ржавчина оседала на костях.

Картошко стал голодать вместе с Татьяной. Проявил солидарность. Они гуляли по вечерам, держась за руку, как блокадные дети.

В теле растекалась легкость, она тянула их вверх. И казалось, что если они подпрыгнут, то не опустятся на землю, а будут парить, как в парном катании, скользя над землей.

— Вас Миша зовут? — спросила Татьяна.

— Да. Михаил Евгеньевич. А что?

— Ничего. Так.

Они стали искать аналоги имени в другом языке: Мишель, Мигель, Майкл, Михай, Микола, Микеле...

Потом стали искать аналоги имени Татьяна, и оказалось, что аналогов нет. Чисто русское имя. На другом языке могут только изменить ударение, если захотят.

Миша никогда не говорил о своей семье. А ведь она была. В Израиле остались жена и дочь. Жену можно разлюбить. Но дочь... Должно быть, это был ребенок жены от первого брака. Миша женился на женщине с ребенком.

— У вас приемная дочь? — проверила Татьяна.

— А вы, случайно, не ведьма?

— Случайно, нет.

— А откуда вы все знаете?

— От голода.

Голод промывает каналы, открывает ясновидение.

Через две недели врач заметила заострившийся нос и голубую бледность своей пациентки Нечаевой.

Татьяна созналась, или, как говорят на воровском языке: раскололась.

— Вы протянете ноги, а я из-за вас в тюрьму, — испугалась врач.

Это шло в комплексе: Татьяна — в свой семейный склеп, а врач-фронтовичка в тюрьму.

Татьяне назначили капельницу. Оказывается, из голода выходить гораздо сложнее, чем входить в него.

Миша Картошко выздоровел от депрессии. Метод голодания оказался эффективным методом, потому что встряхнул нервную систему. Голод действительно съел тоску.

Перед выпиской Миша зашел к Татьяне с бутылкой испанского вина. Вино было со смолой. Во рту отдавало лесом.

— Вы меня вылечили. Но мне не хочется домой, — сознался Миша.

— Оставайтесь.

— На это место завтра кладут другого. Здесь конвейер.

— Как везде, — отозвалась Татьяна. — Один умирает, другой рождается. Свято место пусто не бывает.

— Бывает, — серьезно сказал Миша. Посмотрел на Татьяну.

Она испугалась, что он сделает ей предложение. Но Миша поднялся.

— Вы куда?

— Я боюсь еще одной депрессии. Я должен окрепнуть. Во мне должно сформироваться состояние покоя.

Миша ушел, как сбежал.

От вина у Татьяны кружилась голова. По стене напротив полз таракан, уцелевший от порошка. Он еле волочил ноги, но полз.

«Как я», — подумала Татьяна.

***

В соседней палате лежали две Гали: большая и маленькая. Обе пьющие. Галя-маленькая умирала от рака. К суставам эта болезнь отношения не имела, но Галя когда-то работала в диспансере, и главный врач взял ее из сострадания. Здесь она получала препараты, снимающие боль.

Галя-маленькая много спала и лежала лицом к стене. Но когда оживлялась, неизменно хотела выпить.

Галя-большая ходила на двух костылях. У нее не работали колени. Рентген показывал, что хрящи спаялись и ничего сделать нельзя. Но Галя-большая была уверена, что если дать ей наркоз, а потом силой согнуть и силой разогнуть, то можно поправить ситуацию. Это не бред. Есть такая методика: силой сломать спаявшийся конгломерат. Но врачи не решались.

Галя-большая была преувеличенно вежливой. Это — вежливость инвалида, зависимого человека. Иногда она уставала от вежливости и становилась хамкой. Увидев Татьяну впервые, Галя искренне удивилась:

— А ты что тут делаешь?

Гале казалось, что чемпионы, даже бывшие, — это особые люди и ног не ломают. Потом сообразила, что чемпионы — богатые люди.

— Есть выпить? — деловито спросила Галя-большая.

— Откуда? — удивилась Татьяна.

— От верблюда. Возле метро продают. Сбегай купи.

Был вечер. Татьяне обмотали ногу спиртовым компрессом, и выходить на улицу было нельзя.

— Я не могу, — сказала Татьяна.

— Ты зажралась! — объявила Галя-большая. — Не понимаешь наших страданий. Сходи!

— Сходи! — подхватила со своего места Галя-маленькая. — Хочешь, я пойду с тобой?

Она вскочила с кровати — растрепанная, худенькая. Рубашка сползла с плеча, обнажилась грудь, и Татьяна увидела рак.

Это была шишка величиной с картофелину, обтянутая нежной розовой кожей.

— Я пойду с тобой, а ты меня подержи. Хорошо?

Истовое желание перехлестывало возможности.

Татьяна вышла из палаты. Возле двери стоял солдат Рома — безумно молодой, почти подросток.

Татьяна не понимала, зачем здесь нужна охрана, но охрана была.

— Рома, будь добр, сбегай за бутылкой, — попросила Татьяна.

— Не имею права. Я при исполнении, — отказался Рома.

Татьяна протянула деньги.

— Купи две бутылки. Одну мне, другую себе. Сдача твоя.

Рома быстро сообразил и исчез. Как ветром сдуло. И так же быстро появился. Ноги у него были длинные, сердце восемнадцатилетнее. Вся операция заняла десять минут. Не больше.

Татьяна с бутылкой вошла к Галям. Она ожидала, что Гали обрадуются, но обе отреагировали по-деловому. Подставили чашки.

Татьяна понимала, что она нарушает больничные правила. Но правила годятся не каждому. У этих Галь нет другой радости, кроме водки. И не будет. А радость нужна. Татьяна наливала, держа бутылку вертикально, чтобы жидкость падала скорее.

Когда чашки были наполнены, Галя-большая подставила чайник для заварки, приказала:

— Лей сюда!

Татьяна налила в чайник.

— Бутылку выбрось! — руководила Галя-большая.

— Хорошо, — согласилась Татьяна.

— А себе? — встревожилась Галя-маленькая.

— Я не пью.

— Нет. Мы так не согласны.

Они хотели праздника, а не попойки.

Татьяна принесла из своей палаты свою чашку. Ей плеснули из чайника.

— Будем, — сказала Галя-большая.

— Будем, — поддержала Галя-маленькая.

И они тут же начали пить — жадно, как будто жаждали.

«Бедные люди... — подумала Татьяна. — Живьем горят в аду...»

Считается, что ад — ТАМ, на том свете. А там ничего нет скорее всего. Все здесь, на земле. Они втроем сидят в аду и пьют водку.

Перед выпиской Татьяне сделали контрольный снимок. Ей казалось, что шесть недель нечеловеческих усилий могут сдвинуть горы, не то что кости. Но кости остались равнодушны к усилиям. Как срослись, так и стояли.

— Что же теперь делать? — Татьяна беспомощно посмотрела на врача.

Врач медлила с ответом. У врачей развита солидарность, и они друг друга не закладывают. Каждый человек может ошибиться, но ошибка художника оборачивается плохой картиной, а ошибка врача — испорченной жизнью.

Татьяна ждала.

— Надо было сразу делать операцию, — сказала врач. — А сейчас время упущено.

— И что теперь?

— Болезненность и тугоподвижность.

— Хромота? — расшифровала Татьяна.

— Не только. Когда из строя выходит сустав, за ним следует другой. Меняется нагрузка на позвоночник. В организме все взаимосвязано.

Татьяна вдруг вспомнила, как в детстве они дразнили хромого соседа: «Рупь, пять, где взять, надо заработать»... Ритм дразнилки имитировал ритм хромой походки.

Татьяна вернулась в палату и позвонила подольскому врачу. Спросила, не здороваясь:

— Вы видели, что у меня вилка разошлась?

— Видел, — ответил врач, как будто ждал звонка.

— Я подам на вас в суд. Вы ответите.

— Я отвечу, что у нас нет медицинского оборудования. Знаете, где мы заказываем болты-стяжки? На заводе. После такой операции у вас был бы остеомиелит.

— Что это? — хмуро спросила Татьяна.

— Инфекция. Гной. Сустав бы спаялся, и привет. А так вы хотя бы ходите.

— А почему нет болтов? — не поняла Татьяна.

— Ничего нет. Экономика рухнула. А медицина — часть экономики. Все взаимосвязано...

Теперь понятно. Страна стояла 70 лет и рухнула, как гнилое строение. Поднялся столб пыли. Татьяна — одна из пылинок. Пылинка перестройки.

— А что делать? — растерялась Татьяна.

— Ничего не делать, — просто сказал врач. — У каждого человека что-то болит. У одних печень, у других мочевой пузырь, а у вас нога.

Судьба стояла в стороне и улыбалась нагло.

Судьба была похожа на кишиневскую барышницу с накрашенным ртом. Зубы — розовые от помады, как в крови.

Вечером Татьяна купила три бутылки водки и пошла к Галям.

Выпили и закусили. Жизнь просветлела. Гали запели песню «Куда бежишь, тропинка милая...».

Татьяна задумалась: немец никогда не скажет «тропинка милая»... Ему это просто в голову не придет. А русский скажет.

Гали пели хорошо, на два голоса, будто отрепетировали. В какой-то момент показалось, что все образуется и уже начало образовываться: ее кости сдвигаются, она слышит нежный скрип... Колени Гали-большой работают, хотя и с трудом. А рак с тихим шорохом покидает Галю-маленькую и уводит с собой колонну метастазов...

«Ах ты, печаль моя безмерная, кому пожалуюсь пойду...» — вдохновенно пели-орали Гали. Они устали от безнадежности, отдались музыке и словам.

В палату заглянула медсестра, сделала замечание.

Татьяна вышла на улицу.

По небу бежали быстрые перистые облака, но казалось, что это едет Луна, подпрыгивая на ухабах.

В больничном дворе появился человек.

«Миша» — сказало внутри. Она пошла ему навстречу. Обнялись молча. Стояли, держа друг друга. Потом Татьяна подняла лицо, стали целоваться. Водка обнажила и обострила все чувства. Стояли долго, не могли оторваться друг от друга. Набирали воздух и снова смешивали губы и дыхание.

Мимо них прошел дежурный врач. Узнал Татьяну. Обернулся. Покачал головой, дескать: так я и думал.

— Поедем ко мне, — сказал Миша бездыханным голосом. — Я не могу быть один в пустом доме. Я опять схожу с ума. Поедем...

— На вечер или на ночь? — усмехнулась Татьяна.

— Навсегда.

— Ты делаешь мне предложение?

— Считай как хочешь. Только будь рядом.

— Я не поеду, — отказалась Татьяна. — Я не могу спать не дома.

— А больница что, дом?

— Временно, да.

— Тогда я у тебя останусь.

Они пошли в палату мимо Ромы. Рома и ухом не повел. Сторож, называется... Хотя он охранял имущество, а не нравственность.

Войдя в палату, Татьяна повернула ключ. Они остались вдвоем, отрезанные от всего мира.

Артроз ничему не мешал. Татьяна как будто провалилась в двадцать пять лет назад. Она так же остро чувствовала, как двадцать пять лет назад. Этот Миша был лучше того, он не тащил за собой груза предательства, был чист, талантлив и одинок.

Татьяна как будто вошла в серебряную воду. Святая вода — это вода с серебром. Значит, в святую воду.

Потом, когда они смогли говорить, Татьяна сказала:

— Как хорошо, что я сломала ногу...

— У меня ЭТОГО так давно не было... — отозвался Миша.

В дверь постучали хамски-требовательно.

«Дежурный», — догадалась Татьяна. Она мягко, как кошка, спрыгнула с кровати, открыла окно.

Миша подхватил свои вещи и вышел в три приема: шаг на табуретку, с табуретки на подоконник, с подоконника — на землю. Это был первый этаж.

— Сейчас, — бесстрастным академическим голосом отозвалась Татьяна.

Миша стоял на земле — голый, как в первый день творения. Снизу вверх смотрел на Татьяну.

— А вот этого у меня не было никогда, — сообщил он, имея в виду эвакуацию через окно.

— Пожилые люди, а как школьники...

— Я пойду домой.

— А ничего? — обеспокоенно спросила Татьяна, имея в виду пустой дом и призрак мамы.

— Теперь ничего. Теперь я буду ждать...

Миша замерз и заметно дрожал, то ли от холода, то ли от волнения.

В дверь нетерпеливо стучали.

Татьяна повернула ключ. Перед ней стояла Галя-большая.

— У тебя есть пожрать? — громко и пьяно потребовала Галя. Ей надоели инвалидность и вежливость.

На другой день Татьяна вернулась домой. За ней приехал Димка. Выносил вещи. Врачи и медсестры смотрели в окошко. На погляд все выглядело гармонично: слаженная пара экс-чемпионов. Еще немного, и затанцуют.

Дома ждала Саша.

— Ты скучала по мне? — спросила Татьяна.

— Средне. Папа водил меня в цирк и в кафе.

Такой ответ устраивал Татьяну. Она не хотела, чтобы дочь страдала и перемогалась в ее отсутствие.

Димка ходил по дому с сочувствующим лицом, и то хорошо. Лучше, чем ничего. Но сочувствие в данной ситуации — это ничего. Кости от сочувствия не сдвигаются.

Тренер Бах прислал лучшую спортивную массажистку. Ее звали Люда. Люда, милая, неяркая, как ромашка, мастерски управлялась с ногой.

— Кто вас научил делать массаж? — спросила Татьяна.

— Мой муж.

— Он массажист?

— Он — особый массажист. У него руки сильные, как у обезьяны. Он вообще как Тулуз Лотрек.

— Художник? — уточнила Татьяна.

— Урод, — поправила Люда. — Развитое туловище на непомерно коротких ногах.

— А почему вы за него вышли? — вырвалось у Татьяны.

— Все так спрашивают.

— И что вы отвечаете?

— Я его люблю. Никто не верит.

— А нормального нельзя любить?

— Он нормальный. Просто не такой, как все.

— Вы стесняетесь с ним на людях?

— А какая мне разница, что подумают люди, которых я даже не знаю... Мне с ним хорошо. Он для меня все. И учитель, и отец, и сын, и любовник. А на остальных мне наплевать.

«Детдомовская», — догадалась Татьяна. Но спрашивать не стала. Задумалась: она всю жизнь старалась привлечь к себе внимание, добиться восхищения всей планеты. А оказывается, на это можно наплевать.

— А кости ваш муж может сдвинуть? — с надеждой спросила Татьяна.

— Нет. Здесь нужен заговор. У меня есть подруга, которая заговаривает по телефону.

— Тоже урод?

— Нет.

— А почему по телефону?

— Нужно, чтобы никого не было рядом. Чужое биополе мешает.

— Разве слова могут сдвинуть кости? — засомневалась Татьяна.

— Слово — это первооснова всего. Помните в Библии: сначала было слово...

Значит, слово — впереди Бога? А кто же его произнес?

Татьяна позвонила Людиной подруге в полдень, когда никого не было в доме. Тихий женский голос спрашивал, задавал вопросы типа: «Что вы сейчас чувствуете? А сейчас? Так-так... Это хорошо...»

Потом голос пропал. Шло таинство заговора. Невидимая женщина, сосредоточившись и прикрыв глаза, призывала небо сдвинуть кости хоть на чуть-чуть, на миллиметр. Этого бы хватило для начала.

И Татьяна снова прикрывала глаза и мысленно сдвигала свои кости. А потом слышала тихий вопрос:

— Ну как? Вы что-нибудь чувствуете?

— Чувствую. Как будто мурашки в ноге.

— Правильно, — отвечала тихая женщина. — Так и должно быть.

Через месяц Татьяне сделали рентген. Все оставалось по-прежнему. Чуда не случилось. Слово не помогло.

Реабилитация, голодание, заговоры — все мимо. Судьбу не перетанцевать.

Татьяна вдруг расслабилась и успокоилась.

Вспомнилась подольская старуха: могло быть и хуже. Да. Она могла сломать позвоночник и всю оставшуюся жизнь провести в инвалидной коляске с парализованным низом. Такие больные называются «спинальники». Они живут и не чуют половины своего тела.

А она — на своих ногах. В сущности, счастье. Самый мелкий сустав разъехался на 0,7 сантиметра. Ну и что? У каждого человека к сорока пяти годам что-то ломается: у одних здоровье, у других любовь, у третьих то и другое. Мало ли чего не бывает в жизни... Надо перестать думать о своем суставе. Сломать доминанту в мозгу. Жить дальше. Полюбить свою ущербную ногу, как Люда полюбила Тулуз Лотрека.

Судьба победила, но Татьяне плевать на судьбу. Она устала от бесплодной борьбы, и если бунтовать дальше — сойдешь с ума. Взбесишься. И тоже без толку. Будешь хромая и сумасшедшая.

Татьяна впервые за много месяцев уснула спокойно. Ей приснился Миша Картошко. Он протягивал к ней руки и звал:

— Прыгай...

А она стояла на подоконнике и боялась.

Из сна ее вытащил телефонный звонок. И проснувшись, Татьяна знала, что звонит Миша.

Она сняла трубку и спросила:

— Который час?

— Восемь, — сказал Миша. — Возьми ручку и запиши телефон.

Миша продиктовал телефон. Татьяна записала на листочке.

— Спросишь Веру, — руководил Миша.

— Какую Веру?

— Это совместная медицинская фирма. Тебя отправят в Израиль и сделают операцию. Там медицина двадцать первого века.

Внутри что-то сказало: «сделают». Произнесено не было, но понятно и так.

— Спасибо, — тускло отозвалась Татьяна.

— Ты не рада?

— Рада, — мрачно ответила Татьяна.

Ей не хотелось опять затевать «корриду», выходить против быка. Но судьба помогает и дает тогда, когда ты от нее уже ничего не ждешь. Вот когда тебе становится все равно, она говорит: «На!»

Для того чтобы чего-то добиться, надо не особенно хотеть. Быть почти равнодушной. Тогда все получишь.

— Я забыл тебя спросить... — спохватился Миша.

— Ты забыл спросить: пойду ли я за тебя замуж?

— Пойдешь? — Миша замолчал, как провалился.

— Запросто.

— На самом деле? — не поверил Миша.

— А что здесь особенного? Ты свободный, талантливый, с жилплощадью.

— Я старый, больной и одинокий.

— Я тоже больная и одинокая.

— Значит, мы пара...

Миша помолчал, потом сказал:

— Как хорошо, что ты сломала ногу. Иначе я не встретил бы тебя...

— Иначе я не встретила бы тебя...

Они молчали, но это было наполненное молчание. Чем? Всем: острой надеждой и сомнением. Страстью на пять минут и вечной страстью. Молчание — диалог.

В комнату вошла Саша. Что-то спросила. Потом вошел Димка, что-то не мог найти. Какой может быть диалог при посторонних.

Свои в данную минуту выступали как посторонние.

Через две недели Татьяна уезжала в Израиль. Ее должен был принять госпиталь в Хайфе. Предстояла операция: реконструкция стопы. За все заплатил спорткомитет.

Провожал Димка.

— Что тебе привезти? — спросила Татьяна.

— Себя, — серьезно сказал Димка. — Больше ничего.

Татьяна посмотрела на мужа: он, конечно, козел. Но это ЕЕ козел. Она так много в него вложила. Он помог ей перетанцевать

Мишу Полянского, и они продолжают вместе кружить по жизни, как по ледяному полю. У них общее поле. Димка бегает, как козел на длинном поводке, но колышек вбит крепко, и он не может убежать совсем. И не хочет. А если и забежит в чужой огород — ну что же... Много ли ему осталось быть молодым? Какие-нибудь двадцать лет. Жизнь так быстротечна... Еще совсем недавно они гоняли по ледяному полю, наматывая на коньки сотни километров...

Татьяна заплакала, и вместе со слезами из нее вытекала обида и ненависть. Душа становилась легче, не такой тяжелой. Слезы облегчали душу.

Как мучительно ненавидеть. И какое счастье — прощать.

— Не бойся. — Димка обнял ее. Прижал к груди.

Он думал, что она боится операции.

Татьяна вернулась через неделю.

Каждый день в госпитале стоил дорого, и она не стала задерживаться. Да ее и не задерживали. Сломали, сложили, как надо, ввинтили нужный болт — и привет.

Железо в ноге — не праздник. Но раз надо, значит, так тому и быть.

Два здоровых марроканца подняли Татьяну в самолет на железном стуле. А в Москве двое русских работяг на таком же стуле стали спускать вниз. Трап был крутой. От работяг несло водкой.

— Вы же пьяные, — ужаснулась Татьяна.

— Так День моряка, — объяснил тот, что справа, по имени Коля.

Татьяна испытала настоящий ужас. Самым страшным оказалась не операция, а вот этот спуск на качающемся стуле. Было ясно: если уронят, костей не соберешь.

Но не уронили. Коля энергично довез Татьяну до зеленого коридора. Нигде не задержали. Таможня пропустила без очереди.

За стеклянной стеной Татьяна увидела кучу народа, мини-толпу. Ее встречали все, кто сопровождал ее в этой жизни: ученики, родители учеников, тренер Бах, даже массажистка с Тулуз Лотреком и подольский врач. Переживал, значит.

Миша и Димка стояли в общей толпе.

Татьяну это не смутило. Это, конечно, важно: кто будет рядом — тот или этот. Но еще важнее то, что она сама есть у себя.

Увидев Татьяну, все зааплодировали. Она скользила к ним, как будто возвращалась с самых главных своих соревнований.

Римские каникулы

Однажды в моем доме раздался долгий телефонный звонок. «Междугородный», — подумала я и подняла трубку. Звонили действительно из другого города. Из Рима. Мужской голос поздоровался по-французски. Это было кстати, потому что французский я учила в школе: могла поздороваться, попрощаться, сказать «я тебя люблю» и сосчитать до пяти. Еще я знала спряжение двух глаголов: etre и avoir.

— Валерио Беттони, — представился голос. — Адвокато Федерико Феллини.

Здесь было понятно каждое слово: адвокато — это адвокат. А Федерико Феллини — это Федерико Феллини. Тут ни убавить, ни прибавить.

Я решила, что меня кто-то разыгрывает, но на всякий случай поздоровалась:

— Бонжур, месье.

Валерио затараторил по-французски. Из его монолога я узнала четыре слова: вуаяж, Рома, отель и авьон.

Рома — это Рим. (Сведения почерпнуты из песни «Аривидерчи, Рома».) Отель — это отель. Вуаяж — путешествие. Авьон — авиация, то есть самолет. Итак, получается: Федерико Феллини приглашает меня в Рим. Отель и самолет — за счет приглашающей стороны.

— Пер ке? — Этот вопрос я знала из итальянских фильмов неореализма.

Валерио Беттони охотно затараторил по-итальянски. Он решил, что я владею всеми европейскими языками.

Маленькое отступление. Однажды я выступала на Западе с известным российским поэтом. Из зала ему задали вопрос:

— Вы — представитель творческой интеллигенции. Как вы можете не знать языков? Хотя бы английского...

Он ответил замечательно. Он сказал:

— Поэт может так многого не знать...

Прозаик тоже может многого не знать. Знание — это информация. А в творчестве важна интуиция. Можно много знать и быть бездарным. Однако есть третий вариант: много знать и быть талантливым. Как Пушкин, например.

Сегодняшняя советская интеллигенция в массе своей серая, как утренний рассвет. Узкие специалисты. Знают, но узко.

— Аве ву факс? — спросил адвокат.

Он решил, что у меня дома есть факс. Человек такого уровня должен у себя дома иметь факс.

У меня нет нормального потолка над головой. Четыре года тому назад соседи сверху залили меня водой. Потолок вспучился и в некоторых местах отвалился. Это событие совпало с перестройкой, и отремонтировать потолок оказалось невозможно. То есть возможно, но на это придется положить жизнь. Жизни жаль. Она нужна мне для другого.

Я с достоинством ответила, что факса у меня «но». Зато факс имеется (avoir) в моей фирме. Я имела в виду Союз писателей.

— Моменто, — сказал адвокат. Значит, он сейчас возьмет ручку и запишет номер факса.

— Моменто, — отозвалась я и раскрыла записную книжку на букве И — иностранная комиссия.

Я умею считать по-французски до пяти. И если, скажем, встречается цифра «семь», то я говорю: пять плюс два.

Беттони сначала не понял моей технологии, потом сообразил. Видимо, хороший адвокат. Недаром Феллини его выбрал. Наверное, дорогой. Адвокаты на Западе стоят очень дорого.

Я продиктовала факс. Валерио победно закричал:

— Капито! Капито!

Я сказала: «Чао, синьор».

Он ответил: «Аривидерчи, Виктория».

Если бы я свободно говорила по-французски, наш разговор был бы краток, сух и деловит. А в нашем случае мы вместе преодолевали языковые препятствия и победили. У нас была общая маленькая победа. Мы почти подружились.

Я положила трубку и сказала семье:

— Меня Феллини приглашает в Рим.

— А зачем? — спросила семья.

— Не знаю.

Семья засмеялась, решила, что я шучу. И я тоже засмеялась.

Я ни одной секунды не верила в реальные последствия этого звонка. Моя судьба держит меня в ежовых рукавицах и больших подарков мне не делает. И вообще я не создана для эпохальных встреч. Как говорит моя подруга Лия Ахеджакова: «Мое место на кухне».

Через месяц

Я живу на даче и строю забор. Общаюсь с шабашниками. Они быстро сообразили, что я далека от жизни, не знаю цен, и все умножают на десять. За то, что стоит десять рублей — берут сто. За то, что стоит сто — тысячу. И так далее, до бесконечности. Они меня обманывают и за это же не уважают.

Маленькое отступление. Моя школьная подруга жила с мужем в Танзании. Муж работал в посольстве, занимал высокий пост. Им полагалась вилла и прислуга. Прислуживал негр. В его обязанности, среди прочего, входило открывать хозяину ворота.

Прежний хозяин (американец) имел манеру не дожидаться, пока слуга отойдет от ворот, и нажимал на газ. Машина на полной скорости влетала в ворота — так, что негр едва успевал отскочить. Это было что-то вроде игры — бесовской рулетки у бездны на краю. Успеет отскочить — жив. Не успеет — сам виноват. Негр обожал своего хозяина.

Муж моей подруги следовал другой тактике: останавливал машину перед воротами, ждал, пока негр откроет, при этом спрашивал: как здоровье? как семья? как учатся дети?

Негр замкнуто молчал. Он презирал русского хозяина. С его точки зрения, если хозяин разговаривает с прислугой как с равным, значит, он тоже где-то в глубине прислуга.

Примерно так же размышляли мои шабашники Леша и Гоша. Я тоже спрашивала у них: как семья? как настроение?

У обоих на руке татуировка: девушка с волнистыми волосами. У Гоши — в полный рост, без купальника. А у Леши — только портрет, крупный план. Леша вообще более романтичен, все называет уменьшительно: «денежки», «водочка».

— Цементик в красочку попал, — сообщает он мне.

Это значит, что крашеная поверхность в цементных кляксах, как их отодрать — неизвестно. Работа брак. Надо переделать. Но Леша переделывать не собирается. Настаивать я не умею. И он знает, что я не умею, и смотрит просветленным взглядом, и прибавляет нуль.

Я буквально слышу, как у меня усыхает душа. Я чувствую, как во мне закипает благородная ярость, еще один рывок — и я начну разговаривать с ними на их языке. Но все кончается тем, что предлагаю чашечку кофе.

Меня утешает то обстоятельство, что ТАК было всегда. И во времена Чехова. В повести «Моя жизнь» — та же самая картина: халтурили и требовали водки. Просто тогда с водкой не было проблем. Выставляли ведро.

Помимо заборных впечатлений, я еще пытаюсь писать, работаю инженером человеческих душ (определение Сталина). Моя дочь подкинула мне своего сыночка со специфическим характером. Я рассказываю ему сказки, работаю Ариной Родионовной.

Федерико Феллини, вуаяж, отель, Рома — все отлетело, как мираж. То ли было. То ли не было.

Однако капиталисты слов на ветер не бросают. В Союз писателей пришел факс. Там сказано, что Федерико Феллини ждет меня в среду 17 июля. Через полтора месяца. И если синьора Токарева не передумала, пусть подтвердит свой приезд.

Консультант по Италии, молодой и образованный человек, позвонил мне на дачу и предложил подъехать в иностранную комиссию.

Стояла жара, ребенка девать некуда, значит, надо брать с собой в город, мучить.

— А зачем ехать? — спросила я.

— Надо послать факс с подтверждением.

— Ну и пошлите. Скажите: синьора согласна.

— Хорошо, — легко согласился консультант. — Сегодня же отошлю.

Билетами и оформлением писателей занимается иностранная комиссия.

— Когда выкупать билет? — задала я практический вопрос.

— Шестнадцатого. Во второй половине дня.

— Шестнадцатого июня? — не поняла я.

— Шестнадцатого июля, — поправил консультант.

— А лететь когда?

— Семнадцатого. Утренний рейс.

— Почему так вплотную? А раньше нельзя?

— У нас все так летают, — успокоил консультант.

Значит, не я первая, не я последняя. Это успокаивает.

Маленькое отступление. Моя знакомая сидела в очереди к онкологу. Надо было подтвердить болезнь или исключить. Она сидела и медленно плавилась на адском огне своего волнения. Рядом сидела женщина и читала. Книга была смешная. Она улыбалась.

— А вы не боитесь? — удивилась знакомая.

— А чего бояться? Вон нас сколько. Я что, лучше? Как все, так и я.

Главное, чтобы несправедливость не касалась тебя в одиночку. Главное, как все. В компании.

Значит, я до последнего дня не буду знать: лечу я или нет.

Шестнадцатое июля. Шестнадцать часов. Билета нет. И женщины, которая занимается билетами (ее зовут Римма), тоже нет.

— А что мне делать? — спросила я консультанта.

— Ничего. Ждать.

Я выхожу во двор и смотрю на ворота. Пошел дождь. Я раскрыла зонт и смотрю сквозь дождь.

Появляется Римма. Она медленно, задумчиво идет, как будто сочиняет стихи. А может быть, и сочиняет. Дождь сыплется ей на голову, стекает каплями с очков. Римма видит меня и, чтобы не тянуть неопределенность, издалека отрицательно качает головой. Билета нет.

Я обомлела. Раз в жизни судьба дает мне шанс. Я, правда, не знала — зачем пригласил меня великий Феллини, но приехала бы и узнала.

А сейчас получается, что я не поеду и ничего не узнаю.

Римма подошла ко мне. Я захотела заглянуть в ее глаза и возмутиться в эти глаза. Но глаз не видно. Стекла очков забрызганы, как окна. Римма целый день промоталась без обеда, устала, промокла и хотела есть. У меня шанс, а ей-то что с того?

Я спросила упавшим голосом:

— Что же делать?

Римма пожала плечами и бровями, при этом развела руки в стороны. Жест недоумения.

Забегу на сутки вперед: семнадцатого июля в десять утра в аэропорту города Рима меня встречали переводчица и шофер из гаража Беттони. Федерико Феллини ждал дома. На час дня был назначен обед.

Самолет приземлился. Все вышли. Меня нет. Запросили «Аэрофлот»: такой на борту не было.

В иностранную комиссию полетел тревожный факс: «Куда подевалась синьора Токарева?» Получили ответ: «Синьора прилетит в другой день и другим рейсом, поскольку ей не смогли достать билет. Чао».

Валерио Беттони прочитал факс и спросил у переводчицы:

— Скажите, а Токарева писательница?

— Да, да, — заверила переводчица. — Известная писательница.

— А почему ей не достали билет? Так бывает?

— Значит, бывает.

— А как это возможно? — снова спросил адвокат.

Клаудиа развела руками и пожала плечами.

Валерио Беттони снял трубку, позвонил Федерико и отменил обед. Русская задерживается. Ей не обеспечили билет.

— А синьора Виктория экскриторе? — усомнился Феллини.

— Да, говорят, что известный писатель.

— Вы поздно сообщили?

— Нет. Я послал факс за полтора месяца.

— Тогда в чем дело?

Беттони пожал плечами и бровями и отвел одну руку в сторону. Другой он держал трубку.

Жест недоумения замкнулся.

Все люди всех национальностей недоумевают примерно одинаково. Хотя почему примерно? Совершенно одинаково.

Беттони положил трубку и посмотрел на переводчицу.

— Умом Россию не понять, — вспомнила переводчица.

— А чем понять? — спросил адвокат.

В этом месте, я думаю, все человечество может подняться со своих мест, пожать плечами и развести руки в стороны.

А теперь вернемся в иностранную комиссию.

Это длинное одноэтажное строение, покрашенное в желтый цвет. До революции здесь размещалась конюшня. Потом из каждого стойла сделали кабинеты. Кабинеты получились крошечные, как раз на одну лошадь. Для начальников убрали перегородки. Получилось пошире — на две и даже на три лошади, в зависимости от занимаемой должности.

В шестидесятые годы здесь размещалась редакция журнала «Юность». Отсюда, из этой точки, начинали свое восхождение Аксенов, Володарский, Фридрих Горенштейн — все те, кто и по сегодняшний день несут на себе русскую литературу в разных концах земли. Володарский в Москве, Горенштейн в Берлине, Вася Аксенов в Вашингтоне, Гладилин в Париже.

Весело было в «Юности» в хрущевскую оттепель.

Сейчас «Юность» выехала в просторное помещение на площади Маяковского. Что-то появилось новое (жилплощадь). А что-то ушло. А может быть, это ушло во мне.

В бывшую конюшню переехала иностранная комиссия.

Мы с Риммой вошли в стойло-люкс, к заместителю начальника. (Начальник в отпуске.)

— Что же делать, — растерянно сказала я. — Меня будет встречать Федерико Феллини. Неудобно. Все-таки пожилой человек.

Как будто в этом дело. Пожилых много, а Феллини один.

— Да, конечно, — согласился заместитель и стал куда-то звонить, звать какую-то Люсеньку.

— Люсенька, — нежно сказал он. — Тут у нас писательница одна... На Рим... На завтра... А на послезавтра?

Заместитель поднял на меня глаза:

— В бизнес-классе полетите?

Я торопливо закивала головой.

— Полетит, куда денется. — Заместитель загадочно улыбался трубке, видимо, Люсенька сообщала что-то приятное, не имеющее ко мне никакого отношения.

Итак, я в Риме. В отеле «Бристоль». Я прибыла вечерним рейсом. Переводчица Клаудиа приглашает меня в ресторан: легкий ужин, рыба и фрукты.

— А какая рыба? — спросила я.

— Сомон.

— А что это?

— По-вашему, лосось.

— У нас его сколько угодно, — говорю я.

— У вас в консервах. А у нас сегодня утром из моря.

Можно, конечно, пойти поужинать, но у меня схватило сердце. Я глотаю таблетку (отечественную), ложусь на кровать,
смотрю в потолок и жду, когда пройдет. Потолок безукориз-
ненно белый.

Так лежать и ждать не обязательно в «Бристоле». Можно у
себя дома. То же самое. Дома даже лучше.

Я отказываюсь от ужина. Бедная Клаудиа вздыхает. Она
ничего не ела весь день. Я достаю из сумки аэрофлотскую булоч-
ку и отдаю ей.

Так кончается первый вечер в Риме.

Утро следующего дня

Мы, я и Клаудиа, отправляемся в офис Беттони. Офис — в
центре Рима, занимает целый этаж большого старинного дома.

Чистота. Дисциплина. Все заняты и при этом спокойны (потому что заняты). Секретарши в шортах. Кондиционеры.

Считается (мы сами считаем), что русские разучились и не
хотят работать. Это не так. Русские не хотят работать на чужого
дядю. А на себя они будут работать. Если бы наши продавщицы
и официантки получали западную зарплату, они улыбались бы и
обслуживали, как на Западе.

К нам подошла секретарша по имени Марина и с улыбкой
сообщила, что мы должны подождать десять минут, нас примет
младший брат Валерио, Манфреди Беттони.

Мы с переводчицей мягко киваем: десять так десять, Манфреди так Манфреди. А где Валерио? Ведь был Валерио. Оказывается, узнав, что я опаздываю на 36 часов, он улетел в Бразилию

к своему клиенту. У деловых людей Запада время — деньги. Он не может сидеть и ждать, пока Римма достанет мне билет.

Появляется Манфреди Беттони. Ему сорок лет. С челочкой. Тощенький. Улыбчивый. Очень симпатичный. Я дарю ему свою книгу на французском языке и говорю, что итальянская книга выйдет осенью. Манфреди с энтузиазмом ведет нас куда-то в конец этажа. Открывает дверь и вводит в квартиру. Это апартаменты его отца. За столом восседает жизнерадостный старикашка Беттони-старший, глава рода, основатель адвокатского клана.

У Жванецкого есть строчки: «Как страшно умирать, когда ты ничего не оставляешь своим детям».

Старшему Беттони не страшно. Он вспахал свое поле, и его дети начинают не с нуля.

Старикашка проявляет искренний интерес к моей книге и ко мне, стрекочет по-итальянски и улыбается искусственными зубами, похожими на клавиши пианино.

Я вообще заметила, что хорошо питающиеся люди доброжелательны. Видимо, они употребляют много витаминов, микроэлементов, в организме все сбалансировано и смазано, как в хорошей машине. Все крутится, ничего не цепляет и не скрипит. От этого хорошее настроение.

Мои соотечественники едят неграмотно, отравляют токсинами кровь, мозг, сосуды. Отсюда агрессия. А от человеческой агрессии, скопленной в одном месте, — стихийные бедствия. Недаром землетрясения случаются в зонах национальных конфликтов. Ненависть вспучивает землю. Земля реагирует вздрогом.

Но вернемся в Рим. Манфреди весь светится от удовольствия. Видимо, его ввели в заблуждение. Сказали, что я важная птица, и он рад находиться на одной территории с важной птицей. Я его не разубеждаю: пусть как хочет, так и думает. А потом — как знать? Может, я и в самом деле не лыком шита. Мы ведь так мало знаем о себе.

Однажды я была молодая, написала книгу и встретила писателя Сергея Антонова в ресторане ЦДЛ.

— Посмотрите, какая у меня кофточка, — похвастала я.

Кофточка была выполнена из авторской ткани известного чешского художника Мухи.

— Что кофточка, — раздумчиво сказал Сергей Антонов. — Вот книгу ты хорошую написала.

— Что книга... — не согласилась я. — Вот кофточка...

— Не знаешь себе цены, — догадался Сергей Петрович. — Не знаешь...

Человек, которого унижали в детстве, никогда потом не знает себе цены. Он ее либо завышает, либо занижает.

Манфреди предложил пообедать вместе, поскольку час дня — время обеденное.

Мы отправляемся в близлежащий ресторанчик. Жара. Асфальт пружинит под ногами. А у меня на даче березки, елочки, тень. В тени растут сыроежки.

— Что вы будете пить? — спрашивает Манфреди.

— Ничего.

Для него это приятная неожиданность. Русские, как правило, пьют крепкие напитки утром, днем и вечером. А может быть, и ночью.

Я пью минеральную воду и слушаю Манфреди. Пытаюсь понять: в чем суть моего приезда. Что хотят от меня итальянцы.

Итак. Существует богатый человек. Бизнесмен. Часть капитала он решил вложить в Россию. Русский рынок привлекает деловых людей. Наиболее надежный отсек — русское кино. Составлен совместный проект с советским телевидением: пять серий о России. Миру надо дать представление о том, что такое Россия. На Западе ничего о ней не знают, кроме слова «Сибирь». Это слово пришло от пленных немцев. Многие думают, что в России очень холодно и по улицам ходят медведи.

Богатый человек пригласил ведущих режиссеров мира, в том числе и Феллини.

Федерико Феллини не журналист, а публицист (это его слова). России совершенно не знает и не может снимать кино о том, чего он не знает. Детство Федерико прошло в маленьком провинциальном городке Романья. И как Антей от Земли, он черпает свое творчество из детства. Вернее, не черпает, а прикасается телом. Они неразрывны.

— Я не буду делать фильм о России, — отказался Феллини.

— Подожди говорить «нет», — сказал Бизнесмен. — Подумай.

И прибавил нуль. Миллионеры — они тоже шабашники.

— Поезжай в Москву, наберись впечатлений, — посоветовал адвокат.

Но Федерико не путешествует. Он может спать только у себя дома на своей постели. На новых местах он не спит и поэтому полностью исключил путешествия из своей жизни.

— Я в Москву не поеду, — отказался Феллини.

— Хорошо. Мы из Москвы привезем в Рим любого русского, кого захочешь.

— Зачем из Москвы? — удивился Федерико. — Что, в Риме нет русских? Посол, например.

— Замечательная идея! — обрадовался Бизнесмен. — И дешевая.

Здесь в сюжет вплетается еще одно действующее лицо: немецкий издатель по имени Томас.

Маршак сказал: «Каждому талантливому писателю нужен талантливый читатель». Я бы добавила: «И талантливый издатель».

Западные издатели — те же бизнесмены. Они разговаривают между собой так: «Я торгую Пушкиным»: или «Я торгую Кафкой». Именно что торгуют, а сами не читают. Для них литература — это бизнес.

Томас все читает сам. Никому не доверяет. Для него литература — это литература.

Томас — тот самый талантливый издатель. Он открывает новые имена, влюбляется, остывает, снова ищет — из этого состоит его жизнь. Каждый новый писатель — как новая любовь. Бывают непреходящие любови: Чехов, например, Феллини. Томас издает сценарии Федерико. Они дружат. Перезваниваются.

— Позови Викторию Токареву, — советует Томас.

— Это интересно?

— Мне интересно.

В эти дни Федерико попадает в руки журнал «Миллелибри» с моим рассказом «Японский зонтик». Это ранний рассказ с незатейливым сюжетом: молодой человек покупает японский зонтик, и он уносит его на крышу.

Феллини прочитал и сказал:

— Какое доброе воображение. Она воспринимает жизнь не как испытание, а как благо.

И на другой день в моем доме раздался тот самый звонок.

Сплошные случайности: случайно меня напечатали в Италии, случайно мое имя упомянул Томас. Но случайности — это язык Бога. Я выслушала Манфреди и спросила:

— А для чего я нужна?

— Просто поговорить.

— О России?

— О чем хотите.

— Но я могу предложить только бытовой срез беседы, — честно созналась я. — У нас в России есть гораздо более интересные люди.

— Кто? — цепко спросил Манфреди. Я задумалась.

— Явлинский, например.

— А кто это?

— Настоящий экономист.

— А что здесь такого? — не понял Манфреди. — У нас все экономисты настоящие.

Клаудиа повернула ко мне возбужденное лицо:

— Вы что, с ума сошли? Кто же отдает свои куски?

Я удивилась: а какие куски? Поездка в Рим? Общение с Великим итальянцем? Я ведь не замуж за него выхожу. Пусть и другие поездят и побеседуют. А что?

На десерт подали землянику.

Если бы у меня была скатерть-самобранка, я бы круглый год ела землянику.

За десертом Манфреди сказал:

— Федерико ждал вас в среду утром. А сейчас он занят. В Риме жарко. Мы предлагаем вам неделю пожить в Сабаудиа.

— А что это? — Я посмотрела на Клаудию.

— Маленький курортный городок, девяносто километров от Рима. Там отдыхают богатые люди, — объяснил Манфреди. — В отеле «Дюна» заказано два номера. Федерико подъедет к вам, когда освободится.

— Вещи забирать? — спросила Клаудиа.

— Нет. Номера в «Бристоле» остаются за вами.

Значит, оплачиваются два номера в «Бристоле» и два номера в отеле «Дюна». И все за то, чтобы великий маэстро побеседовал с синьорой из Москвы.

Я вспомнила Сергея Параджанова, нашего отечественного гения. Параджанов и Феллини — люди одного уровня. Но чем заплатил Параджанов за свою гениальность? Тяжкой жизнью и ранней мучительной смертью.

Если бы Параджанов вдруг сказал в Госкино: «Хочу побеседовать с Альберто Моравиа. Пригласите Альберто в Киев за свой счет», — все бы решили, что Параджанов сошел с ума, и посадили его в психушку.

На том бы все и кончилось.

На море

Отель «Дюна» стоит на самом берегу Средиземного моря.

Работают два цвета: белый и коричневый. Белые стены и потолки, коричневое дерево, крашенное каким-то особым темным лаком. Штукатурка не гладкая, а шероховатая, как застывшая лава. Видимо, в состав добавлено что-то резинистое, как жвачка: не осыпается, не пачкается и не мокнет. Если бы такой потолок протек, то пятно не выглядело бы столь вызывающе, как мое.

Самое замечательное в отеле то, что он — низенький, двух-этажный, стелется по земле, в отличие от наших курортных гостиниц, напоминающих человеческий улей. В таком улье человек теряется, его душа замирает. А в отеле «Дюна» — все во имя человека, все для блага человека. Правда, богатого.

Этой весной я была на кинорынке, где продавала свою продукцию «Фора-фильм». Они сняли под Ялтой два особняка — дачу крупной партийной элиты. В сравнении с ней отель «Дюна» — убогая спичечная коробка. Неправильно и наивно думать, что у нас в социализме ничего нет. У нас есть все: и миллионеры, и наркоманы, и гомосексуалисты.

Под потолком висит винт вентилятора величиной с самолетный пропеллер. Если его включить, он движется совершенно бесшумно, передвигая пласты воздуха.

Я лежу на широкой кровати, смотрю над собой и думаю: о чем говорить с Федерико Феллини? Я не знаю Италию так же, как Федерико не знает Россию. Что я знаю об итальянцах? Они ревнивые, шумные и хорошо поют. И это все.

В мою дверь постучали. Вошла горничная, внесла розы, обвитые нарядной красной лентой. Среди зелени и шипов — конвертик с запиской: «Дорогая Виктория, горячо приветствую вас в Италии, с восторгом жду встречу. Федерико Феллини».

Я позвонила Клаудии:

— А почему записка на русском?

— Я перевела, — простодушно ответила Клаудиа.

— По-моему, ты сама и сочинила.

— Нет, нет, что вы... Это Федерико диктовал. Он звонил сюда.

— И о чем вы говорили?

— Я спросила, когда он приедет. А он ответил: «Может быть, к Рождеству». Он вообще очень застенчивый, знаете? Он стесняется.

— А когда Рождество у итальянцев?

— Как и у вас. В декабре.

— Через полгода приедет? — Я подвытаращила глаза.

— Да нет, он шутит, конечно. — Голос Клаудии стал нежным. Эта нежность относилась к Феллини.

— Жаль, — сказала я. — Можно было бы полгода здесь пожить.

— Да, — вздохнула Клаудиа. — Хорошо бы...

Клаудиа — платиновая блондинка, маленькая, хрупкая, в поте лица зарабатывающая хлеб свой. Хорошо было бы нам обеим ото всего отключиться, купаться в тугих и чистых водах Средиземного моря, на завтрак есть сыр, сделанный из буйволиного молока, а на обед заказывать рыбу сомон, выловленную утром, а на десерт есть фруктовый салат «мачедони».

А вечером сидеть в прибрежном ресторанчике возле башни, которую когда-то построили сарацины, и смотреть, как шар солнца опускается в воду.

Хорошо бы Федерико оказался занят или рассеян и забыл нас на полгода.

Пляж

На пляже нам положен синий зонт и два шезлонга.

Вокруг такие же зонты и шезлонги. Много красивых женщин.

Песок мелкий и чистый, как мука. Раскален, как на сковороде. Стоять невозможно.

По пляжу ходят индусы и разносят яркие платки, нанизанные на палки. Они свободно погружают в песок свои смуглые прокопченные ноги. Но индусы, как известно, могут ходить и по углям.

Возле нас расположилась семья: богатый бизнесмен, его жена, их сын.

Богатый бизнесмен потому и богат, что все время работает.

Я заметила: на Западе количество труда и благосостояние находятся в прямой зависимости. В школе я проходила, что быть богатым стыдно. А быть бедным — почетно. Это осталось в советских мозгах до сих пор. Осело в генах: ни тебе, ни мне. Поровну. Нищета гарантирована.

Богатый бизнесмен не теряет ни минуты. На пляж он приходит с горой бумаг. Сидит в шезлонге и просматривает. Изучает.

Что-то черкает, записывает. Во второй половине дня он тоже работает. Не потому, что надо. Хочется. Он ТАК живет.

Красив он или нет — сказать трудно, поскольку это не имеет никакого значения. Значителен.

Жена Сюзанна — художница, выглядит на двадцать четыре года. Но поскольку сыну двадцать, то, значит, и Сюзанне больше, чем двадцать четыре. В районе сорока. Но юность как-то все не может с нее сойти. Она будто позолочена юностью. Ей все нравится: и то, что я из России, и то, что по пляжу ходят индусы и здороваются:

— Салют, Сюзанна!

— Салют, Субир, — охотно откликается Сюзанна.

Она всех знает по именам.

На лицо бизнесмена наплывает туча: что за манера завязывать знакомство с низшим сословием. Но для Сюзанны нет высшего и низшего сословия: для нее все люди — люди. Каждый человек — человек.

Именно поэтому обслуга отеля не боится Сюзанну и забывает положить новый шампунь. Сюзанну это не огорчает.

А бизнесмена огорчает, и даже очень. Он выговаривает ей на своем языке, и я различаю слова: «романтиш» и «но реалистиш». Сюзанна лишена реальной жизни и витает в облаках с неземной улыбкой. Значит, ей — облака, а ему — все остальное: работа, расходы и так далее.

Сюзанна слушает мужа с никаким выражением, потом поднимается, закалывает свои длинные волосы и идет в воду. Входит медленно, откинув голову, волны ласкают ее грудь и руки. Я смотрю на нее и думаю: хорошо быть красивой и богатой. У нее нет заборных впечатлений. Она наслаждается жизнью. Она входит и плывет.

Я тоже войду сейчас в Средиземное море, но как войду, так и выйду. Это не мое. Я здесь случайно. На неделю.

— У вас есть дача? — спрашивает меня бизнесмен.

— Есть, — не сморгнув, отвечаю я.

Он ведь не спрашивает «какая?». Он просто устанавлива-
ет факт.

— У нас тоже есть. Но Сюзанна не любит. Мы ездим сюда
уже двадцать лет.

— А зачем дача? — включается в разговор сын. — Вот
наша дача. Давайте здесь собираться каждый год.

— Давайте, — соглашаюсь я.

Сына зовут Вольфганг Амадей, как Моцарта. Он похож на
моего Петрушу: те же просторные глаза, высокий лоб, русые
волосы. Он похож на него, как старший брат. Поэтому я смотрю, и смотрю, и смотрю, не могу глаз оторвать и думаю: когда
Петруша вырастет, он будет так же легко двигаться, у него будут
такие же золотистые волосы на руках и на ногах. Вот только
выражение лица... Для того чтобы иметь такое выражение, надо
жить в свободной стране. Нос и лоб — это важно. Но еще
нужна свободная страна, освободившая лицо.

А какой будет моя страна через пятнадцать лет?

У Вольфганга кризис с его девушкой. Он приехал пережить
этот кризис на море.

Мне нравится его немножко дразнить, и я говорю на русском
языке:

— Вольфганг, ты звонил ночью твоей девушке? Ты говорил,
что тоскуешь?

Вольфганг вопросительно смотрит на Клаудию, ожидая пе-
ревода. Но я не разрешила переводить. Клаудиа загадочно
улыбается.

Вольфганг каким-то образом догадывается, о чем я говорю, и
трясет пальцем. Потом добавляет:

— Ты хорошо знаешь жизнь.

Вечером, впрочем, не вечером, а часов в пять-шесть, когда солнце дает особое освещение, Сюзанна уходит с мольбер-
том рисовать. Это важные часы в ее дне. Может быть, самые
важные.

Сюзанна талантлива, работает на подсознании, и когда тво-
рит, когда кисть прикасается к холсту — ее ЗДЕСЬ нет. И

ТАМ тоже нет. Она пребывает где-то в третьем измерении, куда нет хода никому. Ни одному человеку.

После работы Сюзанна возвращается какая-то вся абстрактная, никому не принадлежит, как будто переспала с Богом. Муж это чувствует. Его это не устраивает.

На лбу туча. Так и ходит с тучей.

Прошла неделя

Я уже не замечаю белых стен. Привыкла. А когда ем салат «мачедони», то думаю: хорошо бы Петрушу сюда. Он жует с вожделением. Он вообще живет страстно: громко хохочет, отчаянно плачет, весь день активно отстаивает свои права. Но к вечеру с него спадает оголтелость и проступает душа. Он лежит в кровати и смотрит над собой. Я сажусь рядом и отвожу челку с его лица. Лицо становится немножко незнакомым. С одной стороны — это Мой мальчик. А с другой — просто мальчик. Человечек. Я спрашиваю:

— Ты хотел бы жить со мной всегда?

— С большим удовольствием, — серьезно отвечает Петруша. И тут же мотивирует: — Потому что ты мне все разрешаешь.

Он живет на окриках и на «нельзя». Это считается воспитанием. А я думаю иначе. Если, скажем, он хочет разложить подушки на полу, а потом нырять в них, как в волны, — почему нельзя? Наволочки ведь можно сменить. А ребенку — игра воображения. Разве воображение детей меньше наволочки?

По ночам я просыпаюсь оттого, что кто-то рядом. Я открываю глаза и в рассветном мраке вижу очертания маленького человечка, собранного из палочек. Палочки — ручки, палочки — ножки, палочка — шея.

Ему тоскливо одному. На рассвете так одиноко жить.

— Можно к тебе? — шепчет Петруша.

— Ну иди.

Он ныряет под одеяло, и тут же засыпает, и храпит, неожиданно шумно для столь тщедушного тела. Рядом со мной творится такая драгоценная и такая хрупкая жизнь.

А что я тут делаю в городе Сабаудиа при чужой жизни? Разве у меня нет своей?

Утром я звоню в номер Клаудии и спрашиваю:

— Как будет по-итальянски «спасибо за цветы»?

— Мольто грация пер ле флере, — говорит Клаудиа. — А что?

— Так, — говорю. — Ничего.

— Приехал, приехал... — Клаудиа заглядывает в номер, глаза подвытаращены от возбуждения.

Психика человека поразительно пластична. Она защищает от перегрузок. Приехал Федерико Феллини, за девяносто километров, чтобы встретиться со мной. Событие? Ошеломляющее. Но что теперь, в обморок падать? Нет. Приехал и приехал. Сейчас я к нему выйду.

За окном 30 градусов жары. Значит, надо быть одетой в светлое. Я надеваю белый костюм и смотрю на себя в зеркало. Жаль, что мы не встретились двадцать лет назад. Но как есть, так есть. Хорошо еще, что живы и встречаемся по эту сторону времени. Могли бы и по ту.

Я выхожу из номера. Клаудиа — впереди указующей стрелочкой. Прошли коридор. Вот холл. Еще шаг — и я его увижу. И вот этот шаг я не могу ступить. Остановилась.

— Вы что? — шепотом удивилась Клаудиа.

Я молчу, как парашютист перед открытым люком самолета. Надо сделать шаг. И я его делаю.

Маэстро сидел на диване, глубоко и удобно вдвинувшись в диванные подушки. Я поняла, что это он, потому что больше некому. Рядом тощенький Манфреди с женой и пятилетней дочерью. Жена, дочь и Манфреди исключаются. Значит, то, что остается, — Федерико Феллини.

Я подошла. Он поднялся. Я проговорила, глядя снизу вверх:

— Кара Федерико, мольто грация пер ле флере...

Он выслушал, склонив голову. Когда я закончила, воскликнул радостно с итальянской экспрессией:

— Послушайте! Она как две капли воды похожа на крестьянок из Романьолы.

Я поняла, что это хорошо. Это как если бы он сказал: она похожа на мою маму или на мою сестру. Что-то свое.

Для Феллини Романья — самое драгоценное место на земле. Я согласна быть похожей на собаку из Романьолы, не только что на крестьянку.

Федерико обнял меня, и через секунду мне казалось, что я знаю его всегда. Я успокоилась и села рядом. Потом поняла, что это неудобная позиция: я буду видеть его только сбоку — и пересела напротив.

Федерико тем временем стал объяснять смысл нашей встречи. Он говорил то, что я уже знала: проект фильма о России, он — не журналист и не публицист, России не знает, путешествовать не любит и так далее и тому подобное. Он хочет со мной поговорить и что-то для себя прояснить.

Я незаметно разглядывала маэстро с головы до ног: из ушей, как серый дым, выбивались седые волосы. Мощный лоб мыслителя переходил в обширную лысину, а после лысины седые волосы ниспадали на воротник, как у художника. Непроходимая чаща бровей, и под ними глаза — крупные, с огнями и невероятные. Пожалуй, одни глаза подтверждали космическую исключительность. А все остальное — вполне человеческое: под легкой рубашкой белая майка. Зачем в такую жару?

Здесь пора сказать о работе Клаудии. Она не просто доносила смысл сказанного, но перевоплощалась, как актриса: была то Федерико, то мной. И нам казалось, что мы разговариваем напрямую, без посредника. Клаудиа угадывала не только слова, но оттенки слов. А когда возникала пауза — она переводила паузу. Она молчала так же, как мы, и совершенно не помнила о себе. Это высший пилотаж — профессиональный и человеческий. В паре с Клаудией мы могли набрать любую высоту.

— Я благодарна вам за приглашение, — сказала я Федерико. — Но есть гораздо более интересные русские. Может, вам с ними поговорить?

— Тогда этому не будет конца! — энергично возразил Федерико.

И я поняла: он не хочет более интересных русских и не хочет делать фильм о России.

В одном из интервью Феллини сказал о себе: «Я поставил шестнадцать фильмов, а мне кажется, что я снимаю одно и то же кино»...

Это так и есть. И Фазиль Искандер пишет один и тот же рассказ «Чегем». И Маркес всю жизнь пишет свое «Макондо».

Большой художник открывает свой материк, как Колумб Америку. И населяет своими людьми. Зачем ему Россия? Чужой и ненужный материк?

— По-моему, это какая-то авантюра, — созналась я.

— Конечно, авантюра! — обрадовался Федерико. — Но авантюра ищет подготовленных. Ты подготовлена. Я тоже.

Но тогда и любовь ищет подготовленных. И поражение.

Я подготовлена ко всему. И к авантюре. И к поражению.

— Но о чем может быть это кино?

— О том, как русская писательница разговаривает с итальянским режиссером.

— А кто будет играть писательницу?

— Ты.

— А режиссера?

— Я.

— А сюжет?

— О том, как тебе не достали билет на самолет.

— В самом деле? — не поверила я.

— А почему нет?

— Это он серьезно? — спросила я у Клаудии.

Клаудиа пожала плечами.

— Не знаю...

Мимо нас прошел горбатый человек в ярко-желтом пиджаке и угольно-черной шляпе. На его горбу дыбилось какое-то приспособление типа шарманки. Должно быть, это был фотограф. Он хотел подойти, но не решился и прошел мимо, как проплыл.

Этот человек показался мне обаятельным монстром из фильмов Федерико Феллини. Вокруг Феллини начали оживать его персонажи, твориться его мир.

Из гостиницы мы поехали ужинать.

Манфреди сиял. Это был хороший знак. Обычно Феллини не задерживается. Если бы я не была ему интересна — посидел бы пятнадцать минут и уехал.

В ресторане мы расположились на открытой террасе. Море тяжело шуршало внизу. За моей спиной тлела какая-то спираль. От нее поднимался дымок. Клаудиа объяснила: это от комаров. Я вспомнила июнь на даче, комариные артналеты по ночам. Днем комары замирают, а к ночи собираются в боевые сотни и пикируют с изнуряющим душу звуком. И кажется, что от них нет избавления.

А оказывается, есть. В капитализме.

К нашему столу подошла молодая блондинка в водопаде шелковых волос. Поздоровалась с Федерико. Он радостно подхватился, и вылез к ней, и тут же обнял, нежно поцеловал, похлопал по спине.

Блондинка была втиснута, как в чулок, в маленькое черное платье. Ее лицо казалось знакомым. Где-то я определенно видела эти волосы, узковатые, немножко подозрительные глаза. Вспомнила! Она играла главную роль в фильме Тарковского «Ностальгия».

Федерико и актриса о чем-то нежно лопотали. Потом он еще раз поцеловал ее на прощание и полез обратно. Сел на свой стул. Дождался, пока девушка отошла, и спросил полушепотом:

— Кто это?

— Итальянская актриса, — также полушепотом ответила я.

— Ты уверена?

— Абсолютно уверена.

Федерико обернулся. Актриса подходила к своему столику, храня на лице и на спине прикосновения великого маэстро.

Она не подозревала, что Феллини поздоровался ВООБЩЕ, а с кем? Не все ли равно?

За столиком актрисы сидела девушка, обритая наголо.

— Это дочка Челентано, — сообщила Клаудиа.

Дочка была похожа на солдата-новобранца. Форма головы — почти идеальная, но обнаженный череп — непривычен. С обнаженным черепом человек жалок. Лучше обнажить любое другое место. Дочка Челентано засмеялась чему-то, и сходство с солдатом усилилось.

Подали сырокопченое мясо с дыней. Мясо было нарезано, как папиросная бумага.

Федерико взял нож и вилку и в этот момент увидел, что его приветствует пожилой синьор. Федерико тоже вскинул руку и помахал в воздухе. Синьор подскочил, протиснулся между стульями и склонился к Федерико. Они пообщались. Синьор отошел. Я подумала — сейчас спросит: «Кто это?»

— Кто это? — спросил Феллини. — Он говорит, что он адвокат.

— Значит, адвокат, — сказала я.

— Он говорит, что написал книгу.

— Значит, написал.

— И я похвалил эту книгу.

— Правильно сделали.

— Почему правильно? — заинтересовался Федерико.

— Человек нуждается в поощрении. А в вашем тем более. Поощрение — это стимул.

— Может быть, — согласился Феллини.

Поощрение нужно любителям. А гении обходятся и без поощрения.

К Федерико Феллини тянется все человечество, и он не может запомнить всех. Я подумала: если через год мы с ним встретимся, он шумно обрадуется, обнимет, скажет «кариссима». А потом спросит: «Кто это?»

— О чем вы хотите говорить? Что вас интересует в России?

Обычно все спрашивают о перестройке и кто мне больше нравится: Ельцин или Горбачев.

Ельцина я обожаю, как и все, впрочем. Но для меня конкретно Ельцин не сделал ничего. А Горбачев посадил меня за один стол с Федерико Феллини.

Раньше, до перестройки, если бы Феллини захотел побеседовать с русским писателем, ему послали бы секретаря большого Союза писателей.

Был такой случай. В семидесятых годах меня возлюбил болгарский журнал «Панорама». Главный редактор журнала Леда Милева назначила мне премию — месяц отдыха на Золотых песках. Приглашение пришло в двух экземплярах: мне домой и в иностранную комиссию на имя Председателя.

Я пришла к Председателю и спросила:

— Получили?

— Получили. Но вы не поедете.

— Почему?

— Это очень большой кусок. На болгарские курорты у нас ездят секретари Союза и классики, которые не умерли.

— Так это я.

— Нет, — отмахнулся Председатель. — Вы еще молодая.

— Но пригласили МЕНЯ. ЛИЧНО. Ждут меня, а явится кто-то другой. Это же неприлично.

Председатель подумал, потом сказал:

— Вас все равно не выпустят кое-какие службы. Зачем вам нарываться на отказ?

— А я и у них спрошу: почему? Почему я не гожусь вашим службам? У меня два образования, музыкальное и сценарное, я морально устойчива, ни разу не разводилась. Что во мне не так?

Председатель подумал, потом сказал:

— Ну ладно, поезжайте.

Я поняла, что те самые службы именно он и совмещает.

Одновременно со мной Леда Милева пригласила переводчицу с болгарского. Вся лучшая болгарская литература была переведена этой женщиной. Ей отказали под предлогом, что сразу двоих они послать не могут.

На другой день я пришла к заместителю Председателя и сказала:

— Если может поехать только один человек, пусть едет переводчица.

Заместитель посмотрел на меня подозрительно и спросил:

— Вы ей чем-то обязаны?

— Нет, — сказала я. — Мы незнакомы.

— А почему вы пропускаете ее вместо себя?

— Потому что для меня это отдых, а для нее работа.

И в самом деле: Золотые пески — не Варадеро. Я в крайнем случае на Пицунду могу поехать. А переводчице нужна языковая среда, контакты, встречи.

Заместитель смотрел на меня искоса, будто высматривал истинные мотивы. Он не верил моим словам. Если я отдаю свое место, значит, есть причины, например: я кого-то убила, а переводчица видела и теперь шантажирует.

— Вы можете ехать, можете не ехать. Как хотите. Но переводчицу мы все равно не пустим. Она не умеет себя вести.

— А что она сделала?

— Дала негативное интервью.

Переводчица имела манеру говорить правду за десять лет до гласности.

Я поехала на Золотые пески. Мне достался столик с болгарским коммунистом по имени Веселин. Веселину восемьдесят лет. Он нехорош собой, неумен, приставуч. Он говорил каждое утро и каждый вечер: «Заходи ко мне в номер, я дам тебе кофе с коньяком». Я вежливо отказывалась: «Я утром не пью спиртное» или: «Я вечером не пью кофе». В зависимости от времени дня, когда поступало приглашение. Наконец ему надоела моя нерешительность.

— Почему ты ко мне не приходишь? — прямо спросил Веселин.

— Потому что вы старый, — столь же прямо сказала я.

— Это ничего.

— Вам ничего. А мне на вас смотреть.

Веселин не обиделся. Видимо, привык к отказам.

— Знаешь, я всю молодость просидел в подполье, строил социализм. У меня не было времени на личную жизнь. А сейчас социализм построен, и у меня появилось время для себя.

— А у меня все наоборот. Я всю молодость развлекалась, а сейчас мне хотелось бы поработать.

Но с чего я вдруг вспомнила о Золотых песках, Председателе, Веселине? Это тоже монстры. Но у Федерико они обаятельные. А монстры социализма — зловещие.

Я ждала, что Федерико спросит о политической ситуации в России. Но он спросил:

— Ты хорошо готовишь?

— Не знаю, как сказать, — растерялась я.

— Как есть, так и говори.

— Очень, очень хорошо, — выручила меня Клаудиа.

Федерико хотел познать Россию через конкретного человека. Общее через деталь. Я — конкретный человек. Женщина. А что важно в женщине? Не то, как она пишет, а как варит.

Подкатила тележка с живой рыбой. Ее толкал официант. Среди полусонных рыбьих туш топорщил клешню громадный краб.

— Вот этот, — указал Федерико. — Если ему суждено умереть, пусть это будет быстрее.

Я пишу эти строчки через две недели после падения КПСС. Я вижу краба, который в агонии топорщит свои клешни. И хочется сказать словами Феллини: если партии суждено умереть, пусть это будет как можно быстрее.

Официант отъехал. Федерико посмотрел на Клаудию и сказал:

— У тебя очень красивое платье.

Платье действительно было очень красивое и модное, из лиловой рогожки с вышивкой.

— А у меня? — ревниво спросила я.

— Кариссима! — вскричал Федерико. — Если я скажу тебе, что я вижу и чувствую, это будет звучать неправдоподобно... Если я скажу тебе...

И Федерико начал перечислять качества, которые я в себе совмещаю. Это было поощрение моей жизни, как книге адвоката, которую он не читал. Но все равно я испытала мощный стимул к жизни. Захотелось рано вставать, обливаться холодной водой, честно работать и любить ближних и тех, кто вдалеке.

Солнце проваливалось в море. Только что была половина, уже осталась одна макушка. «Умирал красавец вечер». Откуда это? Не помню...

Дочка Манфреди что-то шепнула своей маме.

— Она сказала, что переела и у нее проблема с талией, — перевела Клаудиа.

Итальянские женщины с пяти лет следят за талией.

В десять часов темнеет. Федерико собирается уезжать.

Мы провожаем его до машины. Федерико идет, немножко шаркая. Он густо жил. И его семьдесят лет — это концентрат. Если пожиже развести — будет 210. Один к трем.

Он обнимает меня и Клаудию. Позже мы сверим впечатления: это не старческое лапанье. Есть сила, жест, электричество. Его чувства молоды, мозг постоянно тренируется в интеллектуальном труде. Идеи бегут, опережая друг друга. Идеи бегут, а ноги шаркают.

— Манфреди! Где ты, Манфреди? — Федерико потерял в сумерках своего адвоката.

Это не просто адвокат. Друг. У Феллини не может быть просто адвокат. Человек-функция. Все насыщено чувством. Это иногда путает дела. Приходится делать то, что не хочется.

Во мраке проплыл желтый горбун. Он караулил момент весь вечер, но так и не решился подойти. Авантюра ждет подготовленных. Значит, фотограф недостаточно подготовлен, и авантюра не выбрала его. Прошла мимо.

На другой день за нами приходит машина из гаража Беттони, и мы уезжаем из Сабаудиа.

Я смотрю на Италию, плывущую за окном машины, и думаю: хорошо, что Сабаудиа был. И хорошо, что кончился.

Так я думаю о своей отшумевшей любви. Хорошо, что она была. И хорошо, что кончилась.

Все, что не имеет перспектив, должно окончиться рано или поздно. Даже человек.

Федерико заехал за нами в отель «Бристоль» в десять часов, хотя была договоренность на семь. Но Клаудиа объяснила, что для итальянцев семь и десять — одно и то же. Там даже спектакли начинают позже оттого, что артисты запаздывают.

На Федерико элегантный костюм с синим платком в верхнем кармане. Он в прекрасном настроении, и это замечательно, потому что трудно общаться с человеком, если он чем-то недоволен.

Федерико явно доволен всем: мною, Клаудией, необязательностью нашей встречи и перспективой хорошего ужина.

Мы усаживаемся в длинную машину с шофером и едем в загородный ресторан.

Дорога не близкая, минут сорок. Можно поговорить о том о сем...

— Я не делал в моей жизни никаких усилий, — говорит Федерико. — Я просто ехал от станции к станции, а вокзалы стояли на местах уже готовые.

Он не прокладывал путей. Не строил вокзалы. Просто ехал, и все.

— Может быть, вы пришли с ПОРУЧЕНИЕМ? — догадываюсь я.

— Но каждый человек пришел с Поручением, — возражает Федерико.

Я вспоминаю мою знакомую, которая умерла от водки в молодые годы. Не может быть, чтобы ей было дано ТАКОЕ поручение... А может быть, многие путаются и садятся не в свои поезда...

— А вы? — Федерико смотрит на меня.

— Мой поезд почему-то всегда заходит в тупик.

— Почему?

— Потому что машинист — идиот, — серьезно отвечаю я. Мой машинист — это мой характер.

— Значит, вы можете работать только в тупиках, — делает вывод Федерико.

Я задумываюсь. Значит, мой характер сознательно подсовывает мне тупики. Я выхожу из них только в работе. Моя работа — не что иное, как дорога из тупика.

Однажды я спросила у своей любимой актрисы Лии Ахеджаковой:

— Что является твоим стимулом для творчества?

— Я жалуюсь, — ответила Лия.

Ее стимул — обида. Мой стимул — тупик.

А счастье? Разве не может счастье быть стимулом? Ведь существуют на свете счастливые люди, которые много и плодотворно работают. Да взять хотя бы Феллини... Но что я о нем знаю?

— В Москве по телевидению недавно показывали «Ночи Кабирии», — сказала я. — По сравнению с последующими вашими фильмами этот наиболее демократичен. Понятен всем.

— Вы хотите сказать, что в «Кабирии» я еще не был сумасшедшим. А по мере развития моей паранойи я становился все менее понятен людям...

— Да! Да! Да! — радостно-шутливо подтвердила я.

— Достаточно было одного «да». Три — это слишком, — упрекнул Федерико.

— А Джульетта Мазина похожа на своих героинь?

— Джульетта католичка. Из буржуазной семьи. Мы вместе пятьдесят лет.

Они познакомились на радио. Обоим было по двадцать.

— Я хочу, чтобы вы пришли к нам в гости.

— Нет, нет, я боюсь Джульетту, — пугаюсь я.

Я представляла ее наивной круглоглазой Кабирией, и мне трудно вообразить ее строгой католичкой с безукоризненными манерами.

Я жду, что Федерико начнет опровергать и уговаривать. Но на Западе никто никого не уговаривает. Не хочешь — значит, не хочешь.

— Она благодарна вам за свои роли?

— Это вопрос к ней. Думаю, нет.

— Почему?

— Джульетта считала себя чисто трагической актрисой. Я доставал из нее клоунессу. Она сопротивлялась. Я ее ломал.

Федерико вытащил клад, глубоко запрятанный, заваленный сверху средой и воспитанием.

— Я много размышлял над идеей брака, — задумчиво говорит Федерико. — Это все равно что двух маленьких детей посадить в один манеж и заставить вместе развиваться. Это не полезно. И даже опасно. Но люди почему-то держатся за брак. Вы держитесь?

— Держусь.

— Я тоже.

Земля круглая. Человек должен за что-то держаться, чтобы не соскользнуть.

— «Ночи Кабирии» — это последний фильм, в котором я пользовался литературной основой.

Мне не совсем ясно, как делать фильм без литературной основы. Наверное, как художник: увидел — мазок, еще раз посмотрел — еще мазок. Поэтому в авторском кино главное — не сюжет, а образы. Образы «Амаркорда», например. Ожившая живопись Параджанова.

Я вспоминаю свою работу в кино, и мне почему-то жаль своих лет, «растраченных напрасно».

Жаль, что на моем пути попадалось мало гениев. Да ведь их много и не бывает. Один-два на поколение. Природа больше не выдает.

Хозяин ресторана — живописный итальянец: на груди цепочки и бусы в шесть рядов. Волосы стянуты сзади в пучок и висят седым хвостиком. Худой. Значит, правильно питается.

Люди с лишним весом относятся к группе риска. Поэтому среди богатых толстых почти не бывает.

Хозяин выходит навстречу Федерико и его гостям. Приветствует лично в знак особого, отдельного уважения.

Выходят и жена, и дочь. Дочь я не запомнила. Жена состоит из густого облака дорогого парфюма, коротенького кошачьего личика и платьица выше колен. Сколько ей лет? Непонятно. Судя по взрослой дочери, лет пятьдесят. Но это не имеет значения. Все зависит от умения радоваться. Если умеет радоваться, то наденет коротенькое платьице, обольется духами — и вперед. Всем на радость и себе в том числе. Как говорила моя мама: «Пятьдесят лет хороший возраст. Но это понимаешь только в шестьдесят».

— Ты думаешь, чей это ресторан? — лукаво спросил меня Феллини. — Ее или его?

«Конечно, ее», — подумала я.

— Ее, — подтвердил мои мысли Феллини. — А он — так...

Хозяин посмотрел на меня соколиным взором, кивнул головой, дескать: ага... так... погулять пришел.

Но я поняла: кошечка тоже держится за брак. Все идет до тех пор, пока этот бесполезный муж в цепочках ходит и посматривает. Зачем-то он нужен. Убери его, и все скатится по круглому боку Земли в тартарары.

Мы сели в саду. Хозяин принял заказ.

Я решила, что сейчас хорошее время для моей идеи. Сейчас я ее расскажу. Но что-то разомкнулось в нашей орбите. Я никак не могу начать.

Подали спагетти из самодельной лапши, с каким-то умопомрачительным соусом. Хозяин сел вместе с нами.

Я рассеянно накручивала лапшу на вилку, все примеривалась, когда бы приступить к изложению идеи. Мне мешал хозяин. Я холодно смотрела на его цепочки.

Он немножко посидел и ушел.

— Клаудиа, — окликнула я свою помощницу, как бы призывая на решительный бой.

Клаудиа сглотнула и отодвинула тарелку. Я начала. Клаудиа повторяла. Федерико смотрел перед собой с отсутствующим видом. Моя энергия уходила в никуда.

— Вы слушаете? — проверила я.

— Да, да... — рассеянно сказал Федерико. С ним что-то происходило.

А происходило следующее: он не спал ночь. Почувствовал, что давление лезет вверх, ломит затылок. Достал таблетку, понижающую давление (они у него всегда при себе), выпил. А потом — забыл и выпил еще одну. Давление стало падать. Начали мерзнуть руки и ноги. Федерико прислушивался к себе, и показалось, что его поезд подходит к последнему вокзалу. Он испугался. Ведь никто не знает, как ТАМ.

Я в это время что-то говорю, Клаудиа повторяет. Зачем эти дополнительные шумы? Федерико охотно бы попросил: «Замолчите, пожалуйста». Но он тактичный, нежный человек. Он не может обидеть людей, даже в такую смятенную минуту. И он сидит под нашими словами, как под дождем. И боится, как заблудившийся ребенок.

И в этот момент входит его лечащий врач. Федерико видит врача. Врач видит Федерико и направляется к нему. И уводит Федерико за собой куда-то в основное здание. Может быть, в кабинет хозяина. Там он смерил давление. Дал таблетку, повышающую давление. И организм маэстро заработал в привычном режиме...

Появление врача — что это? Совпадение?

Да. Обычное совпадение. Просто вечером к врачу пришли друзья, жена не захотела возиться у плиты, и они решили поужинать в загородном ресторане.

Федерико вернулся к нам через десять минут. Он не просто вернулся. Он любил нас в десять раз больше, чем до страха. Его поезд снова шел и весело стучал колесами, а впереди еще много вокзалов, один прекраснее другого. И он был очень этому рад.

— Ты что-то хотела мне рассказать, — вспомнил Федерико.

— Нет. Ничего.

Я поняла: раз идея не прозвучала, значит, она и не должна быть выслушана. Я фаталист.

— Все-таки здесь холодно, — замечает Федерико. — Давайте перейдем под крышу.

Мы уходим с террасы в здание ресторана. Садимся за столик.

Я замечаю, что посетители мало-помалу тоже тихо перемещаются в закрытый зал. Итальянцы любят своего великого современника и хотят находиться с ним на одном пространстве.

Напротив нас молодая женщина кормит ребенка из ложки. Ребенок протестует и зычно вопит.

Федерико это не мешает. Он ласково смотрит на ребенка, на мать, что-то у нее спрашивает. Молодая женщина приближается к нам с ребенком на руках. Мадонна. Лицо Федерико, обращенное к женщине, светлеет и молодеет. Он влюбляется прямо у нас на глазах.

Только что помирал на глазах, уже влюбился.

Мадонна отошла. Федерико тут же ее забыл по принципу: с глаз долой — из сердца вон. Поднялся и пошел звонить. Он бросил нас всех и пошел звонить своей Джульетте.

Подошли три кошки. Мы с Клаудией стали молча скармливать им остатки еды.

— А у Федерико была когда-нибудь роковая любовь? — спросила я.

— Все его любви роковые. Но контролируемые.

Кошки ждали еду, подняв мордочки. Одна из них была длинноносая.

Первый раз в жизни я видела длинноносую кошку.

На другой день вернулся Валерио Беттони и тут же захотел меня повидать. Ему было интересно узнать: как движутся дела с Федерико Феллини. Сумела я его уговорить?

Валерио ждал нас в своем кабинете. Над его столом в тяжелой старинной раме портрет прадеда Беттони: бравые усы стрелами, в светлых прямых глазах выражение запрятанной усмешки. Черный узкий сюртучок тех времен. Девятнадцатый век.

Прадеду лет сорок, но выглядит старше.

Двадцатый век сильно помолодел. Валерио тоже в районе сорока, но выглядит моложе. Красив. Как две капли воды похож на своего предка: те же самые прямые синие глаза с усмешкой, усы другие. Современные. Рубашка расстегнута до третьей пуговицы. Совершенно без комплексов, но не наглый. Полноценный, уверенный в себе человек.

— Как ваши дела? — спросил Валерио.

— А ваши?

Он слегка удивился вопросу.

— Но работа с Федерико — это ваши дела, а не мои.

— Он будет делать кино о России? — прямо спросил Валерио.

— Думаю, нет, — прямо ответила я.

— Почему?

— Снимать то, чего не знаешь... Зачем ему это нужно?

— Он говорит то же самое, этими же словами, — задумчиво подтвердил Валерио. — Но независимо от того, как сложатся дела с Феллини, мы хотим иметь с вами дело.

— Прошу больше гениев не предлагать. Найдите мне нормального халтурщика.

Валерио обозначил усмешку и еще больше стал похож на своего предка.

— Какой вы хотите получить гонорар? — Он посмотрел на меня своим синим взором.

— За что? — не поняла я.

— Вы приехали в Рим. Отвлеклись от своей работы, ваш день наверняка стоит дорого.

Я приехала в Рим, жила на море, двадцать часов беседовала с самым интересным человеком мира. И еще должна за это деньги получить?

Я растерянно посмотрела на Клаудию. Та сидела с непроницаемым видом.

Деловые люди ценят время других людей. Знал бы Валерио, от чего я отвлеклась. От забора, двух шабашников и трех дворняжек.

— Не стесняйтесь, — подбодрил Валерио. — Я вас слушаю.

— А я вас.

Вошел американец — высокий, в светлом. Какой-то неубедительный. Валерио представил нас друг другу.

— Только я вас очень прошу: ни моря, ни луны. И актеров не много: человек пять-шесть. Да?

Я ничего не поняла.

— Он финансирует фильмы Федерико, — шепотом объявила Клаудиа.

Американец решил сэкономить на декорациях, на актерах и приглашает меня в сообщники.

— Вы знаете фильм «Пароход идет»? — спросил американец.

— Конечно.

— Океан пришлось строить в декорациях.

— Как? — ахнула я.

— Так. Знаете, сколько денег ушло?

Я растерянно посмотрела на Валерио.

— Да, да... — покивал Валерио. — Да, строили. Да, ушло. Маэстро себе позволяет. И мы ему позволяем.

— Хорошо, — пообещала я американцу. — Я прослежу. За отдельные деньги.

— Конечно, конечно, — обрадовался американец.

Он уже посчитал, сколько он мне заплатит и сколько сэкономит. Он заплатит сотни, а сэкономит миллионы. Прекрасная сделка.

Я выждала паузу и сказала:

— Мы не работаем с Федерико. Вы рано ко мне обратились.

— Но есть другие идеи, — вставил Валерио.

— Меня интересует сейчас только то, что связано с Феллини.

Значит, сама по себе я американцу неинтересна. Только в комплекте с Феллини. Это понятно, но зачем говорить об этом вслух. А воспитание на что? Вульгарный тип.

— Вы еще будете встречаться с Феллини? — озабоченно спросил американец.

— Сегодня вечером, — ответила Клаудиа. — Прощальный ужин.

— Я хотел бы знать, что вам скажет Феллини вечером, — сказал американец.

«Много будешь знать, скоро состаришься», — подумала я, но в отличие от американца вслух ничего не сказала.

Американец общался со мной так, будто я пришла в этот мир вообще безо всякого поручения и должна выполнять его личные заказы: проследить, передать... Он делал меня СВОИМ человеком в стане Федерико. Идиот.

— Не хотите говорить, — задумчиво ответил Валерио.

— О чем? — не поняла я.

— О гонораре.

Сюзанна, Клаудиа, море, Федерико — мои «Римские каникулы». За это можно приплатить самой. Но за общение с американцем пусть платят.

— Мы оставим вам счет, — выручила Клаудиа. — И вы пришлете, сколько найдете нужным.

— О'кей! — согласился Валерио.

Они заговорили между собой по-английски. Американец сидел нога на ногу и кого-то мучительно напоминал. Кого? Вспомнила! Водопроводчика Кольку из нашего ЖЭКа. Он ходит в ватнике и всегда пьяный. Но лицо и фигура — эти же самые. Если Кольку отмыть, нарядить в белый костюм и научить по-английски — не отличишь.

Я заметила: природа, иногда устав варьировать, создает тождественные экземпляры.

Может быть, где-то в Африке сейчас ходит босиком по траве мой двойник — точно такая же, только черная, дымно-курчавая, с бусами и с десятью детьми всех возрастов. И ни одной книги. Хорошо.

До вечера есть время. Мы с Клаудией ходим по магазинам. В капитализме все есть, а того, что тебе надо, — нет.

Вернулись в гостиницу и выяснили, что нас ждет Феллини. Оказывается, он решил не поужинать с нами, а пообедать. Вчера — на два часа позже, сегодня — на пять часов раньше. У него внезапно переменились планы. Вечером он должен вести кого-то к своему врачу, врач дал вечернее время.

Федерико ждал нас в холле. На стенах висели старинные панно. В отдалении прохаживался какой-то тип и таинственно поглядывал в нашу сторону.

— Послушайте, он вполне может в меня выстрелить, — тревожно предположил Федерико.

Тип решительно направился прямо к нему. Нависло неприятное ожидание.

— Дотторе, — церемонно обратился тип, — потрудитесь объяснить: что вы имели в виду в вашем фильме... (он назвал фильм).

Федерико с облегчением вздохнул. Не выстрелит. Просто зритель, вроде наших дотошных пенсионеров.

Был такой случай. В Рим приехал наш замечательный режиссер. Итальянцы решили показать гостю собор Святого Петра. Сами итальянцы считают его архитектуру аляповатой и называют «торт с мороженым». Но не в этом дело. Машина бежала по улицам, и вдруг среди прохожих режиссер увидел великого Феллини.

Он потребовал немедленно остановить машину, выскочил, как ошпаренный, и с криком «Федерико!» устремился к предмету своего обожествления.

Федерико обернулся, увидел несущегося на него маленького усатого человека и кинулся бежать прочь. Режиссер наддал. Федерико тоже прибавил скорость. Кросс окончился в пользу Феллини. Он далеко оторвался вперед и растворился в толпе.

Федерико боится маньяков. Маньяк убил Леннона.

Маньяки — неприятное сопровождение большой известности.

Мы сидим в ресторане типа нашего «Седьмого неба». Зал круглый. Из окна открывается панорама Рима.

Это второй Рим в моей жизни. Первый — десять лет
назад. Тогда шел дождь, и у меня все время завивались волосы от дождя, и член нашей туристической группы, драматург,
очень интересно трактовал «Тайную вечерю». А на другой
день сбежал, попросил политического убежища. Кэгэбешница
средних лет, присматривающая за нами, растерялась. А рядо-
вая туристка, старая большевичка, сказала: «Сволочь какая», —
имея в виду драматурга, а не кэгэбешницу. Тем не менее наша
туристическая группа поехала смотреть собор Святого Петра.

В этот свой приезд я нигде не была. Город раскален, носа не
высунешь. И какой музей, когда рядом живой Феллини, с его
глазами и голосом.

— Ты хотела бы жить в Европе? — спросил Федерико. —
Ты могла бы здесь остаться?

— Не могла бы.

— Почему?

— Я не могу жить без языка и без друзей.

— А как ты думаешь, Россия вывернется?

— Вывернется.

— Почему ты так думаешь?

— Всегда побеждает здравый смысл.

— Всегда?

— Бывает с опозданием, но всегда.

«С опозданием на жизнь», — подумала я.

— У Италии очень большой национальный долг, — с
огорчением сообщил Феллини, будто долг Италии касался его
лично. — Огромный долг, но итальянцы беспечны. И в своей
беспечности восходят до мудрости.

«Как дети», — подумала я. Беспечность — это высшая
мудрость.

— Для итальянца самое главное — обеспечить свою семью, — продолжал Федерико. — Идея семьи выше идеи
государства.

«Логично, — подумала я. — Семья — это и есть государство. Сильное государство — это большое количество обеспе-
ченных семей».

Подошел официант.

— Что вы можете нам предложить? — спросил Федерико.

— Сырное мороженое и осьминог в собственных чернилах.

— Сырное мороженое? — подивился Федерико. — А как это возможно?

— Вы художник в своем деле, а мы в своем.

Официант был сухой, респектабельный, в бабочке. Как конферансье.

— Браво, — отметила я.

Официант приосанился.

— Ты знаешь такого человека: Герасимофф?

— Да. Он умер.

— В шестидесятых годах я с ним встречался. На кинофестивале. Он повез меня в машине по Москве, с каким-то человеком.

«С кэгэбешником», — подумала я.

— Подъехали к большому зданию. Университет, кажется.

— Да. Университет, высотное здание, — подтвердила я.

— Он говорит: смотрите, какой большой дом построили наши люди, освобожденные от капитализма.

Мы вылезли из машины, чтобы видеть лучше. Шел снег. Он медленно падал на его лысину.

«Какой снег в июне месяце? — удивилась я. — Фестиваль был летом. Маэстро что-то перепутал. Или домыслил».

— Снег все шел. Он все говорил, и я в конце концов почувствовал, что делаю что-то плохое против народа, который освободился от капитализма и выстроил такой большой дом. Я спросил: «Что я должен сделать?»

«Заберите ваш фильм из конкурса», — сказал Герасимов.

«Пожалуйста». — Я обрадовался, что такая маленькая просьба.

Потом мы поехали к нему ужинать. Он сам сделал русскую еду...

— Пельмени, — подсказала я: Герасимов прекрасно лепил сибирские пельмени.

— Да, да... — подтвердил Федерико.

— Но первый приз вам все-таки дали, — напомнила я.

Это известная история о том, как наши не хотели давать премию фильму «Восемь с половиной». Но жюри отстояло.

— Да, да... первый приз. И меня несли на руках ваши режиссеры: Кусиев (Хуциев), Наумофф... и кто-то еще. Я испытывал определенные неудобства, потому что они все были разного роста.

Феллини не мог закончить воспоминания патетически (несли на руках). Он включил самоиронию: неудобно было существовать на весу. Какие-то части тела заваливались и провисали.

— Вот вам и кино, — сказала я. — Напишите об этом.

— Думаешь?

— Уверена.

— Я напишу три страницы. Передам тебе через Клаудию. Ты дополнишь и пришлешь мне обратно.

Федерико хочет как-то подключить меня к работе. Вернее, он думает, что я этого хочу.

Правильно думает.

Свой первый фильм двадцать лет назад я делала с режиссером К. В режиссерском ряду он был на первом месте от конца, то есть хуже всех.

Второй фильм я делала с режиссером С. — этот занимал второе место от конца. Хуже него был только К.

После работы по моим сценариям эти режиссеры «пошли в производство», перебрались в середину ряда. Середняки. Впереди них много народу. Позади тоже.

Моя мечта поработать с мастером, который был бы на первом месте от начала. Впереди никого. Только Господь Бог.

А если не суждено по тем или иным причинам — я напишу этот рассказ.

Зачем? А ни за чем. Просто так.

Принесли сырное мороженое.

— Я должен позвонить. — Федерико посмотрел на часы.

— Куда? — ревниво спросила я.

— Кариссима! Бомбинона! Я забыл тебе сказать — у меня, помимо основной семьи, есть еще четыре: в Праге, в Женеве, в Лондоне и в Риме.

— Дорогой! Учитывая твое давление, я остановилась бы на трех семьях. Та, что в Праге, — не надо.

Федерико ушел. Я спросила:

— Что такое кариссима?

— Кара — дорогая, — объяснила Клаудиа. — А кариссима — очень дорогая, дорогушечка.

— А бомбинона что такое?

— Бомбино — ребенок. Бомбинона — большая девочка.

— В смысле толстушечка?

— Нет. В смысле выросший человек с детской начинкой. Можно так сказать? — уточнила Клаудиа.

Так можно сказать обо всех нас, шестидесятниках. Седеющие мальчики и девочки. Бомбиноны. После сталинских морозов обрадовались, обалдели от хрущевской оттепели и так и замерли на двадцать лет. А наши дети, те, кто следом, — они старше нас и практичнее. Им дано серьезное Поручение: весь мир насилья разрушить до основанья. А затем...

Рим оплывает, как сырное мороженое. Купола дрожат в знойном воздухе. Как мираж. Кажется, что, если хорошенько сморгнуть, все исчезнет.

В Москве было ветрено. Как там у Чехова: «А климат такой, что того и гляди снег пойдет».

Я беру сумку на колесах и иду в магазин. В магазине никого нет, потому что нет продуктов. Единственное, что продают, — масло в пачках, хлеб и минеральная вода. Все нужные вещи: можно намазать хлеб маслом и запить минеральной водой. Вот тебе и обед без затей. Необязательно есть осьминогов в собственных чернилах.

Я беру пять бутылок минеральной воды. Сумка раздувается и дребезжит на ходу.

При выходе из магазина я встречаю соседа, художника кино. Это живописный, одаренный человек. Алкоголик. Сейчас он в запое, чувства обнажены, и он шумно радуется, увидев меня.

— Я тебе помогу, — рыцарски забирает мою сумку, с готовностью толкает перед собой и, конечно, роняет.

Сумка валится с грохотом, как будто упал вертолет. Художник смущен, смотрит на меня сконфуженно.

— Иди отсюда. — Я делаю небрежный жест, будто отгоняю собаку. — Ты мне мешаешь...

Художнику обидно и надо как-то выйти из положения, не потеряв достоинства.

— Я гениален тем, что я вас покидаю! — объявляет он и идет прочь, четко ставя ноги, как самолюбивый слепой.

Я поднимаю сумку, заглядываю внутрь. Осколки бутылок, вода, во всем этом плавают хлеб и пачки масла.

Я достаю кусок стекла, опускаю рядом с сумкой.

Мимо меня идет пожилая женщина.

— Ну куда, куда? — возмущенно вопрошает она. — Всю Москву обосрали.

Я возвращаю стекло обратно в сумку.

Надо найти мусорный бак. Я озираюсь по сторонам.

Передо мной, через дорогу, гольф-клуб «Тумба». Какой-то господин Тумба закупил кусочек земли, огородил, посеял на нем травку и организовал гольф-клуб. На валюту. Играют преимущественно японцы.

Покой. Тишина. Здоровье.

Зеленое поле поднимается по пригорку вплоть до церковки. Красивая старинная церквушка, построенная двести, а то и триста лет назад.

Интересно, а церковку тоже закупили?

Первая попытка

Моя записная книжка перенаселена, как послевоенная коммуналка. Некоторые страницы вылетели. На букву «К» попала вода, размыла все буквы и цифры. Книжку пора переписать, а заодно провести ревизию прошлого: кого-то взять в дальнейшую жизнь, а кого-то захоронить в глубинах памяти и потом когда-нибудь найти в раскопках.

Я купила новую записную книжку и в один прекрасный день села переписывать. Записная книжка — это шифр жизни, закодированный в именах и телефонах. В буквах и цифрах.

Расставаться со старой книжкой жаль. Но надо. Потому что на этом настаивает ВРЕМЯ, которое вяжет свой сюжет.

Я открываю первую страницу. «А». Александрова Мара...

Полное ее имя было Марла. Люди за свои имена не отвечают. Они их получают. Ее беременная мамаша гуляла по зоопарку и вычитала «Марла» на клетке с тигрицей. Тигрица была молодая, гибкая, еще не замученная неволей. Ей шла странная непостижимая кличка Марла. Романтичная мамаша решила назвать так будущего ребенка. Если родится мальчик, назовется Марлен. Но родилась девочка. Неудобное и неорганичное для русского слуха «Л» вылетело из имени в первые дни, и начиная с яслей она уже была Марой. Марлой Петровной осталась только в паспорте.

Папашу Петра убили на третьем году войны. Она с матерью жила тогда в эвакуации, в сибирской деревне. Из всей эвакуации запомнился большой бежевый зад лошади за окном. Это к матери на лошади приезжал милиционер, а она ему вышивала рубашку. Еще помнила рыжего врача, мать и ему тоже вышивала рубашку. Мара все время болела, не одним, так другим. Врач приходил и лечил. Мать склонялась над Марой и просила:

— Развяжи мне руки.

Мара не понимала, чего она хочет. Руки и так были развязаны и плавали по воздуху во все стороны.

Потом война кончилась. Мара и мама вернулись в Ленинград. Из того времени запомнились пленные немцы, они строили баню. Дети подходили к ним, молча смотрели. У немцев были человеческие лица. Люди как люди. Один, круглолицый в круглых очках, все время плакал. Мара принесла ему хлеба и банку крабов. Тогда, после войны, эти банки высились на прилавке, как пирамиды. Сейчас все исчезло. Куда? Может быть, крабы уползли к другим берегам? Но речь не про сейчас, а про тогда. Тогда Мара ходила в школу, пела в школьном хоре:

> Сталин — наша слава боевая,
>
> Сталин — нашей юности полет,
>
> С песнями, борясь и побеждая,
>
> Наш народ за Сталиным идет.

Мать была занята своей жизнью. Ей исполнилось тридцать лет. В этом возрасте женщине нужен муж, и не какой-нибудь, а любимый. Его нужно найти, а поиск — дело серьезное, забирающее человека целиком.

Мара была предоставлена сама себе. Однажды стояла в очереди за билетами в кино. Не хватило пяти копеек. Билет не дали. А кино уже начиналось. Мара бежала по улицам к дому и громко рыдала. Прохожие останавливались, потрясенные ее отчаянием.

Случались и радости. Так, однажды в пионерском лагере ее выбрали членом совета дружины. Она носила на рукаве нашивку: две полоски, а сверху звездочка. Большое начальство. У нее даже завелись свои подхалимы. Она впервые познала вкус власти. Слаще этого нет ничего.

Дома не переводились крысы. Мать отлавливала их в крысоловку, а потом топила в ведре с водой. Мара запомнила крысиные лапки с пятью промытыми розовыми пальчиками, на которых крыса карабкалась по клетке вверх, спасаясь от неумолимо подступавшей воды. У матери не хватало ума освобождать дочь от этого зрелища.

Училась Мара на крепкое «три», но дружила исключительно с отличниками. Приближение к избранным кидало отсвет избранности и на нее. Так удовлетворялся ее комплекс власти. Но надо сказать, что и отличницы охотно дружили с Марой и даже устраивали друг другу сцены ревности за право владеть ее душой.

Весной пятьдесят третьего года Сталин умер. По радио с утра до вечера играли замечательную траурную музыку. Время было хорошее, потому что в школе почти не учились. Приходили и валяли дурака. Учителя плакали по-настоящему. Мара собралась в едином порыве с Риткой Носиковой поехать в Москву на похороны вождя, но мать не дала денег. И вообще не пустила. Мара помнит, как в день похорон они с Риткой Носиковой вбежали в трамвай. Люди в вагоне сидели подавленные, самоуглубленные, как будто собрались вокруг невидимого гроба. А Ритка и Мара ели соленый помидор и прыскали в кулак. Когда нельзя смеяться, всегда бывает особенно смешно.

Люди смотрели с мрачным недоумением и не понимали, как можно в такой день есть и смеяться. А девочки, в свою очередь, не понимали, как можно в столь сверкающий манящий весенний день быть такими усерьезненными.

Время в этом возрасте тянется долго-долго, а проходит быстро. Мара росла, росла и выросла. И на вечере в Доме офицеров познакомилась с журналистом Женькой Смолиным. Он пригласил ее на вальс. Кружились по залу. Платье развевалось. Центробежная сила оттягивала их друг от друга, но они крепко держались молодыми руками и смотрели глаза в глаза, не отрываясь. С ума можно было сойти.

В восемнадцать лет она вышла за него замуж.

Это был стремительный брак, брак-экспресс. Они расписались в загсе и тут же разругались, а потом продолжали ругаться утром, днем, вечером и ночью... Ругались постоянно, а потом с той же страстью мирились. Их жизнь состояла из ссор и объятий. Шла непрерывная борьба за власть. Мара оказалась беременной, непонятно от чего: от ссор или объятий. К пяти месяцам живот вырос, а потом вдруг стал как будто уменьшаться. Оказывается, существует такое патологическое течение беременности, когда плод, дожив до определенного срока, получает обратное развитие, уменьшается и погибает. Охраняя мать от заражения, природа известкует плод. Он рождается через девять месяцев от начала беременности, как бы в срок, но крошечный и мертвый и в собственном саркофаге. Чего только не бывает на свете. И надо же было, чтобы это случилось с Марой. Врачи стали искать причину, но Мара знала: это их любовь приняла обратное развитие и, не дозрев до конца, стала деградировать, пока не умерла.

После больницы Мара поехала на юг, чтобы войти в соленое упругое море, вымыть из себя прошлую жизнь, а потом лечь на берегу и закрыть глаза. И чтобы не трогали. И не надо ничего.

В этом состоянии к ней подошел и стал безмолвно служить тихий бессловесный Дима Палатников, она называла его Димычкой. Димычка хронически молчал, но все понимал, как собака. И как от собаки, от него веяло преданностью и теплом. Молчать можно по двум причинам: от большого ума и от беспросветной глупости. Мара пыталась разобраться в Димычкином случае. Иногда он что-то произносил: готовую мысль или наблюдение. Это вовсе не было глупостью, хотя можно было бы обойтись. Когда Димычке что-то не нравилось, он закрывал глаза: не вижу, не слышу. Видимо, это осталось у него с детства. Потом он их открывал, но от этого в лице ничего не менялось. Что с глазами, что без глаз. Они были невыразительные, никак не отражали работу ума. Такой вот — безглазый и бессловесный, он единственный изо всех совпадал с ее издерганными нервами, поруганным телом, которое, как выяснилось, весь последний месяц служило могилой для ее собственного ребенка.

Мара и Димычка вместе вернулись в Ленинград. Димычка — человек традиционный. Раз погулял — надо жениться. Они поженились, вступили в кооператив и купили машину.

Димычка был врач: ухо, горло, нос, — что с него возьмешь. Основной материально несущей балкой явилась Мара. В ней открылся талант: она шила и брала за шитье большие деньги. Цена явно не соответствовала выпускаемой продукции и превосходила здравый смысл. Однако все строилось на добровольных началах: не хочешь, не плати. А если платишь — значит, дурак. Мара брала деньги за глупость.

Дураков во все времена хватает, деньги текли рекой, однако не престижно. Скажи кому-нибудь «портниха» — засмеют, да и донесут. Мара просила своих заказчиц не называть ее квартиры лифтерше, сидящей внизу, сверлящей всех входящих урочливым глазом. Заказчицы называли соседнюю, пятидесятую квартиру. А Мара сидела в сорок девятой, как подпольщица, строчила и вздрагивала от каждого звонка в дверь. В шестидесятые годы были модны космонавты. Их было мало, все на слуху, как кинозвезды. А портниха — что-то архаичное, несовременное, вроде чеховской белошвейки.

Сегодня, в конце восьмидесятых годов, многое изменилось. Космонавтов развелось — всех не упомнишь. А талантливый модельер гремит, как кинозвезда. На глазах меняется понятие престижа. Но это теперь, а тогда...

Устав вздрагивать и унижаться, а заодно скопив движимое и недвижимое, Мара забросила шитье и пошла работать на телевидение. Вот уж где человек обезличивается, как в метро. Однако на вопрос: «Чем вы занимаетесь?» — можно ответить: «Ассистент режиссера».

Это тебе не портниха. Одно слово «ассистент» чего стоит. Хотя ассистент на телевидении что-то вроде официанта: подай, принеси, поди вон.

В этот период жизни я познакомилась с Марой, именно тогда в моей записной книжке было воздвигнуто ее имя.

Познакомились мы под Ленинградом, в Комарово. Я и муж поехали отдыхать в Дом творчества по путевке ВТО. Был не сезон, что называется, — неактивный период. В доме пустовали места, и ВТО продавало их нетворческим профессиям, в том числе и нам.

Мы с мужем побрели гулять. На расстоянии полукилометра от корпуса ко мне подошла молодая женщина в дорогой шубе до пят, выяснила, отдыхаем ли мы здесь и если да, то нельзя ли посмотреть номер, как он выглядит и стоит ли сюда заезжать. Мне не хотелось возвращаться, но сказать «нет» было невозможно, потому что на ней была дорогая шуба, а на мне синтетическое барахло и еще потому, что она давила. Как-то само собой разумелось, что я должна подчиниться. Я покорно сказала «пожалуйста» и повела незнакомку в свой триста пятнадцатый номер. Там она все оглядела, включая шкафы, открывая их бесцеремонно. Одновременно с этим представилась: ее зовут Мара, а мужа Димычка.

Димычка безмолвно пережидал с никаким выражением, время от времени подавал голос:

— Мара, пошли...

Мы отправились гулять. Димычка ходил рядом, как бы ни при чем, но от него веяло покоем и порядком. Они гармонично смотрелись в паре, как в клоунском альянсе: комик и резонер. Димычка молчал, а Мара постоянно работала: парила, хохотала, блестя нарядными белыми зубами, золотисто-рыжими волосами, самоутверждалась, утверждала себя, свою шубу, свою суть, просто вырабатывала в космос бесполезную энергию. Я догадывалась: она пристала к нам на тропе из-за скуки. Ей было скучно с одним только Димычкой, был нужен зритель. Этим зрителем в

данный момент оказалась я — жалкая геологиня, живущая на
зарплату, обычная, серийная, тринадцать на дюжину.

Вечером, после ужина, они уехали. Мара обещала мне сшить
юбку, а взамен потребовала дружбу. Я согласилась. Была в ней
какая-то магнетическая власть: не хочешь, не делай. Как семеч-
ки: противно, а оторваться не можешь.

Когда они уехали, я сказала:

— В гости звали.

— Это без меня, — коротко отрезал муж.

Мужа она отталкивала, а меня притягивала. В ней была та
мера «пре» — превосходства, преступления каких-то норм, в
плену которых я существовала, опутанная «неудобно» и «нельзя».
Я была элементарна и пресна, как еврейская маца, которую хорошо есть с чем-то острым. Этим острым была для меня Мара.

Влекомая юбкой, обещанной дружбой и потребностью «пре»,
я созвонилась с Марой и поехала к ней в Ленинград.

Она открыла мне дверь. Я вздрогнула, как будто в меня
плеснули холодной водой. Мара была совершенно голая. Ее груди глядели безбожно, как купола без крестов. Я ждала, что она
смутится, замечется в поисках халата, но Мара стояла спокойно и
даже надменно, как в вечернем платье.

— Ты что это голая? — растерялась я.

— Ну и что, — удивилась Мара. — Тело. У тебя другое,
что ли?

Я подумала, что в общих чертах то же самое. Смирилась.
Шагнула в дом.

Мара пошла в глубь квартиры, унося в перспективу свой
голый зад.

— Ты моешься? — догадалась я.

— Я принимаю воздушные ванны. Кожа должна дышать.

Мара принимала воздушные ванны, и то обстоятельство, что
пришел посторонний человек, ничего не меняло.

Мара села за машинку и стала строчить мне юбку. Подбородок она подвязала жесткой тряпкой. Так подвязывают челюсть у
покойников.

— А это зачем? — спросила я.

— Чтобы второй подбородок не набегал. Голова же вниз.

Мара за сорок минут справилась с работой, кинула мне юбку, назвала цену. Цена оказалась на десять рублей выше условленной. Так не делают. Мне стало стыдно за нее, я смутилась и мелко закивала головой — дескать, все в порядке. Расплатившись, я поняла, что на обратную дорогу хватит, а на белье в вагоне нет. Проводник, наверное, удивится.

— Молнию сама вошьешь, — сказала Мара. — У меня сейчас нет черной.

Значит, она взяла с меня лишнюю десятку за то, что не вшила молнию.

Сеанс воздушных ванн окончился. Мара сняла с лица тряпку, надела японский халат с драконами. Халат был из тончайшего шелка, серебристо-серый, перламутровый.

— Ты сама себе сшила? — поразилась я.

— Да ты что, это настоящее кимоно, — оскорбилась Мара. — Фирма.

Я поняла: шьет она другим, а на эти деньги покупает себе «фирму».

Освободив челюсть, Мара получила возможность есть и разговаривать. Она сварила кофе и стала рассказывать о своих соседях из пятидесятой квартиры — Саше и Соше. Саша — это Александр, а Соша — Софья. Соша — маленькая, бледненькая, обесцвеченная, как будто ее вытащили из перекиси водорода. Но что-то есть. Хочется задержаться глазами, всмотреться. А если начать всматриваться, то открываешь и открываешь... В неярких северных женщинах, как в северных цветах, гораздо больше прелести, чем в откровенно роскошных южных розах. Так ударит по глазам — стой и качайся. Долго не простоишь. Надоест. А в незабудку всматриваешься, втягиваешься... Однако дело не в северных цветах и не в Соше. Дело в том, что Мара влюбилась в Сашу и ей требовалось кому-то рассказать, иначе душа перегружена, нечем дышать.

Этим «кем-то» Мара назначила меня. Я человек не опасный, из другого города, случайна, как шофер такси. Можно исповедоваться, потом выйти и забыть.

Вместо того чтобы вовремя попрощаться и уйти, я, как бобик, просидела до двух часов ночи. А родной муж в это время стоял на станции Комарово во мраке и холоде, встречал поезда и не знал, что думать.

Ночь мы положили на выяснение отношений. День — на досыпание. Из отдыха вылетели сутки. И все из-за чего? Из-за Саши и Соши. А точнее, из-за Мары. Позднее я установила закономерность: где Мара — там для меня яма. Если она звонит, то в тот момент, когда я мою голову. Я бегу к телефону, объясняю, что не могу говорить, но почему-то разговариваю, шампунь течет в глаза, вода по спине, кончается тем, что я простужаюсь и заболеваю. А если звонок раздается в нормальных условиях и я, завершив разговор с Марой, благополучно кладу трубку, то, отходя от аппарата, почему-то спотыкаюсь о телефонный шнур, падаю, разбиваю колено, а заодно и аппарат. Оказываюсь охромевшей и отрезанной от всего мира. Как будто Господь трясет пальцем перед моим носом и говорит: не связывайся.

Период в Комарово закончился тем, что мы с мужем вернулись в Москву на пыльных матрасах без простыней, зато с юбкой без молнии, с осадком ссоры и испорченного отдыха.

Мара осталась в Ленинграде. Работала на телевидении, подрабатывала дома на машинке. Вернее, наоборот. На швейной машинке она работала, а на телевидении подрабатывала. Но и дома и на работе, днем и ночью, она бессменно думала о Саше. Димычка не старше Саши, но все равно старый. Он и в три года был пожилым человеком. В альбоме есть его фотокарточка: трехлетний, со свисающими щеками, важным выражением лица — как у зубного врача с солидной практикой. А Саша и в сорок лет — трехлетний, беспомощный, как гений, все в нем кричит: люби меня... Какая счастливая Соша...

Димычка ни с того ни с сего ударился в знахарство, отстаивал мочу в банках: новый метод лечения — помещать в организм

его собственные отходы. Мару тошнило от аммиачных паров. А
рядом за стенкой — такой чистый после бассейна, такой духовный после симфонии Калинникова, такой чужой, как инопланетя-
нин... Все лучшее в жизни проходило мимо Мары. Ей оставались
телевизионная мельтешня, капризные заказчицы и моча в трех-
литровых банках.

Однажды Мара возвращалась домой. Ее подманила лифтерша, та самая, с урочливым глазом, и по большому секрету сообщила, что из пятидесятой квартиры жена ушла к другому. Этот
другой приезжал днем на машине «Жигули» желтого цвета, и
они вынесли белье и одежду в тюках, а из мебели — кресло-
качалку. Новый мужчина, в смысле хахаль, из себя симпатичный, черненький и с усами. Очень модный. На летних ботинках
написаны буквы, такие же буквы на куртке.

— Может быть, он сам их пишет, — предположила Мара,
чтобы отвлечь лифтершу от своего изменившегося лица.

Вечером после концерта в черном костюме с бабочкой пришел Саша и спросил: когда надо мыть картошку — до того, как
почистить, или после. Мара сказала, что можно два раза — и до
и после. Саша стоял и не уходил. Мара пригласила его пройти.
Она сама поджарила ему картошку, а Саша в это время сидел
возле Димычки, и они оба молчали. Димычка вообще был нераз-
говорчивым человеком, а Саше не хотелось ни с кем разговаривать и страшно было оставаться одному. Ему именно так и хотелось:
с кем-то помолчать, и ни с кем попало, а с живым, наполненным
смыслом человеком.

Мара поджарила картошку в кипящем масле, как в ресторане. Мяса не было, она поджарила сыр сулугуни, обмакнув его
предварительно в яйцо и муку. Накормила мужчин. Саша впервые в жизни ел горячий сыр. Он ел и плакал, но слезы не
вытекали из глаз, а копились в сердце. Мара любила Сашу,
поэтому ее сердце становилось тяжелым от Сашиных слез. Она
молчала.

Это было в одиннадцать вечера. А в четыре утра Мара выскользнула из широкой супружеской постели от спящего и сопя-

щего Димычки, сунула ноги в тапки, надела халат с драконами, вышла на лестничную площадку и позвонила Саше.

Тотчас раздались шаги — Саша не спал. Тотчас растворилась дверь — Саша не запирался. Он ждал Сошу. Он был уверен: она передумает и вернется. Ей нужна была встряска, чтобы все встало на свои места. И теперь все на местах. Соша вернулась и звонит в дверь. Он ее простил. Он не скажет ни одного слова упрека, а просто встанет на колени. Черт с ним, с двадцатым веком. Черт с ним, с мужским самолюбием. Самолюбие — это любить себя. А он любит ее. Сошу.

Саша открыл дверь. На пороге стояла Мара. Соседка. Чужая женщина, при этом глубоко ему несимпатичная. Саша не переносил ее лица, как будто сделанного из мужского, ее категоричности. Не женщина, а фельдфебель. И ее смеха тоже не переносил. Она кудахтала, как курица, которая снесла яйцо и оповещала об этом всю окрестность.

Мара увидела, как по Сашиному лицу прошла стрелка всех его чувств: от бешеного счастья в сто градусов до недоумения, дальше вниз — до нуля и ниже нуля — до минуса. Маре стало все ясно.

— Ты извини, — виновато попросила она. — Но я испугалась. Мне показалось, что ты хочешь выкинуться из окна, чушь какая-то. Ты извини, конечно...

Человек думает о человеке. Не спит. Прибегает. Тревожится. Значит, не так уж он, Саша, одинок на этом свете. Пусть один человек. Пусть даже ни за чем не нужный. И то спасибо.

— Проходи, — пригласил Саша.

— Поздно уже, — слабо возразила Мара.

— Скорее рано, — уточнил Саша и пошел варить кофе.

Что еще делать с гостьей, явившейся в четыре утра.

Мара села за стол. Смотрела в Сашину спину и чувствовала себя виноватой. В чем? В том, что она его любит, а он ее нет. Она только что прочитала это на Сашином лице. Чем она хуже Соши, этой бесцветной моли, предательницы. Вот этим и хуже. Мужчин надо мучить, а не дребезжать перед ними хвостом. Мара прислушивалась к себе и не узнавала. В принципе она была замыслена и выполнена природой как потребительница. Она готова была потребить все, что движется и не движется, затолкать в себя через все щели: глаза, уши, рот и так далее. А здесь, с этим человеком — наоборот, хотелось всем делиться: оторвать от себя последний кусок, снять последнюю рубашку. Так просто, задаром подарить душу и тело, только бы взял. Только бы пригодилось. Оказывается, в ней, в Маре, скопилось так много неизрасходованных слов, чувств, нежности, ума, энергии — намело целый плодородный слой. Упадет зерно в благодатную почву — и сразу, как в мультфильме, взрастет волшебный куст любви.

Первый муж Женька Смолин — тоже потребитель. Его главный вопрос был: «А почему я должен?» Он считал, что никому ничего не должен, все должны ему. А Мара считала, что все должны ей. Пошел эгоизм на эгоизм. Они ругались до крови, и в результате два гроба: души и плоти. На Димычке она отдыхала от прежней опустошительной войны. Но это была не любовь, а выживание. Самосохранение. А любовь — вот она. И вот она — вспаханная душа. Но сеятель Саша берег свои зерна для другого поля.

Маре стало зябко. Захотелось пожаловаться. Но кому? Жаловаться надо заинтересованному в тебе человеку. Например, матери. Но мать забыла, как страдала сама. Теперь у нее на все случаи жизни — насмешка. Димычка? Но что она ему скажет? Что любит соседа Сашу, а с ним живет из страха одиночества?

Мара поникла и перестала быть похожей на фельдфебеля. Саша разлил кофе по чашкам. Сел рядом. Положил ей голову на плечо и сказал:

— Мара, у тебя есть хороший врач? Покажи меня врачу.

— А что с тобой?

— Я... ну, в общем, я... не мужчина.

— В каком смысле? — не поняла Мара.

— В прямом. От меня из-за этого Сонька ушла.

— А может быть, дело не в тебе, а в Соньке.

Мара кожей чувствовала людей. Она была убеждена, что сексуальная энергия, как и всякая другая, имеет свою плотность и свой радиус. От некоторых вообще ничего не исходит. От других, хоть скафандр надевай, не то облучишься. Сашу она чувствовала даже сквозь бетонные стены в своей квартире.

— При чем тут Сонька? — Саша поднял голову с ее плеча. — Ты, наверное, не понимаешь, о чем речь.

— Прекрасно понимаю. Идем. — Мара поднялась из-за стола.

— Куда? — не понял Саша.

— Я тебе докажу.

Саша подчинился. Пошел вслед за Марой. Они легли на широкую арабскую постель. Мара спорила с Сошей. Доказывала. И доказала. Она доказала Саше не только его мужскую состоятельность, но более того — гениальность. Принадлежность к касте избранных. Только биологические феномены могут так тонко и так мощно слышать жизнь, ее спрессованную суть. Таких, как Саша, больше нет. Ну, может быть, есть еще один, где-нибудь в Индии или в Китае. А в Советском Союзе точно нет. Во всяком случае, она, Мара, не слышала.

Саша улыбался блаженно, наполненный легкостью. Мара смотрела на него, приподнявшись на локте. Он был таким ЕЕ, будто вызрел в ней, она его родила, у них до сих пор общее кровообращение.

— Хочешь, я тебе расскажу, как я тебя люблю? — спросила Мара.

Он едва заметно кивнул. Для глубокого кивка не было сил. Мара долго подыскивала слова, но слова пришли самые простые, даже бедноватые.

— Ты хороший, — сказала она. — Ты лучше всех. Ты единственный. — Он нашел ее руку и поцеловал. Это была благодарность. Саша хотел спать, но было жалко тратить время на сон.

Они проговорили до шести утра.

Мара, как заправский психоаналитик, заставила Сашу вернуться в точку аварии, вспомнить, как все началось.

И Саша вспомнил. Два года назад они отдыхали с Сошей на море. Он пошел купаться в шторм и не мог выйти на берег. В какую-то минуту понял, что сейчас утонет возле берега.

Когда вернулся в номер, его качало. Он лег, закрыл глаза и видел перед собой мутно-зеленые пласты воды. У Соши было совсем другое состояние души и тела. Она тянулась к мужу, но казалась ему волной. Хотелось из нее вынырнуть и выплюнуть. Соша обиделась и сказала неожиданно грубо:

— Импотент.

Саша попытался опровергнуть обвинение, но ничего не вышло. Вечером он вспомнил, что ничего не вышло, испугался, и уже страх, а не усталость помешал ему. Далее страх закрепился, как закрепляется страх у водителей, попавших в аварию. В мозгу что-то заклинило. Мозг посылал неверные сигналы, и случайно брошенное слово превратилось в диагноз.

Соша перестала верить в него. И он перестал верить в себя. Потом ему стало казаться, что это заметно. Все видят и хихикают в кулак.

Саша стал плохо играть свои партии в оркестре. Дирижер потерял к нему интерес. Надвигался конкурс. Саша понимал, что его переиграют. Соня ушла. Из оркестра — уйдут. Он — пустая, бессмысленная, бесполая оболочка. Весь свет хохочет ему в спину. Казалось, еще немного, и он, как чеховский сумасшедший из палаты номер шесть, кинется бежать по городу или выбросится в окно. Этой ночью он вышел на балкон, смотрел вниз и уже видел себя летящим враскорячку, с отдуваемыми руками и ногами. А потом лежащим внизу нелепым плевком на асфальте. Саша испытывал к себе не жалость, а брезгливость. Он не любил себя ни живого, ни мертвого. А уж если сам себя не любишь, что требовать от других. И в этот момент раздался звонок в дверь, вошла женщина, чужая жена, и сказала:

— Ты лучше всех. Ты единственный.

Он поцеловал ей руку. Как еще благодарить, когда тебе возвращают тебя. Иди живи. Ты лучше всех. Ты единственный.

Мара вернула Сашу в точку аварии. Устранила поломку в мозгу. И жизнь встала на все четыре колеса.

Утром Мара вернулась к спящему, ни о чем не подозревающему Димычке. А Саша спать не мог. Он начинал новую жизнь.

Вечером был концерт. Дирижер сказал, что Сашин си-бемоль сделал всю симфонию. Коллеги оркестранты заметили, что из Сашиных глаз летят звезды, как во время первомайского салюта. Он помолодел, похорошел и попрекраснел. А Саша, в свою очередь, увидел, какие замечательные таланты вокруг него, одушевляющие железки и деревяшки. Ведь что такое тромбон и скрипка? Это железка и деревяшка. А когда человек вдыхает в них свою душу, они живые. И наоборот. Если в человеке погасить душу, он становится деревяшкой или железкой. Вот ведь как бывает.

Саша после концерта не шел, не брел, как прежде, а прорезал пространство. Он устремлялся домой. Дома его ждала Мара. Она открыла Сашу, как материк, и собиралась учредить на этом материке свое государство.

А Саша не смотрел далеко вперед. Он просто ликовал, утверждал себя. Утверждал и подтверждал.

Так продолжалось месяц.

Соша этот месяц вила новое гнездо с новым мужем Ираклием. Одно дело встречаться, другое — жить одним домом. Ираклий набивал дом гостями, это входило в национальные традиции, а Соша должна была безмолвно подавать на стол и убирать со стола. Это тоже входило в традиции: женщина должна знать свое место.

Ираклий работал в строительной науке, писал диссертацию на тему: «Ликвидация последствий атомного взрыва». Соше казалось, что после атомного взрыва уже НЕКОМУ будет ликвидировать последствия. Она ничего в этом не понимала, да и не хотела понимать. Кому охота в расцвете сил и красоты думать об

атомном взрыве, и так по телевизору с утра и до вечера талды-
чат, жить страшно. А вот в Сашиной симфонической музыке
Соша понимала все. За семь лет совместной жизни она научилась читать дирижерскую сетку, отличала главную партию от
побочной, знала всех оркестрантов, слышала, как они вплетают
свои голоса. Могла узнать с закрытыми глазами: это Фима... это
Додик... это Андрей... А теперь все вместе, Фима, Додик и
Андрей.

Хорошее было время.

Соша ностальгировала о прежней жизни, хотя была вполне
счастлива с Ираклием. Она готовила ему хинкали вместо пельме-
ней и в этот момент думала о том, что Саша — голодный и
заброшенный, тогда как Ираклий окружен гостями, хинкалями и
Сошей. Она вздыхала и набирала Сашин номер. А когда слышала его голос, опускала трубку. Что она ему скажет?

Саша понимал происхождение звонков, и когда Мара тянула
руку, он падал на телефон, как коршун с неба. Скрывал Мару. А
однажды сказал озабоченно:

— Слушай, собери свои шпильки, брошки: сегодня Сонька
придет.

— Зачем? — неприятно удивилась Мара.

— Хочет мне обед сготовить. Думает, что я голодный.

Мара собрала шпильки, брошки, отнесла их к Димычке. Она
жила на два дома, благо до второго дома было, как до смерти, —
четыре шага.

Димычка ни о чем не подозревал. Он был занят. К нему
валил народ, поскольку в знахарей во все времена верили больше, чем во врачей. Ему было даже удобнее, когда Мара у
соседей.

Сашу тоже устраивала такая жизнь: работа — как праздник,
Мара — как праздник. Но самые большие праздники — Соши-
ны появления. Она приходила в середине дня с виноватым ли-
цом, тихо двигалась, перебирала ручками, варила, пылесосила.
Хороший человек — Соша. Мара — сама страсть. Он ее желал.
А любил Сошу. Оказывается, это не одно и то же. Кто-то ум-

ный сказал, что плоть — это конь. А дух — это всадник. И если слушать коня, он завезет в хлев. Слушать надо всадника.

Мара один раз унесла свои шпильки, другой. А в третий раз — оставила на самом видном месте. Соша не заметила. Тогда Мара прямо позвонила к ней на работу в НИИ и назначила свидание в Таврическом саду. Соша удивилась, но пришла. Она заранее догадывалась о теме предстоящего разговора. Мара прилетит ангелом-хранителем семейного очага. Будет уговаривать вернуться к Саше. Она ведь не знает причины. А со стороны все выглядит так славно, почти идеально, как всегда бывает со стороны. Мара опаздывала. Соша тоскливо смотрела на дворец, который Потемкин построил, чтобы принять в нем Екатерину Вторую. А у Екатерины уже был другой. Потемкина она уже исчерпала. Почему Екатерине было можно? А ей, Соше, нельзя?

Она, конечно, не царица, но ведь ей дворцов не надо. Однокомнатная квартира в новостройке.

Появилась Мара и сказала с ходу:

— Больше к Саше не ходи. Ушла — и с концами.

— А твое какое дело? — удивилась Соша.

— Самое прямое. Он — мой.

Соша подвытаращила глаза.

— Да, мой, — подтвердила Мара. — И душой и телом. И нечего тебе у него делать. Обойдемся без твоих жлобских супчиков.

Димычка вычитал, что, когда коров забивают, они испытывают смертный ужас, этот ужас передается в кровь, через кровь — в мышцы. И человечество поголовно отравляется чужим ужасом... Отсюда агрессия, преступность, болезни, раннее старение. Есть надо дары моря и лесов, а питаться разумными существами — все равно, что поедать себе подобных.

Сошу поразили не жлобские супчики, а Сашино двурушничество. Двуликий Янус. Ну что ж. Зато теперь все ясно. Можно не угрызаться и не разрываться. Можно спокойно развестись и нормально расписаться. А Сашу отдать Маре.

— Вот тебе! — Соша протянула Маре изысканную фигу, сложенную из бледных породистых пальцев.

— Он мой! — повторила Мара, игнорируя фигу.

— Посмотрим...

В тот же вечер Соша вернулась к Саше, и лифтерша видела, как в грузовой лифт втаскивали кресло-качалку. Кресло кочевало вместе с Сошей.

И в тот же вечер Мара позвонила к ним в квартиру. Открыла Соша. Она была в переднике. Видимо, восточный человек приучил к круглосуточному трудолюбию.

— Я забыла у Саши малахитовое кольцо, — сказала Мара.

— Где? — спросила Соша.

— В кухне. А может, в спальне. — Мара пометила места своего обитания.

Соша не пригласила войти. Отошла. Потом вернулась.

— Кольца нет, — сказала она. — Ты у кого-то другого забыла.

Она закрыла дверь.

Кольцо действительно было дома, лежало в шкатулке, и Мара это знала. Просто она хотела бросить какой-нибудь камень в их семейную гладь. Но большого камня у нее не было — так, маленький малахитик овальной формы. Саша виноватым себя не считал. Он ее не звал. Она сама пришла в ночи. Он ее не соблазнял. Она сама уложила его рядом с собой. Он ничего не обещал. Она сама надеялась. Правда, она его любила. Так ведь она, а не он.

И все же, и все же...

Через неделю Саша вошел в раскрытый лифт. Там стояла Мара. Если бы знал, что она внутри, пошел бы пешком на шестнадцатый этаж. Поднимались вместе и молча. Саша старался смотреть мимо, а Мара смотрела в упор. Искала его глазами. Потом спросила, тоже в упор:

— Так бывает?

— Значит, бывает, — ответил Саша.

Вот и все.

Через полгода Соша вернулась к Ираклию. Мара не стала доискиваться причин. Она к Саше не вернулась. Да он и не звал. Он надеялся встретить женщину, которая соединит воедино плоть и дух, когда конь и всадник будут думать одинаково и двигаться в одном направлении.

Для Мары прекратился челночный образ жизни. Она осела, притихла возле Димычки, говорила всем, что ей очень хорошо. Что семья — это лаборатория на прочность, а ее дом — ее крепость. Лабораторию придумала сама, а крепость — англичане. Но иногда на ровном месте с Марой в ее крепости случались истерики, она кидала посуду в окно, и Димычка был в ужасе, поскольку чашки и тарелки могли упасть на чью-то голову. Он бежал к телефону и вызывал милицию. Мара панически боялась представителей власти и тут же приводила себя в порядок. Когда приходил милиционер, ему давали двадцать пять рублей, и они расставались ко взаимному удовольствию.

На фоне личных событий граждан протекала общественная жизнь страны.

К власти пришел Никита Сергеевич Хрущев и первым делом отменил Сталина. «Сталин — наша слава боевая, Сталин — нашей юности полет» оказался тираном и убийцей. Каково это было осознавать...

Мару, равно как и Ритку Носикову, это не касалось. Они были маленькие. Зато оттепель коснулась всем своим весенним дыханием. Напечатали «Один день Ивана Денисовича». Все прочитали и поняли: настали другие времена. Появился новый термин «диссидент» и производные от него: задиссидил, диссида махровая и т. д.

Никита Сергеевич был живой, в отличие от прежнего каменного идола. Его можно было не бояться и даже дразнить «кукурузником». Кончилось все тем, что его сняли с работы. Это был первый и пока единственный глава государства, которого убрали при жизни, и он умер своей смертью. Скульптор Эрнст Неизвестный, которого он разругал принародно, сочинил ему памятник, составленный из черного и белого. Света и тени. Трагедии и фарса.

После Хрущева началось время, которое сегодня историки определяют как «полоса застоя». Застой, возможно, наблюдался в политике и в экономике, но в Мариной жизни семидесятые годы — это активный период бури и натиска.

Мара встретила Мырзика. У него было имя, фамилия и занятие — ассистент оператора. Но она называла его Мырзик. Так и осталось.

Мырзик на десять лет моложе Мары. Познакомились на телевидении. Вместе вышли однажды с работы. Мара пожаловалась, что телевидение сжирает все время, не остается на личную жизнь.

— А сколько вам лет? — удивился Мырзик.

— Тридцать семь, — ответила Мара.

— Ну так какая личная жизнь в тридцать семь лет? — искренне удивился Мырзик. — Все. Поезд ушел, и рельсы разобрали.

Мара с удивлением посмотрела на этого командированного идиота, приехавшего из Москвы. А он, в свою очередь, рассматривал Мару своими детдомовскими глазами.

Впоследствии они оба отметили, что этот взгляд решил все. Была ли это любовь с первого, вернее, со второго взгляда? Все сложнее и проще.

Кончилась ее жизнь на этаже, где Саша, где Димычка. Там она умерла. Оттуда надо было уходить. Куда угодно. Мара даже подумывала: найти стоящего еврея и уехать с ним за синие моря, подальше от дома, от города. Но стоящего не подвернулось. Подвернулся Мырзик. Мара видела, что он молод для нее, жидковат, вообще — Мырзик. Но надо было кончать со старой жизнью.

Когда Мара объявила Димычке о своей любви, Димычка не понял, что она от него хочет.

— Я люблю, — растолковала Мара.

— Ну так и люби. Кто тебе запрещает?

— Я хочу уйти от тебя.

— А зачем?

— Чтобы любить.

— А я что, мешаю?

Мара опустила голову. Ей показалось в эту минуту, что Димычка больше Мырзика. Мырзик хочет ее всю для себя, чтобы
больше никому. А Димычка, если он не смог стать для нее всем,
согласен был отойти в сторону, оберегать издали. А она, Мара,
сталкивала его со своей орбиты. И он боялся не за себя. За нее.

Мара заплакала.

Разговор происходил в кафе. Мырзик находился в этом
же кафе, за крайним столиком, как посторонний посетитель.
Он следил со своей позиции, чтобы Димычка не увел Мару,
чтобы не было никаких накладок. Все окончилось его, Мыр-
зиковой, победой.

Потом он сказал Маре:

— У тебя голова болталась, как у раненой птицы. Мне было
тебя очень жалко.

Мара тогда подумала: где это он видел раненую птицу? Небось сам и подбил. Детдомовец.

Мара и Мырзик переехали в Москву. Перебравшись в столицу, Мара вспомнила обо мне, появилась в нашем доме и привела Мырзика. Она повсюду водила его за собой, как
подтверждение своей женской власти. Ее награда. Живой знак
почета. Мырзик обожал, обожествлял Мару. Все, что она говорила и делала, казалось ему гениальным, единственно возмож-
ным. Он как будто забыл на ней свои глаза, смотрел, не отрываясь.
В свете его любви Мара казалась красивее, ярче, значительнее,
чем была на самом деле. Мырзик поставил ее на пьедестал. Она
возвысилась надо всеми. Я смотрела на нее снизу вверх и тоже
хотела на пьедестал.

У нас с мужем только что родилась дочь, и нам казалось, что
за нами стоит самая большая правота и правда жизни. Но во
вспышке их счастья моя жизнь, увешанная пеленками, показа-
лась мне обесцвеченной. Я почувствовала: из моей правоты вы-

тащили затычку, как из резиновой игрушки. И правота со свистом стала выходить из меня.

Мы сидели на кухне, пили чай. Мара демонстрировала нам Мырзика.

— Смотрите, рука. — Она захватывала его кисть и протягивала для обозрения.

Рука была как рука, но Мара хохотала, блестя крупными яркими зубами.

— Смотрите, ухо... — Она принималась разгребать его есенинские кудри. Мырзик выдирался. Мара покатывалась со смеху. От них так и веяло счастьем, радостным, светящимся интересом друг к другу. Счастье Мырзика было солнечным, а у Мары — лунным, отраженным. Но все равно счастье.

Внезапно Мара сдернула Мырзика с места, и они засобирались домой. Наш ребенок спал. Мы пошли их проводить.

Мара увела меня вперед и стала уговаривать, чтобы я бросила мужа. Это так хорошо, когда бросаешь мужа. Такое обновление, как будто заново родишься и заново живешь.

Я слушала Мару и думала о своей любви: мы познакомились с мужем в геологической партии, оба были свободны, и все произошло, как само собой разумеющееся. Палатки были на четверых, мы пошли обниматься ночью в тайгу и долго искали место, чтобы не болото и не муравьи. Наконец нашли ровную твердь, постелили плащ, и нас тут же осветили фары грузовика. Оказывается, мы устроились на дороге. Я шастнула, как коза, в кусты и потеряла лифчик. Утром ребята-геологи нашли, но не отдали. И когда я проводила комсомольские собрания, взывая к их комсомольской чести и совести, они коварно с задних рядов показывали мне мой лифчик. Я теряла мысль, краснела, а они именно этого и добивались.

Хорошее было время, но оно ушло. За десять лет наша любовь устала, пообычнела, как бы надела рабочую робу. Но я знала, что не начну новую жизнь, и мое будущее представлялось мне долгим и одинаковым, как степь.

Мы с мужем возвращались молча, как чужие. Наверное, и он думал о том же самом. Наш ребенок проснулся и плакал. И мне показалось, что и он оплакивает мою жизнь.

Вот тебе и Мара. Как свеча: посветила, почадила, накапала воском. А зачем?

Она раскачала во мне тоску по роковым страстям, по горячему дыханию жизни... Но, впрочем, дело не во мне, а в ней.

Итак, Мара и Мырзик в Москве. В его однокомнатной квартире, в Бибирево. Бибирево — то ли Москва, то ли Калуга. Одинаковые дома наводили тоску, как дождливое лето.

Мара позвала плотника Гену. Гена обшил лоджию деревом, утеплил стены и потолок, провел паровое отопление. Образовалась еще одна комната, узкая и длинная, как кусок коридора, но все же комната. Мара поставила туда столик, на столик швейную машинку «зингер», вдоль стены гладильную доску. И вперед... Этот путь ей был знаком и мил. Шила только тем, кто ей нравился внешне и внутренне. Кидалась в дружбу, приближала вплотную, так что листка бумага не просунуть, а потом так же в одночасье отшивала, ссорилась. У нее была потребность в конфликте. Бесовское начало так и хлестало в ней. Все-таки она была прописана в аду.

Через год Мара обменяла Бибирево на Кутузовский проспект, купила подержанный «Москвич» и японскую фотоаппаратуру «сейка». Аппаратура предназначалась Мырзику. Мара решила сделать из него фотокорреспондента, останавливать мгновения — прекрасные и безобразные в зависимости от того, что надо стране. Горящий грузовик, передовик производства, первый раз в первый класс.

Мара разломала в новой квартире стены, выкроила темную комнату, это была фотолаборатория. Мара помогала Мырзику не только проявлять, но и выбирать сюжеты. Она оказалась талантлива в этой сфере, как и во всех прочих. Мырзика пригласили работать в Агентство печати «Новости», пропагандировать советский образ жизни. Мара добилась его выставки, потом добилась, что он со всеми разругался. Мырзика выгнали с работы.

Мара была как сильнодействующее лекарство с побочными действиями. С одной стороны — исцеление, с другой — слабость и рвота. Неизвестно, что лучше.

Сначала Мырзику казалось, что иначе быть не может, но однажды вдруг выяснилось: может и иначе. Он бросил Мару и ушел к другой, молодой и нежной и от него беременной, для которой он был не Мырзик, а Леонид Николаевич. С Марой он забыл, как его зовут.

Если вернуться назад в исходную точку их любви, то чувство к Маре было несравненно ярче и мощнее, чем эта новая любовь. Но с Марой у него не было перспектив. Ну, еще одна машина, дача, парники на даче. А кому? Мырзику скучно было жить для себя одного. Хотелось сына, подарить ему счастливое детство, оставить свое дело, просто сына. Мырзик был детдомовец, знал, что такое детство.

Мара попыталась остановить Мырзика, отобрав у него материальное благосостояние. Но Мырзик изловчился и не отдал. Как это ему удалось — уму непостижимо. Мара со своей магнитной бурей так заметет и закрутит, что не только «сейку» бросишь, отдашь любой парный орган: руку, ногу, глаз. Но не отдал. И «сейку» унес. И из дома выгнал, как лиса зайца. Вот тебе и Мырзик.

На работу он вернулся и завоевал весь мир. Не весь мир, а только тот, который сумел постичь своим умом. Мырзик не пропал без Мары, а даже возвысился, и это было обиднее всего.

В этот переломный момент своей жизни Мара снова появилась у меня в доме и поселилась на несколько дней. Ей было негде голову приклонить в буквальном смысле слова, негде ночевать.

Вся Москва полна знакомых, а никому не нужна. Нужна была та, победная и благополучная, а не эта — ограбленная и выгнанная. И ей, в свою очередь, не понадобились те, с обложек журналов. Захотелось прислониться к нам, обычным и простым. Мы геологи, земля нас держит, не плывет из-под ног.

Мой муж ушел ночевать к родителям, они жили ниже этажом, а Мара легла на его место. Но и в эти трагические минуты, когда человек становится выше, Мара сумела остаться собой. Она засунула в нос чеснок — у нее был насморк, а чеснок обладает антисептическим действием — и захрапела, поскольку нос был забит. Непривычные звуки и запахи выбили меня из сна. Я заснула где-то в районе трех. Но тут проснулась Мара. Она нуждалась в сочувствии, а сочувствовать может только бодрствующий человек, а не спящий.

Мара растолкала меня и поведала, чем она жертвовала ради Мырзика: Димычкой, домом, архитектурой Ленинграда... Призвала мою память: чем был Мырзик, когда она его встретила, — шестерка, подай-принеси, поди вон. А чем стал... И вот когда он чем-то стал, ему оказались не нужны свидетели прежней жизни. И какая она была дура, что поверила ему, ведь у него было все написано на лице. Он использовал ее, выжал, как лимон, и выбросил. Одну, в чужом городе.

— Вернись обратно, — посоветовала я. — Димычка будет счастлив.

Мара замолчала. Раздумывала.

Возвращаться обратно на одиннадцатый этаж, где ходит желтоглазый Саша — такой близкий, стоит только руку протянуть, и такой далекий. Как из другого времени. Из двадцать первого века. Ах, Саша, Саша, звезды мерцанье, где поют твои соловьи? Что сделал с жизнью? Перестала дорожить. Раньше помыслить не могла: как бросить мужа, дом, нажитое? А после Саши все обесценилось, все по ветру, и ничего не жаль. Чем хуже, тем лучше. Мырзик так Мырзик. Она выживала Мырзиком. Но он тоже оказался сильнодействующим лекарством с побочными действиями. Вылечил, но покалечил. Вот и сиди теперь в чужом доме с чесноком в носу. И что за участь: из одного сделала мужика, из другого фотокорреспондента. А какова плата?

— Я их создала, а они предали...

— Ты же их для себя создавала, чтобы тебе хорошо было, — уточнила я.

— А какая разница? — не поняла Мара.

— Не бескорыстно. И замкнуто. Когда человек замкнут, он, как консервы в банке, теряет витамины и становится не полезен.

— А ты что делаешь бескорыстно? — поинтересовалась Мара. — Ребенка растишь для чужого дяди?

Воспоминание о дочери, независимо от контекста, умывало мое лицо нежностью.

— Она говорит «бва» вместо «два» и «побвинься» вместо «подвинься». Я научу ее говорить правильно, научу ходить на горшок. Подготовлю в детский садик. В коллектив. А потом обеспечу ей светлое будущее.

— А почему светлым должно быть будущее, а не настоящее? — спросила Мара.

Я смотрела на нее. Соображала.

— Когда общество ничего не может предложить сегодня, оно обещает светлое будущее, — пояснила Мара. — Вешает лапшу на уши. А ты и уши развесила.

Значит, мое поколение в лапше. А старшее, которое верило в Сталина, в чем оно? Значит, мы все в дерьме, а она в белом.

— А ты поезжай туда, — посоветовала я. — Там все такие, как ты.

— Зачем они мне? А я — им? В сорок лет. Антиквариат ценится только в комиссионках. Все. «Поезд ушел, и рельсы разобрали», как сказал светлой памяти Ленечка.

— А кто это — Ленечка? — не вспомнила я.

— Мырзик.

Мара включила настольную лампу. Я слышала, что она не спит, и тоже не спала. Мара снова что-то во мне раскачала.

Я вспомнила, что она к сорока годам уже два раза сделала себе светлое настоящее: с Димычкой в Ленинграде и с Мырзиком в Москве. Понадобится, сделает в третий раз. А мы с мужем пять лет не имели ребенка, не было жилья, жили у его родителей на голове. Теперь десять лет положим, чтобы из однокомнатной перебраться в двухкомнатную. Где-то к пятидесяти начинаешь жить по-человечески, а в пятьдесят пять тебя списывают на пенсию. Вот и считай...

Когда Мары нет, я живу хорошо. У меня, как пишут в телеграммах, здоровье, успехи в работе и счастье в личной жизни. Как только появляется Мара, я — раба. Я опутана, зависима и зашорена. И мое счастье в одном: я не знаю, КАК плохо я живу.

Потом Мара исчезает, и опять ничего. Можно жить.

На этот раз она исчезла в Крым. Море всегда выручало ее. Смыла морем слезы, подставила тело солнцу. Уходила далеко в бухты и загорала голая, лежа на камнях, как ящерица. Восстанавливала оторванный хвост. У нее была способность к регенерации, как у ящерицы.

Мырзик сказал, что поезд ушел и рельсы разобрали. Это не так. Мырзик ушел, но рельсы не разобрали. Значит, должен прийти новый состав. И не какой-то товарняк, а роскошный поезд, идущий в долгую счастливую жизнь. Можно сесть на полустанке и ждать, рассчитывая на случай. Но случай подкидывает Женек и Мырзиков. Случай слеп. Надо вмешаться в судьбу и самой подготовить случай.

Саша, Мырзик — это стебли, которые качаются на ветру. Им нужна подпорка. В сорок лет хочется самой опереться на сильного. А за кем нынче сила? Кто ведет роскошный поезд? Тот, у кого в руках руль. Власть. Какой-нибудь знаменитый Мойдодыр. «Умывальников начальник и мочалок командир».

А где его взять? К Мойдодыру так просто не попасть. Надо, чтобы пропуск был выписан. А потом этот пропуск милиционер с паспортом сличает и паспорт учит наизусть: номер, серия, прописка. Когда выдан? Где выдан? А кто тебя знает, еще войдешь и стрельнешь в Мойдодыра, хотя Москва не Италия, да и Мойдодыру семьдесят годиков, кому нужен? У него уже кровь свернулась в жилах, как простокваша.

Однако цель намечена. И Мара пошла к цели, как ракета дальнего действия. Набрав в себя солнца, полностью восстановив оторванный хвост, Мара вернулась в Москву, сдернула с Мырзи-

ковой шеи «сейку», чуть не сорвав при этом голову. Взяла
нужную бумагу — остались связи. И вошла в кабинет к Мойдодыру.

Он уже знал, что его придут фотографировать.

Мара села перед ним нога на ногу, стала изучать лицо. Мойдодыр был старенький, бесплотный, высушенный кузнечик. Очки
увеличивали глаза. На спине что-то топырилось под пиджаком,
может, горб, может, кислородная подушка, может, приделан летательный аппарат. Лицо абстрактное, без выражения.

— Вы не могли бы снять очки? — попросила Мара.

Он снял. Положил на стол. Мара щелкнула несколько раз,
но понимала: не то.

— Сделайте живое лицо, — попросила Мара.

Но где взять то, чего нет. Мара не могла поменять лицо,
решила поменять ракурс. Она сначала встала на стул, щелкнула.
Потом легла на пол. Потом присела на корточки. Кофта разомк-
нула кнопки, и Мойдодыр увидел ее груди — ровно загорелые,
бежевые, торчащие, как два поросенка.

Мойдодыр забыл, когда он это видел и видел ли вообще. Он
был хоть и начальник, но все же обычный человек, и его реакция
была обычной: удивление. Он так удивился, что даже застоявша-
яся кровь толкнулась и пошла по сосудам. Мойдодыр вспомнил,
какого он пола, а чуть раньше догадывался только по имени и
отчеству.

Лицо сделалось живым. Фотография получилась на уровне,
который прежде не достигался.

Шар судьбы пошел в лузу. Только бы ничего не помешало.
Но Мара об этом позаботилась, чтобы не помешало. Она закупила души двух секретарш, тем самым взяла подступы к крепости. А потом уж и саму крепость.

Мара приучала Мойдодыра к себе, и через очень короткое
время ему показалось: она была всегда. Такое чувство испытыва-
ешь к грудному ребенку. Странно, что совсем недавно его не
было вообще. Нигде. Но вот он родился, и кажется, что он был
всегда.

У Мойдодыра в этой жизни существовало большое неудобство: возраст. И как осложнение — безразличие. Ничего не можешь, но и не хочется. Мара своей магнитной бурей размела безразличие, как разгоняют тучи ко дню Олимпиады. Очнувшись от безразличия, Мойдодыр энергично задействовал, и через четыре месяца Мара жила в отдельной двухкомнатной квартире в кирпичном доме, в тихом центре, куда Мойдодыр мог приходить, как к себе домой.

Мара не переносила грязь, поэтому встречала его возле лифта с домашними тапочками. Переобувала. Потом закладывала Мойдодыра в ванну, отмачивала и смывала с него весь день и всю прошлую жизнь. Мойдодыр лежал в нежной пене и чувствовал: счастье — вот оно! На семидесятом году жизни. Одно только плохо — мысли о смерти. С такой жизнью, неожиданно открывшейся на старости лет, тяжело расставаться. Но он старался не думать. Как говорила мать Наполеона, «пусть это продолжается как можно дольше», имея в виду императорство сына. И при этом вязала ему шерстяные носки на случай острова Святой Елены.

После ванной садились за стол. Стол карельской березы, тарелки — синие с белым — английский фарфор, и на фарфоре паровые фрикадельки из телятины, фарш взбивала миксером с добавлением сливок. В хрустальном стакане свекольный сок с лимоном. Свекла чистит кровь, выгоняет канцероген. А сама Мара — в халате с драконами, как японка. Гейша. Японцы понимают толк в жизни. Обед, чайная церемония. Потом еще одна церемония.

В конце жизни Мойдодыр обрел дом и женщину. Его жена — общественный деятель, для нее общественное было выше личного, делом занималась замкнутая домработница Валя, себе на уме. Сыну пятьдесят лет, сам внуков нянчит. Мойдодыр работал с утра до ночи, чтобы забыть одиночество и чтобы послужить отечеству на вверенном ему участке. И вдруг Мара. Она оказалась для него не менее важна, чем все отечество. На равных. А иногда и больше.

Мара, в свою очередь, была благодарна Мойдодыру. Благодарность — хорошая почва. На ней можно вырастить пусть не волшебные кусты любви, но вполне хорошее дерево со съедобными плодами.

Мара оказалась талантлива не только в шитье и фотографии, но и в государственной деятельности. Она была чем-то вроде маркизы Помпадур. Помпадурила.

Предыдущих — Сашу и Мырзика — Мара создавала, лепила, делала. Пусть для себя. Создавала и потребляла, но ведь и им перепало. Саша укрепился духом, плотью и надеждой. Мырзик — делом и деньгами.

Мойдодыр создавал ее самое. Как созидатель, Мара простаивала, как потребитель — торжествовала. Мойдодыра можно было потреблять горстями, не надо на охоту выходить.

Маре захотелось самостоятельной общественной деятельности. У нее было заочное педагогическое образование.

Мойдодыр устроил Мару в институт при Академии педагогических наук. Мара стала писать диссертацию, чтобы возглавить отдел, а там и весь институт. И как знать, может, и всю академию. А что? Поезд движется. Путь свободен. Министр — виртуоз.

В выходные дни Мойдодыр уезжал с семьей на дачу. У Мары появлялись паузы.

В ближайшую из таких пауз она позвала меня к себе в гости продемонстрировать новую мощь. Чтобы я походила по ее квартире, покачала лапшой на ушах.

Больше всего меня поразили просторные коридоры и светильники под потолком и на стенах. Казалось, что они из Таврического дворца. Потемкин повесил, а Мара вывезла, поскольку царицей на сегодняшний день была она.

Светильники тускло бронзовели, от них веяло временем, тайной и талантом неведомого мастера. Это был богатый дом дорогой содержанки.

Я вспомнила свою квартиру, где потолок отстает от пола на два с половиной метра, лежит почти на голове. Я называла свою квартиру блиндаж, туда бы патефон и пластинку: «На позицию девушка»... Я вспомнила квартиру родителей моего мужа. Комсомольцы двадцатых годов, они строили это общество — жертвенно и бескорыстно. И где они живут? В коммуналке. Одну большую комнату разделили перегородкой. Получилось две кишки. И не ропщут. Они знают: Москва задыхается от нехватки жилплощади. Люди еще не выселены из подвалов. Значит, они потерпят. Подождут. А Мара получила все сразу потому, что вовремя показала загар. Значит, для одних светлое будущее. А для других светлое настоящее.

Мара увидела, что я сникла, и решила, что я завидую. Я тоже хочу быть маркизой Помпадур при Людовике и Марой при Мойдодыре, что почти одно и то же. А я всего лишь Лариса при Вите.

— В тебе знаешь чего нет? — посочувствовала Мара.

— Чего?

Мара стала подбирать слово, но оно одно. Аналога нет.

— Ты очень порядочная, — сформулировала Мара, обойдя это слово.

— Мне так удобнее, — сказала я.

— Тебе так удобнее, потому что ты прячешь за порядочностью отсутствие жизненных инициатив.

— Зато я никому не делаю плохо.

— Ни плохо, ни хорошо. Тебя нет.

Я задохнулась, как будто в меня плеснули холодной водой. Мара приняла мою паузу за точку. Решила, что тема исчерпана. Перешла к следующей. Сообщила как бы между прочим:

— А у меня диссертация почти готова. Скоро защита.

Мой муж шесть лет продирался к диссертации, как через колючую проволоку. А Мара стояла передо мной с золотой рыбкой в ладонях. Могла загадать любое желание.

— Какая тема? — спросила я, пряча под заинтересованность истинные чувства.

— Сексуальное воспитание старшеклассников, — важно сказала Мара.

Я уважительно промолчала. Наверняка в этом вопросе Мара — специалист, и почему бы ей не поделиться с подрастающим поколением.

Мара рассказывала о своей диссертации, о главе «Культура общения» не в сексуальном смысле, а в общечеловеческом. В школе ничему такому не учат. Рассчитывают на семью. Но и семья не учит. Народ поголовно невоспитан.

Мара собрала и обобщила опыты других стран, религий. Она рассказывала очень интересно. Я отвлеклась от разъедающего чувства классового неравенства. От Мары наплывали на меня гипнотические волны. Я, как рыба, шла на ее крючок.

Безо всякого перехода Мара спросила:

— А может, и тебе поменять квартиру? На двухкомнатную. Вас же трое.

Я онемела. Это была моя мечта. Мое пространство. Мое светлое настоящее.

— А можно? — спросила я, робея от одной только надежды.

— Он сейчас в Перу, — сказала Мара о Мойдодыре. — Через неделю вернется, я с ним поговорю.

Итак, червяк был заглотан целиком. Я — на крючке. Мара могла дергать меня за губу в любом направлении. Так она и сделала.

В течение недели Мара несколько раз приезжала ко мне домой. Она хорошо почистила мою библиотеку. Библиотека — сильно сказано, любимые книги у нас с мужем были.

Помимо духовных ценностей, Мара вынесла из дома покой. Муж ненавидел ее, нервничал, замыкался. Мара как будто не замечала и всякий раз бросалась его целовать. Муж цепенел, переживал ее объятия с той же степенью брезгливости, как если бы на него навалился крокодил — скользкий, мерзкий и небезопасный. Он ни на секунду не верил в успех мероприятия, презирал меня за мой конформизм. Я боялась: Мара заметит, и все рухнет. Ей нужен был преданный собачий глаз, а не глаз волка, которого сколько ни корми, он все равно в лес смотрит. Я норовила увести Мару из дома, в лес. Мы жили на краю Москвы, рядом с прекрасным первозданным лесом. Когда-то здесь были дачные места.

На земле происходила весна. При входе в лес обособленно стояла тоненькая верба. Почки ее были нежно-желтые, пушистые, крупные, как цыплята. Верба была похожа на девушку, принарядившуюся перед танцами.

Мара не могла вынести, если красота существует сама по себе. Она решила взять часть этой красоты к себе домой, поставить в вазу. Пусть служит. Я полагала, что она сорвет одну ветку. Ну, две. Дереву, конечно, будет больно, но оно зальет раны соком. Забинтует корой. Восстановится.

То, что сделала Мара, до сих пор стоит у меня перед глазами. Она не обломала, а потянула вниз и к себе, содрав ремень кожи со ствола. Потом другую ветку, третью. Она пластала бедную вербу, сдирая с нее кожу догола. Мы отошли. Я обернулась на вербу. Она как будто вышла из гестапо, стояла растерзанная, обесчещенная, потерявшая свое растительное сознание. Вернется ли она к жизни?

Мне бы повернуться и уйти тогда, и черт с ней, с квартирой, с лишней комнатой. Но я знала, что если не я — то никто. Значит, надо терпеть. И я стерпела. Только спросила:

— За что ты ее так?

— Как со мной, так и я, — ответила Мара.

Подошел Женька Смолин, содрал ветку, но не аккуратно, а как получится. Потом вежливый, духовный Саша. Потом детдомовец Мырзик. Теперь старик Мойдодыр, годящийся в дедушки, со своей любовью, похожей на кровосмешение. И если можно ТАК с ней, то почему нельзя с другими — с людьми и деревьями, со всем, что попадется под руку.

Мы удалялись. Я спиной чувствовала, что верба смотрит мне вслед и думает: «Эх ты...» И я сама о себе тоже думала: «Эх ты!»

Прошла неделя. Мойдодыр вернулся. Мара молчала. Я ждала. Я не просто ждала, а существовала под высоким напряжением ожидания. Я уставала, звенел каждый нерв. Спасти меня могла только определенность. Я позвонила к ней и спросила, как будто прыгнула с парашютом в черную бездну:

— Приехал?

— Приехал, — спокойно и с достоинством сказала Мара.

— Говорила?

— Говорила.

Она замолчала, как бы не понимая темы моего звонка.

— И чего? — не выдержала я.

— Ничего, — спокойно и с тем самым достоинством проговорила Мара. — Он сказал: «Ты мне надоела со своими бесчисленными поручениями. То я должен класть в больницу твоего татарина Усманова, то устраивать твою идиотку Артамонову. Отстань от меня. Дай мне спокойно умереть». И в самом деле, он же не резиновый, — доверительно закончила Мара.

Кто такой татарин Усманов, я не знала, а идиотка Артамонова — это я. Я бросила трубку и на полдня сошла с ума. Мой муж ликовал. Я получила урок. Если не уважаешь человека — не проси. Попросила, снизила нравственный критерий, унизилась — получай, что стоишь. Это твое. Все правильно. Жизнь логична.

Я выучила данный мне урок, сделала далеко идущие выводы. А именно: не общайся с Марой. Никогда. Ни по какому вопросу. Она звонила, я тут же опускала трубку. Раздавался повторный звонок, я не подходила. В какой-то мере я трусила. Знала, что, если отзовусь, скажу «да», она вытащит меня за то «да» из норы, напустит гипнотические волны, засосет своим электромагнитом, и я снова, пища, как кролик, поползу в ее пасть.

Пусть она живет своей жизнью. А я своей. Поэт Вознесенский однажды написал: «Мы учились не выживать, а спидометры выжимать». Так вот, я ничего не выжимаю. Я — по принципу: тише едешь, дальше будешь. Вот только вопрос: дальше от чего? От начала пути или от цели, к которой идешь?

Да и какова она, моя цель?

Прошло пять лет.

В моей стране ничего не происходило. Тишайший Леонид Ильич Брежнев, напуганный Пражской весной, постарался сделать так, чтобы ничего не менялось. Все осталось как было. Никаких перемен, никаких свежих струй. Жизнь постепенно заболачивалась, покрывалась рясой.

В моей личной жизни, как и в стране, тоже ничего не происходило. Мы по-прежнему обитали в однокомнатной квартире, хотя в нашем кооперативном доме все время шло движение: кто-то умирал, кто-то разводился, квартиры освобождались, но не для нас. Надо было дать взятку председателю кооператива, но мы не знали: сколько и как это делается. Боялись обидеть.

С Марой я не общалась, но до меня доходили отзвуки ее жизни.

Мара работала в каком-то престижном учреждении при Академии наук. Это был полигон ее деятельности. Там шло непрестанное сражение, «мешались в кучу кони, люди».

Ее влияние и власть над Мойдодыром стали неограниченными. Мара делала все, что хотела: снимала с работы, назначала на должность, защищала или, наоборот, останавливала диссертации.

Мара вступила в свою вторую фазу — фазу побочного действия. От нее подкашивались ноги, к горлу подступала тошнота. Ее следовало убрать. Но сначала обезвредить. На этот подвиг пошла заведующая лабораторией Карцева. Карцева была уверена: Мойдодыр ничего не знает. Его именем нагло пользуются и тем самым ставят под удар.

Карцева позвонила Мойдодыру по вертушке, представилась, раскрыла ему глаза и повесила трубку с сознанием восстановленной справедливости.

Далее действие развивалось, как в сказке с плохим концом. Через неделю этой лаборатории не существовало. А раз нет лаборатории, значит, нет и должности, и зарплаты в триста шестьдесят рублей. И красная книжечка недействительна. И вахтер в проходной не пускает на территорию. Мара хохотала, сверкая нарядными белыми зубами.

Куда делась профессор, коммунист Карцева? Никто не знает. Боролась она или сдалась, осознав бесполезность борьбы.
Мойдодыр — высшая инстанция. Все жалобы восходили к нему.
Обиделась она на Мару или почувствовала уважение перед силой... Говорят, она оформилась дворником, чтобы доработать до
пенсии оставшиеся пять лет и не иметь с государственной машиной никаких отношений. Зима — чистишь снег. Осень — под-
метаешь листья. Все.

Жертва самоустранилась. Сотрудники испугались и притих-
ли, забились в свои кабинеты, как в норы. Взошли подхалимы,
как васильки в поле. Мара почувствовала вкус большой и полной
власти. Две полоски и звездочку сверху.

Димычка тем временем встретил другую женщину, погулял с
ней немного и, как порядочный человек, решил жениться. Узнав
об этом, Мара сделала пару телефонных звонков, и Димычку
поместили в сумасшедший дом. Там его накололи какими-то лекарствами, отчего он располнел, отупел и не хотел уже ничего.

Знакомые подарили ему сиамскую кошку. Он назвал ее Мара.
Она через какое-то время родила котенка Кузю. Это и была
Димычкина семья: он, Мара и Кузя. Оставлять кошек было не с
кем, и когда Димычка ездил в командировки или в отпуск, то
складывал котов в корзину и путешествовал вместе с ними.

Мара не пожелала отдать его другой женщине. Хватит, на-
отдавалась. Димычка не бунтовал. Смирился, как Карцева.

Но в природе существует баланс. Если суровая зима — значит, жаркое лето. И наоборот. Возмездие пришло к Маре с
неожиданной стороны, в виде младшего научного сотрудника,
лимитчицы Ломеевой.

Несколько слов о Ломеевой: она приехала с Урала завоевать
Москву. Лимитчики — это не солдаты наполеоновской армии:
пришли, ушли. Это серьезная гвардия.

Способностей у Ломеевой маловато, приходится рассчитывать не на голову, а на зад. Зад — прочный, высидит хоть три
диссертации. И еще на рот: за щеками — по шаровой молнии.
Выплюнет — сожжет дотла. Лучше не лезть, на пути не попа-

даться. Чужого ей не надо, но и своего не отдаст. Анкетные данные: пятидесятого года рождения, дочь потомственного алкоголика. Прадед и дед умерли от водки, один — дома, другой — в канаве. Отец продолжает славную традицию. Муж военнослужащий. Ребенок пионер. Сама Ломеева — член партии, морально устойчива, целеустремленна.

Если в Маре — звезды и бездны, то в Ломеевой — серость и напор. Серость и напор удобно расселись в науке. Брежневское время было их время. Их звездный час.

Мара, оголтевшая от вседозволенности, не разглядела опасного соперника, допустила роковой просчет. Она бесцеремонно высмеяла ломеевскую диссертацию, размазала по стене так, что ложкой не отскребешь. Диссертацию не утвердили. Ломеева, в свою очередь, выпустила дюжину шаровых молний, дыхнула, как Змей Горыныч. Диссертация Мары тоже была остановлена в Высшей аттестационной комиссии.

Все в ужасе разбежались по углам, освобождая площадку для борьбы. Мара и Ломеева сошлись, как барс и Мцыри. И, «сплетясь как пара змей, обнявшись крепче двух друзей, упали разом, и во мгле бой продолжался на земле».

Умер Брежнев. Его хоронили на Красной площади. Крепкие парни, опуская гроб, разладили движение, и гроб неловко хлопнул на всю страну. Этот удар был началом нового времени.

Андропов разбудил в людях надежды, но это начало совпало с концом его жизни. Черненко на похоронах грел руки об уши. Или наоборот, согревал уши руками. Было немного непонятно — зачем его, больного и задыхающегося, похожего на кадровика в исполкоме, загнали на такой тяжелый и ответственный пост. Через год его хоронили у той же самой стены, и телевизионщики тактично отворачивали камеры от могилы. Как бы опять не грохнуло. Но колесо истории уже нельзя было повернуть вспять. Оно раскрутилось, и грянула перестройка.

Мойдодыра отправили на пенсию. Марины тылы оголились. Ломеева прижала ее к земле. Звезды на небе выстроились в неблагоприятный для Мары квадрат. Ее магнитная буря не могла, как прежде, размести все вокруг и, не находя выхода, переместилась внутрь самой Мары. В ней взмыл рак-факел. Злокачественная опухоль взорвалась в организме на стрессовой основе. А может, сыграл роль тот факт, что она загорала без лифчика. А это, говорят, не полезно.

Мара попала в больницу. Над ней работали два хирурга. Один стоял возле груди, другой — у ног, и они в четыре руки вырезали из Мары женщину.

После операции в ней убивали человека. Ее химили, лучили. Она ослабла. Выпали волосы. Но Мара выжила. Ненависть и жажда мести оказались сильнее, чем рак. Мара была похожа на «першинг», идущий к цели, которого задержали на ремонт.

Через месяц выписалась из больницы, полуживая, как верба. Надела парик и ринулась в борьбу.

Знакомые привезли из Франции протез груди. Во Франции культ женщины — не то что у нас. Там умеют думать о женщине в любой ситуации. Протез выглядел, как изящная вещица, сделанная из мягкого пластика, заполненного глицерином. Полная имитация живого тела.

Мара завязала эту скорбную поделку в батистовый носовой платочек, взяла на руки Сомса, который достался ей от мамы. Сомс был уже старый, но выглядел щенком, как всякая маленькая собачка. Последнее время Мара избегала людей и могла общаться только с любящим, благородным Сомсом. И вот так — с узелком в руке и с Сомсом на плече — Мара вошла в знакомый кабинет. Кабинет был прежний. Мойдодыр новый. Да и Мара не та. Грудь уже не покажешь. На месте груди — рубцы, один в другой, как будто рак сжал свои челюсти.

Мара развязала перед Мойдодыром узелок и сказала:

— Вот что сделали со мной мои сотрудники.

Мойдодыр, естественно, ничего не понял и спросил:

— Что это?

Мара кратко поведала свою историю: ломеевский конфликт, рак-факел на стрессовой основе и в результате — потеря здоровья, а возможно, и жизни. Мара отдала свою жизнь в борьбе за справедливость.

Новый Мойдодыр, как и прежний, тоже был человек. Он со скрытым ужасом смотрел на Мару, на ее дрожащую собачку, на глицериновую грудь, похожую на медузу, лежащую отдельно на платочке. Его пронзила мысль о бренности всего земного. А следующим после мысли было желание, чтобы Мара ушла и забрала свои части тела. И больше не появлялась.

Человек быстро уходит и не возвращается в том случае, когда, выражаясь казенным языком, решают его вопрос.

Вопрос Мары был решен. В течение месяца диссертация прошла все инстанции. Мара защитилась с блеском.

Она стояла на защите — стройная и элегантная, как манекен, с ярким искусственным румянцем, искусственными волосами и грудью. Искусственные бриллианты, как люстры, качались под ушами. Но настоящим был блеск в глазах и блеск ума. Никому и в голову не пришло видеть жертву в этой победной талантливой женщине.

После защиты Мара почему-то позвонила ко мне домой. Я шла к телефону, не подозревая, что это она. Видимо, ее электромагнитные свойства ослабли и перестали воздействовать на расстоянии.

— Я стала кандидатом! — торжественно объявила Мара.

Я уже знала о ее болезни. Знала, какую цену она заплатила за эту диссертацию. Да и зачем она ей? Сорок пять лет — возраст докторских, а не кандидатских.

Видимо, в Маре сидел комплекс: она не родила, не оставила после себя плоть, пусть останется мысль, заключенная в диссертации. Она хотела оставить часть СЕБЯ.

Я тяжело вздохнула. Сказала:

— Поздравляю...

Мара уловила вымученность в моем поздравлении и бросила трубку. Наверное, я ее раздражала.

Одержав победу, а точнее, ничью, Мара утратила цель и остановилась. Рак тут же поднял голову и пополз по костям, по

позвоночнику. Было все невыносимее начинать день. Мара лежала в пустой квартире и представляла себе, как в дверь разда-
стся звонок. Она откроет. Войдет Саша. И скажет:

— Как я устал без тебя. Я хотел обмануть судьбу, но судьбу
не обманешь.

А она ответит:

— Я теперь калека.

А он скажет:

— Ты это ты. Какая бы ты ни была. А со всеми остальными
я сам калека.

Но в дверь никто не звонил.

Мара поднималась. Брала такси. Ехала на работу. У нее был
теперь отдельный кабинет, а на нем табличка с надписью: «Кан-
дидат педагогических наук Александрова М. П.». Рядом с ней,
через дверь, располагался кабинет Ломеевой, и на нем была такая же табличка. Их борьба окончилась со счетом 1:1. Ломеева
не уступила ни пяди своей земли. Да, она не хватает звезд с
неба. Но разве все в науке гении? Скажем, взять женьшеневый
крем, который продается в галантереях. Сколько там женьшеня?
0,0001 процента. А остальное — вазелин. Так и в науке. Гений
один. А остальные — вазелин. Их, остальных, — армия. Почему Ломеева не может стать в строй? Чем она хуже?

Ломеева ходила мимо кабинета Мары — молодая, вся целая,
с двумя грудями пятого размера, цокала каблуками. Она цокала
нарочито громко, каждый удар отдавался в голове. Маре казалось, что в ее мозги заколачивают гвозди. Мара засовывала в
рот платок, чтобы не стонать от боли.

В этот период я старалась навещать ее звонками. Но Мара
не любила мои звонки. Она всю жизнь в чем-то со мной сорев-
новалась, а болезнь как бы выбила ее из борьбы за первенство.

— Что ты звонишь? — спрашивала она. — Думаешь, я не
знаю, что ты звонишь? Тебе интересно: умерла я или нет. Жива,
представь себе. И работаю. И люблю. И прекрасно выгляжу. Я
еще новую моду введу: с одной грудью. Как амазонки. Хотя ты
серая. Про амазонок не слышала...

Я молчала. Я действительно мало что знаю про амазонок, кроме того, что они скакали на лошадях, стреляли из лука и для удобства снимали одну грудь.

— И еще знаешь, почему ты звонишь? — продолжала Мара. — Ты боишься рака. И тебе интересно знать, как это бывает. Как это у других. Что, нет? Ну что ты молчишь?

В данном конкретном случае мною двигало сострадание, а не любопытство, и я не люблю, когда обо мне думают хуже, чем я есть. У каждого человека есть свой идеал Я. И когда мой идеал Я занижают, я теряюсь. То ли надо кроить новый идеал, пониже и пониже. То ли перестать общаться с теми, кто его занижает. Последнее менее хлопотно. Но Маре сейчас хуже, чем мне, и если ей хочется походить по мне ногами, пусть ходит.

— Ну ладно, — сказала я. — Голос у тебя хороший.

Мара помолчала. Потом проговорила спокойно:

— Я умираю, Лариса.

Прошел год. Саша не приехал к Маре, а приехал Димычка. Он привез себя со своей загадочной душой, деньги, обезболивающие снадобья, которые сам сочинил в своих колбах. И двух котов в корзине — Мару и Кузю. Кузя вырос, и они с матерью смотрелись как ровесники. Димычка гордился Кузей. Это было единственное существо, которое он вырастил и поставил на ноги.

Мара нуждалась в заботе, но привыкла жить одна, и присутствие второго человека ее раздражало. Это был живой пример диалектики: единство и борьба противоположностей. Она не могла без него и не могла с ним. Срывала на нем свою безнадежность. А Димычка закрывал глаза: не вижу, не слышу.

Сомс ладил с котами, что наводило на мысль: а собака ли он вообще?

Когда наступали улучшения, начинало казаться: все обойдется. В самой глубине души Мара знала, что она не умрет. Взрываются звезды, уходят под воду материки. Но она, Мара, будет всегда.

В такие дни они ходили в театр. Однажды отправились в «Современник». Мара заснула от слабости в середине действия. В антракте люди задвигались, и пришлось проснуться. Вышли в фойе. Мара увидела себя в зеркало. Она увидела, как на нее цинично и землисто глянул рак. И именно в этот момент она поняла, что умрет. Умрет скоро. И навсегда. И это единственная правда, которую она должна себе сказать. А может, и не должна, но все равно — это единственная правда.

На второе действие не остались. Вернулись домой. В комнате посреди ковра темнел сырой кружок.

— Это твои коты! — закричала Мара и стала лупить котов полотенцем.

— Не трогай моих котов, это твоя собака, — заступился Димычка, загораживая своих зверей.

— Убирайся вместе с ними! Чтобы вами тут больше не пахло!

— Я уезжаю со «Стрелой», — обиделся Димычка.

Он сложил котов в корзину и ушел, хлопнув дверью.

Сомс подбежал к двери и сиротливо заскулил.

Мара пошла в спальню. Легла. Ни с того ни с сего в памяти всплыла та крыса из далекого детства, которая карабкалась по прутьям клетки от неумолимо подступающей воды. Всему живому свойственно карабкаться. Кто-то стоит над Марой с ведром. Вода у подбородка. Сопротивляться бессмысленно. Единственный выход — полюбить свою смерть.

Вдруг Мара увидела снотворное, которое Димычка оставил на туалетном столике. Без него он не засыпал. Мара схватила пузырек с лекарством и побежала из дома. По дороге вспомнила, что забыла надеть парик и туфли. Стояло жаркое лето. Ногам и голове было тепло. Мара бежала с голой головой, в японском халате с драконами. Прохожие оборачивались, думали, что это бежит японец.

Вокзал находился в десяти минутах от дома.

Состав был уже подан. Но еще пуст. Мара пробежала по всему составу, не пропустив ни одного вагона. Димычки нигде не было. Она медленно побрела по перрону и вдруг увидела Димычку. Он стоял против одиннадцатого вагона и смотрел в никуда. При Маре он не позволял себе ТАКОГО лица. При ней он держался. А сейчас, оставшись один, расслабился и погрузился на самое дно вселенского одиночества. Горе делало его тяжелым. Не всплыть. Да и зачем? Что его жизнь без Мары? Она была ему нужна любая: с предательством, подлостью, получеловек — но только она. Из корзины выглядывали круглоголовые коты.

Мара хотела позвать его, но горло забила жалость. Мара продралась сквозь жалость, получился взрыд.

— Димычка! — взрыдала Мара.

Димычка обернулся. Увидел Мару. Удивился. Брови его поднялись, и лицо стало глуповатым, как все удивленные лица.

— Ты забыл лекарство!

Мара бросила флакон в корзину с котами и тут же пошла прочь, шатаясь от рыданий, как в детстве, когда не хватило пяти копеек на билет в кино. Теперь ей не хватило жизни. Не досталось почти половины. Первые сорок пять лет — только разминка, первая попытка перед прыжком. А впереди прыжок — рекорд. Впереди главная жизнь, в которой у нее будет только ОДИН мужчина — желанный, как Саша, верный, как Димычка, и всемогущий, как Мойдодыр. С этим ОДНИМ она родит здорового красивого ребенка и воспитает его для светлого настоящего и будущего. Сейчас это уже можно. Время другое. И она другая. А надо уходить. Все кончилось, не успев начаться. А ТАМ — что? А если ничего? Значит, все... Навсегда. Навсегда...

Могилу после себя Мара не оставила. Она подозревала, что к ней никто не придет, и решила последнее слово оставить за собой. Это «я не хочу, чтобы вы приходили». Я ТАК решила, а не вы.

Мара завещала Димычке развеять ее прах в Ленинграде. Димычка не знал, как это делается. Мой муж объяснил: лучше всего с вертолета. Но где взять вертолет?

Димычка увез с собой урну, похожую на футбольный кубок. В один прекрасный день он ссыпал прах в полиэтиленовый пакет. Сел в речной трамвайчик и поплыл по Неве.

Осень стояла теплая, ласковая. Солнце работало без летнего молодого максимализма. Летний ветерок отдувал волосы со лба. И пепел, как казалось Димычке, летел легко и беззлобно.

Димычка рассеивал Мару, ее любовь, и талант, и электромагнитные бури. А люди на палубе стояли и думали, что он солит, вернее, перчит воду.

Но все это было позже.

А тогда она шла по перрону и плакала, провожая меня, вербу, Ломееву, Женьку Смолина, Мырзика, все свои беды, потому что даже это — жизнь.

Мара вышла в город. Перед вокзалом росла липа. Ее листья были тяжелые от пыли и казались серебряными. По площади ходили трамваи, на такси выстраивались часовые очереди. Липа стояла среди лязга, машинной гари, человеческого нетерпения.

А такая же, ну пусть чуть-чуть другая, но тоже липа растет в лесу. Под ней травка, зверьки, земляника. Над ней чистое небо. Рядом другие деревья, себе подобные, шумят ветерками на вольном ветру. Переговариваются.

Почему так бывает? Одна тут, другая там. Ну почему? Почему?

«А»...

Чистый лист. Я пишу: Александрова Марла Петровна. И обвожу рамкой. Памятника у нее нет. Пусть будет здесь. В моей записной книжке. Среди моих живых.

Иногда она мне снится, и тогда я думаю о ней каждый день, мысленно с ней разговариваю, и у меня странное чувство, будто мы не доспорили и продолжаем наш спор. И еще одно чувство — вины. Я перед ней виновата. В чем? Не знаю. А может, и знаю.

Я живу дальше, но все время оборачиваюсь назад, и мне кажется, что я иду с вывороченной шеей.

Маша и Феликс

Феликс был очень веселый, как молодой пес. В нем жила постоянная готовность к смеху, к авантюрам, к греховному поступку, к подлости и подвигу одновременно. В зависимости от того — кто позовет. Позовет идея — пойдет на баррикады. Позовут деньги — пойдет на базар перепродавать женские колготки. Сейчас это называется бизнес. А раньше — фарцовка. Раньше за это могли посадить.

Мы познакомились на семинаре, который назывался «Молодые таланты». Я считалась талантом в сценарном деле, а он — в режиссуре. Начинающий режиссер из Одессы.

Феликс подошел ко мне в первый день и предложил свои услуги, а именно: сходить на базар, снять кино по моему сценарию, жениться, сделать ребенка. Однако — не все сразу. Надо с чего-то начинать. И Феликс начал с главного.

Семинар размещался в большом доме отдыха. Вечером, когда я вернулась с просмотра в номер, — увидела в своей кровати тело. Я зажгла свет и обнаружила Феликса. Его одежда валялась на полу. Одеяло было натянуто до подбородка. В глазах стояло ожидание с примесью страха: что будет?

У меня было два варианта поведения:

1. Поднять крик типа «да как ты смел»...

2. Выключить свет, раздеться и юркнуть в объятия Феликса — веселого и красивого. Нам было по двадцать пять лет. Оба — любопытны к жизни, оба не свободны, но в какую-то минуту об

этом можно и забыть. Просто выпить вина любви. Опьянеть, а потом протрезветь и жить дальше с хмельным воспоминанием. Или без него.

Я выбрала третий вариант.

Я сказала:

— Значит, так. Я сейчас выйду из номера, а через десять минут вернусь. И чтобы тебя здесь не было. Понял? Иначе я приведу Резника.

Резник — руководитель семинара. И запоминаться в таком качестве Феликсу было бы невыгодно. Феликс должен был просверкнуть как молодое дарование, а не провинциальный Казанова.

Я гордо удалилась из номера. Вышла на улицу.

Ко мне подошла киновед Валя Нестерова — тоже молодое дарование. Она приехала из Одессы, как и Феликс. Они хорошо знали друг друга.

— Что ты тут делаешь? — удивилась Валя.

— Ко мне в номер залезли, — поделилась я.

— Воры? — испугалась Валя.

— Да нет. Феликс.

— Зачем? — не поняла Валя.

— За счастьем.

— Вот жопа...

Валя считала Феликса проходимцем, одесской фарцой. И влезть в мой номер — полное нарушение табели о рангах, как если бы конюх влез в спальню королевы. Дело конюха — сидеть на конюшне.

Постояв для верности двадцать минут, я вернулась в номер и легла спать. От подушки крепко пахло табаком. Я любила этот запах, он не помешал мне заснуть.

В середине ночи я услышала: кто-то скребется. Я мистически боюсь крыс, и меня буквально подбросило от страха, смешанного с брезгливостью.

В окне торчала голова Феликса. Я вздохнула с облегчением. Все-таки Феликс — не крыса. Лучше.

Я подошла к окну. Открыла раму. Феликс смотрел молча. У него было очень хорошее выражение — умное и мужское.

— Иди спать, — посоветовала я.

— Но почему? — спокойно спросил он. — Ты не пожалеешь. Я такой потрясающий...

— Пусть достанется другим.

— Кому? — не понял он.

— Кому этого захочется...

Мы говорили в таком тоне, как будто речь шла о гусином паштете.

Он ни разу не сказал мне, что я ему нравлюсь. Видимо, это разумелось само собой.

— Иди, иди... — Я закрыла раму, легла спать.

Феликс исчез и больше не возникал. Видимо, тоже устал.

На другой день мы встретились как ни в чем не бывало. Он не извинился. Я не напоминала. Как поется в песне: «Вот и все, что было»...

Семь дней семинара прогрохотали, как железнодорожный состав. В этом поезде было все: движение, ожидание, вагон-ресторан и приближение к цели. Наша цель — жизнь в искусстве, а уже к этому прилагалось все остальное.

После семинара все разъехались по домам. Я в Москву, в семью. Феликс — в Одессу. Наши жизни — как мелодии в специфическом оркестре, каждая звучала самостоятельно. Но иногда пересекались ненадолго. Он не влиял на меня. Но он — БЫЛ. Существовал во времени и пространстве.

Сейчас он в Германии, в белых штанах. А родился в Одессе, сразу после войны. Может быть, не сразу, году в пятидесятом, у одной очень красивой артисточки. Красоты в ней было больше, чем ума. И много больше, чем таланта. Если честно — таланта ни на грош, просто белые кудряшки, высокая грудь, тонкая талия и синие глазки, доверчиво распахнутые всему миру.

Есть такое выражение: пошлость молодости. Душа заключена в совершенную форму, как в красивую коробочку, и обладательница такой коробочки постоянно этому рада. Улыбка не сходит с лица. Если что не так — капризничает, машет ручками. Если так — хохочет и тоже машет ручками. Постоянно играет. В молодости так легко быть счастливой. И она счастлива. В нее влюбляется молодой еврей. В Одессе их много, но этот — широкоплечий и радостный — лучше всех.

Сталин когда-то выделил евреям Биробиджан. Может быть, это был Ленин. Но дело не в том — КТО, а в том — ГДЕ. Биробиджан — у черта на рогах, там холодно, темно и неуютно. Евреи — народ южный, теплолюбивый. Они расселились в основном в Киеве и Одессе — жемчужине у моря. Можно понять.

Принято считать, что евреи — хорошие семьянины. В основном это так. Но наш еврей оказался исключением из правила. Он родил мальчика Феликса и смылся довольно быстро. Куда? К кому? История об этом умалчивает. Скрылся — и все.

Актриса — ее звали Валя — и маленький Феликс остались вдвоем. Без средств к существованию. Единственное, что было у Вали, — сыночек. А у Феликса — мама. И это все. Не мало. Но если больше ничего — ни денег, ни профессии...

С Вали быстро сошла пошлость молодости, а потом и молодость сошла, и тоже быстро. Есть женщины, которые умеют выживать, умеют бороться — как та лягушка, которая упала в сметану и сбила масло. Не утонула. Валя была из тех, которые тонут. Идут на дно. Она умела быть милой, нежной и любящей. Не мало. Но мало.

Они с Феликсом жили в шестиметровой комнате, научились голодать. Когда очень хотелось есть — ложились спать.

У Вали время от времени появлялась работа — сопровождать лекции. Например, если тема лекции: «Чехов и борьба с пошлостью» — она читала монолог Нины Заречной или монолог Сони «Ах, как жаль, что я некрасива». Однако Валя не забывала про свои глазки и кудряшки, и Соня в ее исполнении получалась довольно жеманная. Но поскольку на лекции приходило не больше десяти старух, то все это не имело никакого значения: ни Чехов, ни его борьба с пошлостью, ни актриса в стареньком штапельном платье.

Валя получала за эту работу очень маленькие деньги. Их хватало на три дня в неделю. Остальные дни полагались на волю Божию. Бог даст день, даст пищу.

Один трудный день сменял другой. Жизнь двигалась медленно и мучительно, но каким-то образом проскочила быстро.

Все кончилось для Вали инсультом. Феликсу тогда шел двадцать первый год. Он досрочно вернулся из армии и сидел возле парализованной матери. Она стала его ребенком. Феликс ее мыл, кормил и любил безмерно. Валя была молода для смерти, ей было жаль себя, но еще больше жаль Феликса, и она хотела умереть, чтобы освободить его для жизни. Но Феликс не хотел ничего для себя — только бы она жила, дышала и смотрела. Даже такая она была ему дороже всех мирских радостей.

Они смотрели друг на друга — глаза в глаза. Валя отмечала, что Феликс вырос очень красивым, две крови смешались в нем в нужных пропорциях. Он был черноволосым — в отца и синеглазым — в мать. Он был способным — в отца и добрым — в мать. И не важно, что его отец когда-то сбежал. Главное он все-таки сделал — оставил сына.

Этот незримый отец постоянно присутствовал в жизни Феликса. Бросив его физически, он оставил в наследство отчество «Израйлевич», и это отчество сильно осложняло Феликсу жизнь. Почему бы папаше не сбежать вместе с отчеством. Феликс ненавидел отца — не за отчество, конечно. А за свою маму. Она должна была прожить другую жизнь.

Маше исполнилось семнадцать лет. Она жила в доме напротив на первом этаже и постоянно торчала в окне, следила за Феликсом своими глазами, темными, как переспелая вишня. Ждала, когда он появится. И Феликс появлялся, и шел под ее взглядом красуясь, особой походкой хищника. Он знал, что она смотрит, коротко кидал свой взгляд в ее окно. Они натыкались глазами друг на друга, Маша цепенела, будто получала разряд тока, и в панике бросала занавеску. Занавеска отсекала ее от Феликса.

Этих нескольких секунд хватало Маше на целый день. Она ходила под напряжением. И чтобы как-то разрядиться, доставала контрабас и играла.

Маша училась на первом курсе музыкального училища. Она хотела поступать на отделение фортепьяно или в крайнем случае скрипки, но все места оказались заняты. Был высокий конкурс, много блатных. Маша оставалась за бортом музыки. Чтобы не терять времени, поступила в класс контрабаса — там был недобор. Маша надеялась, что со временем перейдет на скрипку. Но потом передумала. Контрабас ей понравился — устойчивостью и мощностью звука. Одно дело упереть инструмент в землю, другое дело держать вздернутым на весу. Маша была человеком основательным. Она полюбила контрабас, делала успехи и участвовала во всех городских конкурсах.

Феликс и Маша были из одного сословия. Машины родители — из простых, — так это называется. И мама Феликса, хоть и актриса, — тоже не из сложных, полудеревенская девушка. И не полети она, как бабочка, на желтый свет актерской жизни — все бы сложилось более логично.

Умирать в сорок с небольшим — неестественно, душа не готова к уходу. Это было так мучительно. Настоящий ад. Душа и плоть сцепились воедино, кричали: «Нет!»

Среди ада Феликс подошел к Маше. Спросил:

— Ты что сегодня делаешь?

— Иду на день рождения, — растерялась Маша.

— Когда?

— В семь. А что?

— Возьми меня с собой.

Маша раскрыла рот для ответа, но Феликс ее опередил:

— Я зайду за тобой в полседьмого.

Феликсу надо было выжить. Он ухватился за Машу. Они не были знакомы. Вернее, они не были представлены друг другу. Но они были друг другу даны.

В половине седьмого Феликс зашел за Машей. В квартире, кроме нее, никого не было. Феликс решил воспользоваться этим обстоятельством — он никогда не был застенчивым. Он стал целовать Машу, она растерялась, обомлела. Не встретив отпора, Феликс пошел до конца — зачем останавливаться на полпути, и он овладел ею — на ходу, стоя в проеме между дверей.

У Маши не было никакого опыта. Она решила: может, так и надо? Она не постояла за себя, она ему доверилась.

Когда все закончилось, Феликс застегнул свои брюки, одернул на ней платье, и они отправились на день рождения.

На праздничном столе было много винегрета, холодца, фаршированных перцев, рыбы под маринадом. Блюда — дешевые, но очень вкусные. На них шло мало денег, но много труда.

Феликс ел и пил самогон, который все называли «рудяковка» по имени хозяина дома. Феликс хмелел и поглядывал на Машу, которая сидела возле него с веточкой акации в волосах. Эту веточку он сам сорвал с дерева — как бы отметил событие: потерю невинности.

Маша ничего не ела и не пила. Она сидела бледная, растерянная, с цветком в волосах. А Феликс смотрел на нее и понимал, что эта ее покорность и жертвенность не могут быть использованы им. Поматросил и бросил — не пройдет, хоть он и служил во флоте и именно так и поступал в подобных случаях.

Если бы Маша сопротивлялась, заманивала его в свою паутину, уточняла бы перспективы, требовала клятв и уверений — он меньше бы отвечал за нее. Это была бы война равных хищников. А так — черноглазая лань с веточкой в волосах. И все.

Мама умирала долго. Ад все продолжался.

Маша делала все, что было нужно. И ей не жаль было ни одной минуты, потраченной на маму Феликса. Маша любила Феликса и готова была заплатить за свое счастье чем угодно:

бессонными ночами, физической работой. И никогда, даже наедине с собой, она не желала Вале скорейшего ухода. Наоборот. Хоть на день, но продлить эту мучительную, уже никому не нужную жизнь.

Валя умерла. И Феликс умер вместе с ней. Окаменел.

Жизнь и смерть — это два конца одной палки. В Маше зародилась новая жизнь. Она оказалась беременна. Ребенок — от Феликса, а значит, и от Вали. Но Феликсу это виделось так некстати. Впереди — институт, студенческая пора, никаких денег, да еще и орущий ребенок в придачу.

Но что же делать, если ребенок уже в ней. Он же не сам туда запрыгнул.

— Если ты сделаешь аборт, я на тебе женюсь, — пообещал Феликс.

Ребенка было жалко, но Маша подчинилась. Она привыкла подчиняться беспрекословно.

Феликс женился, как обещал. Сделал одолжение. Услуга за услугу. Ее услуга — аборт. Его услуга — законный брак, потеря свободы в молодые годы.

Но Маша не заостряла внимания на таких мелочах, как свое здоровье. Для нее главное — Феликс. Вот он рядом, можно на него смотреть сколько угодно, до рези в глазах. Можно его понюхать, вдыхать, только что не откусывать по кусочку. Можно спать в обнимку и даже во сне, в подсознании быть счастливой до краев, когда больше ничего не хочешь. И ничего не надо, он был ей дан, и она приняла его с благодарностью.

Когда кто-то один так сильно любит, то другому только остается подчиниться. И Феликс подчинился. С большим удовольствием, между прочим...

Через год Феликс поступил в Московский институт кинематографии, и они переехали жить в Москву. Маша перевелась в училище имени Гнесиных, и ее, как это ни странно, — приняли.

Сняли комнату в центре Москвы, на Арбате. До института кинематографии далеко, а до училища близко. С ними в квартире поселился еще один студент — Миша, художник по костюмам. Совершенно сумасшедший. У него была мания преследования, и он постоянно уходил из дома. Возвращаясь, спрашивал: приходили за ним или нет?

Стипендии не хватало. Машины родители присылали поездом из Одессы домашнюю колбасу, лук и перцы.

Жили впроголодь, но Феликс привык голодать. Когда очень хотелось есть, он выпивал пол-литровую банку воды и голод как-то размывался.

Художник Миша — Божий человек. Рисовал в основном костюмы начала века. Особенно ему нравились шинели. Когда Маша видела на его листах удлиненных красноармейцев в удлиненных шинелях — понимала, что это в самом деле красиво, но не имеет ничего общего с реальной жизнью. В жизни — приземистые пыльные солдаты, плохо кормленные и во вшах.

Миша — эстет. Он был нежен, женственно красив, имел какие-то претензии к своему носу. Пошел и сделал пластическую операцию. Нос стал короче, но кончик носа не приживался, грозил отвалиться. Миша объяснил, что ему сделали трансплантацию бараньего хряща, а нужно было взять хрящ от свиньи, потому что у свиньи много общего с человеком.

Маша и Феликс посоветовали Мише полечиться в нервной клинике и даже договорились с главным врачом.

Миша поехал в больницу на автобусе, но посреди дороги ему показалось, что пол автобуса сейчас провалится и он упадет под колеса. Миша заметался, стал кричать. Автобус остановился.

Миша куда-то пропал. Его не было два месяца. Потом он появился — тихий и толстый. С одутловатым лицом. Его чем-то накололи. Миша выздоровел и стал неинтересен. Из него как будто что-то ушло. Тот, сумасшедший и тонкий — он был тревожный и талантливый. И невероятно красивый, даже с усеченным носом. Но этого, адекватного, — они тоже любили. Миша был слабый, требовал заботы. Маша и Феликс чувствовали за него ответственность, как за ребенка, которого они не родили.

Мысль о загубленном ребенке стала посещать их все чаще. Конечно, это был не ребенок, даже не эмбрион, — всего лишь клетка. Но через какие-то девять месяцев это был бы целый человек, их сын или дочка. А они в здравом уме согласились на убийство и еще были рады, когда все удачно прошло.

— Давай сделаем ребеночка, — произнес однажды Феликс.

С одной стороны, ребеночек был некстати, а с другой стороны — ребенок кстати всегда. Женщины рожали на войне и в окопах. А тут все-таки не война и собственный угол. Пусть не собственный, но все равно — целая комната в коммуналке.

В эту ночь они впервые за долгое время отдавались друг другу безо всяких предосторожностей и опасений, с веселыми прибамбасами. Пусть ребенок будет веселый, как Феликс. Над ними сияли любовь, нежность и свобода. И благодарность за полное доверие. Маша и Феликс ощущали свою парность, как пара ног — левая и правая. Можно, конечно, жить и с одной ногой, но очень неудобно. Друг без друга они — калеки.

Маше очень нравилось училище. У нее был восхитительный педагог — пожилой еврей. Он ставил ей руку, развивал технику. Маша бегло читала с листа, приносила к уроку половину партитуры, на что другим требовался месяц.

Педагог часто заболевал — у него была гипертоническая болезнь, и тогда Маша ездила к нему домой.

Педагог и его жена Соня жили в пыли, как две черепашки в песке. Они не замечали пыли и грязи, поскольку у них были другие жизненные приоритеты. Для них не важно, что вокруг, а важно — что в них: их ценности и идеалы.

Маша — девушка с хохлацкой кровью, была чистоплотна, как все хохлушки. Она физически не могла существовать в такой запущенной берлоге. Первые дни она терпела, но когда освоилась, — набросилась на уборку засучив рукава. Она отодвигала кровати и шкафы, доставала оттуда шары пыли, как перекати-поле. Мыла окна, ножом отскабливала затвердевшую грязь с полов и подоконников.

Соня и Яша — так звали педагога — не замечали беспорядка. Но когда оказались в чистоте, то с восторгом заметили, что так гораздо лучше. Оказывается, чистота — это не то, что вокруг и вне тебя. Оказывается, это взаимодействие человека и окружающего пространства. И если улучшается пространство, то меняется и взаимодействие, и сам человек.

— Маша, когда вы появляетесь в доме — как будто солнышко пришло, — сознавалась Соня.

Яша и Соня — бездетная пара. Они переносили свою родительскую любовь на кота и на Машу. Помимо любви, Соня дарила Маше свои вещи, которые ей надоели, как она говорила. Но это были новые дорогие платья и обувь. Просто они берегли Машино самолюбие. Кое-что перепадало и Феликсу: вельветовая рубашка с погончиками.

Феликс надевал вельветовую рубашку и шел в институт. Их режиссерский курс объединяли с актерским для курсовых работ. Режиссеры ставили, актеры играли.

В актрисы шли самые красивые девушки страны. Принимали самых талантливых. Так что перед Феликсом возникли самые красивые и талантливые. Он даже не знал, что бывают такие. Просто не представлял. Особенно Дина. Рядом с ней все остальные девушки казались жалкой поделкой. Она была высокая, белая, высокомерная, с кошачьим разрезом зеленых глаз. К Дине было страшно подойти. Феликсу казалось, что она его лягнет, как копытом.

Репетировали пьесу Артура Миллера. Дина играла героиню — наркоманку, прообраз Мэрилин Монро. Видимо, любовь Миллера к Монро была самым сильным потрясением его жизни. Пьеса — странная, как будто стоишь на оголенных проводах.

Феликс работал с полной отдачей. Сводил счеты с прошлым. Когда-то он был хуже всех — нищая безотцовщина. Теперь — лучше всех. Он еще покажет, на что он способен. Он доставал из Дины Мэрилин Монро. Они понимали друг друга: Дина — Феликса, и Дина — Мэрилин. В них срабатывал один и тот же механизм: порок и чистота, и тяга к разрушению. Добро и зло. Бог и Дьявол — в одном человеке.

Феликс сам одуревал, как от наркотика. Ему хотелось беспрестанно репетировать, искать... В какую-то минуту он обнял Дину, прижал. Он рисковал быть убитым ее копытом, но она, как ни странно, не ударила и не оттолкнула. Все произошло мгновенно, страстно, на полу, на жестких досках, к тому же еще могли войти. Страх и опасность обостряли чувства.

За первым разом последовал второй, потом третий — и разразился роман. Феликс и Дина ходили взявшись за руки. Вместе ели в столовой, не разлучались. Феликсу казалось, что Маше нет места в его жизни. Какая Маша...

Но он приходил домой. Маша его вкусно кормила и гуляла перед сном. Привычно молчали или беседовали, проговаривая свой день. Им была интересна каждая деталь, каждая подробность жизни другого. Например, Феликс пугался, когда узнавал, что Маша попала под дождь, а потом полдня провела в мокрых туфлях. Какая еще Дина? Бред какой-то...

По ночам они зачинали своего ребенка. А утром Феликс уходил в институт и видел Дину — такую сильную, самодостаточную. Начиналась другая жизнь, в которой он любил Дину.

Феликс хотел, чтобы Дина всегда была рядом, но не ВМЕСТО Маши, а ВМЕСТЕ с Машей. Он любил обеих. Такой он был гаремный человек, как петух в куриной стае. Он — самый пестрый и наглый. А они — вокруг него. Он бы их любил, каждую по-своему, и за каждую отвечал: добывал червяка и мял, чтобы несли яйца. Все, как положено.

Откуда в Феликсе была эта гаремность? Может быть, таким петухом был его отец Илья Израйлевич? А может быть, отец ни при чем. Он сам такой, Феликс. В этом его самоутверждение и самореализация.

Дина ждала от Феликса поступков типа развода с женой, официального предложения руки и сердца. Но Феликс тянул, медлил, ни на что не решался. Дина стала нервничать, в ход пошли спиртные напитки и скандалы. Это стало утомительно и не по карману. Феликс переместил свои интересы с Дины на Зину. А пока Зина разобралась, что к чему, Феликс окончил институт и защитил диплом. С отличием.

Он мог бы остаться в Москве, но захотел вернуться в Одессу. Там — море. А здесь его нет.

Когда Феликс ходил по центру Одессы, он знал, что можно сесть на любой вид транспорта, и тот за полчаса привезет к морю. Можно встать у кромки и смотреть, как дышит море — параллельный мир, со своей жизнью внутри, зависимостью от Луны. Может быть, море влюблено в Луну, в этом причина приливов и отливов.

А здесь, в Москве, среди каменных домов, он спохватывался иногда: а где же море?.. Потом вспоминал, что его нет. И становилось так грустно...

Феликс и Маша вернулись в Одессу. Началась новая взрослая жизнь.

Феликс искал и не мог найти нужный материал для своего первого фильма. То, что ему нравилось, — не принимали. А то, что предлагали, — фальшиво, неинтересно, воротило с души. Но надо было жить, есть, на что-то опираться. Феликс опирался на Машу.

Маша пошла работать в музыкальную школу, преподавала сольфеджио.

Контрабас стоял в углу, в чехле. Как-то не пригодился. В симфонический оркестр не просунуться, евреи брали только своих. Был еще один путь — стать любовницей дирижера.

Но Маша этот путь даже не рассматривала.

Кроме симфонического оркестра, оставалась эстрада, вокально-инструментальные ансамбли. Но Маша и эстрада — две вещи несовместные. К тому же туда тоже брали только молодых мужчин.

Маша, в результате, преподавала сольфеджио в музыкальной школе и делала это тщательно и хорошо. За что она ни принималась — все у нее выходило хорошо. По-другому Маше

было не интересно. Когда халтуришь, время идет медленно. А
когда выкладываешься, время бежит весело и быстро. И в результате — хорошее настроение.

Но вот детей не получалось. Не получалось — и все. Что-то
замкнуло после первого аборта.

Феликс стал задумываться о своем сиротстве. И принял решение: он разделит судьбу Маши. Если она не родит, они будут
бездетной парой. Жить друг для друга. Других детей, рожденных не от Маши, он не хотел.

Кончилось тем, что Феликс и Маша завели собаку и назвали
ее Дуня. Людей делили на две категории: тех, кто любит собак,
и тех, кто к ним равнодушен.

Жизнь катилась по накатанной дороге.

Валя Нестерова вышла замуж за алкоголика и переехала в
Москву. В период, свободный от запоев, алкоголик писал дивную музыку. Он был композитор. Так что Валя вышла замуж за
музыку и за Москву.

Маша ходила на работу, преподавала музыкальную грамоту,
содержала семью. Приносила из магазина сумки с продуктами, готовила еду мужу и собаке. Была занята с утра до вечера. Уставала.

Феликс страдал от отсутствия детей и работы. На страдания
уходил весь день.

У меня ничего не менялось. Я писала и печаталась. И чего-то
ждала. В толстом журнале вышла моя повесть. Журнал попал в
руки Феликса. Он прочитал и тут же решил — это именно тот
материал, который ему нужен. Феликс сосредоточился для борьбы и пробил мою повесть. Тогда было в ходу именно это слово:
пробил. Как кулак пробивает стену: усилие, риск, синяки, возможны даже переломы. Но иначе не получалось. Такое было
время.

Феликс пробил мою повесть, и я прилетела в Одессу для
заключения договора на сценарий.

Феликс встретил меня, отвез в гостиницу. Оглядел номер и
тут же сообразил: хорошо бы с автором прокрутить блиц-роман.

Это может пойти на пользу делу. Зная привычки Феликса, я объяснила, что никакой пользы от блиц-романа быть не может. Только вред. К тому же я приехала за делом, а не за его прыгучестью.

Я не люблю никакого хлама ни в доме, ни в душе, ни в отношениях, ни в своих страницах. Я вычеркиваю лишние слова, выкидываю лишние вещи. И тем более не вступаю в лишние отношения.

Феликс перестал приставать. Сел в угол. Почему-то расстроился. Меланхолия шла ему больше, чем напор.

Синеглазый и темноволосый, он походил на Алена Делона.

— Знаешь, чем отличаются умные от дураков? — спросила я.

— Чем? — Феликс поднял голову.

— Умные умеют отличать главное от второстепенного. А дураки нет. Для дураков все главное. Или все второстепенное.

Феликс стал соображать: какое это имеет к нему отношение.

— Главное — снять хороший фильм, — объяснила я.

— А любовь, ты считаешь, — не главное? — с презрением спросил он. — Все вы, писатели, одинаковые. От вас чернилами пахнет.

На том и порешили: отодвинуть любовь ради дела... Но если быть точной: никакой любви не было. Иначе ее так просто не отодвинешь.

Я относилась к Феликсу снисходительно и никогда не забывала, что он «жопа», — по определению Вали Нестеровой. Сам Феликс тоже имел низкую самооценку. Он говорил о себе: «Я — одесская фарца». Он иногда скупал у моряков партию женских колготок, потом продавал втридорога. Тогда это называлось «фарца» и спекуляция. Сейчас — бизнес. Тогда за это сажали, сейчас — все государство на разных уровнях скупает и продает.

Забегая вперед, хочу сказать, что я недооценивала Феликса. И он сам себя тоже недооценивал. Он снял очень хороший дебют по моей повести. И это стало началом его восхождения.

А тогда... Стояло лето. Феликс пригласил меня домой на ужин. К моему приходу Маша надела сарафанчик на лямочках.

Накрыла стол. Я запомнила краски: зеленое, фиолетовое, крас-ное. Перцы, помидоры, баклажаны. Золотистая корочка поро-сенка. Все это было так красиво, что жалко разрушать.

Маша в сарафанчике — милая, большеглазая, трогательная, как теленок. Красота всегда несет в себе агрессию. А Маша — на другом конце агрессии: сама скромность, покорность и чисто-та. И Феликс возле нее становился совсем другим. И было не-возможно себе представить, что он может шуровать за ее спиной. Что ТОТ — гаремный, и этот — моногамный, — один и тот же человек.

В тот вечер были приглашены гости. Феликс и Маша угоща-ли меня не только едой, но и своими друзьями. Я их не запомни-ла. Только помню, что мы танцевали, топоча, как стадо, и смеялись без видимых причин. Было весело от вина, от молодости и от того, что все впереди. Здоровые организмы, как хорошие мото-ры, несли нас вперед без поломок.

К ночи гости разошлись. Маша послала Феликса прогулять собаку. Мы вышли втроем: Феликс, я и собака.

— Она тебя так любит, — сказала я со светлой завистью.

— Ну и что? — спокойно возразил Феликс. — С тобой хоть поругаться можно. А эта только любит — и все. Скучно.

Собака вырвалась и исчезла во тьме.

— Дуня! — кричал Феликс в темноту и метался. — Дуня! — Потом подошел ко мне, проговорил в панике: — Машка меня отравит...

Через полчаса Дуня откуда-то вынырнула. Феликс ухватил ее за ошейник, и мы вернулись в дом.

— Феликс боялся, что вы его отравите, — сообщила я Маше.

Маша подняла свои глаза-вишни и ответила безо всякой иронии:

— Нет, я бы его, конечно, не отравила. Но если бы Дуня пропала — это несчастье.

Я почему-то смутилась. Я поняла каким-то образом: то, что происходит вне их дома, надо оставлять за дверью, как грязную обувь. Не вносить в дом. Здесь — герметичное пространство, как в самолете. Или стерильная чистота, как в операционной.

Настал день моего отъезда.

Феликс и Маша пришли меня проводить. Феликс извинился, что не сможет поехать в аэропорт. У них с Машей назначен прием к врачу.

— А что случилось? — спросила я.

— Внематочная беременность, — легко объяснил Феликс.

— Как это? — поразилась я.

Маша смотрела перед собой в никуда. Вид у нее был потусторонний. Внематочная беременность — это почти гарантированное бесплодие плюс операция, боль и неизвестность.

— Районный врач определил, — сказал Феликс. — Но мы записались к хорошему специалисту.

— А когда он определил? — не поняла я.

— Вчера.

— О Господи... — выдохнула я.

Еще два дня назад мы танцевали, топотали. А на другой день жизнь Маши перевернулась на 180 градусов, в сторону ночи и черноты. Вот уж действительно: все под Богом ходим...

Феликс заносил мои вещи в такси, давал напутствия по сценарию. Особенно его волновал конец, потому что конец — делу венец. История к концу должна набирать обороты. Может быть, есть смысл убить главного героя, поскольку исторически его миссия как бы кончилась. В новом послеперестроечном времени ему нет места. А с другой стороны, американцы всегда избегают плохих концов. Должен быть свет в конце тоннеля. Хэппи энд. Зритель должен уйти с чувством надежды и справедливости.

Маша стояла чуть поодаль — такая грустная и одинокая. Поведение Феликса на фоне ее трагедии выглядело как предательство. Какой финал, какое кино, когда жизнь рушится. Придуманный герой его волновал больше, чем живая, страдающая Маша.

— Мы опаздываем... — тихо напомнила Маша.

— Ничего, успеем, — отмахнулся Феликс.

Они успели. Феликс оказался прав.

Более того, их жизнь снова повернулась на 180 градусов, лицом к солнцу и счастью. Беременность оказалась нормальной. И даже определялись сроки: шесть недель. Это значило, что через семь с половиной месяцев у них должен появиться ребенок. Первый. А через какое-то время — второй.

Какое счастье... Боже мой, какое счастье... Бог погрозил Маше пальцем, но не наказал. Бог добрый. И жизнь тоже — с хэппи эндом, как американское кино.

Маша и Феликс возвращались от врача с чувством надежды и справедливости. А главное — тишина в душе. Они шли тихим шагом, чтобы не расплескать тишину и глубокую удовлетворенность. По дороге купили молодую морковь и антоновку. Для витаминов. Теперь они ничего не делали просто так: все для ребенка. Маша была вместилищем главного сокровища. Иногда Феликсу казалось, что она рискует: поднимает тяжелую сумку или стирает перегнувшись. Тогда он цепенел от ужаса и искренне жалел, что не может сам выносить своего ребенка.

Через семь с половиной месяцев родился здоровый мальчик. Назвали Валентин, в честь мамы, сокращенно Валик.

У мальчика были глаза-вишни и белые волосы. Он походил на пастушонка. В нем текла одна четверть еврейской крови. Феликс был далек от человеческой селекции. Люди — не фрукты, и он — не Мичурин. Но присутствие другой, контрастной крови — всегда хорошо. Феликс любил разглагольствовать на эту тему.

Маша отмахивалась, не слушала его измышления. Она очень уставала.

Тем временем Феликс закончил нашу с ним короткометражку. Ему дали снимать большое кино.

Жизнь, как корабль, — выходила в большие воды.

***

Феликсу в ту пору было тридцать пять лет. Маше — двадцать восемь. Впереди — долгая счастливая жизнь.

Прошлое Феликса опустилось в глубину его памяти. Но не забылось. Феликс знал, что никогда и ни при каких обстоятельствах он не бросит своего сына. Он не желал никому, а тем более сыну пережить то, что когда-то пережил сам: отсутствие мужчины в доме, постоянное ощущение своей неполноценности, нищету, комплексы бедности, боль за маму, ее зрелые страдания, женское унижение и то, как эта боль отдавалась в душе мальчика. В результате всего — низкая самооценка. Они с мамой — неполная семья, как кастрюля без крышки, как дверь без ручки. И для того чтобы поднять самооценку, Феликс барахтался, цеплялся, и в результате к тридцати пяти годам выплыл в большие воды. Его жизнь — как большой корабль, на котором играет музыка и слышен детский смех.

Все случилось через пять лет, когда Феликсу исполнилось сорок, а Маше — тридцать три. Грянул гром с ясного неба.

Этот гром назывался Нина. Редактор его последнего фильма.

Они постоянно разговаривали. Феликс не приставал к Нине — не до того. Были дела поважнее: сценарий. Нина считала, что сценарий не готов. Его надо выстраивать. Главное — это причинно-следственные связи. Что происходит на экране и ПОЧЕМУ?

Феликса тянуло на поиск новых форм, на авангард. А Нина считала, что все это мура и провинция. Должна быть чеховская простота. Сюжет: проститутка встречает офицера. Он переворачивает ее представления о жизни. А она сеет сомнения в его идеи и устои.

Почему он с ней пошел? Совершенно непонятно. Он не тот человек, который пойдет с проституткой. Значит — надо придумать. Сценарий — это фундамент и каркас. Если не сцеплено — все повалится.

Феликс и Нина все время разговаривали, проговаривали, мяли, разминали. Они встречались утром на работе. Время летело незаметно. Вместе обедали в буфете — и не замечали, что ели. После работы расходились по домам, и Феликс звонил из дома. Феликсу казалось, что без Нины он беспомощен, как ребенок без матери. Если она его бросит — он не сможет двинуться вперед ни на сантиметр. Он вообще не понимал: а где она была раньше? Оказывается, была... Странно.

Наконец сценарий готов. Все ясно: почему героиня занимается проституцией. Почему офицер с ней пошел. И за всем этим — разрушенная страна и трагедия маленького человека, потерявшего почву под ногами.

После сценария — актерские пробы. Феликс и Нина делали это вместе. Репетировали, просматривали материал. Феликс чувствовал себя увереннее, когда Нина находилась рядом — невысокая, строгая, как учительница. Феликс мучился, метался, сомневался. А Нина — все знала и понимала, как истина в последней инстанции. Они были, как лед и пламень. Один только пламень все сожжет. Лед — все заморозит. А вместе они пробирались вперед, связанные одной цепью.

Наступил Новый год. Решили встретить в ресторане. Феликс пришел с Машей, а Нина — с другом, капитаном дальнего плаванья. Феликс с удивлением смотрел на капитана. Ему было странно, что у Нины существует какая-то своя личная жизнь. Он воспринял это как предательство.

На Нине было вечернее платье с открытыми плечами и бриллиантовое колье, которое, как выяснилось, подарил ей отец — главный прокурор города. Этот папаша держал многие ниточки в своих руках и многих мог заставить прыгать, как марионетки.

Феликс был подавлен и раздавлен. Он увидел Нину совершенно в другом качестве: не скромную подвижницу, а хозяйку жизни с любовником-суперменом и папашей — всесильным мафиозо. А Феликс думал, что Нина — его личный блокнот, который можно в любую минуту достать и почерпнуть нужную информацию.

Феликс почувствовал себя жалким мытарем, а Машу — женой жалкого мытаря — унылой и монотонной. Вспомнились стихи Корнея Чуковского: «А в животе у крокодила темно и пусто и уныло, и в животе у крокодила рыдает бедный Бармалей».

Со дна души всколыхнулись привычные комплексы. Он хуже всех. Рожден ползать. А рожденный ползать, как известно, летать не может.

Феликс молчал весь вечер, а потом взял и напился мертвецки. Капитан на плечах отнес его в машину, как мешок с картошкой.

Дома Феликс описался. И это был логический финал: вот он в моче, как в собственном соку. И это все.

Маша стащила с Феликса всю одежду и оставила спать на полу. Ночью он проснулся — совершенно голый, на жесткой основе, и не мог сообразить: где он? В морге? Он умер? Феликс стал искать глазами маму, но все было, как на земле: комната, детские игрушки. И Маша, которая цедила ему из банки рассол от соленых огурцов.

Рассол втекал в него спасительной влагой. Феликс поднялся и пошел в душ. Вода омывала тело, возвращала к жизни. К жизни без Нины. Феликс стоял, зажмурившись, и плакал.

Этап РАЗГОВАРИВАТЬ окончился. Начался новый этап: СМОТРЕТЬ. Он смотрел на Нину и смотрел, как будто позабыл на ней свои глаза. Он вбирал в себя ее лицо во всех ракурсах: в профиль, фас, три четверти. Маленькое изящное ухо, привычный изгиб волос, столб шеи, на которую крепилась маленькая, как тыковка, головка. А сколько в этой головке ума, юмора. Феликс смотрел на Нину и бредил наяву, шевелил губами.

Нина замечала, но никак не реагировала. Каждый человек вправе смотреть, если ему нравится. Это было поведение самоуверенной женщины, привыкшей к тому, что на нее смотрят, желают, мечтают.

Когда Феликс вспоминал о капитане, и более того — представлял в подробностях, — он наполнялся темным ветром ярости и торопился уйти, чтобы не нагрубить Нине, не сказать что-то оскорбительное.

Фильм тем временем перешел в монтажно-тонировочный период. Феликс сидел в монтажной комнате, приходилось задерживаться допоздна. Маша давала ему с собой бутерброды и бульон в термосе. Не задавала вопросы и не возникала. Она верила Феликсу безгранично. И сама была предана безгранично. У нее не было других интересов, кроме семьи. И времени тоже не было. После работы забирала ребенка из детского сада и как рыба билась в сетях большого хозяйства: убрать, постирать, приготовить. Работала в две смены: утром на работе, вечером дома. У нее был свой сюжет и свое кино.

Феликс и Нина тем временем сидели в монтажной. Они, как четки, перебирали каждый сантиметр пленки. Урезали длинноты. Потом им казалось, что они сократили слишком много — исчез воздух. Возвращались обратно.

Когда выходили на улицу покурить, с удивлением смотрели на поток людей, совершенно равнодушных к кинопроизводству и монтажу. Оказывается, существовала другая, параллельная жизнь, как у рыб.

Однажды вечером Нина пришла в монтажную. Феликсу показалось, что от нее пахнет капитаном. Он тут же замкнулся и сказал:

— Ты мне мешаешь...

— Я на минуту, — спокойно ответила Нина, глядя на изображение.

«Почему на минуту? — насторожился Феликс. — Куда она торопится?»

— Вот тут у тебя затянуто. Это надо выбросить, — предложила Нина.

— Где?

— Начни прямо с реплики: «У тебя есть револьвер?»

Феликс отмотал пленку, стал смотреть эпизод.

«— У тебя есть револьвер? — спросила проститутка.

— Есть, а что?

— Застрелись.

— Почему?

— Чем так жить, лучше застрелиться.

— Но я люблю свою жизнь.

— Потому что ты не знаешь, как плохо ты живешь...»

Шел текст сценария, но Феликсу казалось, что это про него. Он повернулся к Нине и сказал:

— Если ты не уйдешь, то ты пожалеешь.

— Не пожалею.

Нина смотрела прямо и бесстрашно.

Он ее обнял. И умер. И долго приходил в себя после отсутствия.

Нина тоже молчала.

— О чем ты думаешь? — спросил Феликс. Он ожидал каких-то главных слов. Но Нина сказала:

— Ты меня убьешь.

— Не убью. Говори.

— Я придумала, чем надо закончить сцену. Они должны отдаться друг другу. У нас он уходит. А это неправда.

— Но офицер другой человек, — возразил Феликс.

— Так в этом все и дело.

Феликс поднялся и отошел к монтажному столу. Нина тоже поднялась, они начали отматывать пленку. Включились в работу, не замечая того, что они голые.

Работа была впереди любви. Вернее, так: работа входила в любовь. Это было состояние наполненности до краев, когда больше не умещается ничего.

— Надо переснять сцену, — подсказала Нина.

— Вызываем на завтра артистов, — распорядился Феликс, вправляя рубашку в джинсы.

Он одевался и понимал: они спасли фильм. Во всяком случае, сильно улучшили. Какое счастье...

***

Настало лето. Нина ушла в отпуск и уехала с отцом на дачу. У них была своя дача на морском побережье.

Фильм входил в заключительную стадию. Шла перезапись.

Феликс устал. Ему хотелось отдохнуть от Нины, от студии, от тяжелого груза раздвоенности. Ему хотелось вернуть душу в семью, уделить время сыну.

Он рано приходил домой, ложился спать. Потом шел гулять с сыном и собакой. Все было замечательно. Но не хватало кислорода, как на большой высоте. Покой и красота, но дышать нечем.

Однажды утром Феликс встал и начал собирать рюкзак.

— Ты куда? — спросила Маша.

— К Нине, — ответил Феликс. — На дачу.

— Надолго?

— Не знаю.

— Тогда возьми деньги.

Маша вынесла ему весь семейный бюджет. Она не хотела, чтобы Феликс ел прокурорские обеды.

— А вы? — растерялся Феликс.

— Я выкручусь, — пообещала Маша.

Ей в голову не приходило, что у Феликса могут быть иные задачи, кроме творческих.

Феликс ехал на электричке, потом шел пешком и оказался в поселке, где жила Нина. Номера дома и улицу он не знал. И, как чеховский герой из «Дамы с собачкой», — выяснял: где тут дача главного прокурора. Ему показали высокий сплошной забор. Он стоял перед забором. Залаяла собака, но не шпиц, как у Чехова, а бультерьер, собака-людоед.

Вышла Нина — загорелая, в шортах. Не удивилась, как будто ждала. Потом пошла к отцу и сказала, что Феликс будет жить у них в доме, в гостевой комнате.

— Кого ты из меня делаешь? — спросил прокурор.

— Я его люблю, — коротко объяснила Нина.

Отец разрешил.

Феликс поселился как жених. Было очевидно, что без серьезных намерений он не посмел бы поселиться в сердце семьи хозяина края.

Феликс вставал рано, уходил на рыбалку. Приносил большой улов.

В летней кухне качался пол. Феликс переменил лаги и перестелил пол.

Ночью они с Ниной купались под низкими южными звездами. Какое это было счастье...

Однажды утром Нина сказала:

— Отец хочет с тобой поговорить. Поднимись к нему в кабинет.

Феликс испугался. Он понял, что его вызывают на ковер. Это тебе не Дина и Зина в проеме между дверьми. Придется отвечать. Но возможен и другой вариант: ему покажут свое место и отберут Нину. Кто он? Нищий творец. И кто она? Принцесса, захотевшая поиграть в простую девчонку. Как в итальянском фильме.

Прокурор сидел в просторном кабинете, за просторным столом и сам был просторный, очень русский, мужиковатый. Смотрел профессионально-пристально. Феликсу показалось, что еще пять минут, и на него наденут наручники.

— Я знаю, что вы женаты и у вас сын, — коротко и ясно проговорил прокурор.

Феликс молчал. Все было правдой.

— Я не хочу, чтобы моя дочь путалась с женатым человеком.

Феликс молчал. Он бы тоже не хотел, будь он на месте прокурора.

— Я не возражаю, если вы войдете в нашу семью. Я вам помогу. У вас будет зеленая улица.

Феликс не понял, что такое зеленая улица. Поднял глаза.

— Я вас не покупаю, — объяснил прокурор. — Просто я
больше всего в жизни люблю мою дочь.

— Я тоже люблю вашу дочь, — отозвался Феликс. И это
было единственное, что он сказал.

Его любовь к Нине была совершенно другой, чем к Маше.
Машу он любил сверху вниз, снисходя. А Нину — снизу вверх,
возвышаясь.

Вечером они сидели у моря. Феликс сказал:

— Опомнись. Я — одесская фарца.

— Нет... — тихо ответила Нина.

— Если хочешь, я разведусь и мы поженимся...

Нина заплакала, от счастья и от стыда за свое счастье. Феликс тоже заплакал от торжественности минуты. Но вдруг вспомнил про капитана.

— А где капитан? — спросил он.

— В дальнем плаванье.

— В каком смысле?

— В прямом. Он же капитан.

— А он вернется?

— А нам-то что?

— Пусть возвращается. Или тонет. Это уже его судьба,
которая не имеет к нам никакого отношения. Все прошлое должно быть отринуто. Начинается новая жизнь, как новое кино со
своим сценарием.

Феликс приехал в Одессу и, прежде чем явиться домой, за-
вернул на базар, купил разной еды. Все же он ехал домой.

Когда открыл дверь и вошел — увидел Машу, лежащую
посреди комнаты, совершенно пьяную.

Его не было десять дней, и все эти десять дней она пила и не
ходила на работу. Ребенок топтался вокруг матери и не знал, что
ему делать. Все это время он питался хлебом и водой. Как в
тюрьме.

Феликс застыл. Как она узнала? Ей сказали? Или она почувствовала?

Феликс увидел фотографии киногруппы, разбросанные по столу. Фотограф, работавший на картине, снимал рабочие моменты, жанровые сцены из жизни группы и даже заключительный банкет. На всех фотографиях Феликс смотрел на Нину, а Нина на Феликса и между ними протянут невидимый провод под напряжением. Даже посторонний глаз видел это напряжение, именуемое СТРАСТЬ.

Маша все поняла. И вот реакция. Она глушит себя до полного бесчувствия, потому что если что-то почувствует, умрет от боли. Водка вместо наркоза. А Феликс — хирург. Он приехал, чтобы вырезать ее душу. И при этом хочет, чтобы операция прошла без последствий.

Валик подошел к отцу и поднял к нему бледное личико.

— Папа! — тихо воскликнул он. — Ну сделай что-нибудь. Я больше не могу...

Феликс оттащил Машу в ванную с холодной водой. Потом накормил Валика. Он ел, глядя вниз. В его маленьком мозгу крутились какие-то тяжелые мысли.

Маша очнулась, но есть не стала. Феликс уложил ее спать. Впервые за десять дней она спала на кровати. Маша ни о чем не спрашивала. У нее не было сил, чтобы думать и чувствовать.

Ночью Феликс почувствовал, что умирает. У него млело сердце и казалось: сейчас остановится. Холодели руки и ноги.

Он вызвал «скорую помощь». Его отвезли в больницу, и он таким образом скрылся от обеих женщин.

Феликс попросил врача, чтобы к нему никого не пускали. Врач тоже предпочитал покой для своего пациента. У Феликса была плохая электрокардиограмма: предынфарктное состояние.

В эти дни ко мне позвонила Валя Нестерова. Она дружила со многими одесситами, и с Ниной в том числе. Я поняла, что это звонок-разведка.

Нина хотела что-то понять и засылала разведчиков.

— Привет, — поздоровалась Валя. — Ну как ты поживаешь?

— Тебя ведь не я интересую, — отозвалась я.

Валя замолчала. Напряглась.

— Он соскочит, — сказала я.

— Откуда ты знаешь?

— Я знаю Феликса.

— Он сделал предложение. Поехал разводиться. И пропал с концами.

— Это называется: сбежал через клозет, — подытожила я.

Валя тяжело замолчала. Она понимала: ей придется нести плохую весть в дом прокурора.

— А ты как поживаешь? — спросила Валя. Ей было неудобно сразу прощаться.

— Как всегда, — ответила я.

Я всегда жила примерно одинаково. Работала. И чего-то ждала.

Феликс вышел из больницы и через полгода уехал в Германию. По программе Коля. Гельмут Коль — рослый и корпулентный человек, оказался крупным во всех отношениях. Он решил хотя бы частично искупить вину немцев перед евреями.

Вот тут сгодился папаша Феликса — Илья Израйлевич. Сгодились его отчество и национальность. Хоть какая-то польза от человека. И как оказалось, — не малая.

Феликс и его семья поселились в красивейшем городе Мюнхен — столице Баварии, неподалеку от пивной, где Гитлер начинал свою карьеру.

Правительство предоставило льготы, по которым можно было не просто существовать, а жить, вкусно есть и даже лечиться. После пустых прилавков перестроечной Одессы немецкие супермаркеты казались страной чудес.

Маша первым делом пошла на курсы немецкого языка. Параллельно подрабатывала, убирала у богатых немцев. Такая работа стоила десять марок в час. Чтобы получить сто марок, Маша трудилась десять часов подряд. Как в спортзале. Без отдыха и с нагрузкой.

Феликс в это время был занят тем, что страдал. Он тоже страдал без отдыха и с алкогольной нагрузкой. Маша его не дергала. Она согласилась бы работать и ночью, только бы Феликс был рядом, даже такой — депрессивный, небритый, постоянно курящий.

Главная радость — Валик. Он пошел в школу и делал успехи. Быстро заговорил по-немецки и даже внешне стал походить на немца. Вписался.

Однажды Маша раскрыла газету и прочитала, что в симфонический оркестр требуется контрабас. Открыт конкурс.

Маша пошла и записалась на конкурс. А чем черт не шутит...

Но черт с его шутками не пригодился. Маша переиграла всех претендентов. В ее руках была сила, а в звуке — гибкость. И все эти показатели никак не вязались с ее обликом робкого теленка.

Дирижер Норберт Бауман провел собеседование и отметил с удовлетворением, что русская — точна, как немка. В ней есть талант и качество, как говорят немцы — квалитет. От нее шла хорошая энергетика.

Машу взяли в оркестр.

Это был симфонический оркестр на радио. Государственный канал. Были еще частные каналы и частные оркестры, но государственный считался престижнее и стабильнее. Человек, который получал такое место, мог считать себя обеспеченным до пенсии.

Маша стала зарабатывать большие деньги. Может быть, для немцев это были не очень большие, но для Маши — астрономические. Этих денег хватало на все: на медицинскую страховку, на обучение Валика, на оплату жилья. И еще оставалось. Стали подумывать о собственном доме. Маша хотела дом с бассейном.

Боже мой, могла ли она, полудеревенская девчонка, мечтать о собственном доме с бассейном и гаражом! А ведь все это, если подумать, дал Феликс: семью, сына, а теперь и Германию — красивую, налаженную страну.

Постепенно образовались друзья. Но дружила Маша не с немцами, а с русскими. Русских в Баварии было пруд пруди. После перестройки русские распространились по Европе, несли сюда свои таланты и криминальные наклонности. Говорили даже, что русская мафия оказалась круче, чем итальянская. Русские привыкли идти впереди планеты всей.

Однако для дружбы времени не оставалось. Машин день был расписан буквально по минутам. Утром — репетиция. Днем она готовила обед своим мужчинам и отдыхала перед концертом. Вечером — запись. После работы — ванна и сон. Маша дорожила своей работой и следила за тем, чтобы быть в форме: есть в одно время и засыпать — в одно время. Но у Феликса была манера — приходить к Маше перед сном и рассуждать о вечном. Маша слушала его недолго. Вернее, даже не слушала. Не вникала в слова, чтобы не забивать себе голову ненужной информацией... Потом объявляла:

— Все. Я сплю.

И тушила свет.

Феликс завис во времени, как муха в глицерине.

Он ностальгировал по Нине, по Родине, по русскому языку, по работе, по себе, по всей своей прежней жизни. Он был как дерево, у которого перерубили корни. Однако сердце выдержало. Не разорвалось. Для того чтобы не повторить ошибку отца, он буквально зачеркнул свою жизнь. Единственное оправдание такой жертвы — Валик. Сын. Он получил иную жизнь, иную участь. И в будущем ему не придется выбирать: Россия или Германия. Валик будет гражданином мира, где захочет, там и будет жить.

В двадцать первом веке земной шар станет всеобщей коммуналкой: комната справа — Азия, комната слева — Европа.

Маше исполнилось тридцать девять лет. Был день ее рождения. Феликс забыл, а Норберт помнил. И пригласил в ресторан.

Маша собиралась в ресторан. У нее были очень красивые вещи. Феликс появился в дверях и стал рассуждать о том, что немцы дали миру: музыку и философию, Бетховена и Ницше. Но у них нет и никогда не будет русского иррационализма, а значит, русской души, воспетой Достоевским.

Маша никак не могла взять в толк, зачем немцам русская душа. Она торопилась и слушала вполуха. Ее ждал Норберт. Если разобраться, то с Норбертом у нее гораздо больше будущего. Феликс висел, как гиря на ногах. Стряхнуть эту гирю Маша не решалась. Но терпеть было утомительно.

Она подняла голову и попросила:

— Отстань, а?

Эпилог

Нина вышла замуж за капитана.

Феликс приехал в Москву, чтобы найти работу. Снять кино. В Германии его талант не пригодился. А больше он ничего не умел. Просто сидеть и философствовать — лучше застрелиться.

Москва изменилась. Здесь тоже появились продюсеры, как на Западе. И, как на Западе, все упиралось в деньги. Преодолеть идеологический барьер было проще, чем сегодняшний — рублевый. Но Феликс понимал, что нужно преодолеть. Собрать волю в кулак — и пробить.

Феликс приехал в Москву и зашел ко мне. Просто поздороваться.

Я открыла ему дверь, держа на руках трехмесячную внучку. У внучки выкатывались старые волосики, а на темени выросли новые и стояли дыбом.

— Волосы, — растроганно проговорил Феликс.

Я хотела дать ему девочку в руки, подержать. Но передумала. От Феликса плотно пахло табаком. Феликс тоже дернулся взять ее у меня, но решил, что он недостаточно стерилен. Остался стоять, глядя на ребенка нежно и со слезами.

Феликс больше не был веселым. Все, что случилось, — подломило его. Но не сломало. Он стоял как дерево, которое пустило дополнительные корни.

Мы молчали, понимая друг друга без слов. От той минуты, когда он торчал в моем окне, до этой минуты — прошла целая жизнь.

— Ну, как ты? — спросила я.

— Не знаю. А ты?

— Как всегда.

В моей жизни, кроме детей и замыслов, не менялось ничего.

РАССКАЗЫ

Розовые розы

Она была маленького роста. Карманная женщина. Маленькая, худенькая и довольно страшненькая. Но красота — дело относительное. В ее подвижном личике было столько ума, искренности, непреходящего детства, что это мирило с неправильными чертами. Да и что такое правильные? Кто мерил? Кто устанавливал?

Ее всю жизнь звали Лилек. В детстве и отрочестве быть Лильком нормально. Но вот уже зрелость и перезрелость, и пора документы на пенсию собирать, — а она все Лилек. Так сложилось. Маленькая собачка до старости щенок.

Лильку казалось, что она никогда не постареет. Все постареют, а она нет. Но... Отдельного закона природа не придумала. У природы нет исключений из правила. Как у всех, так и у нее. Постарела Лилек, как все люди, к пятидесяти пяти годам. Она не стала толстой, и морщины не особенно бороздили лицо, однако возраст все равно проступал.

Человек живет по заданной программе: столько лет на молодость, столько на зрелость, столько на старость. В определенный срок включаются часы смерти. Природа изымает данный экземпляр и запускает новый. Вот и все.

Пятьдесят пять лет — это юность старости. Лилек — юная старуха. Ее день рождения приходился на двадцатое ноября. Скорпион на излете. Но он и на излете — скорпион. Лилек всю

жизнь была очень гордой. Могла сделать себе назло, только бы
не унизиться. Но сделать себе назло — это и есть скорпион.

Двадцатого ноября, в свой день рождения, Лилек проснулась, как всегда, в девять утра и, едва раскрыв глаза, включила
телевизор. В девять часов показывали новости. Надо было узнать: кого сняли, кого назначили, кого убили и какой нынче курс
доллара. Все менялось каждый день. Каждый день снимали и
убивали и показывали лужу крови рядом с трупом. Средний возраст убитых — тридцать пять лет. Причина всегда одна —
деньги. Было совершенно не понятно, как можно из-за денег
терять жизнь. Разве жизнь меньше денег?

Лилек догадывалась, что деньги — это не только бумажки,
это — азарт, цель. А цель иногда бывает дороже жизни. Но все
равно глупо. Цель можно изменить, а жизнь — не повторишь.

Лилек смотрела телевизор. Муж шуршал за стеной. Он сам
готовил себе завтрак, ел и уходил на работу.

Муж был юрист, и в последние десять лет его специальность
оказалась востребованной. А двадцать пять советских лет, четверть века, он просидел в юридической консультации на зарплате
в сто двадцать рублей и почти выродился как личность и как
мужчина. Лилек привыкла его не замечать.

Сейчас она бы его заметила, но уже он не хотел ее замечать.
Отвык. Можно жить и без любви, но иногда накатывала такая
тоска — тяжелая, как волна из невыплаканных слез, и казалось:
лучше не жить. Но Лилек — не сумасшедшая. Это только су-
масшедшие или фанатики вроде курдов сжигают себя, облив бен-
зином. Фанатизм и бескультурье рядом. Чем культурнее нация,
тем выше цена человеческой жизни.

Лилек — вполне культурный человек. Врач в престижной
клинике. Но престижность не отражалась на зарплате. Платили
мало, даже стыдно сказать сколько. На еду хватало, все остальное — мимо. Где-то она слышала выражение: «Пролетела, как
фанера над Парижем». Почему фанера и почему над Парижем?
Куда она летела? Но тем не менее ее жизнь пролетела, как
фанера над Парижем. Никакого здоровья, никакой любви. Толь-

ко работа и книги. Тоже немало, между прочим. У других и этого нет.

Из классики больше всего любила Чехова — его творчество и его жизнь, но женщины Чехова Лильку не нравились: Лика глупая, Книппер умная, но неприятная. Возможно, она ревновала. Лильку казалось, что она больше бы подошла Антону Чехову. С ней он бы не умер. Ах, какой бы женой была Лилек... Но они не совпали во времени. Чехов умер в 1904 году, а Лилек родилась в сорок четвертом. Сорок лет их разделяло плюс двадцать на взрастание, итого шестьдесят лет. Это много или мало?

Муж ушел на работу. Не поздравил, забыл. Ну и пусть. Она и сама забыла. Да и что за радость — 55 лет — пенсионный возраст.

Лилек пока еще работает, но молодые подпирают. Среди молодых есть талантливые, продвинутые. Но их мало. Единицы.

Российская медицина существует на уровне отдельных имен. Западная медицина — на уровне клиник. У нас — рулетка: то ли повезет, то ли нет. У НИХ гарантия. В этом разница.

Сегодня у Лилька отгул после дежурства. Отгул и день рождения. Можно никуда не торопиться, послушать, как время шелестит секундами.

Посмотрела «Новости», утренний выпуск. Потом кино — мексиканский сериал. Действие двигалось медленно — практически не двигалось, поскольку авторам надо было растянуть бодягу на двести серий.

Серия подходила к концу, когда раздался звонок в дверь. «Кто бы это?» — подумала Лилек и пошла открывать — как была, в ночной рубашке. В конце концов, рубашка длинная, скромная. В конце концов — она дома.

Лилек открыла дверь и увидела на уровне глаз розовые розы, большой роскошный букет сильных и красивых цветов. Тугие бутоны на длинных толстых стеблях — должно быть, болгарские. Такие у нас не растут. За букетом стоял невысокий блондин с плитами молодого румянца на щеках. Лицо простодушное, дураковатое, как у скомороха.

— Это вам, — сказал скоморох и протянул букет.

— А вы кто? — не поняла Лилек.

У нее мелькнула мысль, что цветы от благодарного пациента... Но откуда пациенту известен адрес и повод: день рождения. К тому же пациенты — как их называют «контингент», партийная элита на пенсии — народ не сентиментальный и цветов не дарят.

— Я посыльный из магазина, — объяснил скоморох.

— А от кого?

— В букете должна быть визитка.

Лилек осмотрела цветы, никакой визитки не было. От букета исходил непередаваемый розовый аромат. Запах богов. Так пахнет счастье.

— Нет ничего, — поделилась Лилек. — Вы, наверное, перепутали...

Скоморох достал одной рукой маленький блокнот, прочитал фамилию и адрес. Все совпадало.

Лильку ничего не оставалось, как принять букет.

— А от кого? — переспросила она.

— Значит, сюрприз, — ответил посыльный и улыбнулся.

Улыбка у него была хорошая, рубашка голубая и свежая, и весь он был ясный, незамысловатый, молодой, как утро.

— Проходите, — пригласила Лилек.

Парень ступил в прихожую. Лилек прошла на кухню, освободила руки от цветов. Стала искать кошелек, чтобы поблагодарить посыльного. Но кошелька не оказалось на положенном месте. Она пошарила по карманам и нашла пристойную купюру: не много и не мало.

Посыльный ждал, озираясь по сторонам. Должно быть, смущался.

Получив чаевые, он попрощался и ушел. А Лилек вернулась к цветам. Стала обрабатывать стебли, чтобы цветы дольше стояли. Налила воду, бросила туда таблетку аспирина. Совместила банку, воду и розы.

Боже мой... Вот так среди осенней хляби и предчувствия зимы — маленький салют, букет роз. Но кто? Кто выбирал этот цвет? Кто платил такие деньги? И кому это вообще пришло в голову? Кто оказался способен на такой жест?

Контингент — не в счет. Бывшие политики, как стареющие звезды, никак не могут поверить в то, что они — бывшие. И все розы — им.

Кто еще? Антон Павлович Чехов? Но он умер в 1904 году.

Может быть, Женька Чижик? Первая любовь, которая не ржавеет...

Все-таки ржавеет. Более того, ничто так не ржавеет, как первая любовь.

Лилек и Женька вместе учились в медицинском. Но Лилек — терапевт, а Женька — ухо, горло, нос. Он был красивый и сексуально активный. Его звали: «в ухо, в горло, в нос»...

Они сошлись на почве активности и духовности. Лилек была влюблена в Чехова, а Женька в Достоевского. Он все-все-все знал про Достоевского: что он ел, чем болел, почему любил Аполлинарию Суслову, а женился на скромной Анне... Потому что одних любят, а на других женятся.

На Лильке он женился по этому же принципу. Любил высокую, независимую Лидку Братееву, которая переспала с половиной студенческого и профессорского состава. А может, и со всеми. При этом инициатива принадлежала Лидке. Она приходила и брала. Те, кто послабей, — убегали и прятались. Но Лидка находила и выволакивала на свет. Такой был характер. Она жила по принципу: бей сороку, бей ворону, руку набьешь — сокола убьешь.

Так и вышло. Ей достался вполне сокол, она вышла за него замуж и на какое-то время притихла. Но потом принялась за старое. Распущенность, возведенная в привычку, — это ее стиль. Ей нравился риск, состояние полета. А за кем летать — за вороном или соколом — какая разница.

Женька женился назло и долгое время путал их имена. Лиля
и Лида — рядом.

Лилек ненавидела Лидку — в принципе и в мелочах. Ей был
ненавистен принцип ее жизни, нарушение восьми заповедей из
десяти. И ненавистно лицо: лоб в два пальца, как у обезьяны
гиббон, и манера хохотать — победная и непристойная. Как
будто Лидка громко пукнула, огляделась по сторонам и расхохо-
талась.

Но основная причина ненависти — Женька. Он без конца
говорил о ней, кляня. Он был несвободен от нее, как Достоевский от Аполлинарии Сусловой. И оба спасались женами. Женька погружался в Лилька, зажмуривался и представлял себе ТУ.
Мстил Лидке. Лилек была инструментом мести.

Но время работало на Лилька. Та плохая, а Лилек хорошая
и рядом.

Они вместе учились, вместе ели и спали, вместе ездили на
юг — тогда еще у России был юг. И все бы ничего, но...
Женькина мамаша.

Мамаша считала брак сына мезальянсом. Женька — почти
красавец, умница, из хорошей семьи. Лилек — провинциалка,
почти уродка. Мамаша просто кипела от такой жизненной не-
справедливости и была похожа на кипящий чайник — страшно
подойти.

Жили у Женьки. Лилек привезла с собой кошку, тоже не из
красавиц. У кошки, видимо, была родовая травма, рот съехал
набок, как у инсультников. Она криво мяукала и криво ела.

И вот эта пара страшненьких — девушка и кошка — обо-
жали друг друга нечеловеческой любовью, а может, как раз человеческой — идеальной и бескорыстной. Иногда у Лилька
случался радикулит, кошка разбегалась и вскакивала ей на поясницу, обнимала лапами. Повисала. Грела поясницу своим теплым
животом. И проходило. От живого существа шли мощные токи
любви — получалась своеобразная физиотерапия.

Лилек волновалась, что кошка выпадет из окна, — мамаша
постоянно раскрывала окно настежь. Лилек навесила специаль-

ный крючок, который ограничивал щель до десяти сантиметров. Воздуха хватало, и никакого риска. Кошка скучала по воле. Она вскакивала на подоконник, втискивала в щель свой бок с откинутой лапой и так гуляла. Однажды в ее лапу залетела птица. Так что можно сказать, кошка охотилась, а значит, жила полноценной жизнью. Лилек не охотилась, но тоже жила вполне полноценно.

Она любила своего Женьку, ей нравилось быть с ним наедине и на людях. Она им гордилась и любила показывать окружающим. Почти в каждых глазах она читала легкое удивление: Лилек — недомерок, а Женя — америкэн бой... Многие молодые женщины кокетничали с ним на глазах у Лилька, так как Женька казался легкой добычей. Каждая думала: если он польстился на такую каракатицу, то уж за мной побежит, писая от счастья горячим кипятком. Но это было большое заблуждение. Единственный человек, за которым он бежал бы, — Лидка Братеева.

Однажды Лилек и Женька отправились в театр и встретили там Братееву со своим соколом. Поздоровались. Лидка оглядела принаряженного Лилька, усмехнулась. В ее ухмылке было много граней, и все эти грани процарапали Женькино сердце.

Женька весь спектакль просидел бледный и подавленный. Молчал всю дорогу домой. А Лилька и вовсе тошнило. Она была беременной на третьем месяце.

Беременность протекала тяжело, токсикоз, мутило от запахов. Ей казалось, что от Женьки пахнет моченым горохом. Она постоянно отворачивалась, чтобы не попасть в струю его дыхания. В этот же период поднялась неприязнь к Достоевскому — эпилептик, больной и нервный. Волосы вечно гладкие, блестящие, будто намазаны подсолнечным маслом. Непонятно, что в нем нашла Аполлинария Суслова...

Чехов — совсем другое дело. Чехов — как Иисус — учил, терпел, был распят туберкулезом, его не понимали современники, критика упрекала за «мелкотемье». Но Иисус Христос никогда не улыбался, мрачный был парень. А Антон Чехов — шутил, и его юмор был тонкий, мягкий, еле слышный, погруженный глубоко, но слышный для посвященных. Для тех, кто с ним на одной волне.

Неприятие Достоевского явилось началом неприятия Женьки.

Женькина мамаша не советовала рожать, приводила убедительные аргументы. Лилек послушалась и сделала аборт, хотя все сроки прошли.

Почему Лилек послушалась? Где была ее голова? В молодости не хватает опыта, требуется совет старших. Совет был дан неправильный.

Вопрос: а где были родители Лилька? В другом городе, маленьком и провинциальном. Лильку казалось тогда, что ее родители тоже маленькие и провинциальные. Ничего не понимают.

И еще одна причина — гордость — знак скорпиона. Чтобы не унизиться, готова укусить сама себя. Так оно и вышло. Лилек ужалила сама себя. Ребенок мог бы развернуть всю ситуацию на 180 градусов. Женькина мамаша непременно бы влюбилась во внука или внучку и из чайника ненависти превратилась бы в чайник любви. Этот новый человек всех бы объединил, включая кошку. И настала бы всеобщая гармония, когда все нужны всем. А так — никто не нужен никому.

Женька стал реагировать на кокетство чужих женщин. У него стали формироваться левые романы в присутствии Лилька.

Лилек боролась за свое счастье как могла — купила шляпку. Лильку шли маленькие беретики, а эта шляпа только подчеркнула ее внешнюю несостоятельность.

— Ну как? — неосмотрительно спросила Лилек.

Женька ничего не сказал. Усмехнулся, как Братеева. Это было прямое предательство.

Сработал скорпион. Лилек взяла книжку, кошку и ушла. Куда? А никуда. Сначала к подруге. Потом сняла комнату. А потом...

Об этом «потом» следует поговорить подробнее.

Потом Лилек обратилась к юристу и отсудила у Женьки с мамашей площадь. Им пришлось разменивать свою квартиру на меньшую плюс комната. Вот так. Это был ее ответ. Из жертвы Лилек превратилась в народного мстителя, и весь суд был на ее стороне. Скорпион жалил не себя, а врага. Лилек мстила за поруганную веру, надежду и любовь.

Когда женщина мстит — здравый смысл умолкает. Самое правильное, что может сделать мужчина, — это уносить ноги не раздумывая.

Женька Чижик не ожидал такого развития событий. Он считал, что все зависит от него, и даже пытался помириться. Но Лилек уже спала с юристом Леней Блохиным, в той самой комнате, которую они вместе отсудили. Лилек пошла на эту связь Женьке НАЗЛО. А Леня просто подчинился. Потом он втянулся в Лилька, как в черное кофе. Вроде невкусно, но если привыкнешь — ничем не заменишь. Малая наркомания.

Лилек взяла своего юриста — нагло, как Братеева. И оказалось, что Леня этому очень рад. Лилек сообразила, что мужчины на самом деле — слабый пол. И бывают довольны, когда женщины проявляют инициативу и сами все решают.

Леня — москвич, тоже с мамашей и прочими родственниками. Но на его территорию Лилек не ступала и с мамашей не знакомилась. Хватит с нее мамаш.

Они познакомились на свадьбе. Мамашу звали Ванда, хоть и не полька. Явно не полька.

Ванда доброжелательна и терпима — это и есть интеллигентность. Воспитать эти качества невозможно, с ними надо родиться, получить с генами.

Ванда отметила, конечно, что Лилек — не из красавиц, но это и хорошо. Спокойно. Меньше соблазна, а значит, крепче семья. А крепкая семья — это самая большая человеческая ценность.

На свадьбе Леня напился и в конце — заснул прямо за столом. Лилек везла его на стуле до кровати, а потом снимала ботинки, и в этот момент любила пронзительно, до холодка под ложечкой.

**

Первое время они старались не разлучаться, и даже спали, взявшись за руки. Так длилось долго, несколько лет. Но...

У Лилька было одно неудобное качество: желание объять необъятное. То, что шло в руки, — было уже в руках. Это уже неинтересно. Интересно, а что там... за поворотом. Хотелось заглянуть за поворот. И она заглядывала.

Лилек пошла лицом в отца. Мать говорила: не удалась. А первая свекровь произносила: «не красива́», с ударением на последнем «а». Аристократка сраная.

Лилек всю дальнейшую жизнь пыталась доказать: удалась и красива́. Она доказывала это другим и себе. Имея весьма скромные внешние данные, она существовала как красавица. Ну, пусть не красавица... Но эмоций — полноводная река. Выбор — большой: врачи, пациенты, родственники пациентов. Привилегированная среда. А если выражаться языком орнитологов — элитарные самцы.

Лилек была открыта для любви и сама влюблялась на разрыв аорты. Начинался сумасшедший дом, душа рвалась на части.

Леня тем временем жил свою жизнь: уходил на работу и возвращался с работы. Кого-то защищал, выигрывал процессы, копался в юридических кадастрах — она в этом ничего не понимала. Основные его дела — раздел имущества, и Леня не переставал удивляться человеческой низости. Люди готовы были убить друг друга из-за клочка земли. Инстинкт «мое» оказывался доминирующим.

Несколько раз Леня являлся с синяком на губе, кто-то высасывал его из семьи. Но Леня держался. Почему? Непонятно. Лилек для всех была ангел-спаситель, кроме собственного мужа.

Иногда в доме раздавались немые звонки. Звонили и молчали. Лилек догадывалась, что это — претендентки на Леню. Где он их брал? Наверное, в юридической консультации. Лилек злилась, но молчала, поскольку претендентки вели себя прилично, не грубили по телефону и не приходили на дом. А потом и вовсе куда-то исчезали. Растворялись в пространстве.

Леня неизменно возвращался с работы. Совал ноги в тапки. Ужинал — как правило, это было мясо с жареной картошкой. Потом садился в кресло и просматривал газеты. Затем включал телевизор и ревниво смотрел — что творится в мире. В мире творилось такое, что интереснее любого детектива.

Детей не было, но Леня и не хотел. Он умел любить только себя, свой покой и свои привычки. А дети выжирают жизнь, хоть и являются ее смыслом. Какой-то странный смысл получается: жить ради другого. А ты сам? Разве не логичнее жить свою жизнь для себя...

Лилек хотела ребенка, готова была родить от кого угодно, но... как говорит пословица: «Бодливой корове бог рогов не дает».

Лилек во всем винила свою первую свекровь и ненавидела ее со всей яростью скорпиона. Со временем первая свекровь умерла, но Лилек ненавидела ее за гробом. Бедная старуха Чижик, должно быть, переворачивалась в гробу.

Женька Чижик, как она слышала, несколько раз женился и разводился. У него не складывалось. Видимо, его браки совершались на земле. В районных загсах. А брак Лилька и Лени — стоял, и даже не качался. Значит, был заключен на небесах.

Жизнь манила и звала. Было интересно заглянуть за поворот. За поворотом, как правило, оказывалось либо чужое, не твое, либо негодное к употреблению, как поддельная водка. Чужое — значит красть. Поддельное — значит отравиться.

Лилек, случалось, крала и блевала. А потом все вставало на свои места. Чужое — на место. Порченое — забыть. Сама — в работу.

В работе Лилек избавлялась от комплекса неполноценности.

Если разобраться, то мужчины в ее жизни тоже возникали от комплекса неполноценности. Комплексы есть даже у красавиц. Людьми вообще движут комплексы. И президенты скорее всего имеют комплексы и поэтому становятся президентами. Либо их жены имеют комплексы и делают своих мужей президентами. Комплексы — это те дрожжи, которые движут миром.

Существует власть талантом, власть красотой, просто власть. Но если нет таланта, красоты и власти, то есть маленькая личная власть над одним человеком.

Именно поэтому Лилек хваталась за чужое и порченое. Она хотела иметь маленькую личную власть.

Но основная ее свобода — в работе.

Когда она погружалась в историю болезни, то начинала видеть больного изнутри, как будто сама плыла по кровеносному руслу и заплывала в жизненно важные органы. И вот тогда приходила власть над жизнью человека, и можно почувствовать себя немножко богом.

Лилек давно поняла, что человек роет себе могилу зубами. Неправильно питается.

Человек — машина. Главное — бензин и профилактика. Не надо запускать внутрь вредное горючее, иначе забиваются трубки — сосуды, и мотор выходит из строя. И еще — иммунная система. Если укрепить иммунитет, он сам справится со своими врагами. Сам победит любую инфекцию. Даже рак. Раковые клетки представлялись Лильку одинокими бомжами, которые бродят по организму в поисках жилья, стучатся во все двери. В организме существуют механизмы-замки. Здоровая клетка как бы заглядывает в дверной замок: кто пришел? Свой, чужой? Видит чужого — и не отпирает. Пошел вон. И клетка-бомж снова слоняется в поисках удачи. Но вот у человека стресс, старость, плохая еда, южное солнце — все это сажает иммунную систему. Она садится, как аккумулятор. Механизм-замок не срабатывает, и бомжик — р-раз! И проник. И впустил другого. А дальше — все, как в бандитской группировке. Основная опухоль контролирует кислород. Она питается кислородом. Чтобы победить болезнь, надо блокировать подачу кислорода. Бомжам будет нечего жрать, и опухоль скукожится, завянет.

Лилек была уверена, что лечение рака должно быть очень простым — как все гениальное. Победа близка, стоит только руку протянуть. Лилек протягивала руку к генетикам, даже к колдунам, пытаясь вычленить в их методе рациональное зерно. Очень часто рациональное кроется в иррациональном.

Лилек увлекалась очередной идеей вместе с носителем идеи. Ей начинало казаться, что это ОДНО: идея и ее носитель. А колдуны, между прочим, — тоже мужчины, и современный колдун — это не шаман с бубном и не Гришка Распутин с неряшливой бородой. Это — неординарная личность, владеющая гипнозом, философией и многими знаниями. Эту личность звали Максим.

Лилек тогда совсем сошла с резьбы. Не приходила домой ночевать, объясняя это дежурствами.

Леня пожаловался Ванде. Ванда сказала:

— Значит, она не может по-другому.

Ванда уважала Лилька, ее жизнь и даже ее поиск. Лилек, в свою очередь, чтила Ванду: только благородный человек видит благородство в другом.

На склоне лет Ванда жестоко заболела. Лилек кинулась на борьбу за ее жизнь со всей яростью скорпиона. Буквально отбила от рук смерти, жадной до всего живого. Смерть и Лилек вцепились в Ванду с двух сторон. Лилек не отдала. Смерти в конце концов это надоело, и она ушла.

Ванда объявила, что родилась дважды, и отпраздновала второй день рождения. Говорила о Лильке высокие слова. Все прослезились. Но все-таки главное — не Ванда. Ванда — сопутствующая линия. А основная линия в то время — Максим.

Максим работал в районной больнице, сочетал традиционную медицину с нетрадиционной. Он считал: люди заболевают от разлада души с телом. Человека надо настроить, как гитару. Максим подтягивал струны души. Человек начинал звучать чисто. И выздоравливал.

Теория Максима во многом совпадала с теорией Лилька. Она называлась «остановиться, оглянуться»...

Люди больших городов бегут, бегут, протянув руку за ложной целью. Что-то в них рвется, развинчивается, а они все равно бегут, пока не падают. Надо остановиться, оглянуться.

Лилек и Максим познакомились на курсах повышения квалификации. Он был страшненький, но красивый. Лилек что-то почувствовала. Они несколько раз переглянулись, почуяли друг друга, как два волка среди собак. Потом Лилек стала посылать к нему своих больных. А потом...

Почти у каждого человека бывает в жизни главная любовь и несколько не главных. Не главные — забываются. А главная — остается, но не в чувственной памяти, а в душевной. Память души — не проходит. Может быть, и у Максима не прошло. Может быть, эти розы — от него...

Есть выражение: нахлынули воспоминания... На Лилька они не нахлынули. Они всегда были в ней и звучали, как музыка из репродуктора: иногда тише, иногда громче, но всегда...

Максим — вдовец. Жена умерла рано и неожиданно, ни с того ни с сего. Оказывается, у нее была аневризма в мозгу, о которой никто не подозревал. В один прекрасный день аневризма лопнула и убила. Среди бела дня. Жена вела машину, и вдруг милиционер увидел, что машина, как пьяная, движется куда-то вбок. Милиционер засвистел, и это было последнее, что услышала тридцатипятилетняя женщина.

Дети — маленькие, семь и одиннадцать лет. Никакой родни. Хоть бери и бросай работу. Но работу не оставить. Приходилось оставлять мальчиков. Пару раз они попали в комнату милиции, и женщина-милиционер терпеливо с ними возилась, ожидая прихода отца. Когда Максим являлся в великом смущении, мальчики не хотели уходить от тети-милиционера. Кончилось тем, что Максим стал скидывать на нее детей, и она — ее звали Зина — перебралась к ним жить.

Зина — лимитчица, приехала в Москву из Читы. Для нее выйти замуж с пропиской — большая удача. Она вышла и прописалась.

В глубине души Зина считала, что сделала Максиму большое одолжение. Он был невидный, маленького росточка, с лысиной в середине головы. Красоты никакой. А у Зины были плечистые кавалеры — сыщики и оперативники. Красавцы, но что толку... Тоже лимитчики без площади и пьющие.

Максим — без вредных привычек, культурный в обхождении. А мальчиков она просто полюбила. Как можно не полюбить маленьких детей-сирот.

Работу Зина бросила. Быт оказался налажен. У нее были вкусные руки. Даже самая простая еда типа жареной картошки выходила из-под ее рук как кулинарный шедевр. Она знала, как порезать, сколько масла, сколько времени без крышки и под крышкой. И еще она знала секрет: порезав картошку, она ее сушила в полотенце, лишала влаги, и только после этого — на раскаленную сковороду. Оказывается, на все нужен талант. Даже на картошку.

Максим возвращался в теплый ухоженный дом. Мальчики были спокойны и счастливы.

Иногда выходили в гости, но Зине было скучно с друзьями Максима. Говорили о чем-то непонятном, женщины — в брюках, как мужики, и стриженые. У Зины — своя эстетика: волос должно быть много — коса. И грудей много, и зада. Вот тогда это женщина. Зинаиде тоже хотелось принять участие в разговоре, и она рассказывала жуткие истории, как кто-то напился до чертей и повесился в углу, а остальные не заметили и продолжали застолье. Друзья Максима замолкали и не знали, что сказать, как комментировать. Максиму было неловко. Он перестал брать Зину, да и она не стремилась. Ей было гораздо интереснее остаться дома и посмотреть мексиканский сериал.

Первое время Максим с Лильком прятались под покровом ночи, целовались в парадных, как школьники. Лильку в ту пору было за тридцать, большая девочка. Но страсть горела, как факел, загоняла в подъезды. В это время Максим купил машину, стали ездить за город. Гуляли, разговаривали.

Максим рассказал, как однажды привезли рабочего, который упал с восьмого этажа. Было понятно, что его не собрать, но Максим все-таки взялся за операцию, что называется, для очистки совести. Он подшивал на место оторвавшиеся органы, совмещал кости и был готов к тому, что больной умрет на столе. Но не умер. И вдруг через неделю. О Боже... Максим увидел, как он ковылял по коридору, опираясь на костыли. И в этот момент Максим осознал: Бог есть. Он стоит за спиной, как хирургическая сестра.

— А что такое Бог? — спросила Лилек.

— Это любовь.

— А что такое любовь?

— Это резонанс.

— Не поняла.

— Ну... Когда люди вместе молятся, они входят в резонанс и посылают в космос усиленное желание, и оно ловится космосом.

— Значит, Бог — это приемник? — уточнила Лилек.

— Это мировой разум, — поправил Максим.

— А как он выглядит?

— Разве это важно? — отозвался Максим. — В любви человек ближе всего к Богу. Когда человек любит — он в резонансе с Богом.

Лилек подняла голову, увидела верхушки берез. Они качали ветками, как будто тоже входили в резонанс друг с другом и с ней, Лильком. «Я никогда это не забуду», — подумала Лилек. И в самом деле не забыла: ажурные, зеленые ветки, плывущие под ветром, на фоне синего, как кобальт, неба.

Лилек и Максим практически не расставались, вместе ездили в отпуск и ходили в гости. Лилек совершенно не походила на любовницу — маленькая, неяркая, ее никто за любовницу и не принимал. Лилек смотрелась как жена, как соратница, как его ЧАСТЬ. Их уже невозможно было представить отдельно друг от друга.

Юрист Леня существовал где-то за чертой. Его как бы не было, хотя он был.

Лилек стала подумывать о разводе и о новом браке. Хотелось быть вместе всегда, всегда, всегда...

Однажды Максим позвонил и отменил свидание. Он заболел, у него двухстороннее воспаление легких.

Лилек терпела разлуку два дня, а потом не выдержала, взяла с работы белый халат и шапочку и явилась к Максиму на квартиру. Вроде как врач из поликлиники.

Ей открыла Зина. Лилек ступила в сердце семьи.

Квартира была блочная, типовая, с полированной мебелью на тонких ножках. Висел запах тушеного мяса. Клубились двое мальчишек. Младший был похож на принца Чарльза. Лилек вдруг поняла, что Максим тоже похож на принца Чарльза, только меньше ростом и лысый.

Зина — большая, уютная. Две большие груди и большой живот походили на три засаленные подушки. От нее пахло тушеным луком. Она не хотела нравиться и не хотела казаться лучше чем есть. И именно поэтому нравилась.

Зина провела Лилька к больному. Максим засветился лицом и глазами. Зина ничего не заметила, потому что в эту секунду в комнату влетели мальчишки. Один выдирал у другого что-то изо рта.

— Он схватил мою жвачку! — вопил принц Чарльз.

Зина быстро щелкнула им подзатыльники, мальчишки выкатились, шум переместился за стенку. Зина поторопилась к ним, чтобы разобраться и восстановить справедливость. Чувствовалось, что она здесь главная и все держится на ней. Максим — только материально несущая балка.

Лилек молча раскрыла свой чемоданчик, достала горчичники, растирки. Стала, как медсестра, растирать ему спину, чтобы не было застоя. Потом укутала в пуховый платок, который тоже принесла с собой. Укрыла одеялом под горло. И села рядом.

Надо было о чем-то говорить. Максим стал пересказывать интересное исследование о раке, которое он недавно прочел в американском журнале. Статья американского профессора по имени Иуда Форман.

Тема была интересна Лильку, но она слушала невнимательно. Думала о другом. О чем? О том, что она протянула руку к чужому. Воровка. На кого замахнулась? На детей? На Зину, которая батрачит с утра до вечера... Лилек хотела только Максима. Ей казалось: изъять Максима, а все остальное пусть останется по-прежнему. В том-то и дело, что по-прежнему ничего не останется. Все рухнет, потому что они с двух сторон — Максим и Зина — равноценно поддерживают эту конструкцию: семья.

— О чем ты думаешь? — заметил Максим.

— О том, что профессора зовут Иуда, — сказала Лилек. — Я думала, что этим именем никто не пользуется. Оно настолько скомпрометировано...

Заглянула Зина и пригласила Лилька поесть. Максим настаивал. Пришлось согласиться.

И вот они втроем сидят на кухне и едят бефстроганов. Блюдо приготовлено классически, в сметане. Боже, как давно Лилек не ела бефстроганов. Все больше сосиски.

Зина рассказывала жуткую историю о том, как в их районе бандиты приковали к батарее беременную женщину, а сами стали искать ценности и валюту. А потом сообразили, что не туда пришли. Перепутали квартиру.

— И дальше что? — спросила Лилек.

— Ничего. Ушли, — ответила Зина.

История имела счастливый конец. Наручники отстегнули и ушли. Хэппи энд. Вкусная еда. Прочность бытия. Так сложилось у Зины и Максима. Хорошо ли, плохо ли, но сложилось и летит, как самодельный летательный аппарат.

Лилек поблагодарила и стала прощаться.

— Заходите, — попросила Зина. — Просто так. В гости.

Она ничего не заподозрила, чистая душа.

Начались страдания. Их любовь стала походить на те самые клетки, которые пожирают кислород из организма. Все это вело к полному краху. И Лилек решила не ждать. Порвать без объяснений. Как будто нырнула на большую глубину. Задыхалась. Всплывала на мгновение — и опять на глубину.

Максим понял. Согласился. Потянулись мучительные дни без него. Потом дни переросли в месяц и в год.

***

Больше ничего значительного в жизни Лилька так и не случилось. Кроме самой жизни. Постепенно она привыкла к тому, что ничего не происходит. Меняются только больные и времена года. А все остальное остается по-прежнему, и это очень хорошо. Ей нравилось просыпаться и встречать день утром. И провожать его вечером. Она научилась делать бефстроганов по правилам, в сметане. Сверху посыпала травкой, мелко рубила.

Леня приходил с работы, молча ел. Потом садился, читал газету.

Лилек иногда задумывалась: чем жить дальше? Как разнообразить свое существование? Она знала как врач, что старость — это болезнь. Старость надо преодолевать. На это уйдет время. Новая <u>цель</u> — продление жизни. Это ложная цель. Но если разобраться — все <u>цели</u> ложные: любовь, которая все равно кончается. Успех, который — не что иное, как самоутверждение.

Лилек решила сделать в квартире ремонт. Друзья порекомендовали армянскую бригаду. Пришли три брата-армянина, в джинсах, худые и смуглые. Не особенно молодые, старшему — пятьдесят, но все-таки молодые, с сединой в густых волосах.

Лилек расцвела, руководила, командовала. Армяне охотно подчинялись, склонив головы, притушив южный блеск глаз. Блеск оказался не столько южный, сколько алчный. Они приехали заработать деньги «на семю» — так они произносили слово «семья». А страшненькая русская интересовала их только как источник дохода. Они быстро поняли, что ее можно раскрутить — то есть взять в два раза больше.

Армяне обманывали Лилька налево и направо. Младший по имени Ашот постоянно что-нибудь выпрашивал: то раскладушку, то одеяло.

Лилек любила быть сильной и благородной. Она все отдавала и любовалась собой.

Ашот рассказывал, что живет в маленьком городе. Единственный культурный центр — базар. Армяне там собираются и проводят время. Работы нет. Страна разрушена. Взрослые мужчины разбрелись кто куда, лишь бы найти работу. Живут бесправно, как рабы. Милиция их отлавливает и штрафует, по сути, грабит. Дома у него жена и трое детей. Жену зовут Изольда. Армяне любят давать экзотические имена. С женой они спят в разных комнатах — так решила жена, потому что он постоянно к ней пристает. Изольда не может заниматься любовью так часто и там много, как он этого хочет. Она слишком устает днем и должна отдохнуть ночью. Но Ашот — натура любвеобильная, его ничего больше в жизни не интересует. Он каждую ночь пытается проникнуть к Изольде, но она ставит в дверях кого-то из детей, чтобы задержать Ашота. Дети дежурят каждую ночь по очереди.

— Ты любишь жену или ты любишь любовь? — спросила Лилек.

— А какая разница? — не понял Ашот.

Он был прост, как молоток, которым забивал гвозди. И Лильку на какое-то время показалось: он прав. Вся эта культура, которую придумало человечество, — надстройка. А базис — сам человек, его биология и инстинкты. Инстинкты вложены в программу и составляют саму жизнь.

Инстинкт продолжения рода — любовь, инстинкт сохранения потомства — чадолюбие. Инстинкт самосохранения — страх смерти. И все, в сущности. А люди выдумывают всякие кружева: культура, архитектура, литература, Чехов, Достоевский, Иуда Форман.

Ашот нравился Лильку за молодость и неравнодушие. Он был на десять лет моложе, но как бы не замечал разницы или притворялся.

Мужчины Лилька — филолог, юрист, хирург — интеллигенция. Но они были в те времена, когда у Лилька была полная колода козырей: молодость, энергия, жизненная жажда. В сущности, полной колоды не было никогда — так, один-два козыря.

Но сегодня нет ни одного. Значит, надо понизить критерий. Пусть будет молодой, серый, любвеобильный Ашот.

Он улыбался лучезарно, его светло-карие глаза лучились, и белые зубы тоже лучились. Лилек не сомневалась, что он влюблен. Она была самоуверенна на свой счет.

Все кончилось очень быстро. Армяне ее обокрали и смылись. Они были даже не особенно виноваты. Лилек никогда не прятала деньги. Кошелек с деньгами всегда лежал в прихожей под зеркалом. И не захочешь, да прихватишь.

Лилек предполагала, что украл средний брат — самый красивый и подлый. Подлость заключалась в том, что он выдавал себя за другого. Был мелкий жулик, а изображал из себя Гамлета.

Украсть мог и старший брат, рукастый и пьющий. Он единственный из троих умел работать.

Лилек не успела понизить критерий, слава Богу. Какой это был бы ужас... Она поняла: культура держит человека на поверхности, не дает ему опуститься до воровства. Если бы братья-армяне читали книги, слушали музыку и ходили в театр, то прошли бы мимо чужого кошелька.

Лилек была рада, что Ашот оказался таким ничтожеством, от слова «ничто». Она с легкостью помахала рукой станции по имени «Любовь» и поехала к следующей станции по имени «Старость». Без сожаления, не оборачиваясь.

Она понимала — ничего нельзя повторить. На место Максима могут прийти только Ашоты. Лучше пусть не приходит никто.

По теории относительности время во второй половине жизни течет быстрее. И это правда. Только что было 45, уже 55. Только что было лето, уже зима. А осень где? Проскочила.

Лилек углубилась в свою работу. Потребность в интеллектуальной деятельности была для нее такой же сильной, как потребность в еде. И даже больше. Или на равных. Вернее, так: когда хочешь есть, думаешь только о еде. Но когда сыт — первая потребность в интеллектуальной деятельности.

***

Розы пришли из ТОЙ жизни, как воспоминание о мазурке — есть такое музыкальное произведение.

Но все-таки кто же их прислал? Женька? Простил и прислал. С возрастом многое прощаешь.

«Что пройдет, то будет мило...» И может быть, ему сейчас милы воспоминания их одухотворенной жизни, Чехов — Достоевский, походы в театры, на поэтические вечера. А развод-размен — это всего-навсего гроза. Гроза — это тоже красиво, тем более что она проходит.

Лилек порылась в ящике и нашла старую записную книжку тридцатилетней давности. Там был телефон Женьки от новой квартиры, куда он переехал после размена. Откуда телефон? Лилек что-то у него отбирала, кажется, книги, и преследовала звонками до тех пор, пока он не отдал. Ему было легче отдать, чем противостоять. Лильку эти книги были не нужны, просто ею правило НАЗЛО. Чем хуже, тем лучше.

Лилек набрала номер. Трубку сняла БРАТЕЕВА. Этот голос она узнала бы через 1000 лет, из тысячи голосов.

— Да-а-а, — пропела Братеева с длинным сексуальным «а».

«Старая блядь, — подумала Лилек. — Под шестьдесят, а туда же...»

— Позови Женю, — жестко приказала Лилек.

Ненависть была свежа, как будто вчера расстались. Братеева тут же ее узнала и почувствовала.

— А зачем? — спросила она.

С ее точки зрения, Лилек не была нужна Женьке и в двадцать лет, а уж теперь и подавно.

— Это я ему скажу...

Братеева громко позвала:

— Женя! Тебя твоя жена за номером один...

Значит, были номер два и три. Но в результате они воссоединились. Женя и Лида. Лида бросила сокола, или всю стаю, и пришла к Женьке. Значит, это ЛЮБОВЬ — та самая, прошедшая через испытания...

— Я слушаю, — настороженно отозвался Женька.

Он, наверное, решил, что Лилек хочет еще что-то у него отобрать.

— Мне цветы прислали, — деловито произнесла Лилек. — Розовые розы.

Она замолчала.

— И что? — не понял Женька.

— Это не ты прислал? — прямо спросила Лилек.

— Я?? Тебе??

Чувствовалось, что Женька очень удивился. Он относился к человечеству по Достоевскому, то есть не верил ни во что хорошее.

— Ну ладно, пока, — попрощалась Лилек.

Она положила трубку и почему-то не огорчилась. Если Женька счастлив со своей Аполлинарией Сусловой — то пусть. Чем больше счастливых людей, тем благополучнее страна. А стране так не хватает благополучия...

Откуда в Лильке это смирение? А где же скорпион? Значит, и скорпион тоже постарел и перестал быть таким ядовитым.

Откуда же розы? Не Ашот же прислал их на краденые деньги. Он украл на «семью», а не на посторонних женщин, тем более немолодых и некрасивых.

Значит, Максим...

Лилек набрала воздух, как перед погружением на глубину. И позвонила. Этот телефон она помнила наизусть. Эти семь цифр — шифр от главного сейфа, в котором лежала ее любовь.

Трубку взяла Зина. Это был ее голос. Значит, ничего не изменилось. Время плыло над их головами не задевая.

— Здравствуйте, — вежливо поздоровалась Лилек. — А можно Максима?

— Его нет, — ответила Зина.

— Нет дома или нет в Москве? — уточнила Лилек.

— Нет нигде.

— Он умер? — оторопела Лилек.

— Он женился, — просто сказала Зина.

Лилек молчала. Зина ждала. Потом крикнула:

— Але! — проверила, не сломался ли телефон.

— Давно? — спросила Лилек из пустоты.

— В 85-м году. А это кто?

— Да так. Никто.

Лилек снова замолчала. Значит, она не посмела. А кто-то посмел. И получилось. Лилек тогда кинула себя в жертву. Ушла. Освободила место в его душе. А свято место пусто не бывает.

Женщины могут жить прошлым, а мужчины устроены по-другому. Им надо сегодня и сейчас.

— А дети? — спросила Лилек.

— Старший в Америке. А младший со мной.

Значит, Зина не одинока. И Максим не одинок. Все как-то устроились и живут.

А что бы она хотела? Чтобы все страдали по ней, такой неповторимой, рвали на себе волосы, заламывали руки...

Да, хотела бы...

Лилек молчала. Зина терпеливо ждала.

— А вы чего хотите? — проверила Зина.

«Чтобы меня любили», — это был бы правильный ответ. Но Лилек сказала:

— Мне сегодня розы прислали. С посыльным. А визитки нет. Я всех знакомых обзваниваю на всякий случай...

— Меняйте замок, — энергично отозвалась Зина. — Это наводчик приходил. Сейчас у воров новая фенька: они сначала наводчика посылают, с цветами. Тот все обсматривает, а на другой день приходят и чистят. Хорошо, если по голове не дадут...

Лилек вспомнила, что Зина любила жуткие истории, и чем жутчее, тем интереснее. Но нехорошее чувство шевельнулось в груди. Она действительно потеряла кошелек, может, вытащили или забыла в магазине. Она вообще все забывает: вещи, имена людей. Память стерлась. В кошельке денег было мало, ерунда какая-то, но лежал ключ и квитанция из прачечной. На квитанции адрес. Если есть ключ и адрес, почему бы наводчику не прийти и не посмотреть, что и как.

— А откуда вы это знаете? — уточнила Лилек.

— Так я ж в милиции работаю, у нас в месяц по девять краж. Значит, Зина вернулась на работу.

— Ну ладно, — проговорила Лилек. — До свидания...

Зина не хотела ее отпускать так быстро и кинулась торопливо рассказывать, что появился новый вид ограбления: в машине. Один жулик вежливо спрашивает, как проехать. И пока ему объясняют, другой в это время тырит сумку. Тот, кто спрашивает, — одет прилично и красивый. Они специально держат для этой цели культурных, в голову не придет, что вор. Внешность — отвлекающий маневр.

Лилек положила трубку. Все!

Тот парень с плитами румянца — наводчик. Лилек вспомнила, как он шил глазами.

И стало так противно, так беспросветно и оскорбительно, как будто в душу наплевали.

Измена и обман! Вот на чем стоит жизнь. Достоевский прав. Чехов говорил, что люди через сто лет будут жить лучше и чище. Прошло сто лет. И что? Хорошо, что Чехов умер в 1904 году и не видел ничего, что стало потом.

Потом пришли бесы. Достоевский оказался пророком. А сейчас или завтра в ее дом явится Раскольников и ударит по голове. Прихлопнет, как муху. Ей много не надо.

Физический страх вполз в душу, как холодная змея, и шевелился там.

А собственно, чего она так боится? Что у нее впереди? Одинокая больная старость. Стоит ли держаться за эту жизнь. Но быть прихлопнутой, как муха... Пасть от руки подонка без морали...

Лилек вспомнила наводчика и подумала: как же ему не стыдно? Но с другой стороны, он — вор. У него профессия такая.

Надо не задаваться интеллигентскими вопросами, а сменить замок.

На войне как на войне.

***

Возле телефона лежала записная книжка. Лилек раскрыла на букве «ю», против пометки «юридическая консультация». Набрала номер, подумав при этом, что почти никогда не звонила мужу на работу.

Леня отозвался сразу, как будто ждал. Услышал голос жены.

— Поздравляю, — сказал он вместо «здравствуй».

— С чем? — Страх вытеснил из Лилька все остальные реалии.

— С днем рождения, — напомнил Леня.

— А... Лучше скажи — соболезную.

— Вовсе нет. Поздравляю. Желаю. Ты цветы получила? Лилек споткнулась мыслями.

— Какие цветы? — проверила она.

— Розовые розы.

— Это ты?..

— Здрасьте, — поздоровался Леня. — Проходите... Видимо, к нему в кабинет вошли.

Лилек положила трубку. Мысли громоздились друг на друга, как вагоны поезда, сошедшего с рельсов.

Леня... Прислал цветы через магазин. Как в кино. А что она дала ему в этой жизни? Себя — страшненькую и неверную. Все, кого она любила, — мучили ее, мызгали и тратили. А Леня собирал. Как? Просто был. И ждал. И ей всегда было куда вернуться.

Почему он выносил эту жизнь без тепла? Потому что их брак оказался заключенным на небесах. И какие бы страсти ни раздирали их союз — ничего не получалось, потому что на земле нельзя разрушить брак, заключенный на небесах.

А возможно, все проще. Леня — верный человек. И Лилек — верный человек, несмотря ни на что. А верность — это тоже талант, и довольно редкий.

Лилек захотела есть и пошла на кухню. Открыла холодильник. Кошелек с деньгами лежал на полке, в том отделе, где хранят яйца. Как он там оказался? Он же не сам туда вскочил?

Скорее всего она выгружала продукты из сумки и заодно выгрузила кошелек.

Вечером пришли гости — друзья их молодости и среднего периода. Стол был обильный, хоть и без затей. Еды и выпивки навалом. Лилек опьянела и стала счастливой. Для этого были причины. Во-первых: посыльный — не жулик, и это счастье. Как тяжело разочаровываться в людях и как сладостно восстанавливать доверие.

Во-вторых, на ее столе в стеклянной банке стояли розовые розы неправдоподобной красоты. Сильные перекрещенные стебли просвечивали сквозь стекло. Сверху красота и цветение, а внизу — аскетизм и сила, фундамент красоты. Букет-модерн.

Гости поднимали тост за вечную весну. Лилек усмехалась. Не надо утешений и красивых слов. Она — юная старуха. Впереди у нее юность старости, зрелость старости, а что там дальше — знают только в небесной канцелярии.

Леня напился и стал слабый. Когда все разошлись, он не мог встать с места. Лилек везла его на стуле до кровати, а потом снимала ботинки.

Уик-энд

По утрам она делала гимнастику. Махала руками и ногами. Гнула спину вперед и назад.

— А ты не боишься упасть и сломать шею? — пугалась я.

— Я чувствую, когда граница, — отвечала Нинон.

— А как ты чувствуешь?

— Центром тяжести. Он в позвоночнике. Я чувствую грань между «да» и «нет».

После зарядки Нинон направляется в душ. Плещется долго. Я вхожу следом и замечаю, что колонка течет. Распаялась.

Наша хозяйка, у которой мы снимаем дачу, умоляет только об одном: не смешивать воду в колонке. Отечественные колонки рассчитаны на один режим: холодная или горячая. Нинон это знает. Но для здоровья и удобства ей нужно смешать воду, и значит, все остальное не идет в расчет: хозяйка, ремонт колонки, деньги водопроводчику. Все эти мелочи Нинон не учитывает.

Я вошла в кухню и сказала:

— Нинон! Какая же ты сволочь!

Нинон пьет кофе — свежая, благоухающая, с маникюром и педикюром. Она кивает головой в знак согласия: дескать — сволочь, что ж поделаешь...

Ничего не поделаешь. Я вызываю по телефону водопроводчика и сажусь пить кофе. Уже за столом я вспоминаю, что забыла свой кофе в Москве.

— Дай мне ложку, — прошу я. — Иначе я не проснусь.

— Не могу. Я привезла только в расчете на себя.

Я вздыхаю, но делать нечего. Нинон — это Нинон. От нее надо либо отказываться, либо принимать такую, как есть.

Я ее люблю, а значит, понимаю. Любят не только хороших, любят всяких.

Нинон эгоистичная и жадная до судорог. Однако жадность — это инстинкт самосохранения, поэтому дети и старики, как правило, жадные. Я застала Нинон в среднем возрасте — между ребенком и старухой. Нам обеим под сорок. Мы на середине жизненного пути. Вторая половина идет быстрее. Но сейчас не об этом.

Наша дружба с Нинон имеет дачный фундамент. Мы вместе снимаем дачу — одну на двоих. Аренда на зимние месяцы стоит недорого, даже для меня, учительницы русского языка в общеобразовательной школе.

Нинон — переводчица. Она знает немецкий, французский, испанский, португальский, а заодно и все славянские: польский, югославский, болгарский. Нинон — полиглот. Она невероятно чувствует природу языка и может подолгу разглагольствовать на эту тему. Меня интересует одно: кто дал народам их язык? Откуда он взялся: испанский, французский и так далее. Это результат эволюции?

Нинон не знает. И никто не знает. Значит, язык — спущен Богом. Так же, как и сам человек.

Нинон любит профессию и владеет ею в совершенстве. Ее приглашают переводить на международные выставки. Она и сама похожа на иностранку: большеротая, большеглазая, тип Софи Лорен, но нежнее. Ее красота не такая агрессивная.

Что касается меня, то я — белая, несмелая ромашка полевая. У меня золотые кудряшки и лишний вес. Мечта офицера, коим и является мой муж. У меня муж — полковник. Нинон снисходительно называет его «красноармеец».

Мы с Нинон совершенно разные — внешне и внутренне. Она худая, я толстая. Она светская, я домашняя. Она жадная, я равнодушна к собственности. Она атеистка, я верующая. Но при этом мы дружим. Нам вместе интересно. Она меня опекает, критикует, ей нравится быть сильной. Она самоутверждается за мой счет, а я не против.

Мы вместе уезжаем на дачу, проводим субботу и воскресенье — Нинон называет это уик-энд. Мы гуляем на большие расстояния, смотрим телевизор, обмениваемся впечатлениями, отдыхаем от Москвы, от семьи.

У каждой из нас неполная семья. У меня муж без детей. У нее — дети без мужа. Неизвестно, что хуже.

Мы обе страдаем — каждая по-своему. Я страдаю от пустоты, а она от неблагодарности.

Ее муж, Всеволод, в повседневности Севка, достался ей иногородним студентом. Она его прописала в Москве, выучила, содержала до тех пор, пока он не встал на ноги. Он встал и ушел к другой, оставив ей двоих маленьких детей. Теперь детям пятнадцать и шестнадцать — сын и дочь. Соня и Сева. В выходные дни, пользуясь отсутствием матери, дети собирают в доме ровесников. Эти ровесники портят мебель. Недавно оторвали колесико от кресла и потеряли. Колесико не купить, поскольку кресло с выставки. В одном экземпляре. Надо заказывать колесико, потом вызывать плотника — все это время, деньги, усилия...

Я слушаю и киваю головой.

— Какие свиньи, — комментирую я.

Я — единственный человек, который понимает Нинон. Всем остальным это надоело. Ну сколько можно про кресло и про колесико и про неблагодарность. Уши вянут...

Пока мы завтракаем, я звоню в контору и вызываю водопроводчика. Водопроводчик Семен появляется довольно быстро, чинит — меняет какую-то трубку. Называет цену. Нинон вздыхает и говорит, что она внесет свою половину. Значит, вторую половину должна платить я, хотя испортила колонку Нинон. Но я счастлива, что мне досталась половина, а не целая сумма. Могло быть и так.

***

Мы уходим на прогулку, в этом смысл уик-энда: двигаешься, дышишь, покрываешь большие расстояния, проветриваешься кислородом.

Как хороша природа Подмосковья. Всякая природа красива, и джунгли в том числе. Но джунгли — это чужое. А Подмосковье — свое. Лес... березовая роща... заброшенная почти деревушка. Грубая бедность прикрыта снегом. Все смотрится романтично.

Нинон шагает рядом на крепких страусиных ногах, шапочка над глазами, черные пряди вдоль лица. Чистый снег пахнет арбузными корками, а может быть, это парфюм Нинон. Она душится японскими духами, которые имеют запах арбуза.

Нинон идет размеренно, как верблюд. Я задыхаюсь, а она нет. Я прошу:

— Давай передохнем...

Нинон не соглашается.

— Останавливаться нельзя. Нельзя терять ритм.

Я чертыхаюсь, но все-таки иду. И вдруг через какое-то время ощущаю, что у меня открылось второе дыхание. Действительно стало легче.

Нинон усложняет задачу. Она выбирает наиболее трудные тропинки, а еще лучше бездорожье, чтобы проваливаться по колено. Трудно поверить, что с ней ЭТО было. Может быть, она выдумывает... Но нет. Такое не выдумывают.

Дело в том, что несколько лет назад Нинон пережила тяжелую болезнь. Она не любит это вспоминать. Это тайна, которую она поведала только мне. И я приняла тайну на сердце.

Была болезнь в стадии 2-б. Всего четыре стадии. Была операция. После операции навалилась депрессия, хотела покончить с собой, но нельзя. Дети маленькие. Их надо поднять, хотя бы до совершеннолетия. Кроме нее поднимать некому. Мать старая, муж у другой. Нинон поняла, что у нее — только один выход: выстоять и выжить. И она выживала. Буквально вытаскивала

себя за волосы из болота, как барон Мюнхгаузен. Не лекарствами — образом жизни. Закаливание, ограничение и нагрузка —
вот три кита, на которых держится ее существование.

Закаливание — это обливать себя холодной водой. Ограничение — мало есть, только чтобы не умереть с голоду. Вес должен быть минимальным. Сердцу легче обслужить легкое тело.

Нагрузки — ходьба. В Москве она забыла про транспорт,
везде ходила пешком, покрывала в день по тридцать километров.
На субботу и воскресенье выезжала за город — и эти же расстояния на свежем воздухе.

Когда Нинон видела, что пора возвращаться, а не хватает
километров, она специально сбивалась с пути. Мы кружили и
блуждали, как партизаны. Выбившись из сил, садились на сва-
ленную березу.

Нинон может разговаривать только на одну тему: о своем
муже Севке. С ее слов — это сексуальный гигант, она была с
ним счастлива как ни с кем, и если изменяла — только в отмест-
ку. Их отношения с Севкой — это чередования бешеных ссор и
бешеных совокуплений. Середины не было. По гороскопу Нинон
змея, а Севка тигр. Это абсолютно несовместное сочетание. Змея
норовит ужалить исподтишка, а тигр сожрать в открытую. Вот
они и разошлись. Но после Севки Нинон выпала на холод. Трес-
нула душа, как если бы раскаленное окунуть в ледяное. Поэтому
Нинон заболела. Но она не умрет. Выживет ему назло.

Мы с Нинон поднимаемся и идем дальше, Севке назло. Тигр
думает, что он уничтожил змею, наступил на нее лапой. Нет.
Она выскользнула и вперед, вперед...

И я следом за Нинон, а куда деваться? Я в основном молчу,
в диалог не вступаю. Мне и рассказывать нечего. Мой муж —
мой первый и единственный мужчина. А я у него — единственная женщина. Бывает и так.

— Ты ему никогда не изменяла? — поражается Нинон.

— Я верующая. Нам это нельзя, — оправдываюсь я.

— Ерунда. Православие разрешает грешить и каяться.

— Значит, русским можно, а татарам нельзя? — уточняю я.

— Можно всем. Без страстей жизнь скучна.

Я подумала: «А со страстями получается стадия 2-б». Но промолчала.

В брежневские времена не было казино, ночных клубов. Никаких развлечений. Левые романы — это единственное, что было доступно советским гражданам. Многие ныряли в левые романы от скуки, от невостребованности. Это как бы часть социума.

Мы движемся совершенно одни по снежному полю. Если посмотреть сверху — две черные точки на белом.

Я не ропщу. Мы скованы одной цепью — дружбой.

К двум часам мы возвращаемся на дачу — морозные, проветренные и голодные. Хочется есть, есть, есть...

Нинон разрешает себе лепесток мяса, кучку капусты и кусочек черного хлеба, который я называю «сто двадцать пять блокадных грамм».

Я в это время ем кусок жареной печенки величиной с мужскую галошу.

— Ужас... — пугается Нинон. — Печень вырабатывает холестерин. Ты ешь сплошной холестерин.

Звонит телефон. Ей звонят, она звонит. Ей все нужны, и она нужна всем. Нинон — как волнорез, о который разбиваются многие волны. Ее приглашают в гости, в театр, на выставку. Ее хотят видеть, слышать и вдыхать. Нинон пользуется успехом. Успех — это насыщенная гордость. Нинон полна гордостью до краев и забывает о своих неприятностях и даже о болезни. Таково защитное свойство человеческой психики.

После еды вырабатывается гормон покоя. Мы ложимся и засыпаем. В Испании это называется сиеста.

За три года такой жизни я похудела, окрепла и помолодела. Все это замечают. Даже мои ученики.

Наступила перестройка и принесла свой сюжет и свои декорации.

Дети Нинон выросли. Им двадцать и двадцать один. Сын влюбился в немку и уехал в Германию. Дочь завела себе друга по имени Олег, и они стали жить вместе в центре Москвы.

У меня все по-старому, кроме учеников. Ученики сдают выпускные экзамены и исчезают во времени. Ученики текут, как вода, как река, как сама жизнь.

Мы по-прежнему ездим с Нинон на уик-энды. Дача прежняя, прогулки те же самые, но не по снегу, а по изумрудной траве.

Лето. Шагается легко. Нинон жалуется по обыкновению, а я слушаю. «Кому повем печаль мою...»

Нинон живет одна. Это хорошо, поскольку никто не мучает. Но и плохо, потому что все — не по ее.

Друг Сони занимается бизнесом: купи-продай... Что он продает, что покупает — непонятно. Единственная мечта Нинон, чтобы этого Олега не было в помине. Пусть бросит Соню или в крайнем случае — пусть его отстрелят.

Так и случилось. Нинон накаркала. Приманила несчастье. Однажды Олег вошел в лифт. В лифте стоял невысокий мужичок и улыбался.

— Вам на какой? — спросил Олег.

— На последний, — отозвался мужичок.

Олег нажал свою кнопку с цифрой «пять». Лифт начал подниматься. Мужичок выстрелил, не переставая улыбаться. Пуля попала в середину тела, между грудью и животом.

Лифт остановился на пятом этаже. Мужичок вышел и, насвистывая, побежал вниз. А Олег выполз на площадку и успел позвонить в дверь. Соня открыла, и ей на руки осел любимый, окровавленный, теряющий сознание. Как в кино.

Соня позвонила матери, а уж потом в «Скорую». Нинон ринулась в спасение ненавистного ей Олега. Она доставала по своим каналам редчайшие лекарства, платила бешеные деньги, при ее-то жадности.

Олег выжил. Они с Соней уехали в Швейцарию отдыхать. Значит, было на что. Настроение у Олега было жуткое. Он буквально заглянул смерти в лицо и боялся, что это повторится. Видно, что-то не то продавал. Но все обошлось. Ему позвонили и сказали: выжил — твоя удача. Живи. Но больше дорогу нам не переходи. Мы это не любим. Олег поклялся, что больше дорогу не перейдет, будет держаться подальше.

Жизнь вошла в свое русло. Нинон снова стала ненавидеть Олега.

— Это человек не нашего круга, — возмущается Нинон.

— Сейчас круги перемешались, — говорю я. И это правда.

— Моя мать из глухомани вышла замуж за городского. Это был путь наверх. Я поднялась еще выше. Я знаю пять языков. Моя дочь должна была подняться выше меня. Или хотя бы на уровне. А она... Пала ниже, чем мать. Та хоть трудом зарабатывала, а этот ворует. Зачем я его спасала? Думаешь, он мне благодарен?

— Думаю, да. Без всякого сомнения.

— Хоть бы деньги за лекарство отдал. Я говорю: Соня, скажи Олегу, пусть отдаст тысячу долларов за лекарство. А она: «Мама, как тебе не стыдно...» Представляешь?

— Скажи сама, — советую я.

— Неудобно... Получается, что я совершила благородный поступок, а теперь требую за это деньги.

— Тогда не требуй...

— Они сами должны понимать. А они не хотят понимать. Трахаются, и все.

— А ты что делала в их возрасте? — напоминаю я. — То же самое...

Нинон замолкает. Уходит в себя. Она сделала для своих детей все, что могла, и больше, чем могла. Она выжила. А они — неблагодарные. Один уехал, и с концами. Как будто его нет. А другая продолжает доить мать, как дойную корову.

— Ну почему все только в одну сторону? — вопрошает Нинон. — Почему я должна все время давать?

— Так это же хорошо. Значит, ты сильная. Рука дающего да не оскудеет.

Перед нами широкая протока. Это уже не ручей, но еще не речка.

Нинон скидывает с себя одежду, и голая, как нимфа, погружает себя в воду. Вода ее омывает. Лицо светлеет и становится детским. Она не плывет, а ходит на руках по дну, как земноводное. Нинон меня зовет, но я боюсь застудиться. Я еще надеюсь когда-нибудь родить.

— Холод лечит, — успокаивает Нинон. — Не бойся...

Я осторожно захожу в воду и сажусь на дно. Тело мгновенно привыкает к разности температур. Какое блаженство... Вода уносит мои печали и разъедающие думы Нинон. Кажется, что в природе нет никого и ничего, как в первый день творения: только синее небо, хрустальная вода и голый человек.

Вечером мы идем в гости.

В дачном поселке много общих знакомых. На соседней улице живут Брики. Я их так зову. Вообще, у них другая фамилия. Общее с Бриками — треугольник. Женщина и двое мужчин. Она — немолода, с жидкими волосами и очень близорука. Очки, как бинокли, от этого глаза за очками кажутся мелкими, как точки. Ее зовут Рита. Говорят, у нее золотые мозги и душа тоже вполне золотая.

У них постоянно бывают гости. Я замечаю, что Нинон метет еду, как пылесос. В гостях она не столь привередлива. И когда на общем блюде остается еда, типа сациви или салата, Нинон подвигает к себе блюдо и сметает могучим ураганом своего аппетита, который приходится постоянно сдерживать.

Все это замечают, но легко прощают. Ей можно больше, чем остальным. Почему? Потому что она ТАКАЯ.

Я смотрю на Бриков. Они мне нравятся: все вместе и каждый в отдельности. Мужчины породистые и самодостаточные. Нинон красивее и моложе, чем Рита. Но у Риты — двое. А у Нинон — ни одного. Несправедливо. Однако я догадываюсь, в чем дело. Нинон эгоистична, ничем не делится, ни деньгами, ни душой. А Рита делится всем.

Мужчины за столом — физики и лирики, смотрят на меня с большим одобрением. Я к этому привыкла. Я нравлюсь всем слоям и прослойкам. Но я свято соблюдаю заповедь: не прелюбодействуй. Я твердо знаю, что мой брак держится на моей верности. Если верности не будет — все рухнет, и очень быстро. Поэтому я — устойчива и спокойна, и это добавляет мне козырей.

В конце вечеринки мы поем песни Юрия Визбора.

«Милая моя, солнышко лесное...» Вообще, это не грамотно. Солнышко не бывает лесное или речное. Оно — одно. Но в этой ошибке столько очарования и нежности: солнышко лесное...

Я смотрю на Нинон. Улыбка перебегает от уголков ее губ к глазам. Наконец-то она сыта и счастлива. Она забыла про Севку, про болезни, про неблагодарность... Счастлива, и все. В мире столько нежности на самом деле.

Время шло. В стране установился непонятный строй: капитализм по-русски.

Дача накрылась медным тазом, как говорят мои ученики. Наша дачная хозяйка продолжает сдавать, но за доллары. В стране все всё сдают, иначе не выжить.

Нинон оформила документы и укатила в Германию, поближе к сыну. Прежде чем уехать, она сдала свою квартиру американцу за бешеные деньги. Квартира у Нинон большая, элегантная, в хорошем районе. За американца платила фирма, так что все довольны — и американец, и Нинон. А фирме все равно, она будет переводить деньги в русский банк Нинон, на валютный счет.

Я в очередной раз попыталась забеременеть, и это случилось, но ненадолго. Должно быть, Бог отменил мою ветку. Ему видней. Это очень жаль, потому что я создана для материнства. У меня просторные бедра, чтобы родить, грудь, чтобы кормить, и лицо, чтобы склониться над ребенком. Все это не понадобилось. Странно...

У меня не очень хорошо с нервами, и я вышиваю крестом. Это успокаивает. Когда мы с мужем идем в театр, я кладу руко-

делие в сумочку и вышиваю в антракте. На меня все смотрят с
удивлением: зачем вышивать в театре? Сиди дома и вышивай.
Но муж не делает мне замечаний. Ему все равно, лишь бы я
была рядом. Мы — идеальная пара. Может быть, за это Бог не
дает нам детей.

У Нинон есть поговорка: «Кругом шестнадцать не бывает».
Почему шестнадцать — я не понимаю. Но смысл в том, что
человек не получает все сразу. Или идеальная пара без детей,
или тигр со змеей, но с детьми.

Я вышиваю крестом и утешаю себя как могу. Я скучаю без
дачи и без Нинон. От меня как будто что-то ушло.

Нинон звонит мне по ночам, поскольку ночью льготный та-
риф. В Германии ее жадность обострилась. Тем не менее я в
курсе ее жизни.

Первым делом Нинон воспользовалась немецкой медициной и
проверила свое здоровье. Стадия 2-б — это как мина с часовым
механизмом, не знаешь, когда рванет. Но здоровье оказалось в пол-
ном порядке. Никакой стадии, никаких отклонений от нормы. Печень чиста, как у ребенка. Кровь, как утренняя роса. Больше не
надо выживать. Просто жить и наслаждаться жизнью.

Нинон позвонила мне ночью.

— Я совсем в порядке, — сообщила она. — Представляешь?

Я отметила, что ее русский похож на подстрочник. Значит, она
думает по-немецки.

— Я победила, — сказала Нинон, — потому что я боролась.

Я испытала честное, искреннее счастье, но выразить не успела.

— Пока, — попрощалась Нинон и бросила трубку. Экономила.

Я долго не могла заснуть от радостного возбуждения. У меня,
как оказалось, прочная подруга, ее хватит на всю мою жизнь, и
еще останется.

Жизнь — это смертельная болезнь, которая передается по-
ловым путем. Мы все умрем когда-нибудь. Но когда? Вот этого
лучше не знать. Тогда жизнь кажется вечной.

Убедившись в своей вечности, Нинон отправилась к сыну в Кельн. Их дом стоял неподалеку от знаменитого собора.

Жена сына спросила у сына: «На сколько приехала твоя мама?» Сын не знал и спросил у Нинон: «На сколько ты приехала?» Нинон тоже не знала и сказала:

— Давай на наделю. — Она поняла, что больше недели для них будет много.

— Ну хорошо, — сказал сын.

— Ну хорошо, — вежливо согласилась жена сына.

Нинон поняла, что неделя — тоже много. У немцев есть поговорка: «Гость на второй день плохо пахнет». Сын любил свою маму, но он уже давно жил без нее и отвык. К тому же на Западе разные поколения не живут вместе. Запад — это не Восток.

Нинон сняла маленькую квартирку под крышей в дешевом районе. Там было много русских и турок, что для немцев одно и то же: беженцы, переселенцы, второй сорт. Немцы не любят пришлых. Они налаживали веками свою жизнь и экономику, а другие пришли на готовое и пользуются, занимают рабочие места...

В России Нинон была как волнорез, о который разбивались многие волны. Все текло, двигалось, как живая вода. А здесь — вакуум. Потеря статуса. Нинон никому не нужна за то, что она ТАКАЯ... Никому даже не интересно, какая она.

Нинон решила устроить свою личную жизнь и написала объявление в газету. Там это принято. Дескать, такая-то хочет того-то...

Сразу откликнулись четыре кандидата. Нинон получила письма и фотокарточки.

Один был запечатлен на фоне озера прислоненным к скамейке. И было неясно, сможет ли он удержаться, если скамейку отодвинуть, или рухнет от старости.

Другой — бодрый, но мерзкий.

Третий — примитивный, как овощ на грядке. А чего бы она хотела? Чтобы по объявлению явился Арнольд Шварценеггер?

Четвертый — красивый. Югослав. Тоже беженец, и альфонс скорее всего. Но Нинон на мужчин деньги не тратит. У нее тенденция к наоборот.

Нинон остыла к затее личного счастья. Через службу знакомств счастье не приходит. У него свои дороги.

Нинон заподозрила, что она слишком много хочет: и здоровья, и счастья, и богатства. Она хочет кругом шестнадцать, а так не бывает.

Нинон долго не звонила. Однажды я позвонила ей сама. Спросила:

— Ты в порядке? — Эту фразу я почерпнула из мексиканских сериалов.

— Знаешь, кого я встретила? — глухо спросила Нинон.

Откуда же мне знать...

— Севку, — сказала Нинон.

В один прекрасный день Нинон забрела в универмаг, где шла распродажа. Стала рыться в большой пластмассовой корзине с барахлом и вдруг ощутила, что рядом тоже кто-то роется и толкается. Она подняла глаза и увидела Севку. Тот же самый плюс тридцать лет. Что он здесь делает? В командировке или на постоянном жительстве? И вот дальше — самое поразительное. Нинон НИЧЕГО не почувствовала. Ее душа не сдвинулась ни на один миллиметр. Пустыня. Песок. То, что раньше ворочалось, как тяжелые глыбы, перетерлось до песка. То, что горело, — остыло до серого пепла. Пепел и песок.

Севка рылся в барахле и ничего не видел вокруг. Нинон хотела его окликнуть, но передумала. Ушла.

— У меня ностальгия, — сообщила Нинон.

— По родине? — уточнила я.

— По себе прежней. Мне себя не хватает. Я просто задыхаюсь без себя...

Через неделю Нинон собрала свои вещи, покидала их в два чемодана и вернулась в Россию.

Вернулась, но куда? В ее квартире жил американец, и большие деньги оседали на ее валютном счету. А деньги — это все. Нинон на них молилась.

Решила снять дешевую квартиру и жить на разницу. Нинон сняла крошечную однокомнатную квартиру в круглом доме. Архитекторы придумали новшество: круглый дом, а в середине круглый двор. Как в тюрьме. Все серое, бетонное, безрадостное. Вокруг — нищета, горьковское «дно». По вечерам откуда-то сверху доносятся пьяные вопли и вопли дерущихся. Кажется, что кто-то кого-то убивает. А может, и убивает.

Со мной Нинон не хочет встречаться, потому что стесняется квартиры — крошечной, с помоечной мебелью. И стесняется себя. Всех трех китов — воздержание, нагрузку и закаливание — Нинон отпихнула ногой в сторону. Зачем голодать и накручивать километры, если со здоровьем все в порядке. Нинон предпочитает лежать на диване, есть мучное и сладкое. Она растолстела на двадцать килограмм, перестала красить волосы. Стала седая и толстая — опустившаяся Софи Лорен.

Основное общение — соседка Фрося. У Фроси лицо сиреневое от водки, а во рту — единственный золотой зуб. Фрося — широкая натура, готова отдать все, включая последнюю рюмку. Беспечный человек. Нинон никогда не могла позволить себе такой вот безоглядной щедрости. Она всегда за кого-то отвечала: сначала за Севку, потом за детей. Она даже умереть не могла. А теперь может.

Нинон стала погружаться в депрессию. Она перестала выходить на улицу. Было неприятно видеть серые бетонные стены с черными швами между плитами. Неприятно видеть вертких детей и их родителей — тоже серых, как бетонные плиты.

Однажды я позвонила и сказала:

— Пойдем в церковь.

— Зачем?

— Бог поможет, — объяснила я.

— Бог поможет тому, кто это ждет. А я не жду.

— Тогда давай напьемся.

— А дальше что?

— Протрезвеем.

— Вот именно. Какой смысл напиваться...

Я положила трубку. Вспомнила Высоцкого: «И ни церковь, ни кабак — ничего не свято. Нет, ребята — все не так...» Действительно, все не так.

Пришло семнадцатое августа, и грянул кризис как гром среди ясного неба. Нинон всегда боялась, что ее обворуют. Чего боишься, то и случается. В роли грабителя выступило государство. Лопнул банк вместе с валютным счетом. Денежки сказали: «До свидания, Нинон». Никто не извинился, поскольку государство не бывает виновато перед гражданами. Только граждане виноваты перед государством.

Американец уехал, его фирма вернулась в Америку.

Нинон тоже вернулась в свою квартиру, в свою прежнюю жизнь. Квартира большая, элегантная, в хорошем районе — это тебе не круглый дом. Однако почва выбита из-под ног. На что жить — непонятно. Да и не хочется. В душе что-то треснуло и раздвинулось, как льдина в океане. И обратно не сдвинуть.

Раньше Нинон нравилось ставить задачу и преодолевать. А сейчас все это казалось бессмысленным. Дети выросли, тема неблагодарности снята. Образ Севки развеялся по ветру. Что остается? Ничего. Оказывается, выживание и неотмщенность — это и был ее бензин, которым она заправляла свой мотор. А теперь бензин кончился. Мотор заглох. Можно еще поприсутствовать на празднике жизни, а можно уйти, тихо, по-английски. Ни с кем не прощаясь.

Как-то утром Нинон вышла на балкон, посмотрела вниз. Высоты было достаточно, девятый этаж. Свою жизнь, которую годами восстанавливала, собирала по капле, Нинон готова была кинуть с высоты, выбросить, разбить вдребезги.

Рерих говорил, что физический конец — это начало нового пути, неизмеримо более прекрасного.

Нинон перегнулась, как во время зарядки, но не назад, а вперед. Осталось совсем мало, чтобы сместить центр тяжести...

В это время раздался звонок в дверь. Кто-то шел, весьма некстати, или наоборот — кстати.

Это была я. Обычно я все чувствую и предчувствую, я буквально слышу, как трава растет. Но в данном случае я не чувствовала ничего. Просто у меня появилась суперновость: моя соседка уезжала за границу и попросила последить за ее дачей. Бывать там хотя бы раз в неделю. Дача — классная, в тридцати километрах от Москвы, с собственным куском реки. Река проходит по ее территории и огорожена забором. Эта новость появилась вечером, а рано утром я уже ехала к Нинон. Она стояла передо мной со странным выражением. Я не понимала, рада она мне или нет.

— Есть дача, — сказала я с ходу. — Давай ездить на уик-энды.

Нинон молчала. Возвращалась издалека. С того света на этот.

— Природа сохраняет человека, — добавила я.

— Сколько? — мрачно спросила Нинон. Жадность первой вернулась в нее. Это хорошо. Жадность — инстинкт самосохранения.

— Нисколько, — ответила я. — Бог послал.

Как я объявлял войну Японии

Рассказ переводчика

Тогда я еще не был переводчиком. И вообще никем. Куском мяса для большой мясорубки. Мясорубка называлась Курская дуга, и меня повезли в сторону Курска. Но по дороге почему-то передумали и пересадили на поезд, который шел в противоположном направлении. На Дальний Восток. На границу с Японией.

Ехали мы долго. Месяц. И наконец прибыли в медвежий угол, который назывался «Русский край». И действительно казалось, что здесь кончается все русское и вообще все кончается. Край света. И если встать на коленки и хорошо перегнуться за этот край Земли, то увидишь черный космос, как на картинке в детской книге. Короче, дыра дырой, дырее не бывает.

В части я был самый молодой, практически подросток. Меня любили «по-своему». «По-своему» — значит издевались. Не зло, добродушно, как дразнят котят или щенков, с преимущественной долей теплоты, но все же дразнят. Моим однополчанам казались забавными мои очки, малый рост, нежелание материться и пристрастие к стихам. Состав у нас был рабоче-крестьянский. Интеллигентскую прослойку представлял один я. Меня звали «недолугий». Что это значит, я не знаю до сих пор. Может быть, недоделанный. Но это не так. Я писал солдатам, вернее, солдатским девушкам, письма в стихах. Мне доверялось самое святое.

Так что недоделанным я считаться не мог. За сорок пять лет я пролистал практически все словари, но слова «недолугий» так и не встретил. Видимо, это словотворчество.

Я сочинял письма другим, а своей девушки у меня не было. Была только мама, которую я любил с тех пор, как помнил себя. Она была по-настоящему красивой и по-настоящему умной. Она умела различать в жизни крупное и мелкое и не путать одно с другим, и в ней не было шелухи. Свойственной глупым людям. А еще мама была модница и очень веселая. Человек-праздник. Я всю жизнь искал женщину, похожую на маму, но так и не нашел. Она была одна. И в каком-то смысле она испортила мне жизнь. Когда смотришь на солнце, то потом ничего не видишь вокруг себя. Одни зеленые пятна. Хотя вокруг может быть много ценного.

Я родился недоношенным, рос слабым и действительно выглядел «недолугим» рядом с мамой. Когда нас видели вместе, то в каждых глазах я читал: «Такая мама и такой сын...» А некоторые прямо так и произносили. Именно этим текстом. С тех пор я ненавижу бесцеремонных людей. Бесцеремонность — это вид хамства.

Я любил маму еще потому, что она любила меня. Я казался маме невероятно умным, почти вундеркиндом, и невероятно обаятельным. Больше я никому не казался таким. И рядом с мамой меня никто не мог унизить.

Это чувство — отсутствие унижения — я испытывал в двух случаях: с мамой и на Западе, куда я стал ездить как переводчик немецкой поэзии.

Самое большое унижение — это страх. Но Сталин мог играть только на такой гитаре, когда все колки закручены и струны напряжены до последнего предела.

Ко мне иногда приходят странные мечтания: хорошо бы Сталин воскрес и явился на Верховный Совет послушать — как и чего. Явился бы и сел в президиум и приготовился к привычному славословию. А ему бы депутаты-демократы каждый по очереди вломили бы все, что о нем думают. Хотел бы я посмотреть на его

усатую узколобую тяжелую рожу... Он бы глазами — туда-
сюда: где Берия? Где сталинские соколы? Другие лица. Другие
времена...

А еще я мечтаю, чтобы воскресла царская семья и вошла бы
в зал Верховного Совета. Царевич в матроске, а девушки в белых платьях. И зал бы приветствовал их стоя и плакал. И они
сами тоже плакали.

И вся страна перед телевизорами плакала бы. И после этого
настало бы в нашей жизни что-то очень хорошее. Потому что на
невинной крови ничего нельзя выстроить. Вернее, можно: то, что
мы выстроили... Да... Так о чем я? О маме и папе.

Папу я тоже любил, но он был из тех, кто предпочитал жить
в свое удовольствие. Если, скажем, он устремляется на кухню
выпить воды, а на пути — кошка, он отшвырнет ее тапкой. Не
убьет, не приведи Господь, но отшвырнет, потому что кошка на
пути к цели.

Как правило, такие люди не умеют думать ни о чем, кроме
своей цели. Хорошо, если цель крупна. Крупнее стакана воды. У
отца не было друзей, и он был одинок в конечном счете.

Я сделал вывод: надо жить в свое удовольствие, но своим
удовольствием избрать делание добра — добродетель. Все взаимосвязано: ты удоборяешь (опять от слова «добро») — тебе
растет. И на земле. И в душе.

Жил отец долго, до девяноста лет, поскольку ничего не брал
в голову, нервы у него были крепкие, как веревки. Под конец как
бы сбрендил, но он сам этого не заметил, и мы тоже не замечали,
потому что перестали в него вникать задолго до того, как он
сбрендил.

Но о чем это я? Защита восточной границы не занимала
моего ума. Я томился каким-то лучезарным томлением и все время чего-то ждал: конца войны, победы над врагом, возвращения
к мирному времени, в котором я задохнусь от счастья. Именно
задохнусь, именно от счастья. А мясорубка войны работала неус-
танно и у нас, и у немцев, и Гитлер с Евой Браун уже отпразд-

новали в бункере свою свадьбу, чтобы в законном браке отметить следующее мероприятие: свою смерть.

И Магда Геббельс уже взяла мужа под руку и пошла с ним в последний путь, ожидая пули в затылок.

А я томился своим лучезарным томлением, и кончилось все тем, что влюбился в местную девушку. От нее восхитительно пахло простым мылом. До сих пор помню этот запах и ее натянутый лобик. Кожа такая гладкая, что блестела. Глаза голубые-голубые, доверчивые. А мне не доверяла, и уговаривать пришлось долго. Я клялся, божился в вечной любви и сам себя уговорил. Я действительно влюбился, как это бывает в двадцать лет. Бывает и позже, и в сорок, и в шестьдесят, но тогда включается опыт. А в двадцать лет ничего не включается, одна сплошная любовь. Я ходил и бредил, бормотал стихи. Наверное, тогда я становился поэтом.

Моя девушка мне не доверяла и правильно делала. Война подходила к концу. Солдаты разъедутся и тоже правильно сделают: кому охота застревать в этой дыре, когда победа не за горами, и вся жизнь впереди, и Родина воздаст солдату, отблагодарит за победу. Но Сталин счел, что благодарность — это собачья болезнь. Родина тебе ничего не должна, ты ей должен все и всегда.

Мы еще этого не знали. Мы верили. Любили. Были молоды, а молодость сама по себе сокровище, независимо от того, в какое время она отпущена, твоя молодость.

Я поначалу не особенно нравился моей девушке: маленький, очкастый, нерешительный. У нас такие орлы были — Валерка Осипов, например: высокий, статный, глаза горят мрачным пламенем. Говорили, сама генеральша, жена генерала Самохвалова, голову потеряла до того, что за генерала обидно.

А я что... Зато я знал много стихов. До сих пор не понимаю, как у меня в голове столько умещалось. Целая библиотека. Вот сейчас, например, вся память стерлась. Даже имена не помню. Встречаю знакомого, думаю: как его зовут? Ставлю себе вопрос:

КАК ЕГО ЗОВУТ? Мысленно отвечаю: ПАВЕЛ. И только после этого: «Здравствуйте, Павел».

А тогда... Моя девушка, конечно, ничего не понимала в поэзии. Она работала в деревне почтальоном. Но ее слух завораживали рифмованные строчки. Она как бы впадала в гипноз и, находясь под гипнозом, могла поверить во что угодно. В то, что я умный, например, и необыкновенный. Все обыкновенные, а я нет. В этом она совпадала с мамой. Вообще я заметил, что любовь обряжает человека, высаживает клумбы у него на голове. А ненависть раздевает догола, и человек становится серийный, заурядный, в общем ряду и даже в хвосте человеческого ряда.

Моя девушка считала меня необыкновенным, а раз я выбрал ее, то свет избранности лежит и на ней, моей девушке. И ей уже хотелось быстрее окончить свою работу, видеть меня, слышать и уважать.

Однажды ее мать уехала в соседнюю деревню обвывать погибшего деверя. Война все еще шла, гибли отцы, и дети, и девери, и шурины, и свояки, и вой стоял над Россией, как пар над закипевшей кастрюлей. Кто такой деверь, равно как и шурин, я не знаю до сих пор. Но это не важно. Важно то, что я читал ей стихи не на улице, а у нее дома. Над столом висел абажур, к стене прилепились бесчисленные фотографии.

Я принес банку американской тушенки и сгущенное молоко. Тушенку она прибрала на потом, а сгущенное молоко мы ели с хлебом. Сорок пять лет прошло, а я помню, как было вкусно. С тех пор я много пробовал изысканных блюд, например, дыню с креветками, обезьяньи мозги, устриц, да мало ли чего придумало сытое человечество. Но такого гастрономического наслаждения я не испытывал никогда. Мы ели и неотрывно смотрели друг на друга, что тоже было большим счастьем. Два счастья: зрительное и вкусовое.

Потом мы легли на кровать одетыми. Мы не раздевались и тем самым как бы заключили уговор: ничего не будет, просто так полежим. Мы просто целовались, каждый поцелуй длился все дольше. Незаметно включились руки. Я довольно быстро нашел руками то, что искал. Она дернулась, но я каким-то образом дал понять, что уговор в силе, опасности для нее нет, что дальше жеста дело не пойдет. Моя девушка поверила, расслабилась.

Я поразился, до чего незащищенно-нежной бывает человеческая плоть, как лепестки мака. Я, как слепой, осторожно исследовал миллиметр за миллиметром.

Дело двигалось в неотвратимом направлении, так подбитый самолет может устремляться только вниз и ни в коем разе вверх.

Я пытался расстегнуть свои одежды, моя девушка мне помогала и тряслась, как в ознобе, наши пальцы сплетались, путались. Ничего не имело значения: ни моя мама с ее высоким уровнем, ни война, ни будущее моей девушки, только настоящее, сиюминутное, сейчас.

«Блажен, кто, познавая женщину, охранен любовью». Я был охранен любовью, а потому блажен и подвигался к главному событию своей жизни. Но в этот момент, за секунду до главного события, постучали в окно, и жизнерадостный голос Семушкина громко сообщил:

— Левка, тебя в штаб вызывают.

Этот стук и голос ударили меня, как дверью по лицу, и полностью выключили из состояния любви.

Семушкин знал, куда я пошел, доложил остальным, и они всем скопом решили поразвлечься. Что им до моей любви?.. А когда я вернусь, меня встретит дружный хамский гогот, потому что смехом это не назовешь. Коллективное ржание. Коллектив.

Я застегнул свои солдатские брюки. Я так ничего и не свершил. И слава Богу. Какой был бы ужас, если бы моя девушка теряла невинность под окрик Семушкина. Это осталось бы с ней на всю жизнь.

Что я мог сделать? Я мог встать, разыскать Семушкина и набить ему морду. Я зажмурился и представил в подробностях, как я посылаю кулак в бесцеремонную наглость всего человечества, и эта наглость имеет черты Семушкина. Я ненавидел и лежал в ненависти, как в кипятке. Сейчас я понимаю: ненависть — это тоже страсть.

Сейчас я уже не могу так остро ненавидеть. Бывает, конечно: взметнется ненависть, как волна, и тут же опадет, и только пена на поверхности, а потом и пена рассеется. Жалко тратить здоровье на ненависть: давление скачет. Голова болит... Да... Лежу. Ненавижу. Моя девушка, она так и осталась девушкой, принялась утешать меня. Она низко наклонилась над моим лицом и шептала что-то нежное, утоляющее душу. Ее шепот касался моей кожи, я слышал губами, как шевелятся ее губы. Но я настаивал на обиде, как будто моя девушка была виновата в хамстве Семушкина. Мы как бы поменялись с ней местами: это я боюсь потерять невинность, не дай Бог забеременеть и остаться с ребенком на произвол судьбы.

Постепенно ее шепот и нежные увещевания взяли свое, я тихо-тихо начал перестраиваться на прежнюю стезю. Начал все сначала: с поцелуя. Я уже не был новичок, я уже знал, что за чем и в какой последовательности.

У Бернса есть стихи в переводе Маршака:

«А грудь ее была кругла, как будто ранняя зима своим дыханьем намела два эти маленьких холма. Был нежен шелк ее волос и завивался, точно хмель, и вся она была чиста, как эта горная метель. Она не спорила со мной, не открывала милых глаз...»

Моя девушка тоже не спорила со мной. Была готова на все. Красный свет запрета переключился на зеленый. Путь был открыт, но в этот момент снова раздался стук в окно и раздраженный голос Семушкина прокричал:

— Левка! Ну какого хрена? Тебя в штаб вызывают!

Я откинулся на подушку. Во мне разлилась немота и плоти, и духа. Ну как можно жить в этом мире, где Бернс и Семушкин и где Семушкин оказывается реальнее?

— Слушай, а может, тебя действительно вызывают? — предположила моя девушка.

Коварство было ей не свойственно, и она не предполагала его в других.

Я посмотрел на часы. Шел второй час ночи. Кто вызывает в такое время? Но так или иначе ночь была испорчена. Я оделся и пошел в штаб. На всякий случай.

Если меня не вызывали, я вернусь и застрелю Семушкина. Правда, у него тоже есть мама, и придется ей писать письмо и объяснять причину. Причина в маминых глазах будет выглядеть неубедительно. Ладно, не застрелю. Но изметелю, буду топтать ногами. Я как-то не учитывал, что Семушкин на треть метра выше меня и на тридцать килограммов тяжелее и вряд ли захочет лежать под моими ногами и меланхолично сносить мою ярость. Было прохладно, я шел скоро и ходко. Пространство и время постепенно выветривали из меня мою ненависть. Я решил, что воздействие словом тоже очень сильное воздействие, надо только найти единственно нужные слова и правильно их расставить.

Я мысленно намечал тезисы и не заметил, как дошел до штаба. Штаб располагался в деревянной избе. Я вошел и замер от золотого сверкания. Передо мной в золоте погон и наград, как иконостас, стоял сам маршал, я узнал его по портретам. Возле маршала присутствовал генерал Самохвалов. Он всегда казался мне величественным, монументальным, но сейчас как-то пожух и потускнел, как будто маршал вобрал в себя весь свет, оставив все остальное в тени — и деревянную избу, и генерала Самохвалова, и меня вместе с моей любовью.

— Печатать умеешь? — спросил маршал.

На столе стояла пишущая машинка фирмы «Континенталь». Такая же стояла у меня дома на письменном столе.

— Умею, — сказал я.

Я понял, что меня искали как самого образованного солдата.

— Садись, будешь печатать, — велел маршал каким-то домашним, бытовым голосом.

В Америке, например, булочник и президент не то чтобы равны... Нет, конечно, но это два человека с разными профессиями. Один правит, другой печет хлеб. Но они оба — люди. Сталин вбил нам в голову иную дистанцию: он — голова в облаках, а ты — заготовка для фарша в его мясорубке. Поэтому, когда сталинский сокол нормальным голосом спрашивает тебя, умеешь ли ты печатать, тут можно в обморок упасть.

Но я не упал. Я сел за машинку, а генерал Самохвалов стал диктовать мне текст. В нем сообщалось, что такого-то и во столько-то Советский Союз объявляет войну Японии. Такого-то — это сегодня, в шесть часов утра. А сейчас два часа ночи. Значит, через четыре часа.

Я отстукал двумя пальцами продиктованные слова. У меня вспотели ладони.

— Можешь идти, — отпустил маршал.

Я поднялся на ватных коленях.

— За разглашение тайны расстрел без суда и следствия, — предупредил Самохвалов. — Понял?

— Да, — сказал я.

Это значит, если я сейчас выйду из штаба и кому-нибудь расскажу, что через четыре часа начнется война с Японией, в меня тут же выстрелят, а потом зароют на полтора метра в землю вместе с моим лучезарным томлением, стихами, моей плотью, никогда не познавшей женщины.

— Ты меня понял? — еще раз переспросил Самохвалов.

— Да, — подтвердил я.

Я повернулся и пошел и был уверен, что мне выстрелят в спину. Мир сталинской политики и уголовный мир имели одни законы: не оставлять свидетелей. Может, не скажешь, а вдруг скажешь? Зачем рисковать?

Я шел и ждал, как Магда Геббельс, с той разницей, что в нее должны были выстрелить по ее желанию. Она сама об этом попросила.

У тела свои законы. Когда оно ждет любви, оно устремляется к предмету любви, выдвигая навстречу все, что может выдвигаться. Когда оно ждет смерти, оно сжимается до плотности металла, и даже кровь как будто прессуется, а глаза вылезают от нечеловеческого напряжения. Мне казалось, что сейчас мои глаза вывалятся из орбит и скатятся на землю, как две большие густые слезы... А что я мог сделать? Я мог только идти. И я шел. И ждал спиной, участком между лопатками, и от этого мое тело выгибалось, как будто я хотел вобрать в себя свою спину.

Никогда больше я ТАК не боялся.

Вообще в тот вечер, вернее, в ночь, я впервые испытывал главные человеческие состояния: ЛЮБОВЬ, НЕНАВИСТЬ, СТРАХ.

Я и позже любил, ненавидел, боялся, но уже по-другому. С иммунитетом.

Я шел, а выстрела все не было. Я больше не мог находиться в безвестности, обернулся и увидел, что расстояние между мной и штабом пусто. Никто за мной не идет, и никто не целится. Может быть, маршал и Самохвалов сели пить чай. Объявили войну и уселись за самовар или за рюмочку, отметить мероприятие. А возможно, легли спать. Ведь уже третий час ночи. Даже птицы спят в это время.

Напряжение во мне спало и единомоментно превратилось в свою противоположность. Я был уже не твердое тело, а какая-то желеобразная субстанция, которая не могла держаться на ногах. Я привалился к дереву. Мои внутренности будто опали и осыпались в конец живота и пульсировали как попало.

Идти я не мог. Да и куда? К моей девушке? Но запретная тайна заполняла меня от макушки до пят, и для любви там уже не было места. В казарме — Семушкин. Я приду, Семушкин проснется и спросит:

«Зачем тебя в штаб вызывали?»

Я скажу: «Да так, ни за чем».

«Ни за чем не вызывают, — не поверит Семушкин. — Говори...»

И я не смогу соврать. Не сумею. Ложь и тайна (что тоже форма лжи) не удерживаются во мне, как испорченная пища. Мне хочется исторгнуть это из себя, иначе наступит полное отравление организма. Я физически не умею хранить тайны. Из меня никогда не вышел бы шпион.

Я решил пересидеть в лесу до шести утра, до тех пор пока не начнется война.

— Левка! — услышал я ленивый голос. — Поди сюда!

Я обернулся и разглядел фигуру Валерки Осипова. Он стоял в сером тумане раннего утра и мочился.

— Чего тебе? — Я не двинулся с места. Подозрительно следил за Осиповым. Он мочился шумно и мощно, как конь.

— Иди ближе. Что я, орать буду?

Я сделал два шага в его сторону и снова остановился на безопасном расстоянии.

— Ну подойди, ей-богу...

Валерка стоял такой полноценный, уверенный в себе. А я такой запуганный, зачуханный, что мне стало обидно за себя.

Я подошел вплотную и бесстрашно посмотрел в его глаза. Снизу вверх, но как бы на равных.

— Ну, чего тебе? — небрежно поинтересовался я.

— Наши войну Японии объявили, — сообщил Валерка, застегивая штаны.

Я оторопел:

— А ты откуда знаешь?

— Мне Самохвалиха сказала: приходи, говорит, ночью. Мой в штаб уйдет. Я говорю: а вдруг вернется? Не вернется, говорит, они сегодня Японии войну объявлять будут. — Валерка застегнул штаны и пошел — легко и красиво, свободный ото всех лишних наполнений в организме.

Я до сих пор помню, как он шел в рассветной мгле и как вообще передвигаются молодые и счастливые люди.

В меня вдруг вернулась упругая сила, и я всю ее употребил в скорость. Я бежал к своей девушке и стучал, стучал, стучал... Она открыла мне — сонная, беззащитная, в шелке волос.

Война с Японией закончилась двумя бомбами на Хиросиму и Нагасаки. Я объявил войну, американцы закончили. Но это было через несколько месяцев.

А сейчас я прижимал к себе мою девушку, как будто держал в руках свою вернувшуюся жизнь. А так оно и есть, ибо ЖИЗНЬ и ЖЕНЩИНА — это одно и то же.

УПК

УПК — это учебно-производственная практика. Мы с Викой проходим практику в магазине. Мы надеваем белые халаты, белые шапочки, как пилотки у стюардесс, и начинаем продавать продукты населению.

Я продаю штучные товары: бутылки кефира, пакеты с молоком, творожные и плавленые сырки.

Моя очередь движется довольно быстро, я даже вхожу в азарт, и мне довольно интересно.

Наша руководительница практики Зинаида Степановна говорит нам, что в профессии продавца должна быть артистичность. Продавец и артист должны иметь общие профессиональные качества: а именно — обаяние.

Я довольно быстро освоила обаяние. Это нетрудно. Для того чтобы проявить обаяние, надо испытывать интерес к человеку по другую сторону прилавка. А именно — к покупателю. Надо смотреть на него так, будто ты давно его знаешь и теперь рада встрече.

Между прочим, я не притворяюсь. Мне действительно нравятся человеческие лица и интересно угадывать — что стоит за каждым лицом. Некоторые считают, что лицо — не показатель. Мало ли какое у человека лицо. Например, он некрасивый, а у него замечательная душа. Я уверена, что если замечательная душа, то человек некрасивым быть не может. Лицо похоже на самого человека. У дурака, например, не может быть умного лица.

Вот передо мной старик. У него детское, безмятежное выражение, и я догадываюсь, что он очень доверчив. И именно поэтому мне хочется обслужить его особенно хорошо, быстро и точно.

А вот женщина с пронзительными глазами. Эта своего не упустит. Если я сделаю что-нибудь не так, она меня просто изничтожит. Я ее боюсь, поэтому я делаю все так, как следует. Однако не улыбаюсь.

Рядом со мной на соседних весах — моя подруга Вика. Мы дружим с ней с первого класса. Она кажется мне самой умной и самой красивой. Дружба тоже должна включать в себя элемент восхищения. Если бы я Викой не восхищалась, то я не могла бы с ней дружить.

Вика взвешивает на весах сыр и масло. Ее очередь движется медленно, как будто застыла на одном месте.

У Вики сегодня отвратительное настроение, и она не намерена быть обаятельной. Ей не хочется быть обаятельной, а притворяться она не желает. Вообще притворяться — нехорошо. Но ведь покупатель не виноват в ее плохом настроении, и не надо втягивать его в свое настроение.

— Вовка подлец! — говорит мне Вика.

Вовкина подлость состоит в том, что он нашел себе другую девочку с немыслимой фамилией Альтер-Песоцкая. И они уже с этой Альтерой ходили на школьный огонек, и все их видели.

— А что ему еще оставалось? — вступаюсь я за Вовку.

— Девушка, кефир свежий?

— Свежий, — отвечаю я и улыбаюсь.

Я отвечаю, а сама думаю про Вовку.

Вовка был центром и душой нашей компании. А теперь компания распадается. И это очень жаль. Настолько жаль, что даже не хочется ходить больше в школу.

Вовка любил Вику, и все знали об этом. А Вика Вовку не любила. И все тоже знали об этом. Вика ужасно гордилась своей победой и всячески ее демонстрировала.

Но на прошлом сабантуе по поводу дня рождения Хали (вообще он Халимовский) Вовка выпил чуть не целую бутылку вина и сказал, что помирает. И действительно, ушел в другую комнату, лег на диван и стал помирать. Губы у него посинели, ногти тоже посинели, он мелко задрожал и заклацал зубами.

На это никто не обратил никакого внимания, все веселились под маг, топали ногами, как стадо носорогов. Я сказала Вике, что Вовка помирает, но Вика решила, что он помирает из-за неразделенного чувства, и заплясала еще радостнее.

Тогда я села возле Вовки и стала плакать. Через какое-то время Вовка ожил, и я смогла спокойно уйти домой. Халя хотел меня проводить, но я не разрешила. Я хотела остаться одна.

Дома я все рассказала маме. Мама спросила:

— А ты где сидела, в голове или в ногах?

— У изголовья, — вспомнила я.

— А он видел, что ты плакала?

— Нет.

— Вот и напрасно, — сказала мама. — Надо было сесть у его ног. Тогда бы он видел.

— А зачем? — удивилась я. — Я плакала не затем, чтобы он видел. Мне просто было его жалко.

— Надо же... — сказала мама.

— Ничего не «надо же», — обиделась я. — Какие-то вы все...

— Вот чек, — напомнила женщина с челкой и подвинула мне чек.

«А почему она не на работе?» — подумала я о женщине, но спрашивать, естественно, не стала. Взяла чек и проверила сумму.

Вика рядом со мной заворачивала сыр в бумагу.

— А бумага, как картон, — сказала женщина с пронзительными глазами, та, что стояла недавно в моей очереди. Она заняла в обе сразу, для экономии времени. — Небось сто граммов весит. Только бы надуть...

Вика промолчала.

— Неужели нельзя в пергамент заворачивать? — не отставала женщина.

— А где я вам пергамент возьму? — спросила Вика. — Был бы, так и заворачивала.

Я внимательно следила за конфликтом, готовая вступиться в любую минуту.

— У меня такое чувство, как будто он плюнул мне в лицо, — сказала Вика мне, игнорируя свою недовольную покупательницу.

— И напрасно, — возразила я.

— Мне кажется, на меня все смотрят и показывают пальцем. Это ужасно.

— Что ужасно? Ты же его не любила?

— Но он был! Я ему верила! Он меня обманул!

Вика швырнула сыр, и он проехал по прилавку прямо до покупательницы с пронзительными глазами.

— Нахалка! — сказала она. — А еще молодая...

— Сами вы молодая, — ответила Вика, но это прозвучало как «сами вы нахалка».

Женщина стояла и не знала — обижаться ей или нет.

— Ну конечно, молодая, — мягко поддержала я Вику.

Женщина перевела на меня пронзительные глаза и решила, что при всех обстоятельствах, даже будучи нахалкой, лучше оставаться молодой. Она забрала свой сыр и отошла.

...Однако Вовка заметил тогда, что я плакала. Мало того, что он заметил, — это произвело на него сильное впечатление. На другой день он ходил подавленный от перевыпитого вина и от впечатления. А потом подошел ко мне и сказал:

— Нам надо поговорить.

— Давай, — согласилась я.

— Не сейчас. И не здесь.

— Почему?

— Потому, — объяснил Вовка. — Я тебе позвоню.

Я пришла домой. Села и стала ждать, глядя на телефон. Но Вовка не позвонил.

Я подождала до одиннадцати, а потом легла спать. И вот, когда я легла, он позвонил.

— А почему так поздно? — удивилась я.

— Звезды...

Я хотела пообижаться и покочевряжиться, но передумала. Стала торопливо одеваться.

— Ты куда? — спросила мама.

— Щас... — неопределенно ответила я.

Хлопнула дверью и сбежала вниз.

В небе действительно стояли звезды, и разговаривать в такой обстановке действительно не то, что в школьном коридоре.

Вовка стоял против моего парадного, ссутулившись, сунув руки в карманы, и без шапки.

Я подошла к нему. На его волосах и ресницах лежал снег.

— Я люблю тебя, — сказал Вовка.

У меня внутри что-то перевернулось от неожиданности и от торжественности.

— Я знаю тебя с первого класса, а увидел только вчера. Я не понимаю, как можно любить кого-то еще, кроме тебя.

Я молчала. Не знала, что сказать.

— Не отвечай! — приказал Вовка. — Не говори ничего. Подумай! А завтра мы поговорим.

Я вернулась домой.

— Ну что? — спросила мама. — Влюбился?

— А как ты догадалась? — растерялась я.

— Что ты собираешься делать?

— Я не знаю. А что надо делать?

— Тебе придется выбрать, — сказала мама.

— Между Вовкой и Викой? — спросила я.

— Нет. Между собой и собой. Какую ты себя выберешь?

— В каком смысле? — не поняла я.

Мама долго ничего не отвечала. Потом сказала:

— Бывает, в детстве упадешь с крыльца и не заметишь. А потом через десять лет горб вырастет. И умереть нормально не сможешь. Гроб круглый делать придется.

Я стащила сапоги и села на диван. Снег начал течь с волос по моему лицу.

— Я не плачу, — сказала я. — Это снег.

— Можешь и поплакать, — разрешила мама. — Выбор не всегда легко дается.

Я не спала тогда всю ночь. Мне хотелось, конечно, иметь свою победу, повесить ее на грудь, как орден, и чтобы все видели. Но можно ли получать ордена такой ценой?

— Девушка, я просил молоко, а вы дали кефир.

— Извините, пожалуйста... — Я исправила ошибку.

— Хотя, знаете, дайте мне и молоко, и кефир.

Я подала еще один пакет.

— Нет. Все-таки не надо... — передумал покупатель. — Или все же дайте...

Я поставила пакет на прилавок.

— Нет. Все-таки не надо, — окончательно решил покупатель.

Очередь занервничала, а я нет. Я знаю, что для некоторых людей проблема выбора — просто мучение. Чего бы этот выбор ни касался.

— Я советую вам взять, — сказала я. Я знала, что совет со стороны в таких случаях очень помогает.

— Почему? — насторожился покупатель.

— Пусть будет. Чтобы лишний раз не ходить.

— Вы совершенно правы! — с благодарностью сказал мой покупатель, и его глаза засветились истинным счастьем — не от приобретения кефира, а оттого, что я освободила его от мучительной проблемы.

— Придурок, — тихо сказала Вика, когда он отошел к кассе.

К Вике протиснулась женщина с челкой — та самая, которая не на работе.

— Почему у вас масло крошится? — спросила она и развернула бумагу, показывая масло.

— Я не знаю, — сказала Вика.

— Оно что, мороженое?

— Нет. Оно масло.

— Я понимаю, что масло. Оно что, в морозилке у вас хранится?

— Я не знаю. Не пробовала.

— А вы попробуйте.

— Зачем?

— Чтобы знать, что вы продаете.

Челка развернула пакет и стала двигать его к Викиному лицу.

— Спасибо. — Вика отодвинула пакет. — Я масло без хлеба не ем.

— Да что вы ей суете? — возмутился мужчина в лыжной шапке. — Несите директору, пусть он пробует.

— А у директора что, корова своя? — спросила Вика.

— Это вас где так учат? В школе? — спросила Челка.

— Чему учат? — не поняла Вика.

— Где у вас жалобная книга? — потребовала Челка.

— Да что вы пристали к человеку? — спросил носатый парень из очереди. — Она-то при чем...

Вот этого не надо было делать. Если бы парень не заступился за Вику, она бы собралась с духом и справилась с Челкой. Но он ее пожалел. И Вике тоже стало себя жалко. У нее на глазах выступили слезы. Она резко повернулась и пошла от прилавка в глубину магазина.

Очередь недовольно заурчала, оставшись без продавца. Я тут же метнулась к Викиным весам и сказала Челке:

— Возьмите сметану. Сегодня очень свежая сметана. Только что привезли. И очень мало осталось.

Я точно знаю, что таким Челкам важно, что мало осталось. Что кому-то не достанется. Что у нее есть шанс «ухватить».

— Возьмите три пачки, — посоветовала я и поставила перед ней три пластмассовых пакетика. И взяла следующий чек.

Я торговала за двоих и едва успевала поворачиваться. У меня руки заболели оттого, что все время находились во взвешенном состоянии.

Челка стояла и выбирала между жалобой и сметаной. Я была уверена — она выберет сметану, потому что жалобу в борщ не положишь и не съешь. Но Челка выбрала то и другое. И сметану, и жалобу.

...Я не спала тогда всю ночь. Я думала, что если выберу Вовку, то Вика потеряет сразу все: и любовь, и дружбу. Как она дальше станет жить? То есть она, конечно, останется жить. Но как... Весь мир будет казаться ей фальшивым и непрочным, состоящим из вовок и наташек.

Прошли сутки. Настали новые одиннадцать часов вечера. И точно такие же выступили звезды. А Вовка стоял другой. Он как будто похудел, перестрадал за эти сутки. Я вдруг увидела, что он — очень красивый и сложный человек и недаром является душой общества и центром компании. Все остальные — безликие рядом с ним. Без лиц.

— Я не могу предать Викины глаза, — сказала я Вовке заранее заготовленную фразу. — Я не могу начинать свою жизнь с предательства.

Я смотрела на Вовку и хотела, чтобы он меня опроверг. Сказал что-то такое, отчего все стало возможно. Но он молчал.

— Я никому не нужен, — сказал вдруг Вовка. — Ни матери, ни отцу, ни тебе. Никому.

Я вспомнила, что родители у него разошлись и подкинули Вовку бабке. А сами завели новые семьи с новыми детьми.

Вовка повернулся и пошел. Мне захотелось крикнуть: «Не уходи!»

Но тогда первая часть моего выступления не совпадала бы со второй. Потому что смысл первой части был «уходи». А второй — «останься».

Вовка ушел.

Я вернулась домой и ждала, что он позвонит. Но он не позвонил. Он мне поверил.

— Масло хорошее? — спросила меня девушка в спортивной куртке.

— Хорошее, — грустно сказала я. — Но оно крошится.

— И что это значит?

— Ничего не значит. Просто его неудобно мазать на хлеб.

— А я и не мажу, — грустно сказала девушка, и мне показалось, что она тоже отказалась от любви во имя дружбы.

У дверей встала наша уборщица тетя Настя, чтобы никого не пропускать. Наступало время обеденного перерыва.

Я разметала остатки своей очереди, вернее, своих очередей. Магазин опустел.

Я пошла искать Вику. Она сидела в хлебном отделе на мешке с сахаром и плакала.

— Сахар подмочишь, — сказала я, и села рядом с ней, и положила голову на ее плечо.

Мы обнялись и стали плакать вместе. И у меня были все моральные основания плакать на Викином плече.

В склад заглянула наша руководительница Зинаида Степановна. Она была красивая и румяная, как матрешка. И фигура, как у матрешки.

— А, вот вы где, — обрадовалась Зинаида Степановна. — Вас к директору.

Мы с Викой поднимаемся и идем к директору — мимо отдела заказов, где стоят блатные и инвалиды. Мимо склада, где таскают ящики рабочие и от них уже в середине дня пахнет водкой.

Поднимаемся на второй этаж к директору. Он сидит у себя в кабинете, за своим столом, — довольно молодой, худой и печальный. У него язва желудка, и он не может есть дефицитные продукты. Может быть, поэтому он и печальный. А может, потому, что его уже с утра одолели человеки. Ведь они все едят. Жуют, перетирают зубами пищу и хотят, чтобы она была хорошей.

И еще я заметила, что нам, продавцам и директору, приходится, как правило, иметь дело с людьми неважными. Хорошие, интеллигентные люди берут молча то, что им дают, и идут домой. А вступают в контакт с нами такие вот Челки, которым дома скучно и для них склоки заменяют творчество. И они творят.

Директору следует нас отчитать, но ему ругаться не хочется. Он смотрит на нас, как унылая собака, и спрашивает:

— Ну что, девочки?

Вика вдруг прыскает. Ей стало что-то смешно. Я посмотрела на директора и увидела, что «молния» у него на брюках застегнута не до конца и торчит клок розовой рубахи.

Я тоже прыскаю, и мы начинаем помирать со смеху.

Директор не понимает, в чем дело, однако смех действует на него как инфекция. Он заражается смехом, ему тоже хочется смеяться, но он не имеет права. Он должен сделать нам «втык» за жалобу в жалобной книге.

— Нехорошо, девочки... — начинает директор.

И мы прямо валимся от хохота.

«Прав не тот, кто прав, а тот, кто счастлив, — думает директор. — Просто счастлив, и все».

Полосатый надувной матрас

Фернандо позвонил в девять утра, сказал, что придет обедать и чтобы Люся ждала его к часу.

С одной стороны, обед с любимым человеком — это праздник, а с другой стороны — большое количество усилий: купить, приготовить, накрыть на стол, подать, потом убрать, вымыть тарелки. Люся никогда не любила этот вид деятельности. Раньше у нее была домработница Маня. А в последний год помогала подруга Нина: приходила и готовила на три дня — борщ, жаркое, компот. Однако являлся Фернандо и все сжирал в одночасье. Фернандо толстый, а толстые много едят. Они должны обеспечить калориями весь объем. Труд Нины уходил в прорву.

Люся поднялась с тяжелой головой, долго бродила по дому в ночной рубашке. Она спала со снотворным. Это был искусственный, какой-то химический сон, навязанный организму. Пробуждение тоже химическое. Люся ждала, когда новый день втечет в нее и позовет для жизни. Если бы не Фернандо, она бы снова легла.

Вообще-то он был Федя. Фернандо его прозвала Нина, по имени злодея из мексиканского сериала. В последнее время страна закупила, должно быть, по дешевке, телевизионные сериалы, и мексиканская жизнь мыльными потоками хлынула в московские квартиры, отвлекая от инфляции и от правительственного кризиса. Люся вникала в чужую бесхитростную жизнь. Отмечала, что мужчины и женщины ничего не делают и говорят только о любви. И даже дети, начиная с шести лет, говорят о любви, как будто в жизни ничего больше не существует.

Люсе это было понятно. А Нине непонятно. Она брезгливо удивлялась — как можно терпеть такой убогий художественный уровень?

Нина — пожизненная отличница. Она лучше всех училась в школе, теперь была лучшим директором школы. Заставляла учиться следующие поколения. Ее привлекали знания. А Люсю — чувства. Кто прав? Обе правы. Но Нина настаивала на своей правоте. Врожденная директриса.

Люся бродила по дому и с удовольствием выискивала недостатки в характере подруги. Выискивала и находила. При этом заглянула в холодильник. Там стояла пачка прокисшего молока, из пакета пахло подвалом. Холодильник пуст, хоть шаром покати. Шар прокатится по полкам и ни за что не зацепится, кроме пакета. Фернандо все сожрал позавчера. Значит, надо одеваться и идти в магазин.

Люся надела легкую пуховую куртку. А Нина всю жизнь носит старомодное каракулевое сооружение, которое весит сорок килограмм и старит на сорок лет. При этом Нина не стрижет волосы, а заворачивает их пучком на затылке, как деревенская баба.

После смерти мужа Люся заболела и так ослабла, что уже примирилась со смертью, которая как кошка кружила вокруг кровати на мягких лапах. Но приходила Нина, открывала дверь своим ключом, отжимала соки из ягод, проветривала дом, мыла пол тяжелой тряпкой, кошку-смерть отогнала, пинком вышибла за дверь.

Люся выздоровела и написала Нине дарственную на дачу. Осталось заверить у нотариуса. Но образовалась перестройка, к нотариусу такие очереди...

Дорога к магазину проходила мимо мусорных баков, и Люся всегда опасалась увидеть там крысу. С крысами у нее было связано пренеприятнейшее воспоминание.

Прошлой зимой ударили морозы до тридцати градусов, и в дачу забежала пара крыс: муж и жена. Да так и осталась. Люся решила установить с ними негласный уговор: пользуйтесь домом, крупой, но чтобы тихо. Чтобы вас не было видно и слышно. Однако крысы пользовались домом и крупой, и грызли пол, прорезая себе ходы, и какали на столе. Зачем? А низачем. Просто так. Нередко появлялись среди дня, смотрели на Люсю нагло и пронзительно. И было непонятно, кто здесь хозяин — она или крысы.

Кончилось все двумя мышеловками, которые Люся поставила в укромном месте. Семейная пара не ожидала такого человеческого коварства, и обе попались. Каждая в свою ловушку. Самца ударило по носу, должно быть, у него все взорвалось в голове от боли, он умер от болевого шока. А самке прихлопнуло ноги, и она долго ползла вместе с мышеловкой от страшного места. Люся увидела ее утром посреди кухни, распахнула дверь на улицу и, преодолевая апокалипсический ужас, метнула мышеловку с жертвой на мороз.

Был момент, когда крыса, висящая вниз головой, вдруг изогнулась в последнем протесте. Но сугроб и мороз доделали свое дело. Завершили Люсин замысел.

Люся старалась об этом не помнить, не смотреть на мусорные баки. Но сейчас там, слава Богу, ходил помоечный кот, хороший Люсин знакомый. Он был независим, никого не боялся, даже собак. Так ведут себя молодые парни, вернувшиеся из Афганистана. Они видели такое, что им уже ничего не страшно.

Люся всегда угощала кота. Он не благодарил, брал как должное.

— Привет, — сказала ему Люся и пошла дальше.

В магазине было довольно пустынно. В бакалейном отделе продавали книги. На мясном прилавке лежал фарш, расфасованный в пачки. Бумага присохла к содержимому, все вместе это почернело, затвердело и походило на кирпичи. Продавщица Лида стояла с бесстрастным лицом, как бы проводя грань между собой

и прилавком. Она, как личность, не отвечает за государственную
экономику.

— Привет, — сказала Люся.

Лида кивнула, не меняя выражения лица.

— А у вас тут мясник работал. Леша, — напомнила Люся.

В магазине какое-то время работал милый, вежливый и постоянно пьяный юноша. Он выделял Люсю среди остальных и
отрубал ей лучшие куски.

— Его нет, — сказала Лида.

— Почему?

— Мяса нет. Мы не заказываем.

— Почему? — не поняла Люся.

— Дорого. У нас тут район бедный. Одни пенсионеры.

Люся тоже была бедная. Нина называла ее «нищая миллионерша». Денег у Люси не было, но стояла дача на гектаре
земли. Сталин перед войной давал генералам такие наделы. Ода-
ривал, потом расстреливал. Широкий был человек. Широкий во
все стороны.

Этот дачный поселок считается престижным, и одна сотка в
нем стоит две тысячи долларов. Значит, сто соток — двести
тысяч. А если перевести в рубли, то прибавляется еще три ноля:
двести миллионов. Конечно, миллионерша.

— А кроме фарша ничего нет? — жалобно спросила миллионерша.

Лида посмотрела по сторонам, как шпион, проверяющий: нет
ли за ним хвоста, — и пошла куда-то за железную дверь. Потом
вернулась, держа за лапы смерзшуюся курицу с горестно мотаю-
щейся головой.

— Пятьсот рублей, — объявила Лида.

Люся достала кошелек и стала отсчитывать деньги. Пальцы
двигались медленно, как бы нехотя. Люся могла бы сдавать свою
дачу за доллары и жить припеваючи, и ходить не в этот магазин,
а в супермаркет, где продавали телячьи сосиски белого цвета и
нежную малосольную семгу. Но при этом Люся знала, что у себя
дома никто не вытирает обувь занавеской. А в гостинице выти-

рают. И у нее на даче тоже будут вытирать, потому что не свое. И будут выкидывать в унитаз картофельные очистки.

Люся любила свой дом как живого человека. Она и Фернандо любила за то, что он улучшал ее дом. Достроил веранду. Покрыл крышу алюминиевым шифером. И делал все добросовестно, как себе.

Мимо прошла уборщица Сима в сером халате и с серым лицом. Со слуховым аппаратом в ухе. Она несла швабру, на которую была намотана мокрая тряпка.

— Привет, — сказала ей Люся.

— Ой, моя миленькая, — обрадовалась Сима. — Моя красавица, куколка...

Она ласкала Люсю глазами и словами, потому что Люся всякий раз при встрече давала ей денежку. Не много, но все-таки... Сима была глухая, пьющая, опустившаяся, и было непонятно — сколько ей лет: сорок или шестьдесят.

Люся любила Симу за фон. На ее фоне Люся осознавала, что живет хорошо. У нее, правда, умер муж. Но, как говорят в народе, она «хорошо осталась». При всех удобствах. Квартира, машина, дача, гараж. Плюс к тому подруга Нина и друг Фернандо. Фернандо, конечно, звезд с неба не хватает. Это не то что муж. Но ведь и Люся не та, что была. Как любила говорить домработница Маня: «Надо понизить критерий».

В овощном отделе Люся купила четыре морковки, пять луковиц, два апельсина и бутылку сухого вина.

Она возвращалась домой, мысленно видела накрытый стол: салат из тертой моркови, запеченная курица с золотистой корочкой, в кольцах золотистого лука. На десерт апельсин и рюмочка вина. Для себя одной не стала бы так стараться. Для себя готовить скучно. А для другого — большой труд. Вот и выбирай.

Фернандо пришел на полчаса раньше, что не полагается. Люся была еще в переднике и в тапках, не успела накрасить губы и щеки, выглядела не блестяще. Пришлось шарахаться в ванную и там торопливо обезьяньей лапкой растирать помаду на щеках. Получилось неравномерно.

Фернандо тем временем снял ботинки и в носках прошел на кухню. От его носков пахло сыром, от пиджака потом, от лица табаком. Но Люсе это нравилось, от Фернандо пахло жизнью, жизненными испарениями, его молодой энергией. Энергия передавалась Люсе, и у нее начинали блестеть глаза.

Фернандо сел за стол, потер руки и проговорил:

— Клюй, где посыпано... — И начал жадно есть. Должно быть, он сегодня не завтракал.

Люся села напротив. Ей нравилось смотреть, как он жует, как двигаются у него губы.

Мимика еды остается у человека с детства и закрепляется навсегда. И сейчас, глядя на сорокалетнего Фернандо, она легко представляла, каким он был ребенком. Толстым, кудрявым, неопрятным купидончиком. Он таким и остался: толстым, кудрявым и неопрятным. Детство легко просматривалось в нем.

А муж никогда не был маленьким. Он всегда был высоколобый, лысеющий ото лба. Люся любила выходить с ним на люди, в гости и в театр, он везде неизменно оказывался самым умным. Она — подруга гения. А сейчас она — нуль без палочки. Ее палочка умерла.

С Фернандо в гости не пойдешь. Он может напиться и заорать песни, может испортить воздух жизненными испарениями. Как говорили в мексиканских фильмах: это человек не нашего круга.

Но Люся вдруг открыла для себя, что жизнь многообразна и состоит не только из интеллектуального труда. Есть много других профессий и способов выражать себя. И все интересно. И надо быть снобом, чтобы ценить одно и обесценивать другое.

— Вкусно? — спросила Люся.

— Когда серединка сыта, краешки играют... — Фернандо захохотал и подмигнул, на что-то намекая.

Он ел руками. Его руки и рот блестели от жира.

Люся поднялась, чтобы дать ему бумажную салфетку. Но салфеток не оказалось на месте. Наверное, они кончились. А может, она переложила их в другое место. Но вот куда? Люся стояла и раздумывала.

— Сядь, — ласково приказал Фернандо. — Поговорить надо.

— Ну говори...

— Нет, барашек. Ты сядь.

Люся села.

— Значит, так. Давай поженимся...

Фернандо посмотрел пронзительно, и Люсе показался знакомым этот взгляд, но она не вспомнила: откуда.

— А зачем? — Люся покраснела.

— Как это «зачем»? — удивился Фернандо. — Я тебя соблазнил. Склонил к сожительству. И, как порядочный человек, я должен на тебе жениться.

— Вовсе не должен. Я не девушка. Ты не лишал меня невинности. У меня было много мужчин.

У Люси действительно было много мужчин: до мужа и при муже. Но предложение ей сделали только два раза в жизни: муж и Фернандо.

— Ты не девушка, — согласился Фернандо. — Одинокая женщина. Заболеешь, стакан воды некому подать. И мне уже сорок. Определяться надо. А то болтаюсь, как говно в проруби. На сухомятке живу.

— Но я старше тебя, — осторожно напомнила Люся.

— Старше, моложе — какая разница. Нам же не детей рожать. У меня есть сын. Усыновишь моего сына, будет и у тебя.

— А сколько ему лет? — спросила Люся. Она знала, что у Фернандо в Воронеже есть ребенок.

— Через четыре месяца восемнадцать.

— В восемнадцать не усыновляют. В восемнадцать можно самому иметь детей.

— Если через месяц распишемся, то все можно оформить.

— А зачем это надо? — не поняла Люся.

— У тебя будет полная семья: муж, сын. Будешь заботиться о нас, а мы о тебе.

Как хорошо, как просто и незатейливо он рассуждал. У Люси на глазах выступили слезы. Последнее время она вообще стала слезлива.

— Но почему именно я?

Люсе казалось, что у Фернандо может быть широкий выбор. Во всяком случае, в своем кругу.

— Потому что ты барашек. Я тебя люблю.

Как просто и хорошо он сказал. Люся задумалась, глядя в стол. В гости она, конечно, с ним не пойдет и показывать никому не будет. Но, в сущности, кому показывать? Кто ей нужен, кроме него. Да и она — кому нужна. После смерти мужа все друзья куда-то подевались, кроме Нины. Муж был интересный человек, а Люся — просто человек.

— Не знаю, — созналась Люся.

— Стесняешься. Рылом не вышел, — догадался Фернандо. — Книжек мало прочитал.

Он действительно книг не читал. Клал кирпич и забивал гвозди.

— Ну подумай, — разрешил Фернандо. — Решай. А иначе я тебя бросаю. Я себя тоже не на помойке нашел.

Он ушел и не обнял на прощание. Как бы обиделся.

Люся включила телевизор, села в кресло. От рюмки вина и от пережитых впечатлений у нее кружилась голова. По телевизору шла реклама мебели. Эта мебель сплелась в ее сознании с какими-то коридорами. Люся заснула перед телевизором и слышала бубнящий голос диктора, голос Фернандо, его высокий смех. Должно быть, Фернандо хорошо пел.

Вечером пришла Нина, открыла дверь своим ключом. Увидела, что Люся кемарит в кресле, и отправилась на кухню мыть тарелки. По количеству тарелок она поняла, что были гости, и поняла, кто именно. Ненависть закипела в ней бурыми парами. Нина пустила тугую струю воды.

Люся проснулась от шума падающей воды, от грохота тарелок. Она догадалась, что пришла Нина, и услышала через стену ее настроение.

Нина не разделяла ее последнего увлечения, и это осложняло дружбу.

В последнее время у Люси появилось глухое безразличие к людям. Но это еще не все. У нее появилось безразличие к себе. Единственное, что она для себя делала, — это мылась и ела. Все остальное как получится. Утром часто спрашивала себя: что ты будешь сегодня делать? И сама себе отвечала: НИ-ЧЕ-ГО. И целый день ничего не делала, замирала во времени, как муха в янтаре... Но явился Фернандо, и как будто зазвенел колокольчик. Не мощный колокол, а крохотный колокольчик, как на шее у козы. Звякает, зовет. И уже не думаешь о смерти, а думаешь о жизни. Да просто ни о чем не думаешь: живешь, и все.

Нина не понимает. Ей не нравится, что Фернандо низколобый. Но что она понимает в любви? До сорока лет ходила в старых девах, как говорила домработница Маня: «зашила суровой ниткой». В сорок лет спохватилась, что время уходит, надо срочно родить. Сговорились со студентом-практикантом, и он сделал ей ребенка. Родилась девочка Олечка. Она росла и становилась похожа на Люсю, может быть, оттого, что проводила у нее много времени. Нина постоянно занята, а Люся постоянно свободна, и все кончилось тем, что Олечка получилась вылитая Люся: беленькая, хрупкая, кокетливая. Люсе казалось, что Бог через Нину послал ей эту девочку. Когда Люсино время кончится, Олечка останется в ее даче, и дом не заметит подмены, подумает, что это молодая Люся. Олечка будет жить вместо нее, любить вместо нее и делать свои собственные ошибки. Ошибки — это и есть судьба.

Люся вышла на кухню. Нина со своим старанием отличницы мыла тарелки. Энергия ненависти утраивала это старание.

— А мне Фернандо предложение сделал, — не выдержала Люся.

Нина промолчала. Поставила тарелку в сушку.

— Я не знаю, что мне делать, — добавила Люся, вытягивая подругу на разговор.

— А что тебя останавливает? — сухо спросила Нина.

— Он увидит мой паспорт и узнает, сколько мне лет, — созналась Люся.

— А сколько он думает, по-твоему?

— Ну... Лет шестьдесят...

— Значит, ты как я... — ядовито прокомментировала Нина.

Нине было шестьдесят, а Люсе — семьдесят три. У них была разница в тринадцать лет, которая совершенно не мешала дружбе. Откровенно говоря, Люся считала себя гораздо более моложавой и привлекательной, чем Нина.

— Красивая женщина и в семьдесят красивая. А мымра и в восемнадцать мымра.

Нина промолчала. Она догадывалась: кто красивая и кто мымра. Но у нее было свое мнение, отличное от Люсиного.

Существует выражение: «красота родных лиц». Нина любила Люсю и воспринимала ее слепотой привязанности. Ей было все равно: как выглядит Люся и сколько ей лет. Люся и Люся. Но сейчас Нина посмотрела на подругу сторонним безжалостным взглядом, взглядом Фернандо, и увидела все разрушения, которые проделало время. Неисправная щитовидка выдавила глаза из глазниц, волосы, обесцвеченные краской, стояли дыбом, как пух. Старушка-одуванчик. Ссохшийся жабенок. Неужели Фернандо целует все это? Что надо иметь в душе? Вернее, чего НЕ ИМЕТЬ, чтобы в сорок лет пойти на такое.

— Он сказал, что любит меня, — упрямо проговорила Люся, будто перехватив мысли подруги.

— Он не тебя любит, а твою дачу. Участок в гектар.

— Он не такой. Он порядочный, — обиделась за Фернандо Люся.

— Знаю я, какой он. Он пришел к тебе по наводке. Его навели.

— Как? — не поняла Люся.

— Старушатник. Это сейчас бизнес такой. Одни торгуют в ларьках, а другие пасут богатых старух.

— Что значит «пасут»?

— Женятся. И ждут, когда те помрут... Чтобы после твоей смерти все забрать себе.

Нина закрутила воду. Стало совсем тихо.

— А какая мне разница, что будет после моей смерти? — спокойно спросила Люся. — Зато мне сейчас с ним хорошо. Я счастлива. И мне наплевать, как это называется.

— Тогда не говори, что он тебя любит. Посмотри правде в глаза.

— Зачем?

— Он не любит тебя, а пасет.

— Но ты тоже меня пасешь. Разве нет?

Нина вытерла руки о полотенце. Торопливо оделась и ушла. «Плачет», — догадалась Люся. Они дружили сорок лет, и Люся научилась слышать родную душу на расстоянии.

«Завидует, — сказала она себе. — Меня любят, а ее нет. Меня всегда любили. А ее один раз по вызову. С двух до трех. В обеденный перерыв. Дура...»

Так было легче думать. Если признать, что не завидует и не дура, то получается, что Люся — крыса, попавшая в мышеловку времени. И так же взметнулась к любви, а значит, к жизни, перед тем как быть выброшенной на вечный холод.

Люся подошла к зеркалу и посмотрела на себя. До войны это зеркало жило на даче, в ее комнатке, у окна, откуда была видна речка с маленьким островком посредине. Все время казалось, что островок уйдет под воду, но после войны прошло почти пятьдесят лет, а островок не уменьшился.

Люся вдруг вспомнила, как отец привез ей из заграницы надувной матрас, сине-красный, полосатый, вызывающе нарядный. Он был один-единственный на всем пляже и даже в Советском Союзе. Таких у нас в стране не делали. И вообще никаких не делали, не было еще ни надувных матрасов, ни телевидения, ни ракет. Двадцатый век только начинался.

...Люсе тринадцать лет, у нее белые шелковые волосы, как у русалки, большие синие глаза. Она плавает по речке на надувном матрасе, и все смотрят на нее и на матрас, и соседский мальчик, студент третьего курса, — тоже смотрит. А рядом с ней в воде барахтается десятилетний Ромка, сопливый, стриженный наголо, хватается за матрас мокрыми красными руками. Хочет влезть. Он влюблен в Люсю и унижает ее своей влюбленностью. Люся отпихнула Ромку ногой, попала пяткой в нос. Ромка обозлился и поплыл к берегу. Потом очень быстро вернулся и продырявил матрас железным гвоздем. Матрас зашипел, стал погружаться в воду. Люся нырнула, схватила Ромку и стала топить. Тот вывернулся, доплыл до берега и бросился бежать. Люся тоже выскочила на берег и послала ему вслед камень — небольшой, с куриное яйцо. Камень попал в голову, Ромка взвыл, и у него тут же, прямо на глазах, выросла шишка. Люся испугалась, выловила из воды свой раненый матрас и пошла домой.

Через полчаса на дачу явилась Ромкина мать, продавщица пива, известная в дачном поселке матерщинница. Но сейчас она не кричала, а спокойно спросила:

— Люся, что это такое?

Из-за ее спины, как наглядное пособие, выглядывал Ромка со своей шишкой.

— Он мне матрас продырявил. — Люся показала на безжизненно опавший матрас, брошенный в углу.

— Ты должна была прийти ко мне и сказать. Я сама бы с ним разобралась. А ты посмотри, что ты сделала. Ты же могла его убить...

Ромка ехидно выглядывал из-за спины.

— Чтобы это было в первый и последний раз, — предупредила Ромкина мать и пошла прочь, увлекая Ромку за собой.

Дверь за ней захлопнулась. Если бы Ромкина мать визжала и проклинала, было бы легче. Но она отчитала Люсю с большим достоинством, что подчеркивало ее правоту и Люсину низость. Люся почувствовала, как слезы ожгли глаза. Она стояла возле окна и смотрела в никуда. И вдруг ее взгляд совершенно случайно упал на зеркало, и Люся обомлела от того, что увидела: глаза, полные слез, казались еще больше и еще синее, нежный овал лица, высокая шея и кантик вокруг воротничка. «Какая я красивая...» — ошеломленно поняла Люся. Это было ее первое осознание себя. Может быть, именно в это лето она вдруг проклюнулась, как цветок из бутона, для дальнейшего буйного цветения. Люся забыла про матрас и про неприятности. Стояла, как громом пораженная своим открытием: КАКАЯ Я КРАСИВАЯ...

Сегодняшняя Люся через шестьдесят лет смотрела на себя в то же самое зеркало. Время, конечно, положило свои следы, выдавило глаза, высушило волосы, но ТА, прежняя Люся, была видна в сегодняшней. Просвечивала, как сквозь мутное стекло. Та же самая девочка, просто она очень много плакала, исплакала все лицо и устала от утрат.

«А где матрас?» — вдруг вспомнила Люся. Она его не выбросила. Нет. Долгое время покрывала им стол на веранде. Получилась сине-красная прорезиненная скатерть. Потом стелила собаке Найде. Потом вырезала из него кружки и заклеивала шину на велосипеде. А сейчас он валяется в сарае среди прочего хлама — рваный, линялый, стершийся от времени. Но ведь он был... Такой яркий, такой сине-красный и такой один-единственный.

Рождественский рассказ

Учительница Марья Ефремовна сказала, что надо устроить в классе живой уголок и каждый должен принести что-нибудь живое.

Бабушка предложила:

— Отнесите серого котенка.

Дело в том, что соседская кошка родила троих котят и перешла жить под нашу дверь. Наши соседи, по словам бабушки, опустились и перестали кормить кошку. Им некогда доглядывать даже за своим Славиком, не то что за кошкой, и Славик всю зиму ходит в ботинках на босу ногу и при этом никогда не простужается, в отличие от меня, которая не вылезает из ангин, хотя зимой за мной присматривают шесть глаз: папа, мама и бабушка.

Соседская кошка с котятами перебралась под нашу дверь, и папа выносил им еду на тарелочке. Бабушка была недовольна, потому что папа не работает, а ест и еще кормит посторонних кошек.

Папа действительно не работал. После перестройки их проектный институт развалился и все оказались на улице. Надо было крутиться, а папа крутиться не умел. Маме приходилось крутиться за двоих, и тогда в доме начались молчаливые скандалы. Это когда каждый внутри себя ругается, а вслух молчит. Но я все равно все слышала и была на стороне папы.

Кошек кормили, но не пускали в дом. Однако черный котенок прошмыгнул в квартиру и спрятался под диваном. Его пытались достать шваброй, но ничего не вышло. А вечером, когда все смотрели телевизор, он сам вылез, бесстрашно забрался к бабушке на колени и включил мурлыкающий моторчик, и от этого в доме стало спокойно и уютно.

Утром я проснулась от острой струйки воздуха, холодящей мою щеку. Я открыла глаза и увидела рядом на подушке кошачью мордочку. Наглость, конечно. Но что поделаешь... Котенок заставлял себя полюбить, и мы его полюбили. А взрослая кошка с серым котенком остались жить на лестнице, из чего я делаю вывод, что деликатность не всегда полезна.

— А вы отнесите серого котенка в живой уголок, — предложила бабушка.

— Я против, — возразил папа. — Кошки должны жить на свободе и охотиться за мышами.

— Даже кошки и те охотятся, — намекнула бабушка.

Мы с папой проигнорировали намек, оделись и пошли в цветочный магазин.

В цветочном магазине работала очень красивая продавщица с гладеньким нарисованным личиком.

— Здравствуйте, — сказал ей папа. — Нам что-нибудь для живого уголка.

— Лучше всего кактус, — посоветовала продавщица. — Самый неприхотливый цветок. Может долго обходиться без влаги.

Она поставила перед нами горшок с кактусом. Его и цветком не назовешь. Какое-то выживающее устройство, все в буграх и в иголках. Между прочим, у некрасивых девчонок — покладистый характер. Видимо, все уродливое — неприхотливо, потому что у них нет другого способа выжить.

— Можно фикус, — сказала продавщица. — Но это очень дорого. Двадцать пять тысяч рублей.

Я не хотела, чтобы папа выглядел бедным, и торопливо проговорила:

— Мне вон тот, красненький...

Горшочек был самый маленький, цветочек самый простенький, похожий на капельку огня и, наверное, самый дешевый.

— Это герань. Восемьсот рублей. — Продавщица поставила горшочек перед нами.

— Как пачка сигарет, — пошутил папа.

Ему нравилась цена и нравилась продавщица. А мне нравился цветочек. Листья были большие, замшевые, а цветочек совсем простой, в четыре лепестка. Как будто ребенок нарисовал. Или сам Господь Бог сотворил этот цветочек утром и в хорошем настроении. Проснулся и со свежей головой придумал такой цветок: ни убавить, ни прибавить.

— У меня в детстве была герань, — вспомнил папа, и его лицо приняло особое выражение. Детство — хорошее время, когда ребенка любят ни за что, просто так, и ничего от него не хотят, кроме того, чтобы он был и цвел.

— Сколько стоит герань? — царственно спросила широкая тетка в дорогой шубе. Тетка-фикус.

— Это наш. — Я сняла цветок с прилавка и прижала его к груди.

— А еще есть? — спросила тетка.

— Это последний, — сказала продавщица.

— Жалко. Герань хорошо от моли.

Мало того, что цветок оказался недорогим, он еще и последний, и полезный. Тройная удача.

Я шла по улице и не сводила с него глаз. А папа говорил:

— Смотри под ноги...

Дома я первым делом заперла котенка в ванной комнате, чтоб он не скакнул на цветок и не сломал его. Котенок не понимает, что цветок не игрушка, а живое существо с растительным сознанием. Несчастный котенок рыдал от одиночества, но я проявила жесткость, потому что малым злом (изоляция цветка) устраняла большое зло (гибель цветка).

Я поставила горшочек на подоконник, к солнцу. Потом налила в банку воды и стала поливать.

— Много нельзя, — предупредила бабушка. — Он захлебнется.

Я испугалась и даже ночью вскакивала и проверяла — жив ли мой цветок. А утром я увидела, что огонек еще ярче, листья еще бархатнее, а запах явственнее. Это был ненавязчивый, острый, как сквознячок, ни с чем не сравнимый запах. Я его вдыхала долго-долго, потом выдыхала и снова вдыхала, втягивала в себя.

— По-моему, она сошла с ума, — заключила мама.

— Ничего, — сказала бабушка, — это полезно для дыхательных путей. Розы, например, лечат насморк.

— Пусть оставит себе, раз ей так нравится, — предложила мама.

— Неправильно, — возразил папа. — Надо уметь отдавать то, что нравится самой.

— Надо сначала стать на ноги, а потом уж быть широким, — изрекла бабушка.

Мне было жаль отдавать цветок и жалко папу. Я сказала:

— Я отнесу в живой уголок, и мы всем классом будем на него смотреть. Приятно ведь смотреть в компании. Как картины в музеях...

Без пятнадцати девять я пошла в школу. Наша школа находится во дворе, и меня не провожают.

Я шла и смотрела себе под ноги, чтобы не споткнуться и не упасть на цветок.

Стояла середина октября, но было тепло как летом и мальчишки перед школой клубились в одних только формах, без курток. Выше всех торчал Борька Карпов — глотник и дурак. Он был единственный сын у престарелых родителей, они ничего ему не запрещали и носились с ним как с писаной торбой. Я не знаю, что такое писаная торба, но думаю, что-то очень противное. Как Борька. У него большие руки и ноги, и ни на что хорошее эти руки не были способны, только давать щелбаны и подзатыльники. Остальные мальчишки были помельче, и все переплелись в какой-то общий ком.

Когда они меня увидели с цветком, прижатым к груди, то перестали клубиться, распутались и выпрямились. Ждали в молчании, когда я подойду. Мне это не понравилось. Я остановилась и стала на них смотреть.

Зазвенел звонок. Я надеялась, что звонок сдует всех с места, но мальчишки стояли.

«Ты что, боишься, что ли?» — спросила я себя и пошла к школьной двери. Мальчишки стали друг против друга, и я вошла в их коротенький коридор. Во мне разрасталась какая-то тоска, хотя все было нормально. Я делала шаг за шагом. Остался последний шаг — и я за дверью. Последний шаг... И в этот момент Борька Карпов делает два движения: одно — вверх — заносит портфель над головой, другое — вниз — на мой цветок. Горшочек выскочил из рук, упал на землю и раскололся. Земля рассыпалась, а красная головка цветка отлетела смятым сгустком. Я смотрела на землю и ничего не понимала. ЗАЧЕМ? Чтобы другим было весело? Но никто не рассмеялся.

Зазвенел второй звонок. Все побежали в школу. А я повернулась и бросилась к себе домой, при этом чуть не попала под машину. Но у шофера была хорошая реакция. Он резко затормозил и помахал мне кулаком.

Я вбежала в дом и не могла вдохнуть от слез. Бабушка заразилась моим отчаяньем, и лицо у нее стало как у скорбной овцы. Постепенно ко мне вернулась способность разговаривать, я рассказала про Борьку и про цветок. О машине умолчала, тут бы они все сошли с ума, включая папу.

Папа выслушал и сказал:

— Я ему за шиворот стеклянной ваты натолкаю.

— И что? — Я перестала плакать.

— Он будет чесаться и мучиться.

Чесаться и мучиться. Это не много, но хоть что-то. Лучше, чем ничего.

— А где ты возьмешь эту вату?

— На стройке. Ее там сколько угодно.

Ночью я не спала и представляла себе, как стеклянная пыль вопьется в кожу, Борька будет кататься по земле, и выть от боли, и молить о пощаде...

Однако папа на стройку не шел и дотянул до того, что Борькины родители купили себе квартиру в другом районе и Борька ушел из нашей школы навсегда.

Убитый цветок так и остался неотмщенным. Зло осталось безнаказанным, свободно и нагло гуляло по городу в образе Борьки Карпова. А в общем ничего не изменилось. Я продолжала учиться на крепкое «три», по литературе «пять», продолжала ходить в спорткомплекс, дружить и развлекаться. Ничего не изменилось, но убитый цветок...

Прошло пять лет. Я поступила в университет на экономический, хотя собиралась на филологию. Мама сказала, что экономика — наука будущего, а филология в условиях рынка никому не нужна.

Я встречаюсь с мальчишкой Толей, хотя мне жутко не нравится имя Толя. Не имя, а какой-то обрубок. Анатолий получше — но что-то бездарно торжественное, как колонны в сталинских домах. А может, имя как имя. Просто сам Толя меня раздражает. Он — правильный, а мне нравятся неправильные.

Впереди, как нескончаемое поле, раскатилось мое будущее с неинтересной профессией и неинтересной личной жизнью.

Моя теория: в природе существуют пораженцы и везунки. Белый ангел набирает свою команду. А черный ангел — свою. Ангелы — это чиновники в небесной канцелярии.

Я подозревала, что моя карьера пораженки началась в то утро возле школы, когда Борька Карпов опустил свой портфель на горшочек с геранью. Я растерялась, онемела, и именно в эти секунды черный ангел дернул меня за руку и задвинул в свои ряды. Именно тогда все определилось и продолжается, хотя при этом у меня большие глаза, ровные зубы и французская косметика. Я цвету и благоухаю, а все зря. Сегодня тридцать первое декабря. Новый год. Мы договорились с Толей встретиться у

метро и пойти в компанию. Встретились. На Толе была кепка с
твердым околышем, как у Жириновского. Такие же кепки носили румынские носильщики в начале века. Мне стало тоскливо.
От Толи исходила вялая, липкая энергия, похожая на смог в
большом городе.

— Все отменяется, — сказала я. — Мне надо вернуться
домой.

— Почему? — оторопел Толя.

— Потому что Новый год — семейный праздник.

— И ты вернешься в этот старушатник?

Старушатник — это бабушка, кошка, папа и мама.

— Да, — сказала я, — вернусь.

Возле метро раскинулся цветочный базарчик. Я подошла к
черному парню и купила у него одну розу. Я заплатила не скажу
сколько. Много. Я пошла по пути мамы. Все, что мне нравится,
я покупаю себе сама. И я знаю, что так будет всегда.

На моих часах — одиннадцать вечера. В это время все нормальные люди сидят за накрытым столом в предчувствии реальной выпивки. Готовятся провожать старый год. А я сижу в
автобусе, где, кроме меня, только водитель и еще одна поражен-
ка с кактусовой внешностью. С рюкзаком. Должно быть, решила
спортивно использовать выходные дни. А я — с розой. Моя
роза — темно-бордовая, бархатная, юная, только что выплеснув-
шая из бутона свою красоту, на длинном крепком стебле. Откуда
взялась в холодной зимней Москве, из каких таких краев... Я
подняла розу к лицу, и мы нюхаем друг друга.

На одной из остановок в автобус вошел солдат — высокий,
как верста, с большими руками и ногами. Он, видимо, замерз, а
потом оттаял, из носа у него текло. Нос был странный: он не
стоял посреди лица, а как бы прилег на щеки. Должно быть, нос
сломали. Ударили кулаком по прямой, как в бубен. А может
быть, свалили и били по лицу ногами. В армии это случается.

Солдат сел, продышал в стекле дырочку и стал смотреть в
темноту. Время от времени он дул в свои пальцы. Я смотрела на
него не отрываясь, что-то неуловимо знакомое в руках, наклоне

головы... Я пыталась уловить это неуловимое и вдруг схватила за
хвост: Борька! Борька Карпов! Он, конечно же, окончил школу,
потом армия. Кто-то побил его вместо меня.

Все пять лет я мечтала встретить этого человека и сказать
ему сильные и жесткие слова упрека. Я даже приготовила эти
слова. Но они предназначались другому Борьке — красивому и
наглому, хозяину жизни. А не этому, в казенной шинели. В свое
время я хотела, чтобы он чесался и мучился. И он, должно быть,
мучился и катался по земле. Но меня это не обрадовало. Нет. Не
обрадовало. Во мне разрасталась пустота, клонящаяся к состра-
данию.

Я подошла к нему и сказала:

— Привет!

Борька повернул ко мне лицо, увидел перед собой красивую
девушку с красивым цветком. Как на календаре. Он смутился и
стал красный, как свекла.

— Не узнаешь? — спросила я.

Мы не виделись пять лет. За это время я из подростка превратилась в девушку. Это то же самое, что роза в бутоне и
раскрывшаяся роза. Ничего общего. Можно только догадаться.
Но Борька не догадался.

— Ты мне еще цветок сломал, — напомнила я.

— Какой цветок?

Он не помнил то утро и горшочек с геранью. И то, что стало
для меня событием в жизни, для него не существовало вообще. В
тот день на первом уроке была контрольная по геометрии и все
его мозговые силы ушли на доказательство теоремы, а через час,
на следующем уроке, он уже не помнил ни о контрольной, ни обо
мне. Так чего же я хочу через пять лет?

— Ты Борька Карпов?

— Да, — сказал он. — А что?

— Ничего. С Новым годом!

Я протянула ему розу. Зачем? Не знаю. Протянула, и все.

Борька не взял. Онемел от удивления. Тогда я положила ее
ему на колени. Как на памятник.

Автобус остановился. Это была моя остановка. Я спокойно сошла. Не сбежала, не соскочила. Просто сошла.

Борька смотрел на меня из освещенного окошка. И вдруг узнал. Его глаза вспыхнули узнаванием и стали красивыми, потому что в них появился смысл и радость. Новый плосковатый нос делал его лицо более мужественным, похожим на лицо молодого Бельмондо. И большие конечности его не портили, скорее наоборот...

Автобус тронулся. Прощай, мой черный ангел. Прощайте, мои напрасные страдания. Прощай, моя роза неземной красоты. Продержись как можно дольше...

Дома меня встретили папа, мама, бабушка и кошка. Они удивились, но обрадовались.

Мы успели проводить старый год и выслушать приветственную речь президента. Президент говорил рублено и внятно, был тщательно расчесан, в красивом костюме, и было видно, что президент — не пораженец, а везунок. У него все получится, а значит, и у нас. Потом забили куранты. Мы поднялись с бокалами и закричали «Ура!». И кошка тоже включила свой моторчик и запела о том, что жизнь прекрасна, несмотря на быстротечность и на бессмысленную жестокость. Несмотря ни на что...

Инфузория-туфелька

I

Ноябрь. День короткий. И только утро бывает радостным. А к середине дня сумрак ложится на землю, как ранняя старость.

Марьяна отправила сына в школу и забежала к соседке на кофе. Ни у кого кофе нет, а у соседки Тамары — есть. Такая она, Тамара. У нее есть больше, чем у других: интересная работа, прочная семья, страстная любовь. Любовь реет над ней, как знамя над Кремлем. Красиво полощется на искусственном поддуве. Правда, знаменосцы меняются.

Однако сейчас и знамя поменялось. Но это уже другая тема. Это уже политика. Политикой заняты все каналы телевидения, кроме коммерческого «2 х 2». Там с утра до вечера беснуются, как в зоопарке, патлатые парни и девки. Запад прорвался на Восток. Проник. Просочился. Пенсионеры смотрят остекленевшими глазами. За что боролись, на то и напоролись.

Но при чем тут политика, пенсионеры...

Вернемся на кухню, к Тамаре и Марьяне.

Тамара похожа на двойной радиатор парового отопления: широкая, жаркая, душная, как переполненный летний трамвай. В ней всего слишком: голоса, тела, энергии. А в Марьяне всего этого не хватает: она бесплотная, тихая, бездеятельная.

— Пасешься, — говорит ей Тамара. — Как корова на лугу. И колокольчиком: звяк-звяк...

— Это хорошо или плохо? — не понимает Марьяна.

— Корова? Конечно, хорошо. Но кошка лучше.

— От коровы молоко. А от кошки что?

— Ты меня перебила. На чём мы остановились?

Тамара рассказывала про очередного знаменосца. Познакомились в ресторане, встречали Новый год. Тамара была с мужем, он — с женой. Он углядел Тамару из другого конца зала. Подошел. Пригласил.

— Ты остановилась, как вы пошли танцевать, — напомнила Марьяна.

— Ага. Он сказал: «Меня зовут Равиль». Я спросила: «Это татарское имя?» Он ответил: «Мусульманское». Вообще, знаешь, в мусульманах что-то есть. Какой-то флюид.

Лицо Тамары стало мечтательным, как будто она вдыхала мусульманский флюид.

— А особенно хорошо получаются смеси: русский и татарин. Или русский и еврей.

Тамара говорила о людях, как о коктейлях.

— А если еврей и татарин? — спросила Марьяна.

— У меня был такой знакомый. Мы его звали «Чингиз-Хаим». Сумасшедший был. В диспансере на учёте состоял. И некрасивый. Кровь, наверное, плохо перемешалась. Сыворотка.

— Ну, танцуете, — напомнила Марьяна.

— Да. Рука жёсткая. Голова мелкая, как у породистого коня. Пахнет дождём.

— А где он под дождь попал?

— Ну какой дождь в ресторане? Ты странная. Свежестью пахнет. В смысле — ничем не пахнет. Стерильный. Чистый. Но в глазах что-то не то. Шьёт глазами влево, вправо, соображает...

— Плохо, когда не смотрят в глаза, — согласилась Марьяна. — Я этого терпеть не могу. Как будто курицу украл.

— Да мне вообще-то было плевать — куда он смотрит. У меня тогда депрессия была. Меня Андрей бросил.

Андрей — это предыдущий знаменосец. История с Андреем длилась довольно долго, года два.

— А ты любила Андрея? — удивилась Марьяна.

— Безумно, — тихо сказала Тамара. — Мы, правда, все время ругались. Однажды даже подрались. Я ему чуть руку не сломала.

— А ты пошла бы за него замуж?

— Так я же замужем.

— Но если ты полюбила человека...

Марьяна не понимала, как можно двоиться: любить одного, жить с другим. Душа в одном месте, тело в другом. Это и есть смерть, когда душа и тело в разных пространствах.

— Муж — это муж, — упрямо сказала Тамара. — Семья — это общие задачи. А какие у нас с Андреем были общие задачи? Обниматься и ругаться.

Тамара замолчала.

— Все равно ничего бы не вышло, — сказала она. — Хотя он один жил. У него как раз тогда мать померла. От рака. Я брезговала есть его ложками. Новые купила.

— А где ты купила? — удивилась Марьяна.

— Из Испании привезла. Ложки, и полотенца, и даже простыни. Он понял. Обиделся...

— А дальше что было?

— Когда?

— На Новом году. Вы потанцевали. А потом?

Тамара не ответила. Она ушла мыслями от Равиля к Андрею.

— Вообще он ужасно скучал по матери. Оставлял в ее спальне яблочко. Апельсинчик. Ему казалось, что она приходит ночью. Слышал шаги.

— Сдвинулся, что ли?

— Нет, просто первые девять дней душа человека в доме.

— Интересно... Девять дней не прошло, а он уже бабу в дом привел.

— Ну и что? Он тосковал. Это как раз понятно...

— А ты бы пошла за него? — спросила Марьяна.

— Я для Андрея — старая.

— А сколько ему?

— Сорок.

— Ну и тебе сорок.

— Правильно. А мужику в сорок нужна женщина в двадцать.

— А кому нужна женщина в сорок?

— Никому.

— А тогда зачем все это?

— Что?

— Ну ЭТО. ВСЕ.

— Ты какая-то странная. ЭТО и есть жизнь. Неужели не понимаешь?

Марьяна понимала. Она тоже не могла жить без любви. Но у нее была одна любовь на всю жизнь. Муж. Аркадий.

Они вместе учились в школе, начали спать в десятом классе. Они засыпали, обнимаясь, и вместе росли во сне, и их кости принимали удобные друг для друга изгибы и впадины. Они слились друг в друге. А потом в сыне. Ребенок был поздним, они тряслись над ним. У Марьяны не было и не могло быть других интересов. Она не понимала Тамариной жизни: как можно ложиться с чужим, обнимать чужого. Потом делать его своим, обнимать своего. Потом отдирать от тела вместе с кожей. И возвращаться домой, ложиться к мужу, который уже стал чужим, и мучиться, и ждать, пока нарастет новая кожа.

Марьяна брезговала жизнью своей соседки, как та ложками Андрея. Но каждый день ее тянуло сюда, в эту кухню. Марьяна усаживалась, пила кофе, слушала продолжение сюжета, подзаряжалась энергией чужой страсти.

Такое поведение по большому счету было безнравственным. Брезгуешь — не общайся. Обходи стороной. Но Марьяна приходила, садилась, и пила кофе, и слушала, и сопереживала. И более того, выслушивала нравоучения от Тамары.

— Как ты можешь так жить? — вопрошала Тамара. — Ни дела, ни романов. Только дом. Живешь, как улитка.

— А когда мне? — виновато оправдывалась Марьяна, будто и в самом деле была виновата.

Ей тоже хотелось спросить: «А ты, как ты можешь ТАК жить? Как жонглер в цирке. Жонглировать такими разными шарами: семья, хозяйство, работа, страсть — все это подкидывать на разную высоту и ловить».

Сколько надо здоровья и изобретательности? И как изменилось понятие нравственности за какие-то сто лет. Катерина из «Грозы» изменила мужу и утопилась, не вынесла раздвоенности. Анна Каренина познала презрение общества, не говоря уже о том, что бросилась под поезд. А сейчас никакого общества и все Анны. Без Вронских.

А что за мужчины? Какой-то Андрей, который на другой день после смерти матери привел женщину. Какой-то Равиль пришел с женой встречать Новый год и тут же присмотрел другую. Пригласил танцевать. А Борис — муж Тамары. Скорее всего у него своя жизнь и его устраивает такое положение вещей. Это не дом, а стоянка, аэродром, где каждый ночует, чтобы с утра вылететь в другую жизнь, шумную и событийную. Настоящая жизнь проходит за стенами.

Дом — гостиница. И вся жизнь — непрекращающаяся командировка.

— Пойду! — Марьяна поднялась.

— Ну подожди! — взмолилась Тамара. — Я тебе не рассказала самого интересного.

Марьяна открыла свою дверь — железную и толстую, как сейф. У них было что украсть. От родителей Аркадия осталась дорогая антикварная мебель. Папаша был спекулянт, царство ему небесное. Сейчас назывался бы бизнесмен.

Марьяна уважала старика за то, что в свое бездарное время он нашел в себе достоинство жить по-человечески. Умер, правда, в тюрьме. Время ему такое досталось.

В доме не было ни одной случайной вещи. Аркадий сам заказывал у умельцев медные ручки. Мог полгода потратить, чтобы найти нужную панель из красного дерева.

Аркадий создавал, а потому любил свой дом.

Энергия ожидания наполняет жилище, как теплом. И, входя с улицы, такой промозглой, неприветливой улицы, — сразу попадаешь в три тепла: ждет жена, ждет сын, и даже собака выкатывается под ноги с визгом счастья.

В такой дом хочется возвращаться откуда угодно.

Базар развлекает яркостью красок и разнообразием лиц: славянских и восточных. Марьяна бродит по рядам, отмахивается от веселых приставаний молодых азербайджанцев. Покупает золотую курагу, бурые гранаты, телячью печень — все за бешеные деньга, страшно выговорить. Каждый раз совестно расплачиваться, кто-то обязательно сзади стоит, и смотрит, и думает: у, буржуи проклятые, кооператоры.

А они не буржуи и не кооператоры. Просто у Аркадия случайно прорезалась золотая жила: реставрация икон. За валюту. Заказов много.

Аркадий реставрирует так, что икона остается старой. Несет время. Аркадий чувствует время. И мастера.

Марьяна не разрешила, чтобы в доме воняло лаком, ацетоном. Вредные испарения.

Аркадий уходил в мастерскую, возвращался к восьми часам. К программе «Вести».

Устает Аркадий. Днем — больница, ультразвуковые исследования. Обычная больница, обычный врач, а к нему идет вся Москва.

Недавно пришла женщина без лица. Вместо лица — сгусток ужаса. Поставили диагноз: рак яичника. Аркадий сделал ультразвуковое обследование и увидел: то, что принимали за опухоль, — затвердевший кал в прямой кишке. Проецируется как затемнение. А все-таки разница: рак и кал. Хотя количество букв одинаковое. А женщина хотела покончить с собой. А теперь пошла жить. Легко представить себе, что она испытала, выйдя за дверь на волю. Какой глоток жизни вдохнула всей грудью.

Колька пришел из школы бледный, какой-то примученный. Марьяна ничего не могла понять: ест, как грузчик, в семь лет съедает порцию взрослого мужика, здоров абсолютно, а выглядит, как хроник: бледный, с обширными синяками. Никаких щек, одни глаза. Человек состоит из глаз, ребер и писка. Голос пронзительный — кого хочешь с ума сведет. Как будто в дом влетает стая весенних грачей.

На этот раз Колька вернулся молчаливый: получил двойку по письму. Сел на пол, стал расшнуровывать ботинки. Потом развязал тесемки на шапке. Размотал тесемки на куртке. Весь в шнурках и тесемках. Волосы под шапкой вспотели. Вид был жалкий. У Марьяны захолонуло сердце от любви и тревоги.

А вдруг начнется гражданская война, отключат тепло и электричество? Вдруг начнутся погромы? У Кольки двенадцать процентов еврейской крови, да кто будет считать? Уже казачество старую форму из сундуков достает, шашками поигрывает...

Марьяна потрогала у Кольки железки. Как бобы. Все время увеличены. А именно отсюда и начинается белокровие.

В детстве Марьяна лежала в больнице с гепатитом, насмотрелась на детей с железками. Они вспухали, как теннисные мячики. Железки росли, а дети усыхали. Как долго они умирали, как рано взрослели.

У Марьяны мерзла кожа на голове, волосы вставали дыбом. Хоть и знала — все в порядке: Кольку осматривали лучшие врачи. А все равно волосы дыбом. Сегодня в порядке. А завтра...

«Ты как умная Эльза», — отмахивался Аркадий.

Марьяна знала эту немецкую сказку. Умная Эльза все время предвидела плохое.

Колька переодевался в домашнюю одежду и усаживался за стол. Он вдохновенно жевал и глотал, а Марьяна сидела напротив и смотрела, как он жует и глотает, и буквально физически ощущала, как с каждым глотком крепнут силы, формируются эритроциты и свежая кровь бежит по чистым детским сосудам. И в ее душе расцветали розы.

После еды — прогулка. Легкие должны обогатиться кислородом и сжечь все ненужное.

Колька мог бы гулять один. Детская площадка видна из окна. Но ведь несчастья случаются в секунды. Дети жестоки, как зверята. Суют друг другу палки в глаза. Столько опасностей подстерегают маленького человека. Маньяки ходят, уводят детей, а потом объявления по телевизору: пропал мальчик, шапочка в полоску, синяя курточка.

Марьяна одевается и идет с Колькой гулять.

Он носится туда-сюда, как пылинка в солнечном луче.

Взбегает на деревянную горку и бесстрашно съезжает на прямых ногах. Сейчас споткнется и сломает ключицу.

— Ко-оля! — душераздирающе кричит Марьяна.

Но он не слушается, рискует. Детство распирает его душу и маленькое тело.

Тамара талдычит: работа, любовь...

Какая работа? Отвлекись хоть на час, и все начнет рушиться, заваливаться набок. Колька будет оставаться на продленке, есть что попало, научится матерным словам. Дом зарастет пылью, на обед готовые пельмени. И все тепло вытянет, как на сквозняке. А во имя чего?

Вырастить хорошего человека — разве это не творчество? Он будет кому-то хорошим мужем и отцом, даст счастье следующему поколению. Разве этого мало?

Колька съехал с горы и смотрит в сторону. Что-то он там видит...

— Папа! — вскрикнул Колька и стрельнул всем телом в сторону. Увидел отца.

Марьяна догадалась, что сегодня Аркадий не пошел в мастерскую. Захотел домой.

Аркадий протянул руки. Колька скакнул в эти руки как лягушонок. Обнял отца ногами и руками.

— Я дарю тебе шарф! — объявил Колька и снял с себя шарф, белея беззащитной тоненькой шейкой. — Возьми!

— Спасибо! — серьезно сказал Аркадий.

Вид у него был почему-то грустный.

Марьяна смотрела на самых дорогих людей, и кожа на голове мерзла от ужаса: что с ними будет, если она умрет? Хотя с какой стати ей умирать... Просто умная Эльза бежала впереди и все посыпала серым пеплом...

Вечером смотрели «Вести» и «Время». Это были хорошие часы.

Колька спал, справившись с днем. На кухне тихо урчал красный японский холодильник. В нем лежали красивые продукты, как натюрморт у голландцев: крупные фрукты, розовое мясо. Мясо на верхней полке, ближе к холоду. Фрукты внизу. Творог и сыры посередине. Все на месте и ничего лишнего, как строфа в талантливом стихотворении.

В мире происходили разные события: Гамсахурдиа сидел в подвале дома правительства и не хотел отдавать власть. Эрик Хонеккер отсиживался в чилийском посольстве и не хотел возвращаться в Германию. Буш с женой куда-то отправлялись на самолете. Жена — седая и толстая, а он — постаревший юноша. Вполне молодец.

Тамара где-то танцует с татарином и ловит его ускользающий взгляд. А температура опять ползет к нулю, и зима никак не установится.

II

Утром Марьяна забежала послушать «самое интересное».

— Он ЭТО делает, как бог на Олимпе, — таинственно сообщила Тамара.

— А у богов по-другому, чем у людей?

— У них божественно.

— А это как?

— Не объяснить. Это надо чувствовать.

— А что ты чувствуешь?

— Прежде всего — не стыдно. Для меня главный показатель — стыдно или нет. Если стыдно, значит, надо завязывать: Бог не хочет. А если не стыдно — значит, Богу угодно. Надо

себя слушать. Иногда бывает так пакостно. А тут — душа рас-
цветает... такой волшебный куст любви.

— А когда вы успели? Где? — поразилась Марьяна.

— В машине. Музыка из приемника лилась. Вальс Штрауса...

— Значит, в ритме вальса?

— Выхожу — асфальт блестит. Просто сверкает.

— Дождь прошел, — подсказала Марьяна.

— Да? — Тамара поразмыслила: — Может быть. И знаешь, что я поняла?

— Что ты поняла?

— Любовь — это и есть смысл жизни. Люди все ищут,
ищут, а вот он... и другого смысла нет.

Тамара помолчала, потом призналась просто, без патетики:

— Я не могу жить без любви. Я не представляю себе, что я
буду делать в старости.

«Привыкнешь», — подумала Марьяна, но вслух ничего не
сказала.

— Ну, я пойду. — Марьяна поднялась.

— У тебя вечно одно и то же, — обиделась Тамара.

— А у тебя?

— А у меня всегда разное.

Любовь — как свет. И количество света каждой женщине
выделено одинаковое. Но Марьяна живет при постоянном ровном освещении. А Тамара — яркими вспышками. Вспышка —
темнота. Опять вспышка — опять темнота.

Днем было то же, что и всегда, но с оттенками. У Кольки в
школе украли пуховую куртку. Пошли к учительнице, у нее были
испуганные глаза.

— А вы не одевайте его в хорошие вещи, — посоветовала
учительница. — Купите просто ватничек.

— А где я его куплю? — спросила Марьяна.

Вопрос повис в воздухе. Ничего купить было нельзя, и учительница это знала.

Вышли на улицу. Кольку сопровождал его лучший друг Гоша. Марьяна сняла с себя куртку и надела на сына.

— А ты? — спросил Колька.

— А я так... Здесь близко.

— Моя мама тоже отдала мне свою шапку, когда у меня украли, — сказал Гоша.

Дома Марьяна полезла на антресоли и достала старое Колькино пальтецо. Он был в нем такой зашарпанный и жалкий, такой совок, что Марьяна зарыдала.

Куртки не очень жалко, это восстановимая утрата. А жалко Кольку, который ходит в ТАКУЮ школу, в ТАКОЙ стране.

Другой страны Марьяна не хотела. Но она хотела, чтобы в ее большом доме был порядок. А когда он еще будет, порядок?

Аркадий делал все, чтобы оградить семью от смутного времени, но время все равно заглядывало в их дом и кривило рожи. И никуда не денешься. Хоть и в красивой квартире, как в шкатулке, — ты погружен в толщу времени. Дышишь им. Хорошо еще, что не стреляют и пули не прошивают стены.

И температура опять ползет к нулю. И сквозь эту слякоть и неразбериху — длинные междугородные звонки. Школьная подруга Нинка Полосина приглашает на свадьбу дочери.

Как бежит время: давно ли сами были девочками, вместе возвращались из школы. Теперь Нина — мама. Дочку замуж выдает.

— А сколько ей лет? — не понимает Марьяна.

— Восемнадцать. Учится на первом курсе.

А ее Колька учится в первом классе. Нина родила в двадцать. Марьяна в тридцать.

— Я постараюсь! — кричит Марьяна. Но она точно знает, что никуда не поедет.

— Поезжай! — неожиданно предлагает Аркадий. — Все-таки новые впечатления.

— Какие впечатления! — удивляется Марьяна. — Чего я там не видела?

— Ну нельзя же все время сидеть на одном месте. Нельзя
быть такой нелюбопытной, — с неожиданным раздражением
замечает Аркадий.

— Ты хочешь, чтобы я уехала? — удивляется Марьяна.

— Надо отдавать долги. Долги юности, дружбы... Нельзя
замыкаться только на себе.

Аркадий переключается с телевизора на газету. Он красиво сидит, нога на ногу. Красиво курит, щурясь одним глазом.
А тут куда-то ехать. И преступность выросла. Войдет в вагон
какой-нибудь прыщавый шестнадцатилетний и убьет с особой
жестокостью.

Однажды, в отрочестве, Марьяна убивала гусеницу. Гусеница была сильная, с рогами, толстая, как сосиска. А Марьяна —
еще сильнее и больше. Она придавливала ее к земле палкой.
Гусеница выгибалась. Из нее летели сильные чувства: ненависть,
боль, страх — и все это излучалось, шло волнами и доставало
Марьяну, возбуждая не познанное ранее состояние. Наверное,
оно называется — садизм. Садистам нужен чей-то страх, взамен
нежности.

— Свадьбу устраивать в такое время... — бурчит Марьяна.

— Время не выбирают. Какое достанется, в таком и живут.
И женятся, и умирают.

Это так. Время не выбирают.

Поезд тронулся, и одновременно с толчком в купе вошел
второй пассажир. Марьяна сразу его узнала: известный артист,
засмотренный мужик. Он был не молод и не стар. От него пахло
третьим днем запоя.

Марьяна разбиралась в запоях. Ее мать пила, и Марьяна
все детство слонялась по подругам и родственникам, привыкла
ночевать где ни попадя. У нее была хрустальная мечта: иметь
свой дом. Может быть, именно поэтому она так любила и
берегла дом.

Артист тяжело осел на полку, возвышался как стог сена.
Внизу — широко, к голове сходит на конус. Он тут же завозил-

ся, стал раздеваться. Марьяна вышла в коридор, чтобы не мешать человеку. А когда вернулась, он уже лежал, как стог, если его повалить.

— Вы извините, пожалуйста, — повинился артист.

— За что? — не поняла Марьяна.

— За то, что я вас не развлекаю. Не оказываю внимания.

Он извинялся за то, что не пристает к ней, не использует таких исключительных условий: двое в купе, в ночи.

Марьяне захотелось спросить: «А порядочные женщины у вас были?»

Но не спросила. Это не ее дело.

Артист тем временем захрапел. Купе наполнилось алкогольными парами.

Марьяна тоже легла и стала смотреть над собой. Она плохо спала в поезде. Она могла спать только у себя дома, только рядом с Аркадием. Первые десять лет у них были две кровати, стоящие рядом, но как ни сдвигали матрасы — все равно между кроватями расщелина с жесткими деревянными краями. Аркадий удобно возлежал на матрасе, а Марьяна льнула к нему и оказывалась в расщелине. Марьяна заменила две кровати на одну. Арабскую. Аркадий называл ее облпублдом (областной публичный дом). Кровать широкая, как стадион. Удобный матрас — ни жестче, ни мягче, чем надо. Постель — поэма. Одеяло из чистого пуха. Лежишь, как под теплым облаком. А за окном дождевые капли стучат в жестяной подоконник. За окном дождь и холодно, и волки плачут возле бывшей сталинской дачи. А мой дом — моя крепость.

Марьяна — домашний человек. У нее нет другой специальности.

В ранней молодости мучили молодые амбиции, мечтала сниматься в кино, чтобы все увидели, какая она красивая. Пыталась поступить в театральное училище, но ее не взяли. Не нашли таланта. Марьяна тогда расстроилась. Аркадий утешал. У них тогда любовь горела ярким факелом. Аркадию надо было идти в армию, он не представлял себе разлуки. Притворился сумасшедшим и лег в диспансер. Его комиссовали. То ли удачно симулировал, то ли в самом деле оказался слегка шизоидным. Кто может провести грань между нормой и НЕ нормой. Где она, эта нижняя грань?

Аркадий сэкономил два года, поступил в институт и стал врачом.

Да не каким-нибудь, а уникальным специалистом. У него была обостренная интуиция, и он по внешнему виду мог определить состояние человека. Даже по тому, как он здоровается. Нездоровый человек невольно экономит энергию и здоровается безо всякого интереса. По необходимости. А здоровый человек исполнен любопытства и жаждет взаимодействия.

Аркадия постоянно посылали в командировки по углам страны: в Заполярье, на Дальний Восток. Забрасывали бригаду врачей, как десант, для проверки населения. Для выявления онкологических больных.

Аркадий звонил из любой точки земного шара, ему было необходимо прикоснуться словом. Марьяна стояла с трубкой, спрашивала:

— Когда приедешь?

И если не скоро, через неделю, например, Марьяна принималась плакать. А он слушал, как она плачет, и искренне страдал.

Возвращался серый. Уставал душой и телом. Жалел людей. Страдал от собственной беспомощности. Ненавидел нищее здравоохранение и преступно равнодушное общество.

Они подолгу разговаривали. Потом ложились на арабскую кровать под пуховое одеяло, и постепенно чужое несчастье и равнодушное общество отделялись и становились чем-то отдельным, как пейзаж за окном.

Бесчестному житию застоя они могли противопоставить только свой дом — свою крепость. Потом застой рухнул, пришла долгожданная демократия, и еще страшнее стало выходить из дома. Пришлось заказывать железную дверь. И как изменилась жизнь...

Как будто среди лета выпал снег. Только что зеленела трава, и вдруг все стало белым.

На кого рассчитывать? Только на Бога. На Иисуса Христа. Аркадий реставрировал иконы. Марьяна смотрела на лики святых, как на фотографии родственников. Христос на руках Марии — ребенок, но иногда вдруг изображался со взрослым, зрелым лицом. Ему как бы отказывали в детстве. Он как бы сразу — Бог.

— Мы сами во всем виноваты, — неожиданно ясно сказал артист. — Семьдесят лет поддерживали эту власть и работали на нее, как рабы.

Для бреда эта фраза была слишком длинна и осмысленна.

— Я не поддерживала, — сказала Марьяна. — Я просто жила.

— Вы молчали. А значит, поддерживали. И значит, должны искупить.

— Каким образом? — не поняла Марьяна.

— Поваляемся в дерьме. Может, умоемся кровью. А уж потом заживем по-человечески.

— А это обязательно — поваляться в дерьме?

— Обязательно, — убежденно сказал артист.

Он сел и стал открывать бутылку с минеральной водой. Прислонил пробку к краешку стола и стал стучать кулаком сверху. Проще было взять открывалку. Но это была ЕГО дорога к утолению жажды.

Нина Полосина стояла на перроне и ждала. Настроение было подавленное. Как там у Пушкина в «Мазепе»: «Три клада всей жизни были мне отрада...»

У Нины Полосиной тоже было три клада. Дочь Катя. Красивая, способная девочка. Еще в школе учительница говорила: «Мне даже плакать хочется, какая хорошая девочка».

Второй клад — здоровье. Каждый раз после диспансеризации врач говорил: «Вы, Нина Петровна, практически здоровая женщина».

— А теоретически? — спрашивала Нина.

— Теоретически мы все больны. Экология.

Третий клад — профессия, марксистско-ленинская философия. До тех пор, пока социализм на дворе, кусок хлеба обеспечен.

И вот все разом рухнуло. Как будто лавина сошла с горы с тихим зловещим шорохом и все срезала на своем пути.

Катя выходит замуж за грузчика. Окончил ПТУ. Или даже не окончил. Мезальянс. Неравный брак. Это как раньше, во время революции, барышни-дворянки влюблялись в «братишек».

Катя влюбилась в грузчика. А почему? Потому что исполнилось восемнадцать, время любить, а общества нет. Институт девчачий, педагогический. Из института — домой. Из дома — в институт. Кто первый проявил инициативу — тот и случился.

Во времена Пушкина были балы, ярмарки невест. Собирались люди одного круга. Существовала такая профессия — сваха. Все было продумано. А сейчас? Где молодая девушка будет искать жениха? На юг поедет? В троллейбусе познакомится?.. Скромная девушка с косой... Он носит ее на руках. Мышцы играют. Она хохочет, уцепившись за шею. Не хочет слушать никаких увещеваний. Рыдает. Пришлось уступить. Приходится ведь уступать наводнению. Или урагану. Налетит, сломает деревья, повалит столбы. И утихнет. Потом люди выходят, поднимают столбы, натягивают провода. Устраняют последствия.

Так будет и с Катей. Через год прозреет. Разведется. Хорошо, если не родит за это время. Ребенок — это такое последствие, которое не устранишь.

Третий клад оказался фальшивым — марксистско-ленинская философия. Все полетело в тартарары: и Маркс, и Ленин.

Нина и раньше недолюбливала Маркса за то, что он жил на содержании у Энгельса. Она скептически относилась к людям, которые живут за чужой счет. Ленин — другое дело. Ленин — идол. А русский человек не может без идола, это у него с языческих времен. Но Ленина хотят уволить из идолов, захоронить мумию в землю. Или продать Эмиратам за большие деньги. За валюту. А на валюту поддержать старичков-пенсионеров. И то польза. Муж Нины Михаил, полковник милиции, за голову хватается: продать Ленина. Какой цинизм...

Западные ученые возражают против захоронения: мумия имеет большую давность — 70 лет. Это научный эксперимент. Жалко зарывать эксперимент в землю...

Разве можно было еще пять лет назад представить себе такие слова вокруг Ленина: эксперимент, продать... Вот уж действительно стихийное бедствие, лавина в горах. А как остановить это бедствие? Никак. Многие торопливо упаковывают чемоданы, продают квартиры за валюту — и наутек. Кто быстрее — люди или лавина? Кто успеет... Добежали до Израиля, до Америки и дышат тяжело.

А Нина со своей марксистско-ленинской философией и мужем полковником милиции куда побежит? Что он умеет? Приказы отдавать?

Второй клад — здоровье — сказал печально: «До свидания, Нина. До лучших времен».

Давление образовалось от такой жизни. Печет в затылке. Того и гляди, лопнет сосуд и зальет мозги. Хорошо, если помрешь в одночасье, а то ляжешь в угол, как мешок. Вот когда грузчик понадобится: двигать туда-сюда мебель.

Ах, как тяжело, как безрадостно...

Поезд тем временем подошел и остановился, и от вагона отделилась Марьяна, подруга детства, и пошла навстречу. Красивая, дорогая, благополучная женщина. И не изменилась с тех пор: те же тихие глаза, то же выражение доверия на лице. Она шла из прошлого, из тех времен, когда были молодыми, и «чушь прекрасную несли», и надеялись...

Сейчас иногда кажется, что не было ни детства, ни молодости, как не было, например, Древнего Египта. Уже XXI век на носу, компьютеры, роботы работают за людей, и даже египтяне — не те, что были в древности. Антропологи утверждают, что у них другая форма черепа. А пирамиды стоят, и никуда не денешься. Значит, БЫЛО. Было.

И Марьяна идет. Значит, было детство и мама.

Нина заплакала. Марьяна обняла подругу, почувствовала волнение и в этот момент порадовалась, что не пожалела и привезла дорогой подарок: полный набор хрустальных фужеров. Память на всю жизнь. Если не перебьют, конечно.

Медленно пошли по перрону.

— Кто жених? — спросила Марьяна.

— Грузчик.

— В каком смысле? — уточнила Марьяна.

— В прямом. Отгружает холодильники.

— Диссидент?

В семидесятые годы был такой вид социального протеста, когда интеллектуалы шли в сторожа и в лифтеры.

— Какие сейчас диссиденты? — мрачно спросила Нина. — Говори что хочешь. Просто грузчик, и все.

— Ты серьезно? — не поверила Марьяна.

— Серьезно, конечно.

— А где Катя его взяла?

— Домой пришел. По адресу явился. Мы холодильник на дачу перевозили. Он пришел с напарником. Стащили холодильник с пятого этажа. А потом он на руках снес Катю. Было весело. На другой день он явился к нам с цветами. Снова было весело. Довеселились.

— А он ничего? — спросила Марьяна.

— Много ест. Суп с хлебом с маслом. Компот с хлебом с маслом. Я каждый раз боюсь, что он все съест и примется за меня.

— А Катя его любит?

— Как можно любить человека, который не читает книг? И не пьет ни грамма. Все пьют, а он нет.

— Так хорошо.

— Подозрительно. Боится развязать. По-моему, он завязавший алкоголик.

— Но ведь это надо выяснить, — встревожилась Марьяна. — Иначе как от него детей рожать?

— Вот именно...

Под угрозой была не только дочь, но и внуки, и правнуки.

— Будь он проклят, этот холодильник, — сказала Нина.

— А как Миша?

— В милиции. Сталинист и антисемит. Но сейчас он считает: лучше бы Катя вышла за еврея.

— А евреи грузчиками бывают? — удивилась Марьяна.

— Нет. Они сейчас на бирже. Но уж лучше на бирже.

— Да... — задумчиво сказала Марьяна.

Шли какое-то время молча. Жизнь складывалась не так, как хочешь. Хочешь одно, а получаешь другое. Вот Колька вырастет, тоже женится на Тамариной дочке. Они уже сейчас каждый вечер мультики вместе смотрят. Тамарина дочка вся в маму. Обожает, когда про любовь. А Колька смущается, отворачивается. Дурак еще. Но она научит.

— А тебя носил кто-нибудь на руках? — спросила Марьяна.

— Нет, — растерялась Нина.

— И меня нет.

Вышли к стоянке такси. Цены подскочили в десять раз, поэтому машины стояли свободно.

Марьяна подумала вдруг, что двадцать пять лет проработала рабой и Аркадий воспринимал сие как должное. Не дарил цветов, не носил на руках. Зато он не был сталинист, грузчик и алкаш. Он принадлежал к тонкой благородной прослойке, именуемой «интеллигенция». При этом — к лучшей ее части. К подвижникам. Земским врачам, которые шли в народ и трудились в поте лица.

За это можно носить на руках.

— А ты как? — спохватилась Нина.

— Так собой... У нас есть знакомый грузин, который вместо «так себе» говорит «так собой», — пояснила Марьяна.

Марьяна не любила хвастаться своей жизнью, предпочитала прибедняться. Боялась спугнуть, сглазить.

У детей есть дразнилка: «Я на эроплане, ты в помойной яме».

Так и Марьяна. Она на «эроплане», при любви, при деньгах, при смысле жизни. А почти все вокруг в яме проблем. Хорошие люди, а в яме. Марьяне просто повезло. С высоты аэроплана она видела кое-где редкие семьи на такой же высоте. Но это так редко, как гениальность.

Катя стояла посреди комнаты в свадебном платье, сшитом из тюлевой занавески. Соседка-портниха укрепляла ветку искусственных ландышей на плече. Ландыши — не Париж, да и платье из занавески, но все вместе: молодость, цветение человека, ожидание счастья, высокая шея, тонкая талия... — все это было так прекрасно, что Марьяна обомлела.

Обомлел и Костик, первый гость, Катин школьный товарищ. Он пришел с самого утра и ошивался без дела. Путался под ногами.

Костик смотрел с ошарашенным видом. Для него Катя была соседка по парте, каждодневная девочка, пальцы в заусеницах. И вдруг он увидел белую мечту.

— Какой же я был дурак, — сказал себе Костик.

Он был приглашен на свадьбу свидетелем, а мог и женихом. Это открытие ударило его, как дверью по лицу. Было больно и неожиданно.

Нина и Марьяна, едва раздевшись, отправились на кухню и стали украшать тарелки с салатом и холодцом. Из зеленого лука, моркови, крутых яиц и маринованных помидоров Марьяна выстраивала на тарелках целые сюжеты с зелеными лужайками, зайчиками и мухоморами.

— Да бросьте, тетя Маша, сейчас придут и все порушат. Все равно в желудке все перемешается, — говорила Катя.

— Прежде чем порушат, будет красиво, — возражала Марьяна.

— Это позиция! — Катя цапнула с торта орешек.

— Не хватай! — одернула Нина. — Терпеть не могу, когда хватают. И учти, я в загс не пойду. Много чести!

— Не ходи, — легко согласилась Катя. — Мы быстренько: туда-сюда.

— Видала? — Нина обернулась к Марьяне. — Туда и сюда... Как тебе нравится?

— А что ты хочешь? — беззлобно удивилась Катя. — Тебе так не нравится и так не нравится...

Она цапнула еще один орешек и удалилась, облизывая палец. Нина без сил опустилась на табуретку.

— Разве я о такой мечтала свадьбе? — грустно сказала она.

— А знаешь, этот Костик... Он посожалел.

— И что с того? — удивилась Нина.

— Ничего. Так.

Распахнулась дверь, вбежал жених в куртке. Он был усатый и волосатый, как певец из вокального ансамбля.

— Машина пришла! — запыхавшись, объявил жених. Он подхватил Катю на руки и помчался с ней к дверям.

— Пальто! — душераздирающе крикнула Нина.

— А, да... — спохватился жених.

Костик накинул на Катю пальто, как плед. Она сидела на руках, как в кресле-качалке, закинув нога на ногу.

Они скрылись в дверях. По лестнице вместе с белым шлейфом летела их молодость и молодая страсть.

Костик засуетился, втиснулся в свой плащ и тоже поспешил следом.

— Как он тебе? — спросила Нина.

Марьяна молчала.

Она испытывала что-то похожее на светлую зависть. Дело не в том, кто грузчик, кто врач. Жизнь прошла. Не вся, конечно, но вот этот кусок оголтелой беспечности, когда все смешно. Палец покажешь — и смешно. А сейчас — палец покажешь и смотришь. Ну да. Палец. И что? Ничего.

Катя вернулась пешком и одна. Она шла на высоких каблуках, как на ходулях.

— Машина ушла. Не дождалась, — объяснила Катя.

— А этот где?

— Новую ловит.

— А почему ушла машина? — возмутилась Марьяна.

— Плохо договорился, значит, — объяснила Нина. — Мало денег дал.

— Знаешь, сколько они запрашивают? — заступилась Катя.

— Он к тому же еще и жадный.

Нина вдруг села и зарыдала.

Катя приблизилась к матери, стала гладить ее по волосам, изредка повторяя: «Мама, ну мама...» Произносила с теми же интонациями, что и Нина в детстве.

— Перестаньте! — попросила Марьяна. — Нашли время.

В кухне снова появился жених, радостно возбужденный удачей.

— Нормалек! — объявил он.

Подхватил Катю и исчез, не заметив трагедии, разыгравшейся вокруг его персоны.

— Мне начинает казаться, что Катька того... с прибабахом, — поделилась Нина.

— А что это значит?

— Ну... дура. Неполноценная.

— А ты — нет?

— Это почему?

— Надо уважать в молодом человеке его будущее. Понимаешь? Нельзя унижать недоверием.

— Какое будущее у грузчика? — удивилась Нина.

— А откуда ты знаешь? Ты же ничего не знаешь. Ломоносов тоже мог прийти в Москву и какое-то время работать грузчиком.

На кухне появился муж Нины. Он был в сатиновых трусах и в майке. Стал шумно пить воду, после чего скрылся.

— Все время лежит и смотрит в стену, — сказала Нина. — Переживает.

Жизнь на сорок пятом году показала полковнику большую фигу. Видимо, он целыми днями лежал и рассматривал свою жизнь с фигой на конце.

***

Гости съезжались к восьми часам. В основном — молодежь, племя младое, незнакомое. Преимущественно — девушки. Катины подруги. Грузчик своих друзей пригласить не решился, а может, у него их и не было. Родителей тоже не было. Отца — никогда (кроме момента зачатия). А мать жила в деревне и не смогла выбраться.

Марьяна весь день простояла на ногах и так устала, что хотелось одного: уйти и лечь на Мишино место. Миша к восьми часам воспрял, надел штатский костюм — синий в полоску — и выглядел хоть куда: «Джеймс Бонд по-советски». Он реагировал на молодых девушек, явно предпочитая блондинок. Нина стояла с приклеенной улыбкой.

Шумно уселись за стол.

Катя оказалась права: все в момент было сметено могучим ураганом молодых аппетитов. И никто не увидел красоты зеленых полянок с мухоморчиками. Жених ел, не переставая, будто включили в розетку. Его отвлекали только крики «горько». Тогда он поднимался и майонезными губами впивался в Катю. И было видно, что парень он бывалый и целуются они не в первый раз.

Миша в эти минуты каменел лицом и старался не смотреть, как мызгают его дочь, чистую голубку.

В какой-то момент всех накрыло теплом и счастьем застолья. Нина как бы смирилась с происходящим и даже хватила водки. Но вдруг горько разрыдалась. Все решили — от счастья. И только Марьяна видела, как безутешно и тяжело она плачет. Будто у гроба.

Марьяна тихо выбралась из-за стола. Накинула пальто. Вышла на улицу.

Неподалеку за углом светился окнами телеграф. Он работал круглосуточно. Марьяна вдруг поняла, зачем она вышла. Позвонить домой. Прикоснуться голосом к своей жизни. Что они сейчас делают? Колька, наверное, уже спит. У него манера сбивать простыню и одеяло в общий ком, и он валялся, как подкидыш в

тряпках. Бог его подкинул Марьяне. Как будто зажег свечку. И
все осветилось в ее жизни до последнего уголочка. Все стало
ясно: зачем так долго любила Аркадия? Чтобы завязался плод
любви. Зачем они оба работают, каждый на своей ниве? Чтобы
взрастить свой сад.

Улица, по которой шла Марьяна, — из тех давних санкт-
петербургских времен. Все дома разные. Стиль — артнуво или
постмодерн.

Марьяна не очень в этом понимает. Аркадий — понимает.

Марьяна вошла в помещение телеграфа. Женщина за окошечком штамповала конверты. Марьяне почему-то вспомнились
письма из-за границы в нарядных конвертах. Сверху пишется
имя адресата: кому письмо. Потом улица. Дом. Город. В конце
страна. Страна — в самом конце. Главное — человек. А на
наших конвертах все наоборот. Страна — в начале, человек — в
конце. Людей много, а страна одна.

Марьяна вошла в автомат. Набрала номер. Ожидала услышать междугородные шумы, но голос возник сразу. Как из
космоса.

— Ну что ты сравниваешь? — спросил мужчина.

Марьяна поняла, что случайно подключилась к чужому
разговору. Хотела положить трубку, но помедлила. Голос был
знаком.

— Что ты срав-ни-ва-ешь? — повторил мужчина.

Эта манера говорить по слогам принадлежала Аркадию. Когда
он что-то хотел доказать, то выделял каждый слог. И голос был
его — низкий, глубокий. Аркадий — меланхолик, говорит, как
правило, лениво, но сейчас в его голосе прорывалась сдержанная
страсть.

— У тебя дело, люди, путешествия. У тебя есть ты. А у нее
что? Сварить, подать, убрать, помыть. Она живет, как простейший организм. В сравнении с тобой она — инфузория-туфелька.

— Но живешь ты с ней, а не со мной, — ответил женский
голос.

— Мне ее жаль. А тебя я люблю.

— Любовь — это не количество совокуплений. А количество ответственности. Я тоже хочу, чтобы меня жалели и за меня отвечали. И хватит. Давай закончим этот разговор.

— Подожди! — вскричал Аркадий.

— Когда началась война в Афганистане? — вдруг спросила женщина.

— Не помню. А что?

— У нас с тобой все началось в тот год, когда наши ввели войска в Афганистан. А сейчас война уже кончилась. А мы с тобой все ходим кругами. Вернее, ты ходишь кругами. Мне надоели самоцельные совокупления, за которыми ничего не стоит. Я сворачиваю свои знамена и отзываю войска.

— Подожди! — крикнул Аркадий.

— Опять подожди...

— Не лови меня на слове. Я сейчас приеду, и мы поговорим.

— Если ты будешь говорить, что твоя жена инфузория-туфелька, а у сына трудный возраст, — оставайся дома.

— Я сейчас приеду...

Раздались короткие гудки.

Марьяна посмотрела на трубку и опустила ее на рычаг. Постояла.

Снова набрала. Шипение, соединение, длинные гудки. Уехал. А Колька? Куда он его дел? Взял с собой? Бросил одного? А если он проснется?

Марьяна вышла из будки. Женщина за окошечком продолжала штамповать конверты. Всего три минуты прошло. Ничего не изменилось за три минуты: улицы привычно скрещивались возле телеграфа. Одна прямо, другая под углом. Ходят люди. Стоят дома. У Нины — свадьба.

Марьяне казалось, что она в аквариуме, как рыба. Между ней и окружающей средой — стена воды, потом толща стекла. За стеклом люди, а она — рыба.

Марьяна сделала шаг. Еще один. Надо было идти. И она пошла. И добралась до нужного места. Свадьба. Едят и пьют. А некоторые танцуют в другой комнате. Топчутся как-то.

Никто не заметил отсутствия Марьяны. Она прошла на кухню и начала мыть тарелки. Тарелки были свалены как попало, надо было освободить от объедков и рассортировать: большие к большим, средние к средним.

В кухню вошла Нина и сказала:

— Да брось ты, завтра все вымоем. — Она села на стул. — Ты заметила, ни грамма не выпил... На собственной свадьбе... Даже рюмки не поднял.

Нина ждала реакции. Марьяна молчала. Потом подняла голову и спросила:

— Когда началась война в Афганистане?

— В семьдесят шестом, кажется... Надо у Миши спросить. Он знает. А что?

Лицо Марьяны было напряженным, как у глухонемой.

В семьдесят шестом году. Сейчас девяносто второй... Шестнадцать лет у него другая. Шестнадцать лет — целая жизнь. Совершеннолетие. А она ничего не заметила. Они вместе спали. Зачинали Кольку. Значит, он спал с двумя. Там были самоцельные и качественные совокупления. Там он любил. А ее — жалел.

Аэроплан рухнул в помойную яму. С большой высоты. Отбило все внутренности. Очень больно. Хорошо бы кто-нибудь пристрелил. У Миши наверняка есть пистолет. Но зачем привлекать других людей? Можно все сделать самой. Выбежать на улицу и броситься под машину. Все. Несчастный случай. Никаких разбирательств. Никто не виноват. Правда, у Нины прибавится хлопот. Заказывать гроб. Грузить. Но грузчик уже есть.

На тарелке кусок ветчины. Нетронутый. Выбрасывать? Или завтра доедят. Грузчик доест.

Колька спит в тряпках, как сирота. Кому он нужен? Кто будет завязывать ему тесемки, проверять железки? Кольке — восемь лет. Значит, он родился в середине той любви. Значит, Аркадий предал Афганку, когда зачал и родил Кольку. Она не захочет терпеть Кольку в своем доме. Сдадут в интернат. Там его будут бить и отнимать еду. Он научится воровать и втягивать голову в плечи, ожидая удара. Нет! Она никогда не подставит своего сына. Но и в дерьме жить не желает. Она выгонит Аркадия, как собаку. Пусть идет вон из ее чистого дома, блудит по подъездам. А впрочем, эта Афганка где-то живет... У нее есть помещение. Вот пусть и забирает к себе и качественно совокупляется: утром, днем, вечером и ночью. Беспрепятственно.

Большие тарелки окончились. Начались средние. Сервиз красивый — белый с синим. Похож на английский. Но чешский.

Аркадий соберет свой чемодан и уйдет. Чемодан и иконы. Больше она ему ничего не отдаст. Да он и сам не возьмет. А на что жить? Профессии — никакой. Можно сунуться в малое предприятие, секретаршей. Кольку на продленку. Целый день без присмотра. Он превратится в дитя улицы. Научится матерным словам.

Аркадий, конечно, будет подкидывать денег. Не даст пропасть. Но это зависит от того, как они расстанутся. С каким текстом она его выгонит. Значит, надо выбирать слова.

А вдруг не придется выбирать. Ведь неизвестно, о чем они сегодня договорятся с Афганкой. Может быть, Аркадий захочет прожить еще одну новую жизнь, с новыми детьми.

Он встретит ее утром на вокзале и все скажет. Произнесет. Она отреагирует:

— А я знаю.

— Откуда? — удивится он.

— Я слышала по телефону.

Он подумает и скажет:

— Тем лучше.

Потом соберется и уйдет. Из дома уйдет Аркадий и вынесет тепло. Зачем тогда этот дом? Просто жить и терпеть каждый день?

Тарелка упала и разбилась. Черт! Сервизная тарелка. Марьяна стала собирать осколки и опускать их в ведро.

— Эксплуатация человека человеком отменена в семнадцатом году. Прошу все бросить и сесть за стол.

Марьяна вернулась в комнату. Был накрыт чай.

О! Какие убогие советские торты с тяжелым жирным кре-
мом. Как можно это есть? А ничего. Едят и здоровы. И счастливы. Муж Нины без особых талантов. Незатейливый человек.
Зато СВОЙ. И грузчик будет такой же. Без фантазий. Фанта-
зии распространяются в оба конца — на добро и на зло. На
творчество и предательство.

Марьяна стала есть торт. Как все. Она думала, что существует на другом, более высоком уровне. А вот поди ж ты: в
уровне оказалась большая дыра, и сейчас она загремела в эту
дыру вместе с мебелью, японским холодильником с красивыми
продуктами внутри. Так, наверное, бывает во время землетрясения, в те несколько секунд, когда все вздрагивает, наклоняется и
осыпается в преисподнюю. И Колька скользит ногами, и за что-
то держится, и верещит своим пронзительным голосом.

«Ко мне, ко мне, сюда!» — взывает Марьяна, ловит его, и
прижимает, и закрывает всем телом.

Марьяна ела торт. Торт на ночь. Килограмм плюс. Какая
разница? Кому нужна ее стройная фигура? Аркадию все равно.
И ей самой тоже все равно. Жизнь кончилась.

Стреляться она не будет. И под машину бросаться не побежит. Что за безвкусица? Она будет жить день за днем. И пройдет всю дорогу. Говорят, Бог не любит самоубийц. И если к нему
попадешь раньше намеченного срока — он не принимает. Как
начальник. И ты маешься в приемной до своего часа. Какая
разница: где ждать этот ЧАС. Там или тут?

Аркадий стоял на перроне — такой же, как всегда. Он обнял
Марьяну, поцеловал. Губы были крупные и теплые, как у коня.

«Сейчас скажет», — подумала Марьяна. Но Аркадий молчал. Остановил носильщика. Поставил чемодан. Он не любил
поднимать тяжести, даже незначительные.

— Ну как? — спросил Аркадий.

Захотелось крикнуть: «Я все знаю!» Но она спросила:

— А у тебя как?

— Как обычно, — сказал Аркадий.

Вот это правда. Как обычно — работа, мастерская, Афганка. Или другой порядок — работа, Афганка, мастерская. А может, они встречаются в мастерской, среди ликов святых. О! Как они были счастливы и несчастны.

— Ты чего? — спросил Аркадий. — Устала?

Марьяна не ответила. Что отвечать? Устала ли она? Она умерла. Покончила с собой. С прежней. И теперь ждет своего ЧАСА.

Носильщик проворно катил тележку. Приходилось торопиться.

Аркадий загрузил чемодан в машину. Удобно. Кто-то берет твой чемодан и загружает.

Машина тронулась. За окном грязная Москва. Чего же она такая грязная? Не убирают?

Аркадий сидел непроницаемый, как сфинкс. Хотелось спросить: «Что ты решил?»

Но спрашивать — очень страшно. Спрашивать — значит знать. А знать — значит взрезать ситуацию скальпелем, как живого человека. Тогда надо что-то срочно делать: или зашивать, или хоронить.

Лучше ни о чем не спрашивать. Сидеть в машине и смотреть на Москву.

— Батрачила? — догадался Аркадий. — Тарелки мыла?

Пожалел. Он ее жалел. Значит, сегодня не уйдет.

Марьяна не стала разбирать чемодан. Сразу легла. Ей снился падающий самолет. Он устремился к земле, но удара не было. За секунду до удара Марьяна вскидывалась, садилась на кровать и обалдело смотрела по сторонам. Ей казалось, что она сошла с ума. А может, и сошла.

Поднялась через два часа и задвигалась по дому. Надо было приготовить еду. У нее было несколько привычных скорых рецептов, когда можно было накормить быстро и без проблем.

В прихожей стояло старинное зеркало, стиль «психо» или «психе». Марьяна увидела свое лицо — тусклое, белесое, овальное.

15*

«Инфузория, — подумала Марьяна. — Даже без туфельки. Простейший организм. Что он может дать своему мужу, кроме обеда и преданности?»

Та, другая, питает его воображение, наполняет жизнь праздником. Их души, как двое детей на пасхальной открытке, берутся за руки, и взлетают на облако, и сидят там, болтая ногами. А она что? Гири на ногах. Попробуй взлети.

В замке повернулся ключ. И Марьяне показалось — он повернулся в ее сердце, так оно радостно вздрогнуло.

Все что угодно. Пусть ходит к ТОЙ. Только бы возвращался. Только бы возвращался и жил здесь. Она ничего ему не скажет. НИЧЕГО. Она сделает вид, что не знает. Инфузория-туфелька вступит в смертельную схватку с той, многоумной и многознающей. И ее оружие будет ДОМ. Все как раньше. Только еще вкуснее готовить, еще тщательнее убирать. Быть еще беспомощнее, еще зависимее и инфузористее.

Марьяна спокойно поставила перед мужем тарелку, а сама села напротив и смотрела, как он ест. Ест и читает газету. Плохая привычка. Переваривает сразу две пищи — плотскую и интеллектуальную.

— Ты чего? — спросил Аркадий.

— Ничего. Скоро зима.

Скоро зима. Потом весна. Время работает на Марьяну.

Аркадий будет приходить к Афганке и как в кипяток опускаться в упреки, скандалы, в самоцельные совокупления. А потом возвращаться домой и сразу отдыхать. Дома покой, сын, преданность, вкусная еда. И Аркадию после тяжелого рабочего дня захочется в покой, а не в упреки. Отношения завязнут, как грузовик в тяжелой грязи, начнут буксовать. Афганка захочет подтолкнуть ревностью, заведет себе другого Афганца. А вот этого Аркадий не потерпит. Марьяна приучила его к чистоте и преданности. Он захочет то, к чему привык. И в один прекрасный день все разлезется и рассеется, как облако в небе. То ли было, то ли не было... Афганка свернет свои знамена. Аркадий отдаст честь.

Афганка наведет румянец, отточит интеллект — и в новый бой, ошеломлять своими талантами. А время упущено. А детей нет. И значит, уже не будет. И впереди одна погоня за призраками, через морщины, через усталость. Погоня — усталость — пустота. И в конце концов — одинокая больная старость. А за что? За то, что верила и любила. За то, что замахнулась на чужое. Вот за что. Хотела горя другому. Но ты это горе положила в свой карман. А она, Марьяна, — она ни при чем. Она даже ничего не знает.

— Ты что такая? — снова спросил Аркадий.

— Какая?

— На винте.

Заметил. Замечает.

Говорят, что жертва испытывает подобие любви к своему палачу. И, чувствуя нож в своем теле, смотрит ему в глаза и произносит: пожалуйста...

Что пожалуйста? А все. ВСЕ. ЖИЗНЬ.

А потом была кровать-поэма. И ночь, как война, в которой Марьяна дралась за свой дом, как солдат в захватнической войне.

И даже во сне, уйдя от мужа в свой сон, она продолжала держать его за выступ, который считала СВОИМ. И Аркадий не отклонялся. Видимо, хотел, чтобы его держали.

Утром Марьяна провожала Кольку в школу. Он шел рядом, тяжело шаркая. У него были сапоги на вырост. Марьяна посматривала на сына сбоку: как будто сам Господь Бог взял кисточку и нарисовал в воздухе этот профиль. Одно движение — и все получилось. Без поправок. Природа не зря медлила с ребенком для Марьяны. Поджидала и готовила именно этого.

На обратной дороге забежала к Тамаре. Пили кофе. Тамара по-прежнему была похожа на двойной радиатор, но с выключенным отоплением. Широкая, прохладная. Ее что-то мучило.

Тамара курила, глубоко затягиваясь, соря пеплом.

— У него четверо детей, представляешь? — сообщила она. — Мусульмане не делают аборты. Им Аллах не разрешает.

— Я бы тоже четырех родила, — задумчиво сказала Марьяна. — Хорошо, когда в доме маленький.

— Его жена с утра до вечера детям зады подтирает. И так двадцать лет: рожает, кормит, подтирает зады. Потом внуки. Опять все сначала. О чем с ней говорить?

— Вот об этом, — сказала Марьяна.

— Живет, как... — Тамара подыскивала слово.

— Инфузория-туфелька, — подсказала Марьяна.

— Вот именно! — Тамара с ненавистью раздавила сигарету в блюдце. — Это мы, факелы, горим дотла. А они, инфузории, — вечны. Земля еще только зародилась, плескалась океаном, а инфузория уже качалась в волнах. И до сих пор в том же виде. Ничто ее не берет — ни потоп, ни радиация.

— Молодец, — похвалила Марьяна.

— Кто? — не поняла Тамара.

— Инфузория, кто же еще... Ну, я пойду...

— Подожди! — взмолилась Тамара. — Я расскажу тебе самое интересное.

— Ты уже рассказывала. — Марьяна поднялась.

— Нет, не это... Мы вышли вчера из машины. Луна плывет высоко... и снег светится от собственной белизны. Представляешь?

Лицо Тамары стало мечтательным. Она хорошела на глазах и из радиатора парового отопления превращалась в музыкальный инструмент, растянутый аккордеон, из которого плескалась вечная музыка души.

— Снег светится от луны, — исправила Марьяна.

— Нет. Собственным свечением. Снег тоже счастлив...

Здравствуйте

Я — красивая женщина. Почти красавица. Натали Гончарова. Как говорил мой бывший муж: таких сейчас не делают. Однако мои повышенные внешние данные не помешали мужу отъехать в Израиль. Ему захотелось на историческую родину. А я осталась на своей исторической родине, в Теплом Стане, в двухкомнатной квартире, с дочкой на руках, с зарплатой двести рублей в месяц. Вот тебе и Натали Гончарова. Никому не нужна вместе со своими покатыми плечами. Да и мне никто не нужен. Все силы ушли на выживание. Он звал с собой, это правда. Но я не могу думать и разговаривать на чужом языке. Не могу жить в затянувшихся гостях.

В Палестинах муж долго не задержался. Все же он родился и воспитывался в русской культуре и, оказавшись на земле обетованной, почувствовал себя русским интеллигентом и переехал в Америку. В свободную страну. Но и в Америке ему чего-то не хватало. Такой уж он был особенный человек, склонный к томлению.

Если бы можно было как в прошлом веке: свободно перемещаться по миру и жить где хочешь и сколько хочешь. Как Гоголь, например. Захотел поработать в Италии — поехал на восемь лет. Или Тургенев. Но это время в прошлом. И в будущем. А в семидесятых годах двадцатого века билет выдавали в одну сторону. Как на тот свет. И в результате я — одинокая женщина.

Одинокая женщина как бы выключена из розетки. Обесточена. От нее ни тепла, ни света. Общество зябнет. Но самый большой ущерб обществу — это мужчина-бездельник. Выгнать бездельника невозможно, поскольку общество гуманное, безработицы нет. Это тебе не Америка.

В редакции, где я работаю, как нарочно, подобрались одинокие женщины и мужчины-бездельники. Они сидят в буфете, курят на лестничной площадке. Все надо перепроверять, напоминать, кричать, угрожать, льстить. Как будто эта работа нужна мне одной.

Я работаю на телевидении, занимаюсь учебной программой. Программа непопулярна, но ее все равно надо делать и выпускать в срок.

Вчера приехали брать интервью у старенького академика. Академик ждал к десяти, приехали к часу. И когда поставили свет, выяснилось: что-то не в порядке со светом, надо бежать за электриком в ЖЭК, а электрик тоже бездельник, в ЖЭКе его нет и когда придет — никто не знает. Старик смотрит. Я моргаю. Готова сквозь землю провалиться. Но земля держит, и я стою. А старик смотрит. У него пропало утро, которым он так дорожит. У него все утра на счету. Все утра золотые. А оператор Володя стоит себе в своих двадцати пяти годах с синими глазами, со жвачкой во рту, с бестолковой камерой, с тяжелым ремнем на плоском животе. «Ото и тильки», — как говорила моя мама; в переводе на русский: «Только и всего». Синие глаза и широкий ремень. Только и всего. И полная безмятежная безответственность перед стариком, передо мной, перед жизнью вообще. Жует жвачку, как мул. Ну я ему выдала... Он даже жевать перестал, и в глазах мысль появилась. И даже академик брови поднял: молодая женщина с гладкой головкой, как на старинных миниатюрах, с кроткими оленьими глазами — может так активно и современно выражать свои мысли, с употреблением какого-то непонятного фольклора с частыми ссылками на чью-то мать.

Какая красота в женщине, потерявшей лицо? Никакой. Поскольку лица нет. Вместо него что-то раскрасневшееся с вытаращенными глазами, готовыми выкатиться на кофту. Но именно в этот момент, в момент наивысшего отрицательного напряжения, в меня влюбился этот самый мул с широким ремнем на плоском животе. Он даже жвачку выплюнул и спрятал. И электричество наладил сам, без электрика. Нашел куда что воткнуть и снял академика за пятнадцать минут без единого дубля. Вот что значит *личная заинтересованность*. Всякая заинтересованность, личная или материальная, — великий стимул. А если, скажем, у электрика ЖЭКа нет такой заинтересованности, то его и нет на работе.

Я уже говорила: в том месте, где раньше жила любовь, а потом боль, — образовалась пустота. Но свято место пусто не бывает.

В мою душу стал настойчиво прорываться жующий Володя. Он прорывался неподвижно. Стоял и смотрел. Под проливным дождем. Я сказала ему: «Дождь...» Он ответил: «Камни будут с неба падать, я не уйду».

Женщина любит ушами. Я тут же представила камни, летящие с неба, пожалела его и полюбила. Мне тридцать пять. Ему — двадцать пять. Ну что это? Поддержка в жизни? Еще одно испытание. Продолжать роман — все равно что играть в заранее проигранную игру. Я пыталась выскочить из игры, но ничего не получалось. Противостоять было невозможно. Когда один человек в чем-то убежден, до упора, он заражает своей верой окружающих. И как знать: Анна Керн тоже была старше своего мужа лет на двадцать, а умерла позже, чем он. Она же его и хоронила. И что такое десять лет? Это абстрактные цифры. Их никак не чувствуешь. Чувствуешь человека — живого и теплого. Он обнимает — сердце останавливается. Он ласкает, говорит слова. Говорит: «Моя маленькая», — и тогда кажется: я маленькая, а он взрослый. И большой. И даже великий. И у него лицо как у Господа, который сделан по образу и подобию человека. Это ночью. А утром: «Володя, сходи за колбасой». Не идет. Денег нет, вот и не идет. Да еще огрызается. Ну что тут скажешь? Как можно уважать мужчину, у которого нет рубля на колбасу. И опять получается: все на мне, на моих покатых плечах — и работа, и колбаса, и ребенок. Двое детей. Раньше была только дочь двенадцати лет, теперь дочь и сын двадцати пяти. Ну сколько можно на одного человека?

Я задала ему вопрос. Он обиделся и ушел. И сказал, что больше не придет. Я сказала: «Ты забыл свою жвачку». Пачка жвачки — это был единственный вклад, который он внес в наше благополучие. Он обиделся еще больше и сказал, что я могу оставить это себе, при этом вид у него был высокомерный, как будто он оставлял мне остров, как Онассис.

На том мы и расстались. Жвачку унаследовала моя дочь. А я получила второе одиночество, которое бывает невыносимым на другой день.

В первый день упиваешься своей правотой, а на другой день разыгрывается нормальная тоска и начинает жечь внутри так, будто выпила соляной кислоты, которой чистят унитазы. Мир полон людьми, а пуст, когда нет одного человека.

Я шла по коридорам студии, как по пустыне, и тут увидела Кияшко. Кияшко — мой автор. Он пишет для передач о вреде табака, о пользе просвещения, о том, что такое хорошо и что такое плохо. Пишет он обстоятельно, как все малоталантливые люди, и приносит вовремя. Обязательный человек. Я заметила, что обязательны только иностранцы, видимо, потому, что у них время — деньги.

Я сказала Кияшке: «Здравствуйте», — при этом остановилась и проникла глазами в самые его зрачки. Я всегда так с ним здоровалась. Я обязательно останавливаюсь и надеваю особое выражение лица, какое было у Натали, когда она здоровалась с государем: нежная почтительность, тайное восхищение.

Несколько слов о Кияшке. Ему семьдесят лет. Он инвалид войны. В сорок третьем году был ранен. Я не знаю подробностей, но мне кажется, бомба попала в него прямым попаданием. В голове вмятина величиной с большой апельсин. Правая кисть оторвана. Из рукава виднеется культя, видимо, когда-то обожженная, затянутая новой, розовой кожей. Кияшко не стеснялся

своей неполной руки и всякий раз охотно протягивал ее для руко-
пожатия. Я всякий раз, преодолев краткое сопротивление, пожимала культю, и потом моя ладонь долго помнила шелковую,
младенческую нежность кожи. Помимо руки и головы, у Кияшки
покалечена нога. Он припадает на нее довольно основательно, и
каждый шаг становится работой.

Говорили, что он женат. Жена тоже хромала, на ту же ногу.
Они встретились во время войны в госпитале, вместе лечились и
сошлись по принципу выбраковки. Надо же поддерживать друг
друга в жизни, раз их не убило до конца.

Всякий раз, когда я встречала этого человека — хромого и
старого, я отматывала время назад, как магнитофонную ленту, и
видела его молодым, двадцатипятилетним, как мой оператор.
Потом — чернота. И первое пробуждение после наркоза и
первое осознание себя половиной человека.

Я представляла себе его первый ужас, а потом долгий, до
сегодняшнего дня, путь — преодоление. Каждый шаг — преодоление. Тут на двух ногах, с двумя руками и то тяжело.

Мое «здравствуйте» как бы давало понять, что его страдания
и мужество не оставили равнодушным следующее поколение.
Какие, казалось бы, затертые слова «страдания, мужество», но
именно страдания и мужество. Именно не оставили равнодушным. Поколение детей помнит. И мое «здравствуйте» — это
маленькая компенсация за прошлое. Большего я не могу. Я могу
только уважать и помнить.

Кияшко ни о какой компенсации знать не мог. Он просто
шел по коридору своей походкой, ставшей за сорок пять лет
привычной, просто встречал молодую редакторшу, похожую на
жену Пушкина. Редакторша как-то странно на него смотрела,
только что не подмигивала, и как-то особенно говорила «здравствуйте». Кияшко всякий раз внутренне удивлялся и не понимал,
чего она хочет. От своей дочери и от ее подруги Кияшко слышал,
что современные молодые мужчины никуда не годятся — слаба-
ки и пьяницы, и халявщики, не могут за себя платить. И ничего

удивительного в том, что молодые одинокие женщины ищут под-
держку и опору в зрелых и даже слегка перезрелых мужчинах.

Кияшко был занятым человеком. У него семья, творческие
замыслы. Творчество он всегда ставил на первое место, впереди
семьи, а тем более впереди внеплановых развлечений. Мужчина
должен выразить свое «я». Оставить будущим поколениям свои
жизненные установки. Например: о вреде табака. О пользе просвещения. Пусть это было известно и до него. Он напомнит еще
раз. Курить вредно. Это сокращает жизнь. А жизнь дается человеку один раз. Пусть о нем думают, что он устарел, как сундук
с нафталином. Сундук, между прочим, полезная вещь. А эти
молодые, певцы помойки, — им бы только вымазать все черной
краской. Зачеркнуть прошлое. Тогда было не так. Сейчас —
так. А между прочим, на СЕЙЧАС надо смотреть из ПО-
ТОМ. Есть такая поговорка: поживем — увидим. Пусть пожи-
вут, а потом оглянутся и посмотрят.

Кияшко хмурился, когда думал об этих малярах гласности,
замазывающих дегтем все и вся, и его, Кияшку, в том числе.
А он — есть. Он идет. И молодая редакторша говорит ему
«здравствуйте» и смотрит так, что глаза сейчас оторвутся и
слетят с лица.

Кияшко заглянул в эти глубокие пространства и неожиданно
предложил:

— Давайте встретимся...

— А зачем? — удивилась я. Рукопись он мне отдал, деньги
я ему выписала, выплатной день он знает.

— Встретимся, — со значением повторил Кияшко и посмотрел на меня пристально. Не формально.

Я поняла: он тоже отмотал время, как пленку, но не назад, а
вперед и увидел меня в своих объятиях. Я смешалась. В моих
мозгах как будто помешали столовой ложкой, как в кастрюле.
Перемешанные мозги не могут нормально управлять поведением.
Я пролепетала:

— Ну что вы, в такую жару... — И быстро пошла по коридору.

Занесла себя в первую попавшуюся комнату. Это оказался женский туалет. Я остановилась перед зеркалом и пожала плечами. Постояла несколько секунд и снова пожала плечами.

Я недоумевала всем своим существом, и графически это выражалось в том, что я пожимала плечами и бровями. Женщина рядом мыла руки и смотрела на меня. В туалет приходят не для того, чтобы пожимать плечами. Во мне присутствовала нелогичность. Я вышла в коридор. Кияшко удалялся, сильнее, чем обычно, припадая на ногу, и даже по его спине было заметно: он отказывается понимать что-либо в этих восьмидесятых годах двадцатого века. Какая жара, при чем тут жара?.. Мир сошел с ума, и непонятно, у кого вмятина в мозгу: у него или у этих, новых, вокруг него.

Я вздохнула и вошла в гримерную. Здесь работает моя подруга Катя. Катя не просто гримерша, а художник-гример. Может из Достоевского сделать Маяковского и наоборот. Катя — не бездельница. Трудится как пчелка. И не одинокая женщина. В сорок два года у нее есть муж, любовник и внук. И она всех любит — каждого по-своему. У любви, оказывается, много граней. Внука она любит материнской любовью, любовника — женской, а мужа — сестринской. Для каждого в ее сердце находится свой отсек. А еще она любит свою работу, не может без нее жить. Есть же такие гармонически развитые личности. Когда Катя видит чье-то лицо, она моментально понимает, что в нем лишнее, чего не хватает — и начинает его гримировать в своем воображении. И где бы ни находилась: в гостях, в транспорте — сидит и мысленно гримирует. Одно только лицо ей нравится без поправок — это лицо ее внука: большие уши, большой рот, большие глаза. Это лицо совершенно.

В данную минуту в Катином кресле сидел заслуженный артист. Был он не первой молодости и, пожалуй, не второй, но одевался не по возрасту. На нем был джинсовый костюм из «варенки». Если не знать, что это артист, можно подумать: фарцовщик на пенсии.

Я вошла и остановилась посреди гримерной. По моему лицу было заметно: мозги остановили свою работу. Выключились.

— Ты чего? — спросила Катя.

— Представляешь? — громко возмущалась я. — Старик. Без руки, без ноги, без головы. А туда же...

— Куда? — не поняла Катя. — Какой старик?

Я объяснила: какой старик, как я с ним здоровалась и как он это воспринял.

— Так ты сама виновата, — заключила Катя. — Что ты к нему лезла?

— Я не лезла. Я сочувствовала.

— Это одно и то же.

Кто-то умный заметил: время портится в конце столетия. Весь мир как громадная кастрюля. Все перемешано ложкой в этой кастрюле — со дна наверх, сверху на дно. «Нет, ребята, все не так. Все не так, ребята».

— Так что же, теперь и посочувствовать нельзя? Нельзя быть нормально понятой? — удивилась я.

— Мужиков сейчас меньше. Статистически. Вот они и обнаглели, — заключила Катя.

— Не в этом дело, — вмешался Артист. — Просто вы с разных концов смотрите на жизнь. Он от крестика, а вы от звездочки.

Артист повернул голову и посмотрел на меня, чтобы я лучше поняла. Но я не поняла.

Артист взял со стола карандаш, поднял его в горизонтальном положении. Я обратила внимание: карандаш хорошо заточен. На конце резиночка, чтобы стирать написанное. Грифелем записал, резиночкой стер.

— Вот жизнь, — сообщил Артист. — Это начало. Это конец. — Он показал сначала на острие, потом на резинку. — Тут звездочка. Тут крестик.

— Какая звездочка? — не поняла я. — Пятиконечная или шестиконечная?

— Та, что на небе. Ваша звезда. «Звезда любви приветная...»

— Понятно, — сказала Катя.

— Так вот, этот ваш старик был под крестом, одной ногой в могиле. — Артист постучал пальцем по резинке. — Еще сорок пять лет назад. Но он вытащил ногу из могилы и отодвинулся от края. Теперь он тут. — Артист отступил пальцем от резинки на один сантиметр. — Он жив. Он мужчина. Он назначает свидания. А главное — он жив. Понимаете?

— Понимаем, — сказала Катя за меня и за себя.

— Вы смотрите на него с этой стороны, — Артист показал на грифель, — смотрите и думаете: как он далек от звезды, бедняга, без руки, без ноги, калека, старик. А он смотрит на себя с другого конца и думает: я жив, я есть. Хоть хромаю, а иду. А пока человек жив, он молод. Он не понимает вашего сочувствия.

Я смотрела на карандаш — график жизни. На свою точку в середине карандаша и на воображаемую точку Кияшки в основании резинки. Мои мозги крутились с таким напряжением, что я даже слышала их скрип.

Катя макнула губку в тон и стала мелкими движениями покрывать лицо Артиста.

— Румянец будем класть? — спросила Катя.

— Не надо, — отказался Артист. — Оставим благородную бледность. Стареть надо достойно.

Вечером я возвращалась домой. Обычно я сажусь в троллейбус, как говорит моя дочь — «машина на бретельках». Сажусь в «машину на бретельках» и еду до метро. Потом в метро, с одной пересадкой. Так всегда. Так и сегодня. Я села возле окошка и стала смотреть на мир вокруг себя. В шесть часов смеркается, уходят яркие краски, как будто день устает и стареет. Вообще я заметила: день тянется долго, а проходит быстро. Так, наверное, и жизнь. И в каком-то смысле жизнь не длиннее карандаша. И я тоже когда-нибудь, послезавтра, стану старухой и окажусь в той же точке, на сантиметр от конца, и тоже буду радоваться жизни и считать себя «очень ничего». Уставшие лица похожи на исплаканные. Исплаканная Натали Гончарова. Таких сейчас не делают.

Я смотрела в окно и вдруг увидела Кияшку. Рядом с ним пожилая женщина, хромала на ту же ногу. Они шли одинаково. Он что-то горячо говорил ей. А она горячо слушала. Им было интересно: ему — рассказывать, а ей — слушать.

Пара Кияшек посуществовала в окошке, потом уплыла назад. Начался парк. По аллее бегали собаки. Потом уплыли деревья и собаки. Люди с озабоченными лицами отъезжали назад, но у новых было такое же выражение лица, и казалось, что люди одни и те же.

Но вот остановка. Метро. Сейчас надо оставить небо, дома, деревья, собак, спуститься под землю и приобщиться к большой толпе, стать ее маленькой частью.

Так же люди проходят от звездочки до крестика, потом вниз (а может, вверх), приобщаются к большинству, становятся частью. А ТАМ? Встречу ли я своего мужа? Там всеобщая историческая родина. Там все голые и все равны. Там нет войн и нет антисемитов.

Вечером я поглядывала на телефон, но Володя не звонил. Обиделся. Я уже жалела, что обидела человека из-за рубля. Если бы он позвонил сейчас, я сказала бы, что уважаю его бедность. Но он не звонил... Еще полчаса не позвонит — я сама поеду к нему домой и скажу про камни с неба. Самолюбие держало меня на месте, а страсть тащила из дому за руку. И мне казалось в этот вечер, что крестика не будет никогда. Всю жизнь продлится это ожидание счастья и его невозможность, раздирающие человека пополам.

Я могла бы позвонить сама. Но почему опять я? И ругаться — я. И мириться — я. Ну сколько можно на одного человека!

Этот лучший из миров

Во все времена были оптимисты и пессимисты. Максим Горький, например, утверждал, что человек создан для счастья. А Велимир Хлебников считал, что человек создан для страданий.

То же самое было сто лет назад. Вольтер говорил, что мир ужасен, а его современник философ Лейбниц восклицал: «О! Этот лучший из миров...»

Вольтер считал Лейбница наивным человеком, но прямо об этом говорить стеснялся и высмеивал его через своего героя Кандида.

Кандид был простодушным малым. Всю жизнь он любил некую Кунигунду и всю жизнь за ней гонялся по разным странам, пока не догнал и не женился. А когда его мечта сбылась, он вдруг заподозрил, что раньше было лучше. Осуществленная мечта — уже не мечта.

Кандид заскучал, у него появилась манера уставиться в одну точку и смотреть до тех пор, пока перед глазами не начинало плыть и двоиться. В эти минуты Кандид совершенно забывал, кто он и где находится. Это называется: потеря времени и пространства.

Однажды он смотрел вот так, перед глазами все расползлось, и Кандид отчетливо увидел незнакомый город, большую букву «М» и много народа, который входил под эту букву.

Кандид пошел вместе со всеми и оказался на бегущей вниз лестнице. Кандид догадался, что он умер и его несет вниз, в преисподнюю. И все, кто на лестнице, — тоже умерли, приобщились к большинству и смиренно спускаются в круги ада.

Жизнь Кандида была полна испытаний: он богател и разорялся, был бит и высечен до того, что у него обнажились мышцы и нервы, его обливали дерьмом — и это еще не самое худшее. Но Кандид все-таки любил жизнь и, оказавшись на лестнице, испугался и побежал наверх. Лестница уходила вниз, и получалось, что Кандид перебирает ногами на одном месте. На него не обращали внимания. Люди строго и спокойно смотрели перед собой.

— Стойте! — закричал Кандид. — Разве вам не жаль покидать лучший из миров?

Никто ничего не понял, потому что Кандид кричал на непонятном языке. Люди решили, что это беженец из горячей точки. Сейчас в России много таких горячих точек и много беженцев.

Лестница вынесла людей на твердое пространство.

Из тьмы выкатилось что-то длинное и грохочущее, похожее на железную змею, и люди устремились внутрь, в большие светлые клетки. Кандид вошел вместе со всеми. Люди спокойно уселись по обе стороны и стали читать большие шелестящие листки. Поезд пошел по тоннелю, в конце которого должен быть свет. Все должны предстать перед Создателем, и он начнет сортировать — кого в ад, кого — в рай. Но люди, похоже, ничего не ждали. Все сидели, уставившись в страницы.

— Опомнитесь! — закричал Кандид. — Приготовились ли вы к встрече с Богом?

Люди подняли головы, посмотрели на орущего парня в камзоле и ничего не сказали. Только одна старуха покачала головой.

— Это все Горбачев виноват. Развалил Россию, — закричала старуха.

Она полезла в сумку, достала яблоко и протянула Кандиду.

Изо всех ароматов мира Кандид больше всего любил яблочный аромат. Он надкусил, но ничего не понял. Яблоко ничем не пахло. Тем временем клетка остановилась, двери раскрылись и часть людей вышли из клетки. Остальные остались сидеть. Кандид не знал: оставаться ему или выходить...

Вдруг он замер. Мимо него прошла девушка — пышная и румяная, похожая на Кунигунду тех времен, когда она еще жила в замке барона Тундер-тен-Тронка.

Кандид устремился за ней и попал на лестницу, которая понесла его вверх.

— Какой это город? — спросил Кандид у девушки, похожей на Кунигунду.

— Москва, — ответила девушка. Она была учительницей французского языка и понимала речь Кандида.

— А какой век?

— Двадцатый.

«Сколько же мне лет?» — подумал Кандид. Но сообразил, что он нарушил время и пространство и продолжал быть молодым в новом времени.

Вместе со всеми Кандид вышел в незнакомый город. Дома — непривычно высокие, а улицы — непривычно широкие. Ни карет, ни повозок, ни лошадей — ничего этого не было. По дороге бежали большие железные жуки и сильно воняли. И никому не было стыдно.

— Что это такое? — спросил Кандид, показывая на дорогу.

— Это машины, — ответила учительница. — Средство передвижения.

— Не понял, — сознался Кандид.

— Можно быстро доехать туда, куда надо, — объяснила девушка.

«Вы быстро доедете до своего конца», — подумал Кандид. А вслух сказал:

— Пойдемте со мной.

— Куда?

— В восемнадцатый век. Там лучше. Там едят натуральную еду, яблоки из сада, и дышат чистым воздухом, и много ходят пешком.

Девушка подозревала, что этот парень в камзоле — пьяный актер, который не успел переодеться после спектакля. Актеры всегда пьют, пристают и интересничают.

Девушка решила не продолжать беседу и пошла через дорогу. Кандид какое-то время постоял в нерешительности, а потом устремился на красный свет, наперерез железным жукам. Один из них со скрежетом остановился перед Кандидом, оттуда выскочил сердитый человек и ударил Кандида по лицу. Кандид сделал то же самое: ударил по лицу. Он это умел и всегда испытывал готовность к драке. Человек упал.

Все кончилось тем, что собрались люди. Остановилась машина, похожая на квадратного жука, и Кандида затолкали в темный кузов с решеткой на окне. Он догадался, что это тюрьма на колесах. Там было темно и пахло мочой.

В машине еще кто-то сидел. Привыкнув к темноте, Кандид разглядел молоденькую девушку. Она была пьяная и вполне красивая. Ее открытые ноги бледно белели в темноте.

— Хочешь? — шепотом спросила проститутка. — Только быстренько, и один разочек.

Кандид не понял незнакомый язык.

— А ты отдашь мне свой пиджак, — продолжала девушка. — Это сейчас модно.

Кандид снова не понял.

Девушка подняла юбку. Кандид понял наконец и стал делать то, что она предлагала. Но не быстренько, а долго.

Машина остановилась. Милиционер открыл дверь и увидел голый зад Кандида. Огрел резиновой палкой. Потом стал вытаскивать Кандида из машины. Девушка успела стащить с него камзол. Кандид в одних панталонах оказался на земле.

— Паспорт есть? — спросил милиционер.

Кандид не понял. Подошел второй милиционер.

— Где живешь? — спросил второй.

— Во Франции, — ответил Кандид.

— А год рождения?

— Восемнадцатый век. — Кандид показал на пальцах.

— Из психушки сбежал, — предположил первый. — Там они все Наполеоны и Бонапарты.

— Веди его в отделение, — сказал второй. — Для выяснения личности...

— Да ну его, возиться с ним, бумаги заполнять...

Первый милиционер — тот, что с дубинкой, дал Кандиду пинок под зад.

— Иди отсюда, мотай, — добавил он.

Кандид хотел вернуть милиционеру несколько пинков, но передумал. Пошел прочь от машины.

Он вышел на широкую улицу. Быстро темнело. В окнах зажглись огни, и дома походили на светящиеся каменные соты. И в них, как пчелы, сидели люди.

Хотелось есть. По улицам в молчании шли люди, никто ни с кем не здоровался.

«Как много людей, — подумал Кандид, — и никто никому не интересен». Болела скула на лице, ныл копчик. Бог возвратил его в этот лучший из миров, но люди грубы.

Вдруг он услышал волчий вой. Кандид двинулся на звук и вышел к зоопарку.

На входе его остановили и потребовали билет. У Кандида было несколько франков, но они остались в камзоле.

Кандид перемахнул через ограду. В прыжке он зацепился за острый конец, и часть его панталон осталась на ограде. А полуголый Кандид оказался в зоопарке. Он пошел мимо клеток, как дикарь.

Волк выл, будто звал. Кандид быстро нашел его и протиснулся в волчью клетку.

— Почему ты плачешь? — спросил Кандид.

— Я пою, — ответил волк. — Я влюблен.

Они говорили на разных языках, но понимали друг друга. Почему-то.

Пришел сторож и кинул в клетку кусок темного вонючего мяса.

— Ты будешь это есть? — удивился Кандид.

— Конечно. И ты будешь это есть.

— Я не буду. Пойдем отсюда. Поохотимся. Поедим свежего мяса.

— Отсюда нельзя уйти, — сказал волк. — Это зоопарк.

— Ну и что? Разве у тебя нет ног? Нет желания?

— Зоопарк — это тюрьма.

— И что же?

— Это значит, ты должен делать то, что хотят другие.

Взошла луна. Было красиво, хоть и жутко.

Волк снова завыл, вернее, запел.

Кандид с отвращением погрузил зубы в мясо.

«Этот мир ужасен, — подумал Кандид. — Вольтер прав...»

Он вдруг вспомнил атласное тело девушки в милицейской машине, добрую руку старухи в метро, взгляд молодой Кунигунды... Все перемешалось в этом лучшем из миров, в этом ужасном из миров. И вовсе не надо дожидаться смерти, все здесь — и рай, и ад...

Кандид прижался к волчьему животу. Стало тепло и безопасно. Он уснул под вой. И ему казалось: так уже было когда-то...

Гладкое личико

У Елены Кудрявцевой образовался любовник на четырнадцать лет моложе. Ей — сорок пять, ему — тридцать один. Она решила сделать подтяжку.

Любовник, — его звали Сергей, — говорил: «Не надо никакой подтяжки, и так все хорошо».

И в самом деле, было все хорошо. Елена выглядела на десять лет моложе своих лет, была изначально красива, похожа на балерину. Время, конечно, поставило свои метки — тут и там. Наметился второй подбородок, помялось в углах глаз — немножко, совсем чуть-чуть... Если бы не молодой любовник, сошло и так. Но...

Елена отправилась на операцию. Ей сделали круговую подтяжку. Операция оказалась нешуточной. Под общим наркозом отслаивали кожу от мышц, потом натягивали. Лишнее срезали. Среди волос над виском побрили дорожку — там резали и шили, чтобы подальше от лица.

После операции лицо вздулось, выползли синяки. Вид был как у алкашки, которую били ногами по лицу.

Елена испугалась, что так будет всегда. Она плакала тихонечко от боли и страха. Но на что ни пойдешь ради любви... И еще ради общественного мнения. Елене казалось, что их разница заметна. Люди смотрят и думают: что за пара? Мама с сыном? Или тетка с племянником?

Хотя если разобраться: что такое общественное мнение? Ничего. О.Б.С. — «Одна баба сказала»... Баба сказала и забыла. А ты стой с лицом, будто покусанным роем пчёл. Не говоря о наркозе... Не говоря о деньгах, которые пришлось заплатить за операцию.

Через четыре дня Елена ушла из больницы, повязав голову платочком. А еще через день уехала на дачу, подальше от глаз. К тому же хотелось подышать и прийти в себя после физической агрессии на организм.

На дворе — начало июня. Стучал дятел. Сойки свили гнездо на заборе. Из гнезда торчали разинутые рты прожорливых птенцов. Бедная мамаша-сойка летала туда-сюда, поставляя червяков.

Елена медленно гуляла по своему кусочку леса. И когда оказывалась возле гнезда — сойка буквально пикировала сверху, отгоняла от гнезда. Это было довольно неприятно и опасно. Елена перестала заходить в тот угол своего участка.

На другом краю цвела клубника. Цветки — белые, трогательные, очень простые. Красота в простоте. Сорт назывался «виктория». Ягоды неизменно вызревали крупные, душистые, сладкие — одна к одной. Хоть бери и рисуй.

Елена преподавала русский язык иностранцам — двадцать долларов в час. Но в душе была художницей. Больше всего ей нравилось рисовать, а потом вышивать старинные гобелены. Небольшие, конечно. Маленькие миниатюры.

Елена очень нравилась своим ученикам-иностранцам. Но полюбила она Сережу. Не из патриотических соображений, а так вышло. Судьба подсунула.

Когда-то давно Елена была замужем. У них с мужем родился мальчик с болезнью Дауна. Врачи сказали, что причина болезни — лишняя хромосома. Казалось бы, лучше лишняя, чем не хватает. Но весь человеческий код нарушен. Муж не выдержал постоянного присутствия дауна. Не смог его полюбить. Елена вызвала маму из Сухуми, и они стали жить втроем. Никого в дом не приглашали. Стеснялись и не хотели сочувствия.

Елена любила сына всей душой, но к любви были примешаны боль и отчаяние. Что с ним будет, когда она умрет? Говорят, что такие дети долго не живут. Но и об этом не хотелось думать.

Со временем Елена приспособилась к жизни. Если разобраться — полная семья: она — добытчик. Мать — на хозяйстве. И наивный добрый ребенок, немножко пришелец с другой планеты. И все любят всех. Ко всему — денежная работа, интересное хобби, дружба с женщинами, любовь с мужчинами. Но вот подошло бабье лето, сорок пять лет.

И вместе с годами пришла нежная любовь. Сережа — провинциал. Слаще морковки ничего не ел. Елена казалась ему сказкой наяву. Будто ее не рожала живая женщина, а сам Господь Бог делал по специальным лекалам. Все пропорции идеальны, и ничего лишнего.

И это правда. Но время оставляет свои следы. Эти следы Елена решила убрать. И вот теперь бродит по дачному участку, осторожно ставит ноги: не дай Бог споткнуться и грохнуться.

В природе давно не было дождя. Клубника «виктория» задыхалась и жаловалась. Елена взяла лейку, налила в нее воды. Немного, полведра, но все равно тяжесть. Елена стала поливать свою клубнику, чуть согнувшись. И вдруг услышала легкий треск в районе виска. Было впечатление, что лопнула нитка. И потекла горячая струя.

Елена сообразила, что от напряжения лопнул какой-то большой сосуд, височная вена, например. И кровь потекла в карман между кожей и мышцами. Так оно и оказалось. Во время подтяжки врач слегка задел крупный сосуд и тут же зашил. А сейчас при нагрузке шов оказался несостоятельным. Это называется послеоперационное осложнение.

Первая мысль, которая мелькнула: как же сын? Как они проживут без нее? Никак. Она не должна умереть. Ей нельзя.

Карман наполнялся кровью. Щека раздувалась, и казалось, что кожа сейчас треснет.

Телефона на даче не было. Дача — сильно сказано, просто скромный садовый домик в шестидесяти километрах от города.

Елена поняла, что умирает. Сейчас кровь вытечет — и все. Так кончают с собой, когда режут вены у запястья. А не все ли равно, где вене быть перерезанной — у запястья или у виска.

Елена сообразила: надо, чтобы ее кто-то увидел. Она вышла за калитку. В то время мимо проходила соседка Нина Александровна, восьмидесяти четырех лет. Она жила здесь летом со своей старшей сестрой. Сестрички-долгожительницы.

— Вызовите мне «скорую помощь», — тихо прошелестела Елена.

Слава Богу, Нина Александровна не была глухой. Кричать бы Елена не смогла.

— Что с вами? — удивилась соседка, увидев неестественно раздутую щеку, величиной с маленькую подушку.

— «Скорую»... — повторила Елена.

В этот момент у нее лопнул шов на коже и часть крови рухнула на плечо. Стало легче. Но очень страшно от такого количества собственной крови.

Соседка остолбенела, не могла двинуться с места.

— Идите... — проговорила Елена.

— Да, да... Я сейчас дойду до конторы и позвоню...

Если бы Нина Александровна могла бегать, то она бы побежала. Но она могла только идти медленно, как гусь. Она двинулась к конторе, но вспомнила, что сестра ждет ее к обеду. Она решила прежде предупредить сестру, а потом уже отправиться в контору, которая находилась на расстоянии в полтора километра при въезде в поселок.

Нина Александровна страдала ишемией сердца и артрозом коленного сустава. Идти было тяжело. Но она все же дошла и позвонила, и растолковала: куда ехать, где свернуть и какой номер дома.

«Скорая» прибыла через два часа. Елена была жива, но лицо имело цвет снятого молока. Волосы слиплись скользкой коркой. Плечо и грудь в крови, будто ее убивали.

Врач — крепкий мужик лет пятидесяти — решил, что у нее пробита сонная артерия.

— Лежите, — приказал он. — Не двигайтесь. Вы можете умереть.

Он взял полотенце и стал заматывать, чтобы пережать сосуды.

— Кто это вас? — спросил врач.

— Никто. Я недавно делала пластическую операцию.

— Зачем?

— Чтобы хорошо выглядеть.

— Будете хорошо выглядеть в гробу, — буркнул врач.

Вошел санитар. Они уложили Елену на носилки и перенесли в машину. Ей больше не было страшно. Она понимала, что ее спасут. Сознание немножко путалось, но было при ней. «Только бы не потерять сознание», — подумала Елена и куда-то провалилась.

Очнулась на операционном столе. Над ней стоял врач, но не из «Скорой помощи», а другой — молодой и мускулистый, с серыми глазами. Они о чем-то переговаривались с медицинской сестрой. Полотенце сняли с головы, и горячая кровь изливалась редкими толчками.

— Зашейте мне сосуд, — проговорила Елена.

— Проплачивать будете? — спросил врач.

— Что проплачивать? — не поняла Елена.

— Все. Бинты. Манипуляцию.

— Я же умираю... — слабо удивилась Елена.

— Финансирование нулевое, — объяснил врач. — У нас ничего нет.

— Но руки у вас есть?

— А что руки? Все стоит денег.

— У меня кошелек в сумке. Я не знаю, сколько там. Возьмите все.

— Я в кошелек не полезу, — сказал врач, обращаясь к медицинской сестре: — Посмотри ты.

— Я тоже не полезу, — отказалась сестра.

Елена заплакала, в первый раз. Она поняла, что ее ничто не спасет. Последняя кровь уходила из нее. А у этих двоих нет совести. Им плевать: умрет она или нет. Им важны только деньги.

Большая часть ее жизни пришлась на советский период. И там, в Совке, ее бы спасли. Там все работало. Работала система, и были бинты и совесть. А сейчас система рухнула, и вместе с ней рухнула мораль. Если человек верил в Бога, то ориентировался на заповеди.

А если нет, как этот врач, — значит, никаких ориентиров. И придется умирать.

Слеза пошла к виску, вымывая себе дорожку. И в это время отворилась дверь, и вбежал Сережа. Видимо, Нина Александровна позвонила не только в «Скорую помощь», но и Елене домой, сообщила маме. А мама — Сереже. И вот он здесь.

Через минуту появилась капельница, хирургическая медсестра в голубом халате, а мускулистый хирург мыл руки для операции. Сережа все проплатил. В твердой валюте. Он был новый русский — молодой и богатый.

Через месяц Елена собирала клубнику «виктория» в плетеный туесок. Ягоды — одна к одной. Запах — несравненный. Ничто в природе не пахнет так, как земляника и клубника. В этом запахе — и горечь, и солнечный жар, и аромат земли. Описать невозможно, нечего и стараться.

Елена понюхала. Потом поела, чтобы восстановить гемоглобин. Потом помазала лицо. Через полчаса смыла маску.

Все швы затянулись и привыкли к новому натяжению. Лицо было гладким. Глаза сияли синим. Из глубины зеркала на нее смотрела молодая женщина лет тридцати. Не больше. Ей — тридцать. Сереже — тридцать один. Нормальная разница.

Фигура у Елены всегда была идеальной: ни убавить, ни прибавить. А теперь и лицо — гладенькое, как яичко. На сколько ей хватит такого лица? Лет на десять? А там можно опять подтянуть.

О том, что она чуть не умерла, как-то забылось. Было и прошло.

Мало ли что бывает...

Содержание

Литературно-художественное издание

Токарева Виктория Самойловна

Мало ли что бывает…

Повести и рассказы

Художественный редактор О.Н. Адаскина
Технический редактор О.В. Панкрашина
Младший редактор Е.А. Лазарева

Подписано в печать 31.05.2000 г.
Формат 84×108^1/$_{32}$. Усл. печ. л. 25,2.
Тираж 8000 экз. Заказ № 1082.

Налоговая льгота — общероссийский классификатор продукции
ОК-00-93, том 2; 953000 — книги, брошюры

ООО «Издательство АСT»
Лицензия ИД № 00017 от 16 августа 1999 г.
366720, Республика Ингушетия,
г. Назрань, ул. Кирова, д. 13
Наши электронные адреса:
WWW.AST.RU
E-mail: astpub@aha.ru

Отпечатано с готовых диапозитивов в типографии издательства
"Самарский Дом печати"
443086, г. Самара, пр. К. Маркса, 201.

Качество печати соответствует предоставленным диапозитивам.